交通运输建设科技丛书·公路基础设施建设与养护
交通运输建设科技项目经费支持

汶川地震公路震害调查

桥 梁

主 编 陈乐生
副主编 庄卫林 赵河清 万振江

内容提要

地震震害调查是人们认识地震、研究工程抗震技术最直接的方法，是恢复重建的必需工作，也是为防震减灾工作提供宝贵基础资料的有效手段。本书将"5·12"汶川特大地震公路桥梁震害详细、客观地记录下来，并加以深入研究而成。本书共分12章。第1章介绍桥梁震害调查的范围、方法和震害等级的划分标准。第2章首先介绍汶川地震灾区桥梁总体震害情况、主要受灾道路中的桥梁受损概况、桥梁震害区域分布特点，然后分别介绍简支梁桥、连续梁桥、拱桥、连续刚构桥四种桥型的震害特点，并采用统计方法分析了各桥型主要构件的震害情况，归纳和总结了汶川地震公路桥梁震害特征。第3~10章分别介绍四川省境内八条公路的桥梁震害情况及典型桥梁的震害现象。第11章为甘肃、陕西两省境内的公路桥梁震害情况及典型桥梁的震害现象。第12章收录了部分震害较为典型的市政桥梁和县乡道路桥梁情况。

本书可供从事公路桥梁抗震减灾的科研人员使用，也可供从事桥梁设计、施工的技术人员使用。

图书在版编目（CIP）数据

汶川地震公路震害调查. 桥梁 / 陈乐生主编. —北京：人民交通出版社，2012.3
（交通运输建设科技丛书. 公路基础设施建设与养护）

ISBN 978-7-114-09590-0

Ⅰ. ①汶… Ⅱ. ①陈… Ⅲ. ①公路桥—地震灾害—调查研究—汶川县—2008 Ⅳ. ① P316.271.4

中国版本图书馆 CIP 数据核字（2012）第 028796 号

交通运输建设科技丛书·公路基础设施建设与养护

书　　名：	汶川地震公路震害调查　桥梁
著　作　者：	陈乐生
责任编辑：	沈鸿雁　曲　乐　王文华
出版发行：	人民交通出版社
地　　址：	（100011）北京市朝阳区安定门外外馆斜街 3 号
网　　址：	http://www.ccpress.com.cn
销售电话：	（010）59757969，59757973
总 经 销：	人民交通出版社发行部
经　　销：	各地新华书店
印　　刷：	北京盛通印刷股份有限公司
开　　本：	787×1092　1/16
印　　张：	37.25
字　　数：	745 千
版　　次：	2012 年 3 月　第 1 版
印　　次：	2012 年 3 月　第 1 次印刷
书　　号：	ISBN 978-7-114-09590-0
定　　价：	130.00 元

（有印刷、装订质量问题的图书由本社负责调换）

交通运输建设科技丛书编审委员会

主　任：赵冲久
副主任：李祖平　洪晓枫　罗　强
委　员：赵之忠　林　强　付光琼　石宝林　张劲泉　费维军
　　　　关昌余　张华庆　蒋树屏　沙爱民　郑健龙　唐伯明
　　　　孙立军　王　炜　张喜刚　吴　澎　韩　敏

《汶川地震公路震害调查》编写委员会

主　编： 陈乐生
副主编： 庄卫林　赵河清　万振江
编　委：（按姓氏笔画排列）

万振江	马洪生	王克海	王明年	王　联	刘　启
刘振宇	吉随旺	向　波	庄卫林	朱学雷	权　全
朱　钰	吴祥海	李玉文	李家春	李建中	陈乐生
陈　强	张建经	林国进	林柏松	苗　宇	赵河清
赵灿辉	唐永建	唐光武	涂　静	舒　森	程　强
黄　浩	黄润秋	裴向军			

《汶川地震公路震害调查》编写单位

四川省交通运输厅公路规划勘察设计研究院

甘肃省公路管理局

陕西省公路局

西南交通大学

成都理工大学

交通运输部公路科学研究院

重庆交通科研设计院

同济大学

总　　序

"十一五"以来，交通运输行业深入贯彻落实科学发展观，加快转变发展方式，大力推进交通运输事业又好又快发展。到2010年年底，全国公路通车总里程突破400万公里，从改革开放之初的世界第七位跃居第二位，其中高速公路通车里程达到7.4万公里，居世界第二位；公路货运量从世界第六位跃居第一位；内河通航里程、港口货物和集装箱吞吐量均居世界第一。交通运输事业的快速发展不仅在应对国际金融危机、保持经济平稳较快发展等方面发挥了重要作用，而且为改善民生、促进社会和谐作出了积极贡献。

长期以来，部党组始终把科技创新作为推进交通运输发展的重要动力，坚持科技工作面向交通运输发展主战场，加大科技投入，强化科技管理，推进产学研相结合，开展重大科技研发和创新能力建设，取得了显著成效。通过广大科技工作者的不懈努力，在多年冻土、沙漠等特殊地质地区公路建设技术，特大跨径桥梁建设技术，特长隧道建设技术和深水航道整治技术等方面取得重大突破和创新，获得了一系列具有国际领先水平的重大科技成果，显著提升了行业自主创新能力，有力支撑了重大工程建设，培养和造就了一批高素质的科技人才，为发展现代交通运输业奠定了坚实基础。同时，部积极探索科技成果推广的新途径，通过实施科技示范工程，开展材料节约与循环利用专项行动计划，发布科技成果推广目录等多种方式，推动了科技成果更多更快地向现实生产力转化，营造了交通运输发展主动依靠科技创新，科技创新更加贴近交通运输发展的良好氛围。

组织出版《交通运输建设科技丛书》，是深入实施科技强交战略，加大科技成果推广应用的又一重要举措。该丛书共分为公路基础设施建设与养护、水运基础设施建设与养护、安全与应急保障、运输服务和绿色交通等领域，将汇集交通运输建设科技项目研究形成的具有较高学术和应用价值的优秀专著。丛书的逐年出版和不断丰富，将有助于集中展示交通运输建设重大科技成果，传承科技创新文化，体现交通运输行业科技人员的智慧，促进高层次的技术交流、学术传播和专业人才培养，并逐渐成为科技成果转化的重要载体。

"十二五"期是加快转变发展方式、发展现代交通运输业的关键时期。深入实施科技强交战略,是一项关系全局的基础性、引领性工程。希望广大交通运输科技工作者进一步增强做好交通运输科技工作的责任感和紧迫感,团结一致,协力攻坚,努力开创交通运输科技工作新局面,为交通运输全面、协调和可持续发展作出新的更大贡献!

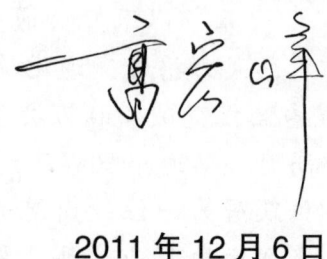

2011年12月6日

前　言

2008年5月12日14时28分，四川省汶川县发生了里氏8.0级特大地震，这是新中国成立以来破坏性最强、波及范围最广、救灾难度最大的一次特大自然灾害。公路基础设施在此次地震中受到严重的破坏，路基被掩埋和淹没、桥梁垮塌、隧道受损，通往灾区的公路一度完全中断，给抢险救灾带来极大的困难。

地震震害调查是人们认识地震、研究工程抗震技术最直接的方法，是恢复重建的必需工作，也是为防震减灾工作提供宝贵基础资料的有效手段。"5·12"汶川地震发生后，交通运输部各级领导亲赴灾区指导公路抗震救灾和公路抢通工作的同时，要求将公路震害详细、客观地记录下来作为史料保存并加以深入研究。

为此，交通运输部科技司及西部交通建设科技项目管理中心相继启动公路抗震救灾系列科研项目，形成"汶川地震灾后重建公路抗震减灾关键技术研究"重大专项。通过近三年的研究，西部交通建设科技项目"汶川地震公路震害评估、机理分析及设防标准评价"于2011年5月通过交通部西部交通建设科技项目管理中心组织的鉴定验收。该项目研究针对"5·12"汶川地震灾区公路震害开展系统调查，以文字、图片及数据库方式完整保存公路震害史料，建立基于地理信息系统、可供查询的公路震害数据库，并在大量震害统计分析基础上借助振动台模型试验、数值模拟、理论分析等方法进行典型震害机理分析，并结合公路震损特点评价设防标准适宜性，提出抗震设防对策及建议。

汶川地震公路震害调查范围覆盖了四川、甘肃、陕西三省重灾区、极重灾区内的所有高速公路和国省干线，以及部分具有典型震害特征的县乡道路，共47条，总长约7 074km。调查工作量：937个公路沿线地质灾害点，600余条实测地质剖面，1 488个路基震害点，2 207座桥梁，56座隧道，拍摄收集公路震害照片50 000余张等。

在公路震害调查中，四川省交通运输厅公路规划勘察设计研究院牵头负责四川省境内公路震害调查，甘肃省公路管理局牵头负责甘肃省境内公路震害调查，陕西省公路局牵头负责陕西省境内公路震害调查，最后由四川省交通运输厅公路规划勘察设计研究院牵头汇总所有调查资料。

为了给公路抗震减灾能力的研究提供基础资料，并为相关研究者和关注者提供借鉴，项目组分阶段整理研究成果，于2009年5月出版《汶川地震公路震害图集》，现又将公路震害调查和机理分析的主要成果整理形成《汶川地震公路震害调查》（共四册）和《汶川地震公路震害分析》（共两册）。

本书力求全面、客观展示汶川地震灾区公路震害，另外，为了便于研究，书中对能收集到的原设计情况进行了描述。

《汶川地震公路震害调查》按专业分为地质灾害、路基、桥梁、隧道等四册。

本书为桥梁分册，共分12章。第1章介绍了桥梁震害调查的范围、方法和震害等级的划分标准。第2章首先介绍了汶川地震灾区桥梁总体震害情况、主要受灾道路中的桥梁受损概况、桥梁震害区域分布特点，然后分别介绍了简支梁桥、连续梁桥、拱桥、连续刚构桥四种桥型的震害特点，并采用统计方法分析了各桥型主要构件的震害情况，归纳和总结了汶川地震公路桥梁震害特征。第3~10章分别介绍了四川省境内八条公路的桥梁震害情况及典型桥梁的震害现象。第11章为甘肃、陕西两省境内的公路桥梁震害情况及典型桥梁的震害现象。第12章收录了部分震害较为典型的市政桥梁和县乡道路桥梁情况。第3~11章中采用了"先整体，后局部"的编写方式，先简要介绍本路段的桥梁震害表现及特点，再介绍典型桥梁震害表现。典型桥梁中既收入了受损严重或损毁的桥梁，也收入了部分在地震中表现良好、震害较轻的桥梁，便于从正、反两方面总结震害经验。

书中还对部分震害现象较为典型的桥梁进行了简要分析，这些分析只是编写者的一些拙见，限于作者的认识水平和分析能力，难免有不足和不当之处，仅供参考，但书中对于震害现象的描述及震害情况的统计数据均是客观和翔实的。

本册主要由庄卫林、刘振宇、赵灿晖、苗宇、吴祥海、涂静执笔编写。另外，蒋劲松、李建中、唐光武、吴涤、李本伟、贺智功、易志宏、黄麟、林志敏、余强、赵河清、陈涛、潘恩杰、刘启、万振江、舒森、朱钰、刘健新、赵国辉、郭庆利、余金良、邹宇、王克海、李茜、韦韩、胡建新、李远哲、王兴成等人员也参与部分编写工作。

本册由庄卫林、刘振宇、苗宇统稿。

陈乐生、唐永建、李建中、唐光武、李玉文、吉随旺、赵河清、万振江等同志对本册进行了审阅。

本书的编写始终得到了交通运输部、交通部西部交通建设科技项目管理中心、四川省交通运输厅、甘肃省交通运输厅、陕西省交通运输厅等单位的各级领导的关心、帮助和指导，人民交通出版社为本书的出版给予热忱关怀，本项目也得到了科技部国际科技合作项目（2009DFA82480）"高烈度地震区公路结构物抗震与恢复重建技术研究"的支持，谨此致谢！

限于编者水平有限，加之时间紧迫，书中不足之处在所难免，恳请广大读者批评指正。

编　者
2011年10月

汶川地震桥梁震害
Damage on Bridges due to the Wenchuan earthquake

国道 213 都江堰至映秀段公路　百花大桥第 5 联桥整体垮塌

百花大桥为 S 形曲线连续梁顺河桥，全桥长 496m，桥宽 8m，最大墩高为 30.3m，抗震设防烈度为Ⅶ度。上部构造分为 6 联，除第 3 联采用简支 T 梁外，其余各联均为连续梁。大桥于 2004 年建成。大桥位于发震断层下盘，距断层约 0.6km，距离映秀镇 1.6km。在地震中，第 5 联桥整体垮塌，其余梁体严重移位，桥墩出现大量的压溃。

The whole 5th span's paragraph of the Baihua Bridge on the G213 Highway collapsed

The 496m long and 8m wide Baihua Bridge with 30.3m highest pier was located in a "S" shape curve in plan. Its seismic fortification intensity was Ⅶ degree. Except the third paragraph which was a simply supported T-beam bridge, the other paragraphs were continuous beam bridges. The bridge was built in 2004. The bridge which was on the lower side of the fault was only 0.6km away from the fault and 1.6km away from Yingxiu. During the earthquake, the whole fifth paragraph collapsed and the displacement of the other paragraphs was great and many piers were crushed.

国道 213 映秀至汶川段公路 彻底关大桥 1~3 跨垮塌

彻底关大桥为简支梁桥，大桥于 2007 年 11 月建成，全长 330m，抗震设防烈度为Ⅶ度。在地震中汶川岸三跨桥梁被山体崩塌的巨石砸毁。

The first 3 spans of Chediguan Bridge on G213 Highway collapsed completely

The 330m long Chediguan Bridge was a simply supported beam bridge and its seismic fortification intensity was Ⅶ degree. The bridge was built in November 2007.During the earthquake, the piers of the fist three spans were hit and destroyed by falling stones and the three spans of the bridge collapsed.

省道 105 北川至沙洲段公路 南坝大桥发生落梁

南坝大桥为简支梁桥，桥梁全长为 226m。设计时间为 2007 年，抗震设防烈度为Ⅶ度，发震断层上盘，与中央主断裂走向大致平行，距中央主断裂 2.9km。在地震中，第 1、3 ~ 9 跨发生落梁，桥墩墩底、墩顶开裂。

Beams falling occurred in the Nanba Bridge which was on the S105 Highway from Beichuan to Shazhou

The 226m long Nanba Bridge was a simply supported beam bridge. The bridge was design in 2007 and its seismic fortification intensity was Ⅶ degree. It located on the upper side of the fault was nearly parallel to the fault and 2.9km away from the fault. During the earthquake, the beams of the 1st and 3rd to 9th spans fell and both ends of the piers cracked.

钢筋混凝土桥墩破坏 百花大桥的钢筋混凝土桥墩墩底压溃，钢筋外鼓
The pier bottom of the Baihua Bridge crushed, and steel bars were pushed outwards

钢筋混凝土桥墩破坏 回澜立交桥墩墩顶压溃
The concrete on the top of the pier of the Huilan Overpass was crushed

圬工拱桥的垮塌 南坝拱桥整体垮塌
南坝拱桥位于省道 105 北川至沙洲段公路，大桥为主跨 2×60m 的双曲拱桥，在地震中整体垮塌
The Nanba Arch Bridge collapsed completely
The Nanba Arch Bridge located on the S105 Highway from Beichuan to Shazhou was a 2×60m masonry double arch bridge. The bridge collapsed completely during the earthquake.

目 录

- 第1章 震害调查范围与方法 ... 001
  - 1.1 调查范围 ... 001
  - 1.2 震害调查阶段及内容 ... 002
  - 1.3 桥梁震害类型及震害等级划分 ... 005
- 第2章 震害综述 ... 014
  - 2.1 震害概要 ... 014
  - 2.2 受灾桥梁区域分布特点 ... 021
  - 2.3 桥梁规模及桥型震害特征 ... 026
  - 2.4 简支梁桥震害 ... 028
  - 2.5 连续梁桥震害 ... 035
  - 2.6 拱桥震害 ... 039
  - 2.7 连续刚构桥震害 ... 044
  - 2.8 汶川地震公路桥梁震害特征 ... 045
- 第3章 国道213线映秀镇至都江堰段公路 ... 047
  - 3.1 公路及桥梁概况 ... 047
  - 3.2 震害概要 ... 049
  - 3.3 渔子溪桥 ... 053
  - 3.4 百花大桥 ... 057
  - 3.5 蒙子沟中桥 ... 074
  - 3.6 小黄沟中桥 ... 079
  - 3.7 水打沟中桥 ... 082
  - 3.8 蒙子杠中桥 ... 083
  - 3.9 小麻溪中桥 ... 085
  - 3.10 古溪沟中桥 ... 085
  - 3.11 寿江大桥 ... 089
  - 3.12 蒲家沟大桥 ... 097
  - 3.13 白水溪大桥 ... 100
  - 3.14 大沟中桥 ... 103
  - 3.15 水井湾大桥 ... 106
- 第4章 都江堰至映秀高速公路 ... 109
  - 4.1 公路及桥梁概况 ... 109

4.2	震害概要	111
4.3	成灌高速公路跨线桥（左线）	115
4.4	成灌高速赔路跨线桥（右线）	121
4.5	走马河中桥	126
4.6	沙沟河大桥	130
4.7	庙子坪岷江特大桥	133
4.8	新房子大桥左线	152
4.9	新房子大桥右线	159
4.10	映秀变电站小桥	169
4.11	映秀顺河桥	171
4.12	映秀岷江大桥	174

第5章 国道213线映秀至汶川段公路　183

5.1	公路及桥梁概况	183
5.2	震害概要	185
5.3	K26+772.4 顺河桥	192
5.4	K27+900 大桥	195
5.5	独秀峰大桥	196
5.6	兴文坪大桥	201
5.7	一碗水中桥	204
5.8	罗圈湾中桥	205
5.9	变电站中桥	208
5.10	彻底关大桥	209
5.11	福堂坝中桥	214
5.12	福堂大桥	215
5.13	K48+503 小桥	218
5.14	桃关大桥	219
5.15	草坡吊桥大桥	220
5.16	草坡2号大桥	221
5.17	草坡3号大桥	225
5.18	草坡4号大桥	229
5.19	羊店1号大桥	233
5.20	羊店2号大桥	236
5.21	飞沙关2号大桥	241
5.22	新店大桥	244
5.23	高店大桥	248
5.24	中坝大桥	252

第6章 省道303线映秀至卧龙段公路 ... 256
6.1 公路及桥梁概况 ... 256
6.2 震害概要 ... 257
6.3 渔子溪1号桥 ... 260
6.4 渔子溪2号桥 ... 265
6.5 渔子溪3号大桥 ... 267
6.6 渔子溪4号桥 ... 272
6.7 渔子溪6号桥 ... 274
6.8 龙潭电站中桥 ... 277
6.9 巴郎河中桥 ... 279

第7章 省道105线彭州至沙洲段公路 ... 281
7.1 公路及桥梁概况 ... 281
7.2 震害概要 ... 283
7.3 马井大桥 ... 287
7.4 射水河大桥 ... 289
7.5 绵远河大桥 ... 291
7.6 干河子大桥 ... 294
7.7 安州大桥 ... 297
7.8 擂鼓大桥 ... 301
7.9 陈家坝大桥 ... 304
7.10 金谷垭3号桥 ... 305
7.11 桂溪大桥 ... 307
7.12 铜子梁桥 ... 309
7.13 南坝大桥 ... 312
7.14 南坝拱桥 ... 317
7.15 纸房坝桥 ... 318
7.16 曲河大桥 ... 320
7.17 井田坝大桥 ... 324

第8章 省道302线江油经北川至茂县段公路 ... 325
8.1 公路及桥梁概况 ... 325
8.2 震害概要 ... 327
8.3 湔江河大桥 ... 333
8.4 石蓑衣大桥 ... 343
8.5 让水大桥 ... 346
8.6 黄江大桥 ... 348
8.7 硝洞子2号桥 ... 351

8.8 母猪桥	352
8.9 笼子口 2 号桥	355
8.10 笼子口大桥	357

第 9 章　省道 205 线平武白马至江油段公路 — 359

9.1 公路及桥梁概况	359
9.2 震害概要	360
9.3 关坝大桥	364
9.4 白草大桥 1 号桥	365
9.5 白草大桥 2 号桥	368
9.6 石头坝桥	370
9.7 高庄团结桥	371
9.8 甘孜坝桥	374
9.9 甘溪沟桥	377

第 10 章　国道 212 线姚渡至广元段公路 — 379

10.1 公路及桥梁概况	379
10.2 震害概要	381
10.3 白水河大桥	383
10.4 龙洞河大桥	389
10.5 中区 2 号桥	392
10.6 K768+000 小桥	394
10.7 干溪河大桥	395
10.8 苍溪河大桥	399
10.9 王家营 1 号桥	401

第 11 章　甘肃、陕西境内桥梁 — 404

11.1 震害概要	404
11.2 罗旋沟桥	405
11.3 甘家沟桥	407
11.4 关头坝大桥	408
11.5 碧峰沟桥	410
11.6 毛沟坪 2 号桥	411
11.7 东河桥	412
11.8 毛坝大桥	413
11.9 西水河大桥	415
11.10 嘉陵江大桥	416

第 12 章　城市桥梁及县乡级道路桥梁 — 417

12.1 调查情况说明	417

12.2 小渔洞大桥 ... 417
12.3 金花大桥 ... 424
12.4 绵竹回澜立交桥 ... 428
12.5 都江堰高原大桥 ... 438
12.6 绵竹汉旺绝缘桥 ... 440
12.7 辕门坝桥 ... 441
12.8 彻底关拱桥 ... 441
12.9 其他桥梁 ... 441

附录 ... 444
附录 A 汶川地震灾区桥梁震害调查线路桥梁统计表 ... 444
附录 B 汶川地震灾区桥梁震害情况统计表 ... 447
附录 C 调查道路桥梁信息表 ... 450
附录 D 县乡级道路桥梁及市政桥梁概况表 ... 565

参考文献 ... 568
后记 ... 569

Contents

Chapter 1　Investigated Area and Method ··· 001
　1.1　Investigated area ·· 001
　1.2　Stages and content of the investigation ·· 002
　1.3　Modes and levels of damage to bridges ·· 005

Chapter 2　Review of Damage ··· 014
　2.1　Outline of damage ··· 014
　2.2　The regional distribution characteristics of damage bridges ················ 021
　2.3　The seismic bridge damage characteristic in terms of scales and types ··· 026
　2.4　The seismic damage to simply supported girder bridges ····················· 028
　2.5　The main damage to continuous girder bridges ·································· 035
　2.6　The seismic damage to arch bridges ··· 039
　2.7　Damage to continuous rigid frame bridges ·· 044
　2.8　The characteristics of seismic bridge damage in the Wenchuan Earhtquake ··· 045

Chapter 3　The 213 National Highway from Yingxiu to Dujiangyan ··············· 047
　3.1　Outline of route and bridges ·· 047
　3.2　Outline of damage ··· 049
　3.3　The Yuzixi Bridge ··· 053
　3.4　The Baihua Bridge ·· 057
　3.5　Mengzigou Bridge ··· 074
　3.6　The Xiaohuanggou Bridge ·· 079
　3.7　The Shuidagou Bridge ·· 082
　3.8　The Mengzigang Bridge ··· 083
　3.9　The Xiaomaxi Brdge ·· 085
　3.10　The Guxigou Brdge ·· 085
　3.11　The Shoujiang Bridge ··· 089
　3.12　The Pujiagou Bridge ·· 097
　3.13　The Baishuixi Bridge ·· 100
　3.14　The Dagou Mid-Bridge ··· 103
　3.15　The Shuijingwan Bridge ·· 106

Chapter 4　The Expressway from Dujiangyan to Yingxiu ······························ 109
　4.1　Outline of route and bridges ·· 109

4.2	Outline of damage	111
4.3	The left flyover bridge in the Chengguan Expressway Auxiliary Road	115
4.4	The right flyover bridge in the Chengguan Expressway Auxiliary Road	121
4.5	The Zoumahe Bridge	126
4.6	The Shagouhe Bridge	130
4.7	The Miaoziping Bridge	133
4.8	The Left Line of the Xinfangzi bridge	152
4.9	The Right Line of the Xinfangzi Bridge	159
4.10	The Yingxiu Biandianzhan Bridge	169
4.11	The Yingxiu Shunhe Bridge	171
4.12	The Yingxiu Minjiang Bridge	174

Chapter 5　The 213 National Highway from Yingxiu to Wenchuan 183

5.1	Outline of route and bridges	183
5.2	Outline of damage	185
5.3	Shunhe Bridge in K26+772.4	192
5.4	Bridge in K27+900	195
5.5	Duxiufeng Bridge	196
5.6	Xingwenping Bridge	201
5.7	Yiwanshui Bridge	204
5.8	Luoquanwan Bridge	205
5.9	Biandianzhan Bridge	208
5.10	Chediguan Bridge	209
5.11	Futangba Bridge	214
5.12	Futang Bridge	215
5.13	Bridge in K48+503	218
5.14	Taoguan Bridge	219
5.15	Caopo Diaoqiao Bridge	220
5.16	Caopo No.2 Bridge	221
5.17	Caopo No.3 Bridge	225
5.18	Caopo No.4 Bridge	229
5.19	Yangdian No.1 Bridge	233
5.20	Yangdian No.2 Bridge	236
5.21	Feishaguan No.2 Bridge	241
5.22	Xindian Bridge	244
5.23	Gaodian Bridge	248
5.24	Zhongba Bridge	252

Chapter 6　The 303 Provincial Road from Yingxiu to Wolong ·················· 256
6.1　Outline of route and bridges ·················· 256
6.2　Outline of the damage ·················· 257
6.3　Yuzixi No.1 Bridge ·················· 260
6.4　Yuzixi No.2 Bridge ·················· 265
6.5　Yuzixi No.3 Bridge ·················· 267
6.6　Yuzixi No.4 Bridge ·················· 272
6.7　Yuzixi No.6 Bridge ·················· 274
6.8　Longtan Dianzhan Bridge ·················· 277
6.9　Baranhe Mid-Bridge ·················· 279

Chapter 7　The 105 Provincial Road from Pengzhou to Shazhou ·················· 281
7.1　Outline of route and bridges ·················· 281
7.2　Outline of the damage ·················· 283
7.3　Majing Bridge ·················· 287
7.4　Sheshuihe Bridge ·················· 289
7.5　Mianyuanhe Bridge ·················· 291
7.6　Ganhezi Bridge ·················· 294
7.7　Anzhou Bridge ·················· 297
7.8　Leigu Bridge ·················· 301
7.9　Chenjiaba Bridge ·················· 304
7.10　Jinguya No.3 Bridge ·················· 305
7.11　Guixi Bridge ·················· 307
7.12　Tongziliang Bridge ·················· 309
7.13　Nanba Bridge ·················· 312
7.14　Nanba Arch Bridge ·················· 317
7.15　Zhifangba Bridge ·················· 318
7.16　Quhe Bridge ·················· 320
7.17　Jingtianba Bridge ·················· 324

Chapter 8　The 302 Provincial Road from Beichuan to Maoxian ·················· 325
8.1　Outline of route and bridges ·················· 325
8.2　Outline of damage ·················· 327
8.3　Jianjianghe Bridge ·················· 333
8.4　Shisuoyi Bridge ·················· 343
8.5　Rangshui Bridge ·················· 346
8.6　Huangjiang Bridge ·················· 348
8.7　Xiaodongzi No.2 Bridge ·················· 351

8.8	Muzhu Bridge	352
8.9	Longzikou No.2 Bridge	355
8.10	Longzikou Bridge	357

Chapter 9　The 205 Provincial Road from Pingwu Baima to Jiangyou　359

9.1	Outline of route and bridges	359
9.2	Outline of damage	360
9.3	Guanba Bridge	364
9.4	Baicao No.1 Bridge	365
9.5	Baicao No.2 Bridge	368
9.6	Shitouba Bridge	370
9.7	Gaozhuang Tuanjie Bridge	371
9.8	Ganziba Bridge	374
9.9	Ganxigou Bridge	377

Chapter 10　The 212 National Highway from Yaodu to Guangyuan　379

10.1	Outline of route and bridges	379
10.2	Outline of damage	381
10.3	Baishuihe Bridge	383
10.4	Longdonghe Bridge	389
10.5	Zhongqu No.2 Bridge	392
10.6	Bridge in K768+000	394
10.7	Ganxihe Bridge	395
10.8	Cangxihe Bridge	399
10.9	Wangjiaying No.1 Bridge	401

Chapter 11　The Highway in Gansu Province and Shaanxi Province　404

11.1	Outline of damage	404
11.2	Luoxuangou Bridge	405
11.3	Ganjiagou Bridge	407
11.4	Guantouba Bridge	408
11.5	Bifenggou Bridge	410
11.6	Maogouping No.2 Bridge	411
11.7	Donghe Bridge	412
11.8	Maoba Bridge	413
11.9	Youshuihe Bridge	415
11.10	Jialingjiang Bridge	416

Chapter 12　Urban Bridge and Country Road Bridge　417

12.1	Investigation showed	417

12.2　Xiaoyudong Bridge ·· 417
12.3　Jinhua Bridge ··· 424
12.4　Mianzhu Huilan Overpass ··· 428
12.5　Dujiangyan Gaoyuan Bridge ·· 438
12.6　Hanwang Jueyuan Bridge ··· 440
12.7　Yuanmenba Bridge ·· 441
12.8　Chediguan Arch Bridge ·· 441
12.9　Other bridge ··· 441

Appendix ··· 444

Appendix A　Table of the bridge in investigated expressway and highway in Wenchuan earthquake area ··· 444

Appendix B　Statstics of the seismic damage bridge in Wenchuan earthquake area ············ 447

Appendix C　Information of the bridges in investigated expressway and highway ············· 450

Appendix D　Information of the bridges in the county road and city ······························· 565

References ··· 568
Postscript ··· 569

第 1 章　震害调查范围与方法
Chapter 1　Investigated Area and Method

1.1　调查范围 Investigated area

震害调查以国家确定的重灾区、极重灾区内的国省干线公路和部分县乡道路上的所有桥梁为调查对象，覆盖了四川、陕西、甘肃三省极重灾区 10 个县（市），包括汶川县、北川县、绵竹市、什邡市、青川县、茂县、安县、都江堰市、平武县、彭州市，重灾区 41 个县（市、区），其中四川省 29 个县（市），甘肃省 8 个县（市），陕西省 4 个县（市），共 47 条高速公路和国省干线公路。其中：四川境内共调查高速公路 12 条，国省道公路 28 条；甘肃境内共调查国省道公路 3 条；陕西境内共调查国省道公路 4 条。三省共调查国省干线公路桥梁 2 154 座，具体为：四川境内调查桥梁 1 889 座，甘肃境内调查桥梁 113 座，陕西境内调查桥梁 152 座。此外四川省还调查了 4 条县乡级道路及市政桥梁共计 53 座。调查区域内路网分布如图 1-1 所示。调查涉及的国道、省道公路参见附录 A。

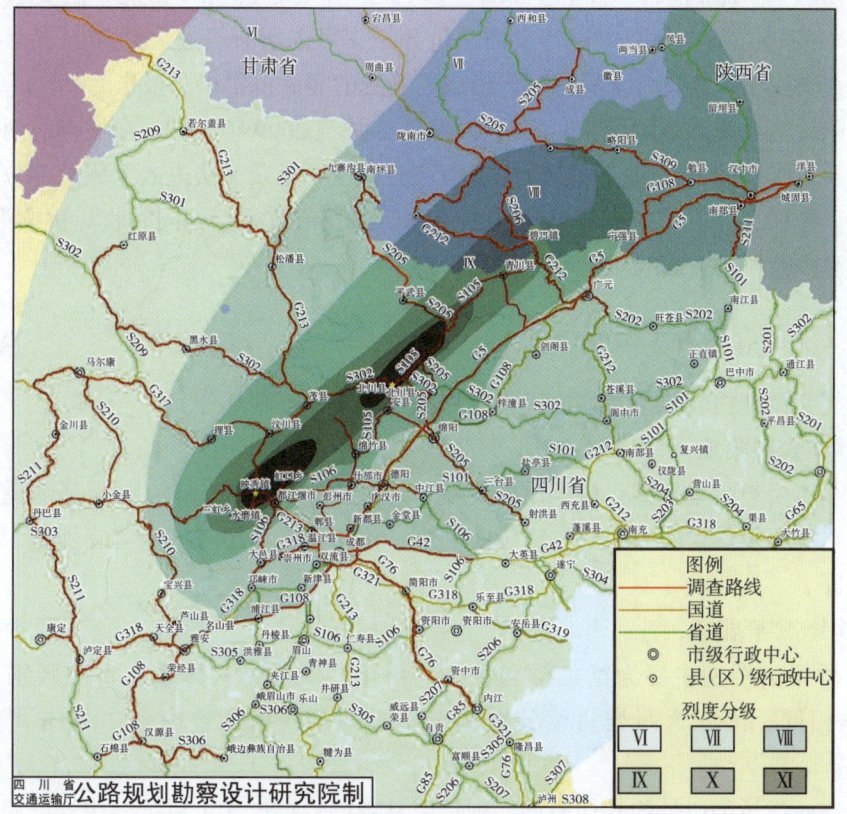

图 1-1　调查的高速公路和国省干线
Figure 1-1　Location of the investigated expressway and highway in seismic area

调查区域内涵盖了实际地震烈度为Ⅵ～Ⅺ度区域，绝大部分重灾区、极重灾区的桥梁在震前的抗震设防烈度为Ⅶ度（广元附近的部分桥梁设防烈度为Ⅵ度）[1]。2 154座国省干线公路桥梁中：Ⅵ度区内746座桥梁，Ⅶ度区内778座桥梁，Ⅷ度区内287座桥梁，Ⅸ度区内175座桥梁，Ⅹ、Ⅺ度区内168座桥梁。

调查桥梁的桥型有简支梁、连续梁、圬工拱桥、上承式钢筋混凝土拱桥、中承式钢筋混凝土拱桥、斜拉桥、悬索桥等。

1.2　震害调查阶段及内容 Stages and content of the investigation

1.2.1　调查阶段 Stages

汶川地震公路桥梁震害调查分三阶段进行。

第一阶段为应急抢通阶段，时间为2008年5月12日至2008年5月27日，特点是震后第一时间进入灾区，所取得的震害资料最能反映震后公路桥梁的震害情况，时效性强。调查范围仅限于通往极重灾区的生命通道，基本不使用仪器设备，仅通过震害现象对桥梁的通行能力进行专家评定，以满足应急交通需求，体现"急、快"的特点。

第二阶段为保通阶段，时间为2008年5月23日至2008年7月底，由交通主管部门统一协调和安排，调查范围广泛、全面，包含了灾区内所有高速公路和国省干线公路桥梁。在调查时应用仪器进行全面检测，形成了系统的震后桥梁检测报告。

第三阶段为补充调查阶段，时间为2008年8月至2009年5月，在核查前两个阶段的调查资料及数据基础上，对前两阶段中震害调查深度不足及无法进入区域的部分桥梁进行补充调查。本阶段还补充调查了部分县乡道路桥梁及市政桥梁，同时收集桥梁设计资料、测量桥梁坐标及桥轴方向等桥梁基本信息。

1.2.2　调查内容 Content

桥梁震害调查内容包括基本资料收集和现场震害调查两部分。

1）基本资料收集

桥梁基本资料收集包括：桥梁设计资料、地理位置及桥轴走向；桥梁所属道路的建设年代、道路等级及设计时采用的抗震设防烈度；汶川地震时桥址区的实际烈度、地震动峰值加速度等。

2）现场震害调查

灾区桥梁的桥型主要为梁式桥和拱桥。由于二者的结构体系有本质区别，震害现象也各不相同，因此为两类桥梁分别拟定了不同的震害调查内容。具体调查内容见表1-1。

对于这两类桥型以外的其他桥型，则针对其震害表现形式、桥梁结构特征单独制定调查内容；由于其他桥型数量较少，限于篇幅，其调查内容这里不再一一介绍。

表 1-1 两类桥型震害调查主要内容
Table 1-1 Investigation of main seismic damage to the beam bridges and arch bridges

梁式体系桥梁震害调查	上部结构及支承	梁体的平面移位、有无落梁、有无潜在的落梁风险
		各联桥梁在伸缩缝处的撞击损伤
		主梁梁体、横隔板、桥面板、铰缝开裂情况
		支座损伤、变形、移位、脱空,以及抗震锚栓失效情况
		桥面铺装损伤及伸缩缝的变位损伤情况
	下部结构	盖梁、垫石、挡块开裂、破损等损伤情况
		墩柱剪切、压溃、开裂、倾斜情况
		桥台的撞击损伤、台身开裂、锥坡破坏情况
		墩、台基础移位情况
	桥梁附属结构	—
拱式体系桥梁震害调查	上部结构	主、腹拱圈是否坍塌、开裂、错位等
		各拱箱纵横向连接及拱肋横向连接系是否开裂
		梁式腹孔拱桥的桥道板(梁)支座是否脱空、移位和破坏
		桥面是否平整,拱上填料是否存在沉降
		侧墙是否出现开裂、外倾、移位
		腹拱、横墙是否出现坍塌、开裂
	下部结构	墩、台及拱座是否出现开裂、倾覆、坍塌、沉降
		桥台前墙、侧墙开裂情况,台身是否存在受地震力引起外倾变形情况
		基础是否有位移发生
	桥梁附属结构	—

1.2.3 调查方法 Method of investigation

根据拟定的调查路线、调查内容,桥梁震害调查原则上采用逐桥逐构件调查的方法,具体实施时由浅入深,分三个步骤进行。首先逐桥进行外观检查,记录震害的基本情况和分布情况,为详细调查提供基础;第二步依据震害基本情况,通过桥梁检测车(图1-2、图1-3)等相关仪器设备对裂缝、支座位移、变形、主梁位移、桥墩位移进行进一步的详细测量(图1-4~图1-7);第三步,形成逐桥震后检测报告;最终汇总、整理形成桥梁震害调查报告。

图 1-2 桥梁检测车检测桥梁
Figure 1-2　The bridge was inspected with help of the bridge vehice

图 1-3 桥梁检测车检测桥梁
Figure 1-3　The bridge was inspected with help of the bridge vehice

图 1-4 裂缝形态检测
Figure 1-4　Checking the cracks

图 1-5 测量支座位移
Figure 1-5　Measurement of the support displacement

图 1-6 测量主梁位移
Figure 1-6　Measurement of the beams' displacement

图 1-7 全站仪测量拱轴线形
Figure 1-7　Measruement of the elevation of the arch

裂缝形态采用直尺、卷尺、裂缝宽度观测仪、数码相机等检测。检测的主要内容是：结构裂缝的位置、长度及分布形态等几何参数。测试方法为：用卷尺量测裂缝的起止点、转折点位置得到裂缝的长度、走向，并可绘制裂缝展示图；采用裂缝宽度观测仪测量裂缝宽度。

支座位移通过卷尺测量支座相对于垫石边缘的距离来确定。主梁移位情况通过测量主梁相对于支座垫石的变位情况并结合伸缩缝、护栏错位情况综合确定。

桥墩位移通过全站仪测量，桥墩倾斜度通过分别测量墩顶、墩底的平面位置和墩高确定。

1.3 桥梁震害类型及震害等级划分 Modes and levels of damage to bridges

1.3.1 桥梁震害类型 The modes of seismic damage to bridges

从致灾机理来说，地震引起的桥梁震害可分为直接震害和间接震害两种类型。直接震害是由于地震作用引起桥梁结构的动力响应过大，而导致的桥梁结构破坏；间接震害主要是指在地震中，因地震引发的次生地质灾害导致的桥梁破坏。

在汶川地震中，桥梁直接震害的主要表现为：全桥垮塌、梁式桥主梁移位、梁式桥支座移位、变形、主梁开裂、主梁落梁、桥墩受损、拱桥主拱受损、拱桥横向连接系受损、拱上建筑震害等；间接震害表现为：山体垮塌、滑坡砸毁或掩埋桥梁，泥石流冲毁桥梁，堰塞湖淹没桥梁等。具体震害现象见本书后续各章节。

1.3.2 桥梁震害等级划分 The division of the seismic damage levels to bridges

为准确分析桥梁及构件的受损程度，对桥梁震害做出统计分析和客观评价，需要对桥梁的震害程度进行震害等级划分。

间接震害造成的构件破坏难以评定，同时灾区拱桥多为圬工拱桥，没有必要对构件进行细分及震害等级划分。因此，本书对间接震害和直接震害的拱桥等只进行桥梁整体震害等级划分，而对直接震害的梁式桥进行整体震害划分的同时，为了进一步分析各构件的破坏情况，还进行了构件震害等级的划分。

1）桥梁整体震害等级划分

桥梁震后使用性能主要表现为抢通阶段的通行能力以及修复后的长期使用性能。为了直观反映震后桥梁的通行能力和修复难易程度，将桥梁震害与桥梁震后使用性能相关联。根据桥梁的震后使用性能对桥梁进行震害等级划分，不但可以科学地反映桥梁的震害程度，还能反映抢通阶段的通行能力以及修复后的长期性能。

基于桥梁的震后使用性能，将破坏等级分为 A、B、C、D 共 4 级，其具体描述如表 1–2 所示。

表 1-2 桥梁破坏等级划分表
Table 1-2 Division of the damage levels to bridges

震害等级		震后使用性能	主要特征描述	
			直接震害	间接震害
A- 轻微破坏或无破坏	A0 无破坏	无震害	无明显震害现象	未受地质次生灾害影响
	A 轻微破坏	抢通阶段正常通行，震后不需维修或经少量维修即可满足正常使用要求。震害表现为桥梁承重构件未出现震害，仅有少量附属设施受损，承载能力无任何损失	承载构件局部未受损伤，护栏（或栏杆）、伸缩缝、桥台锥坡等非承载构件受损	①桥面及桥头处有少量落石；②护栏受落石撞击受损；③主梁、桥墩棱角处受落石冲击局部缺损，但未导致开裂等可能影响承载力的损伤
B- 中等破坏		抢通阶段无需处置可满足应急交通的要求，灾后经修复可满足正常使用要求。震害表现为桥梁主要承重构件受损，但承载能力无明显损失	①主梁发生移位，但仍有可靠支撑，无落梁风险；②桥墩无明显倾斜，桥墩轻微开裂或保护层剥落但未伤及核心区混凝土，桥墩承载能力无明显下降；③桥台轻度破坏，桥台背墙、翼墙开裂；④拱桥横向连接系开裂，拱上立柱轻微开裂	①受落石冲击，主梁顶板、翼缘板等受损，但主梁承载力无明显损失；②桥墩被落石撞击或土体推挤开裂，但裂缝未伤及核心混凝土；③受落石和土体推挤，主梁出现移位，但无落梁风险；④桥头处被掩埋
C- 严重破坏		抢通保通阶段须经过处置方可满足通行需求，震后须对其进行加固后才能满足正常使用要求。主要震害表现为桥梁主要承重构件严重受损，承载能力损失严重	①梁发生严重移位，存在落梁风险；②桥墩明显倾斜，桥墩严重开裂，形成主裂缝或形成多条剪切缝并延伸至核心区，桥墩承载能力明显下降；③桥台破坏，背墙、翼墙垮塌或严重开裂，桥台台帽（帽梁）剪断；④拱桥主拱圈横向贯通开裂，拱上立柱断裂、横向连接系断裂	①个别桥跨被掩埋或冲毁，但被冲毁桥跨经填埋等措施可以满足紧急通行，灾后需部分重建；②个别桥跨主梁被落石冲击，导致桥跨承载能力严重受损或垮塌，但经紧急处置措施后可以应急通行，灾后需部分重建或加固；③桥墩被落石碰撞或被土体推挤，导致严重影响承载力的损伤或倾斜，主梁被土体推挤发生严重移位
D- 完全损毁或失效		完全损毁或失效；抢通保通阶段丧失通行功能，震后需对主要构件进行更换，甚至已无修复必要，需进行重建。震害表现为全桥或部分桥跨完全垮塌，或部分主要构件缺失，桥梁承载能力已损失殆尽	①全桥或部分联跨发生整体垮塌；②主梁发生整跨落梁；③桥墩出现剪断或压溃	①主梁或主拱被落石冲击，承载能力损失严重，继续承担荷载有较大风险；②桥跨被堰塞湖淹没或被泥石流、碎屑流掩埋或冲毁，救灾阶段无法通行，灾后需部分或完全重建

各桥梁等级示例见图 1-8 ~ 图 1-11。

第 1 章 震害调查范围与方法

承载结构无损伤，栏杆损坏（直接震害）

桥头、桥面有少量落石（间接震害）

图 1-8 轻微震害（A 级）的桥梁示意
Figure 1-8 The examples of the seismic damage level A0 & A

主梁移位但仍有可靠支承（直接震害）

桥墩开裂但对承载力基本无影响（直接震害）

桥台侧墙开裂（直接震害）

桥头被垮塌土石掩埋（间接震害）

图 1-9 中等震害（B 级）的桥梁示意
Figure 1-9 The examples of the seismic damage level B

主梁严重移位且存在落梁风险（直接震害）

拱圈开裂形成横向贯通裂缝（直接震害）

受落石冲击，主梁承载力严重受损（间接震害）

主梁被落石冲击推动（间接震害）

图1-10　严重震害（C级）的桥梁示意
Figure 1-10　The examples of the seismic damage level C

2）简支梁和连续梁桥构件震害等级划分

简支梁和连续梁桥（以下简称梁式桥）的重要构件为上部主梁、桥墩、基础，次要构件为支座及挡块。重要构件的等级划分与桥梁整体震害类似，划分为四级。次要构件等级划分为两级，为表示区分，在构件评级中增加下标。由于汶川地震中桥梁墩台基础未出现砂土液化等地基震害现象，且多为桩基础，掩埋在土体以下，难以进行检测，故本书未对基础的震害进行分析。

（1）主梁

在汶川地震中，主梁震害现象主要表现为地震引起的梁体位移。因此，根据其移位程度，将主梁的震害等级分为4级，具体划分方法见表1-3，震害等级示例如图1-12所示。

全桥垮塌（直接震害）

落梁（直接震害）

崩塌体砸毁（间接震害）

被泥石流冲毁或淹没（间接震害）

图 1-11　完全失效（D 级）的桥梁示意

Figure 1-11　The examples of the seismic damage level D

表 1-3　主梁震害等级的划分

Table 1-3　The division of the seismic damage levels to main beams

震 害 等 级	说　　明
B_A－无明显破坏	主梁震后未出现明显的残余位移；梁体无明显损伤
B_B－一般破坏	主梁发生一定的残余位移，但仍存在可靠支持，且落梁风险较小，在应急阶段不需加固即可满足临时通行条件
B_C－严重破坏	主梁发生过大残余移位，梁端滑出支座中心线或支座功能完全丧失，梁体已无可靠支持，有较大的落梁风险，在应急阶段需紧急处置后方可满足临时通行条件
B_D－完全失效	落梁

（2）桥墩

根据桥墩震后的剩余承载能力与其结构可靠性，将桥墩的震害程度分为 4 级，具体划分方式见表 1-4。主桥墩震害等级示例如图 1-13 所示。

落梁（B_D级）

梁体垮塌（B_D级）

主梁严重纵移（B_C级）

梁体严重转动（B_C级）

标线显示出梁体少量移位（B_B级）

梁体部分移位（B_B级）

图 1-12 主梁震害等级示例（进行筛选，保留 3 级的典型图片）

Figure 1-12　The examples of the seismic damage leves to beams

表 1-4　桥墩震害等级的划分
Table 1-4　The division of seismic damage levels to piers

震害等级	说　明
P_A－无明显破坏	桥墩墩身、盖梁、系梁以及结点均未出现明显的开裂（裂缝宽度≤0.1mm）
P_B－一般破坏	桥墩墩身、盖梁、系梁以及结点仅出现少量明显的开裂，但其承载能力并未明显削弱
P_C－严重破坏	桥墩墩身、盖梁、系梁以及结点已出现贯穿裂缝，或墩身、系梁端形成塑性铰；桥墩发生倾斜，其承载能力有一定的下降，但仍可满足临时通行需要
P_D－完全失效	桥墩折断、压溃或剪切破坏，其承载能力已基本丧失，无法提供通行能力

桥墩墩顶压溃（P_D级）

桥墩墩底压溃（P_D级）

桥墩剪断（P_D级）

桥墩局部压溃（P_D级）

墩顶塑性铰（P_C级）

桥墩塑性铰（P_C级）

桥墩倾斜（P_C级）

盖梁开裂（P_C级）

图 1-13
Figure 1-13

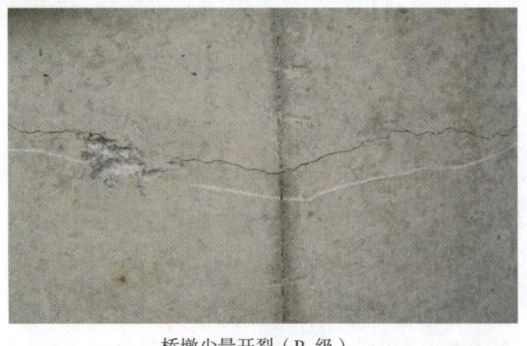

桥墩少量开裂（P_B级）　　　　　　　　系梁开裂（P_B级）

图 1-13　桥墩震损等级示例（筛选分类，加剪切破坏桥墩）

Figure 1-13　The examples of seismic damage levels to piers

（3）支座

由于汶川地震灾区简支梁桥除少量低等级公路上的小桥采用油毡支座及在早期修建的渔子溪桥采用摆轴钢支座外，其余均采用板式橡胶支座；连续梁桥则采用板式橡胶支座与盆式橡胶支座两种支座类型。支座作为上下部结构的连接支承构件，在桥梁结构中为次要构件，震害等级划分为两级，即 S_A 级为支座完好，S_B 级为支座损坏。

典型的板式橡胶支座的损坏形式主要有：严重残余剪切变形、卷曲、脱空、滑移、四氟板破坏等，见图 1-14。典型的盆式橡胶支座的损坏形式有：锚栓破坏、上下钢盆错位、钢盆连接破坏，见图 1-15。

支座卷曲　　　　　　　　　　　　支座残余剪切变形

支座完全脱空并滑落　　　　　　　滑板支座局部脱空，四氟板破坏

图 1-14　板式橡胶支座破坏示例

Figure 1-14　The examples of the damage to laminated rubber bearings

支座锚破坏

上下缸盆错位

锚固螺栓剪断

锚固螺栓剪断

图 1-15 盆式橡胶支座破坏示例
Figure 1-15 The examples of the damage to basin rubber bearings

（4）混凝土挡块

灾区梁式桥普遍采用混凝土挡块，地震作用下，梁体撞击挡块，引起挡块的破坏。挡块作为桥梁结构中的次要构件，震害等级划分为两级，即 D_A 级为挡块完好，D_B 级为挡块损坏。

典型的挡块破坏形式主要有：开裂、剪断。挡块破坏示意如图 1-16 所示。

挡块开裂

挡块剪断

图 1-16 混凝土挡块破坏示例
Figure 1-16 The examples of the damage to concrete restricted blocks

第 2 章 震 害 综 述
Chapter 2 Review of Damage

汶川地震对灾区公路桥梁造成了严重的破坏，导致汶川县映秀镇、北川县城附近及周边的多处桥梁垮塌、道路中断。但灾区桥梁数量众多，地形条件复杂，为明确汶川地震中公路桥梁的破坏情况与我国现有桥梁的抗震性能，在本章中将对不同烈度区域、不同地理位置的公路桥梁，以其致灾机理、规模、桥型等进行分条件统计分析，得出汶川地震公路桥梁的震害特征。

2.1 震害概要 Outline of damage

汶川地震导致灾区大量公路桥梁受损，特别是位于汶川县、北川县及其附近的都江堰市、彭州市、绵竹市、什邡市、茂县、安县、平武县、青川县这10个极重灾县（市）境内的都江堰至映秀高速公路、国道213线、国道212线、省道303线、省道106线、省道302线、省道105线、省道205线中，出现许多严重破坏或损毁的桥梁。震害调查共调查了2 207座桥梁，其中国省干线公路桥梁2 154座，县乡级道路及市政桥梁53座。2 154座国省干线公路桥梁中，实际地震烈度为Ⅵ度的桥梁有746座。在这746座桥梁中有91.7%的桥梁震害等级为A级（轻微破坏或无破坏），故只针对实际地震烈度为Ⅶ度及以上区域的1 408座桥梁进行震害分析。

2.1.1 整体震害情况 Overview of damage

地震烈度为Ⅶ~Ⅺ度内的1 408座桥梁中，全桥失效（D级震害）的桥梁共计52座，占其总数的3.7%，出现严重破坏（C级震害）的桥梁共计70座，占其总数的5.0%。出现影响通行能力的桥梁（C、D级震害）合计119座，占其总数的8.5%。调查桥梁震害情况统计参见附录B，具体的桥梁震害比例如图2-1所示，灾区严重破坏及损毁桥梁列表见表2-1。

调查发现，在52座全桥失效（D级破坏）的桥梁中，有40座因次生地质灾害所致，占失效桥梁总数的76.9%；在出现严重破坏（C级破坏）的70座桥梁中，有9座因次生地质灾害所致，严重破坏比例已达15.5%；A、B级震害中，

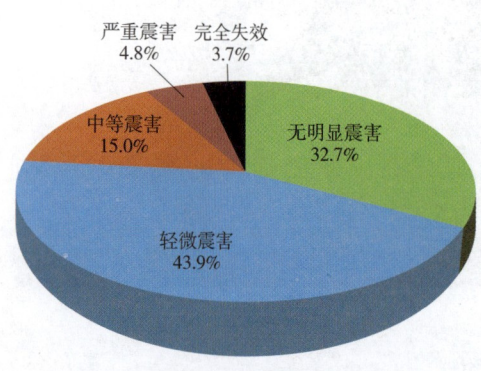

图 2-1 Ⅶ~Ⅺ度区域内桥梁破坏比例示意图
Figure 2-1 Ratios of seismic bridges levels in Ⅶ~Ⅺ degree intensity area

次生地质灾害各 4 座和 5 座，具体比例见图 2-2。

表 2-1　灾区严重破坏（C 级震害）、损毁桥梁（D 级震害）列表
Table 2-1　List of serious damaged (Level C) bridge and destroyed (Level D) bridges

线路名	序号	桥　名	主要震害简述
国道 213 线都江堰至映秀段	1	渔子溪桥	主梁横桥向移位严重
	2	百花大桥	曲线连续梁桥，第五联完全垮塌，其余联跨破坏严重
	3	蒙子沟中桥	墩柱倾斜
	4	小黄沟中桥	墩梁固结曲线连续梁桥，固定墩严重倾斜
	5	古溪沟中桥	主梁移位严重
	6	寿江大桥	1 跨有落梁风险
	7	白水溪大桥	梁体横向移位严重，有落梁风险
都江堰至映秀高速公路	8	庙子坪岷江大桥	第 10 跨整孔落梁，现存的主梁移位严重
	9	新房子大桥左线	主梁移位严重，墩柱倾斜
	10	新房子大桥右线	主梁移位严重，墩柱倾斜
	11	映秀变电站小桥	左半幅主梁纵横向移位严重，桥台损毁
	12	映秀顺河桥	全桥垮塌
	13	映秀岷江大桥*	第一跨被崩塌体掩埋，边梁落梁，其余 3 跨梁体均有较大的落梁风险
国道 213 线映秀至汶川段	14	K26+772.4 顺河桥*	两跨主梁被砸断并掩埋
	15	K27+900 大桥*	两片梁被砸坏
	16	K28+020 桥*	主梁严重移位，桥面大量落石堆积，阻碍交通
	17	K28+636.75 大桥*	崩塌体完全掩埋桥梁
	18	独秀峰大桥	斜交简支梁桥，主梁严重移位，有较大落梁风险
	19	兴文坪大桥	斜交简支梁桥，主梁严重移位，有较大落梁风险
	20	一碗水中桥*	4 跨梁体被砸垮
	21	变电站中桥*	梁体被砸垮
	22	彻底关大桥*	3 跨主梁被崩塌山体砸毁
	23	福堂坝中桥*	全桥被砸毁
	24	福堂坝大桥	主梁纵横向移位及刚体平面转动，边梁有严重落梁危险
	25	K48+503 小桥	桥台侧墙严重开裂，前墙外倾
国道 213 线映秀至汶川段	26	桃关大桥*	3 跨主梁被砸垮
	27	水文站大桥*	主梁被落石砸损，桥面大量落石堆积
	28	草坡吊桥大桥*	4 跨主梁被砸垮
	29	草坡 3 号大桥	斜交简支梁桥，主梁严重移位，有较大落梁风险
	30	草坡 4 号大桥	主梁纵横向移位及刚体平面转动，边梁有潜在落梁危险
	31	高店大桥	主梁纵横向移位及刚体平面转动，边梁有潜在落梁危险
	32	则桑大桥	斜交简支梁桥，主梁严重移位，有较大落梁风险
	33	K71+100 顺河大桥*	某跨边梁被砸坏
	34	七盘沟 2 号大桥	斜交简支梁桥，主梁严重移位，有较大落梁风险

续上表

线路名	序号	桥　名	主要震害简述
省道303线映秀至卧龙段	35	渔子溪1号大桥*	次生灾害造成4跨主梁被砸毁掩埋
	36	渔子溪2号大桥*	落石砸毁，桥梁整体倾覆
	37	大阴沟中桥*	桥梁被堰塞湖淹没
	38	渔子溪3号大桥*	次生灾害和主梁移位
	39	七层楼沟中桥*	桥梁被堰塞湖淹没
	40	龙潭电站中桥*	次生灾害造成1跨主梁被砸毁掩埋
	41	渔子溪6号桥*	主梁被落石严重砸损
	42	巴朗河中桥*	1跨被崩塌体掩埋，桥址区被堰塞湖淹没
省道302线茂县至北川段	43	石蓑衣大桥	3跨完全垮塌，在唐家山堰塞湖泄洪时全桥被冲毁
	44	湔江河大桥	主梁严重移位，桥墩出现严重破坏，泄洪时部分被冲毁
	45	大水沟桥*	被崩塌的唐家山山体掩埋
	46	小水湾1桥*	被崩塌的唐家山山体掩埋
	47	小水湾2桥*	受唐家山堰塞湖影响，震后被淹没
	48	小水湾3桥*	受唐家山堰塞湖影响，震后被淹没
	49	黄土梁2桥*	受唐家山堰塞湖影响，震后被淹没
	50	黄土梁3桥*	受唐家山堰塞湖影响，震后被淹没
	51	屙屎树1桥*	受唐家山堰塞湖影响，震后被淹没
	52	屙屎树2桥*	受唐家山堰塞湖影响，震后被淹没
	53	曹山坡桥*	受唐家山堰塞湖影响，震后被淹没
	54	三倒拐桥*	受唐家山堰塞湖影响，震后被淹没
	55	杨柳浦桥*	受唐家山堰塞湖影响，震后被淹没
	56	双版桥*	受唐家山堰塞湖影响，震后被淹没
	57	新浦湾桥*	受唐家山堰塞湖影响，震后被淹没
	58	十里碑1桥*	受唐家山堰塞湖影响，震后被淹没
	59	十里碑2桥*	受唐家山堰塞湖影响，震后被淹没
	60	粉房湾桥*	受唐家山堰塞湖影响，震后被淹没
	61	金花寺桥*	受唐家山堰塞湖影响，震后被淹没
	62	土桥子沟*	受唐家山堰塞湖影响，震后被淹没
	63	深坑子桥*	受唐家山堰塞湖影响，震后被淹没
	64	桥楼子桥*	受唐家山堰塞湖影响，震后被淹没
	65	水观音桥*	受唐家山堰塞湖影响，震后被淹没
	66	水磨沟桥*	受唐家山堰塞湖影响，震后被淹没
	67	混水沟桥	两岸桥台严重纵向贯通开裂
	68	K372+150拱桥	1号桥台起拱线处横向贯通开裂
	69	黑水沟桥	桥台至主拱圈纵向贯通开裂，缝宽5mm

续上表

线路名	序号	桥　名	主要震害简述
省道302线茂县至北川段	70	斜板岩桥	拱顶出横向贯通开裂，桥台严重开裂
	71	蔡家嘴桥	1/4、3/4拱圈出分别横向贯通开裂
	72	新堡桥	3/5拱圈出横向贯通开裂，侧墙开裂
	73	柴房沟桥	桥台起拱线处起，斜向开裂
	74	黑桃桥	主拱圈开裂，填料垮塌
省道302线江油至北川段	75	羊儿沟中桥	主拱圈拱座附近网状开裂
	76	硝洞子1号桥	拱顶横向贯通开裂
	77	硝洞子2号桥*	桥台附近落石冲击缺损
	78	硝洞子3号桥	主拱座处破裂，有垮塌风险
	79	竹林沟1号桥	桥台附近主拱圈横向贯通开裂
	80	母猪桥	主拱圈拱脚处横向贯通开裂，腹拱横墙横向贯通开裂
	81	许家沟1号桥*	落石冲击导致主拱圈局部碎裂
	82	许家沟3号桥*	落石冲击导致侧墙与拱上填土垮塌
	83	许家沟4号桥*	主拱拱座局部开裂，桥台处被落石堆积掩埋
	84	笼子口2号桥	主拱圈拱顶压碎，主拱圈变形
	85	笼子口3号桥	主拱圈横、纵向贯通开裂
	86	韭菜沟1号桥	主拱圈横向贯通开裂
	87	韭菜沟2号桥	主拱圈横向贯通开裂
省道105线彭州至北川段	88	干河子大桥	第1、3、4孔拱脚和拱顶附近均出现多条横向裂缝，承载力受损
	89	秀水河桥	主梁移位并转动；桥台前墙剪切开裂，侧墙开裂，向外侧凸出
	90	黄金堰桥	主拱圈出现严重的开裂现象，拱上侧墙倾斜、外移
	91	安州大桥	拱肋开裂，横向连接系破损严重
	92	白马堰1号大桥	主梁严重横向移位并伴有转动，移位量达10cm
	93	白马堰2号大桥	主梁出现了较大的纵、横向位移，并伴有明显的转动
	94	擂鼓桥*	第7、8号空心板被受落石砸伤
	95	擂鼓大桥*	落石冲击桥面，空心板顶板被砸出65个大小不等的空洞
省道105线北川至青川段	96	张家沟桥	第1、3跨主拱圈严重开裂，2号墩开裂，第一跨侧墙开裂
	97	陈家坝大桥	全桥垮塌
	98	羊肠子桥	腹拱拱顶处及立墙多处出现开裂，4号横墙坍塌
	99	金谷垭1桥	主拱圈砌缝砂浆脱落，造成本桥拱腹内多处空洞
	110	金谷垭3桥	拱腹出现横向开裂，裂缝横向穿至主拱圈
	101	柑子树大桥	主梁严重移位
	102	收费站3桥	主拱圈内多处开裂，侧墙与主拱分离，桥台锥坡开裂，局部坍塌

续上表

线路名	序号	桥　名	主要震害简述
省道105线北川至青川段	103	铜子梁桥	桥面系横移，肋拱在距桥台附近环向断裂，两岸桥台开裂严重
	104	南坝大桥	在建桥梁，多处落梁，桥墩破坏严重
	105	南坝旧桥	全桥垮塌
	106	纸房坝桥	拱圈1/4跨处有多条横向贯通裂缝
	107	中溪桥	主拱圈1/4、3/4处横向贯通开裂，桥台右侧墙竖向裂缝
	108	曲河大桥	主拱圈多处横向断裂，主拱圈严重变形
	109	李家沟桥	主拱圈在1/4和3/4处断裂，拱轴线已轻微变形
	110	井田坝大桥	全桥垮塌
省道205线平武白马至江油段	111	长桂桥	主拱圈顶部横向开裂，拱上侧墙与桥台向外凸出倾斜
	112	工农桥	主拱圈在拱顶附近出现横向贯通型裂缝
	113	白草大桥1号桥	腹拱纵向严重开裂
	114	白草大桥2号桥	拱上横墙竖向开裂，向上延伸至腹拱顶，向下延伸至横墙根部
	115	高庄团结桥	拱脚侧面、部分腹拱及横墙、桥台台身严重开裂
	116	甘孜坝桥	梁体平面扭转，桥台台身开裂严重
	117	甘溪沟桥	1号墩墩顶、底各出现一条横向通长裂缝，4号台台身两侧均被挤裂
国道212线姚渡至广元段	118	白水河大桥	多处横墙、腹拱拱脚开裂错位，拱腹线与理论值有较大偏差
	119	龙洞河大桥	拱脚横向开裂，1号台侧裂缝延伸至拱顶，拱腹线与理论值有较大偏差
	120	干溪河大桥	多个横墙间拱圈在拱顶与桥台处开裂，拱腹线与理论值有较大偏差
国道212线碧口至罐子沟段	121	毛沟坪2号桥	两岸桥台侧墙严重开裂，外鼓
	122	罗旋沟桥	在主震中拱脚错位，后在余震中全桥垮塌
其他道路	123	小渔洞大桥	全桥坍塌
	124	回澜立交桥	墩梁固结墩破坏严重
	125	虹口高原桥	1跨落梁，桥墩出现严重破坏
	126	绵竹汉旺绝缘桥	圬工桥墩，地震时3个桥墩墩底弯曲破坏，桥墩破坏桥跨冲毁
	127	辕门坝大桥	全桥垮塌
	128	彻底关拱桥	全桥垮塌
	129	绵阳机场航站楼	部分桥墩压溃、露筋
	130	什邡迎新桥*	泥石流中被冲毁
	131	红白镇红东大桥	全桥垮塌
	132	普头村桥*	泥石流中被冲毁
	133	竹包桥*	泥石流中被冲毁

注：加*表示致灾机理为次生地质灾害，未加*表示致灾机理为直接震害。

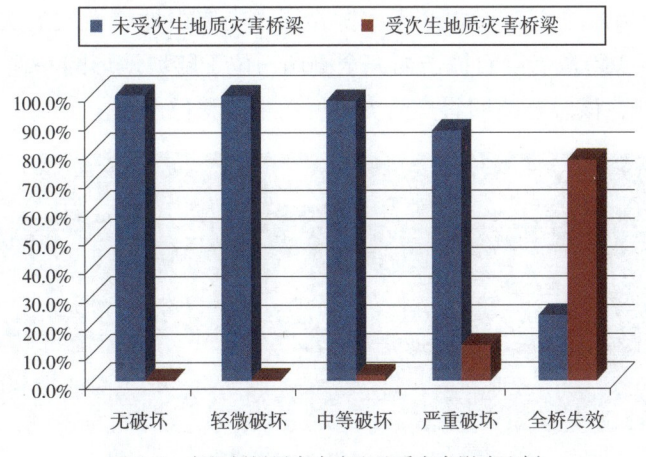

图 2-2　各级桥梁震害中次生地质灾害影响比例

Figure 2-2　Influence of seismic bridge damage due to secondary geological disasters

2.1.2　主要受灾线路中桥梁受损概况 The information of the highways affected seriously

在整个汶川地震灾区中，国道 213 线都江堰至映秀段、都江堰至映秀高速公路、国道 213 线映秀至汶川段、省道 303 线映秀至卧龙段、省道 105 线北川至青川段、省道 302 线北川至茂县段等公路受损最为严重，在这些公路上，桥梁破坏情况如下。

1) 国道 213 线都江堰至映秀段公路

公路位于发震断层下盘，延岷江展布，由南至北逐渐进入"映秀极震区"，共有 35 座桥梁，均为梁式桥。出现严重破坏（C 级震害）的桥梁共有 6 座，占该段桥梁总数的 17.1%；完全失效（D 级震害）的桥梁仅 1 座，为百花大桥。在地震动作用下，百花大桥大部分桥墩出现压溃，第五联完全垮塌，见图 2-3。

图 2-3　垮塌百花大桥第五联桥

Figure 2-3　The fifth unit of the Baihua Bridge collapsed

2) 都江堰至映秀高速公路

汶川地震发生时，本段公路并未完全建成。本段公路共 37 座桥梁，其中 36 座位于发震断层下盘，而映秀顺河桥穿越发震断层。公路中出现严重破坏（C 级震害）的桥梁共有 5 座；完全失效（D 级震害）的桥梁 2 座，分别为映秀顺河桥和庙子坪岷江大桥，映秀顺河桥呈现多米诺骨牌垮塌（图 2-4）；庙子坪岷江大桥因引桥发生落梁，通行能力完全丧失。

3) 国道 213 线映秀至汶川段公路

该段公路位于发震断层上盘，共有桥梁 55 座，出现严重破坏（C 级震害）桥梁共有 8

座，完全损毁（D 级震害）桥梁为 8 座。桥梁震害主要由地震引发的次生地质灾害引起。如彻底关大桥第 1~3 跨遭受巨石撞击而完全倒塌，位于陡坡地形的一碗水中桥被落石冲毁等（图 2-5）。此外，该段公路的斜交简支梁桥的主梁移位严重。

图 2-4　垮塌的映秀顺河桥

Figure 2-4　The destroyed Yingxiu Bridge

4）省道 303 线映秀至卧龙段公路

该段公路位于龙门山中央断裂带上盘，延渔子溪展布，全线均位于高山峡谷地形。该段共有 19 座桥梁，出现严重破坏（C 级震害）桥梁 3 座，完全失效（D 级震害）桥梁 4 座。完全失效的桥梁均由次生地质灾害所致，其中山体崩塌将桥梁掩埋，如渔子溪 1 号桥（图 2-6），堰塞湖淹没桥梁，如巴郎河桥（图 2-7）。

图 2-5　被落石冲毁的一碗水中桥　　　　　图 2-6　渔子溪 1 号桥前 4 跨被落石砸塌

Figure 2-5　The Yiwanshui Bridge was destoyed by landslip　　Figure 2-6　The first four spans of 1st. Yuzi Bridge collapsed due to the collision of falling stones

5）省道 105 线彭州经北川至青川段公路

该段公路毗邻龙门山中央断裂带，先后数次穿越断层，并穿越"北川极震区"。全线共有桥梁 107 座，出现严重破坏（C 级震害）桥梁共有 18 座；完全损毁（D 级震害）桥梁为 5 座，分别为陈家坝大桥、南坝大桥、南坝旧桥（图 2-8）、曲河大桥、井田坝大桥，除南坝大桥为在建斜交简支梁桥外，其余 4 座均为拱桥。本段公路穿越实际地震烈度为Ⅶ～Ⅺ度区域，桥梁的破坏程度明显地随实际地震烈度增加而加剧，破坏桥梁均集中在"北川极震区"附近。

图 2-7　巴郎河桥被堰塞湖淹没
Figure 2-7　The Balang River Bridge was submerged in Barrier Lake

图 2-8　南坝旧桥整体坍塌
Figure 2-8　The South Dam Bridge collapsed completely

6）省道 302 线北川至茂县段公路

该段公路位于中央断裂带上盘，唐家山堰塞湖影响区域内。全线共有桥梁 48 座，出现严重破坏（C 级震害）桥梁共有 8 座，完全损毁（D 级震害）桥梁为 24 座，其中位于北川县城城区内的石蓑衣大桥与湔江河大桥因距离断层地表破裂带不足 1km，在地震中完全损毁（图 2-9），其余 22 座则因唐家山山体滑坡掩埋或被堰塞湖淹没。

图 2-9　湔江河大桥与石蓑衣大桥全桥损毁
Figure 2-9　The Jianjiang River Bridge and Shisuoyi Bridge damaged completely

2.2　受灾桥梁区域分布特点 The regional distribution characteristics of damage bridges

汶川地震发生在龙门山区，龙门山构造带主要发育有前山断裂、中央主断裂和后山断裂三条深大断裂带。该区域地形地质条件极为特殊和复杂，在不到 50km 的范围内，地形高程由海拔 500m 急剧升高达到 5 000m 以上，形成了龙门山深切割峡谷地貌条件；三大断裂近于平行展布，成为两侧地形地貌、地层岩性的重要分界线。汶川地震为断层地震，发震断层为龙门山中央断裂带。地震造成的桥梁破坏与地震发生的区域有密切的关系。

2.2.1 受灾桥梁分布区域 The regional distribution of the damage bridges

桥梁震害程度分布与发震断层走向有密切关系，离断层越近实际地震烈度越高，桥梁震害越严重。受损严重的桥梁呈两点一带的分布特点，主要集中在：①震源映秀附近的四条道路——国道 213 线映秀至都江堰段、国道 213 线映秀至汶川段、省道 303 线映秀至卧龙段、都江堰至映秀高速公路；②北川附近的三条线路——省道 302 线江油至北川段、省道 302 线北川至茂县段、省道 105 线北川段；③与断裂带大致平行的省道 105 线北川至沙洲段。

在实际地震烈度为Ⅶ~Ⅺ度区域内的 1 408 座国、省干线公路桥梁中，出现明显震害（B、C、D 级震害）的公路桥梁共计 401 座，其中 52 座桥梁完全失效（D 级震害），70 座桥梁出现了影响其结构承载能力的严重破坏（C 级震害），另外还有 279 座桥梁出现了中等破坏（B 级震害），出现严重破坏与完全失效的桥梁多集中在映秀与北川高烈度区（Ⅹ、Ⅺ度）的线路上。桥梁震害分布见图 2-10。

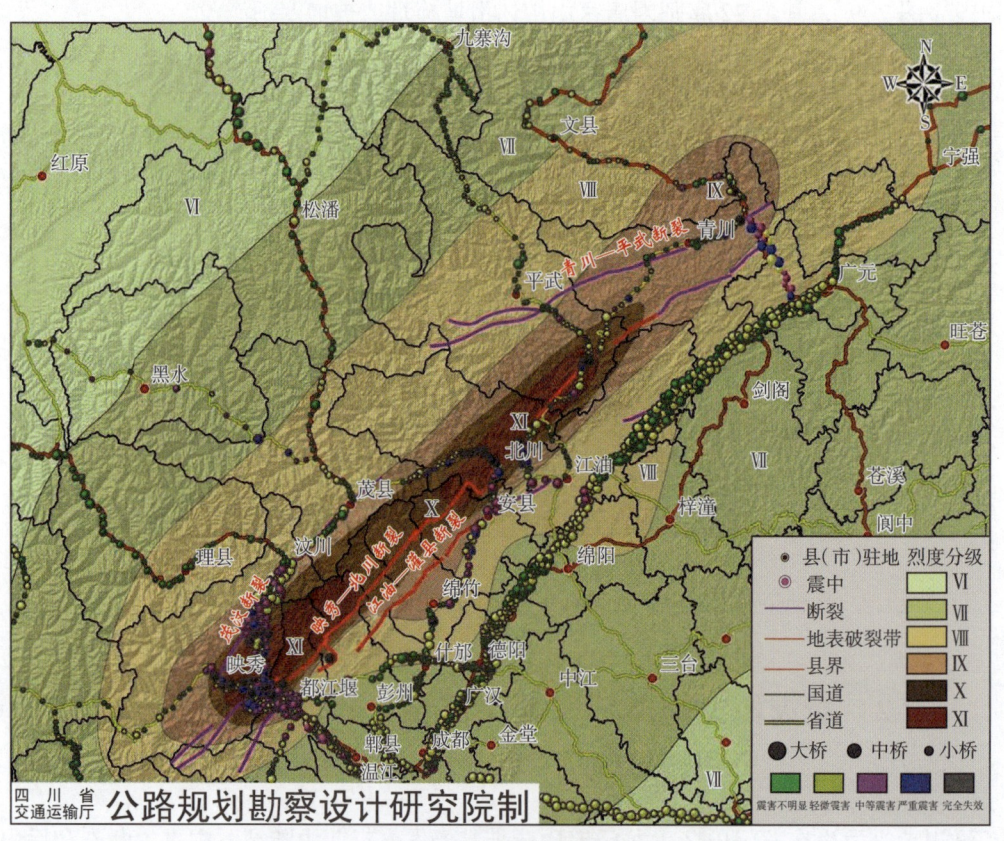

图 2-10　桥梁震害分布图
Figure 2-10　Regional distribution of the damage bridges

2.2.2 次生地质灾害影响 Seismic bridge damage caused by secondary geological disasters

在汶川地震中，因地震引起的山体崩塌、堰塞湖等大型次生地质灾害对公路桥梁造成了巨大的破坏。调查发现，汶川地震中遭受次生地质灾害影响的桥梁共计58座（表2-2），虽然只占所调查桥梁的2.7%，但后果却相当严重。遭受次生地质灾害的58座桥梁中，全桥失效（D级震害）40座，占受次生地质灾害影响桥梁总数的69.0%，严重破坏（C级震害）的桥梁9座，占受次生地质灾害影响桥梁总数的15.5%。受次生地质灾害影响破坏严重和损毁的桥梁，对救灾产生巨大的不利影响。

表 2-2 遭受次生地质灾害的桥梁震害情况调查表
Table 2-2 Statistics of seismic damage to bridges because of secondary geological disasters

致灾机理	震害等级	A-轻微破坏（座）	B-中等破坏（座）	C-严重破坏（座）	D-全桥失效（座）	合计（座）
崩塌体砸损或掩埋	上盘	0	4	6	12	22
	下盘	1	1	3	3	8
水毁或淹没	上盘	3	0	0	25	28
	下盘	0	0	0	0	0
合计		4	5	9	40	58

受到严重次生地质灾害影响的桥梁多集中在映秀至清平北东30km、龙门山中央断裂带与后山断裂带之间区域内，该区域内主要有省道303线映秀至卧龙段、国道213线映秀至汶川段、省道302线茂县至北川段，如图2-11所示。次生地震灾害对桥梁的影响与该区域内的地形及地层岩性特征有密切关系。从遭受次生地质灾害桥梁所处的构造区域来说，位于上盘的桥梁共50座，位于下盘的桥梁共8座，上盘受到次生地质灾害的桥梁数量与破坏严重程度均大于下盘桥梁，如表2-2所示。

图 2-11 受次生地质灾害影响的桥梁
Figure 2-11 Influence of secondary geological disasters to bridges

次生地质灾害对桥梁的破坏主要表现形式为：崩塌山体砸坏或掩埋桥梁，见图2-5、图2-6；泥石流冲毁桥梁；堰塞湖淹没桥梁等，见图2-7。

由于次生地质灾害对桥梁的破坏力巨大，且次生地质灾害所引起的破坏与桥梁类型、桥梁规模等本身并无直接关系。因此，在后续统计分析中仅针对直接震害进行探讨。

2.2.3　断层及烈度影响 The influences of faults and seismic intensity

统计表明，在未受到次生地质灾害的64座严重破坏（C级震害）与完全失效（D级震害）的桥梁中，绝大多数位于发震断层附近。如百花大桥距发震断层不足2km，第五联桥整体垮塌（图2-3），同时残存部分90%的桥墩出现向断层走滑方向压溃；映秀顺河桥穿过中央断裂带，断层破碎带区域地面线隆起近3m，桥梁在地震中全部倒塌（图2-12）；彭州小渔洞桥穿越活动断层，地震中两跨倒塌，其余两跨严重损毁（图2-13）。

图2-12　穿过中央断裂带映秀顺河桥
Figure 2-12　The Shunhe Bridge at Yingxiu is over the central rift zone

图2-13　彭州小渔洞大桥桥台穿越活动断层，地震中全桥垮塌
Figure 2-13　The Xiaoyudong Bridge over the active fault in Pengzhou collapsed during the earthquake

不同烈度区内桥梁的破坏程度明显不同，位于较高烈度区域内的桥梁往往比较低烈度区域内的桥梁破坏更为严重，各烈度区域内桥梁震害情况如表 2-3 所示。统计表明，Ⅶ度区内桥梁未出现 C、D 级破坏；在Ⅷ度区未出现 D 级破坏桥梁，C 级破坏桥梁 7 座，仅占Ⅷ度区桥梁总数的 2.4%；在Ⅸ度区，出现 C、D 级破坏桥梁分别为 21 座和 3 座，占Ⅸ度区桥梁总数的 12.7% 与 1.8%；在 X、Ⅺ度区，出现 C、D 级破坏桥梁分别为 33 座和 9 座，占 X、Ⅺ度区桥梁总数的 27.5% 与 7.5%，见图 2-14。通过表 2-3 及图 2-14 可以看出，在汶川地震中，随着地震烈度的增加，桥梁的破坏情况也趋于严重。

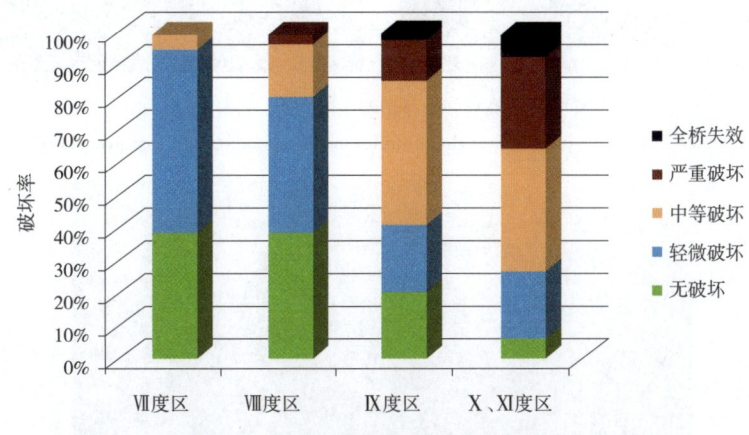

图 2-14 不同地震烈度区桥梁破坏率统计

Figure 2-14 The seismic damage to bridges in different seismic intensity area

表 2-3 不同地震烈度区桥梁震害程度统计

Table 2-3 Statistics of seismic damage to bridges in different seismic intensity area

地震烈度 \ 震害等级	A0- 无破坏（座）	A- 轻微破坏（座）	B- 中等破坏（座）	C- 严重破坏（座）	D- 全桥失效（座）	合计（座）
Ⅶ度区	304	432	42	0	0	778
Ⅷ度区	115	115	50	7	0	287
Ⅸ度区	33	35	73	21	3	165
X、Ⅺ度区	7	24	47	33	9	120
合计	459	606	212	61	12	1 350

2.2.4 斜坡地形影响 The influences of sloped terrain

汶川地震中，部分位于覆盖土层较厚陡坡地形上的桥梁，在地震作用下覆盖土层向临空面沉陷、滑移、溜坍等，造成墩台移位和倾斜，加剧了桥梁震害，这是山区桥梁震害的新特点。如新房子大桥右线为傍山线桥梁，其连续梁部分所在覆盖土层发生向临空面滑移、沉陷，对桥墩产生推挤。使得 1~5 号墩柱均往右侧明显倾斜（图 2-15）。蒙子沟中桥等位于 "V" 形沟谷的桥梁也出现了此类震害（图 2-16）。

图 2-15 新房子大桥覆盖土层滑动，桥墩倾斜
Figure 2-15 The piers of New House Bridge inclined because the cover layer slid

图 2-16 蒙子沟中桥因边坡推挤桥墩倾斜
Figure 2-16 The piers of Mengzi Groove Bridge inclined due to slope pushing

2.3 桥梁规模及桥型震害特征 The seismic bridge damage characteristic in terms of scales and types

实际地震烈度为Ⅶ～Ⅺ区域内共有桥梁1 408座，而因次生地质灾害破坏的58座桥梁则不参与统计，以其余1 350座桥梁作为统计样本。本章以下部分的统计均扣除次生地质灾害破坏的58座桥梁的样本。

2.3.1 不同规模桥梁震害规律 The seismic damage law in terms of bridges' scale

在这1 350座桥梁中，共有（特）大桥282座、中桥490座、小桥578座。统计表明，大桥破坏比例明显较中、小桥要高，严重破坏（C级震害）比例和全桥失效（D级震害）比例表现出从大至小，大桥比例明显大于中、小桥比例（图2-17）。Ⅷ～Ⅺ度区桥梁中，大桥及特大桥 C、D 级破坏率合计为 21.3%，中桥为 11.8%，小桥为 8.6%，表明越大的桥梁越容易出现震害，且震害程度越严重。

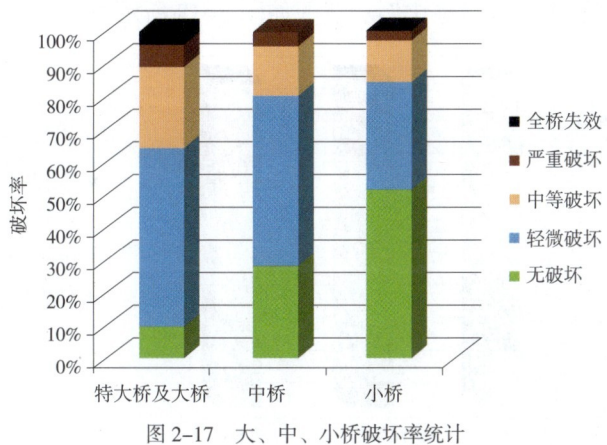

图 2-17　大、中、小桥破坏率统计
Figure 2-17　Statistics of seismic damage to scales of bridges

实际上中、小桥的振动易受到桥台的约束；桥台对桥梁抗震有较大的贡献，而对于大桥及特大桥桥台对结构的约束相对较弱。

2.3.2 主要桥型震害特点 The seismic damage characteristics in terms of types of bridges

在Ⅶ~Ⅺ区域内的 1 350 座桥梁中涉及简支梁桥、拱桥、连续梁桥、连续刚构桥、斜腿刚构桥、斜拉桥和悬索桥等 7 类桥型，简支梁桥最多，共计 958 座，其次为拱桥，共 297 座，另外还有连续梁桥 90 座，连续刚构桥 2 座，其余 3 座分别为斜拉桥、悬索桥与斜腿刚构桥。各类桥型震害情况见表 2-4。

表 2-4　各桥型震害情况统计
Table 2-4　The seismic damage to types of bridges

震害等级 桥梁类型	A0-无破坏 （座）	A-轻微破坏 （座）	B-中等破坏 （座）	C-严重破坏 （座）	D-全桥失效 （座）	合计 （座）
简支梁桥	345	467	119	23	4	958
连续梁桥	11	54	22	2	1	90
拱桥	102	84	69	36	6	297
连续刚构桥	1	0	0	0	1	2
斜腿刚构桥	0	0	1	0	0	1
悬索桥	0	0	1	0	0	1
斜拉桥	0	1	0	0	0	1
合计	459	606	212	61	12	1350

进一步计算各种桥型的震害等级比例可以发现，出现影响桥梁通行能力（C、D 级震害）的简支梁桥共 27 座，占其总数的 8.5%；连续梁桥破坏比例与简支梁桥接近；出现影

响桥梁通行能力（C、D级震害）的拱桥共42座，占其总数的14.1%，这表明拱桥的C、D级震害较简支梁和连续梁高。这与灾区拱桥多为圬工拱桥有关。区域内常见桥型（简支梁桥、连续梁桥、拱桥）各级震害比例示意图如图2-18所示。

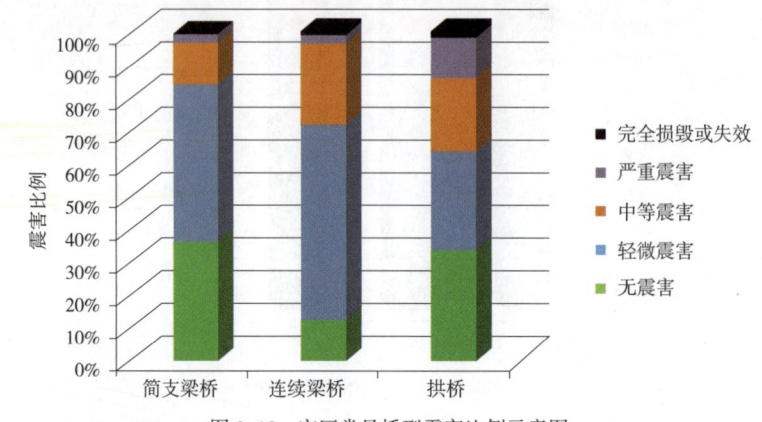

图 2-18　灾区常见桥型震害比例示意图
Figure 2-18　The different types of damage to types of bridges in seismic area

2.4　简支梁桥震害 The seismic damage to simply supported girder bridges

汶川地震灾区的简支梁桥主梁多为预应力混凝土空心板、预应力混凝土T形或I形组合梁，设置桥面连续；下部结构多为双柱排架墩。绝大部分简支梁桥支座均采用板式橡胶支座，部分低等级公路中小桥采用油毛毡简易支座，此外，个别建设年代较早的桥梁采用摆轴钢支座。

2.4.1　主要震害表现 The main seismic damage characteristics

简支梁桥主要震害现象有：①主梁移位，甚至发生落梁或全桥垮塌，如图2-19、图2-20所示。对于斜交简支梁桥，主梁在移位时伴随明显的平面转动，如图2-21所示；②墩梁相对位移导致支座滑移或严重剪切变形（图2-22），挡块和伸缩缝破坏（图2-23）等；③桥墩出现开裂、倾斜、压溃、剪断、倾覆等破坏，如图2-24、图2-25；④桥台侧墙、锥坡局部开裂，台后填土下沉等，如图2-26、图2-27。

图 2-19　落梁
Figure 2-19　Girders falling

图 2-20 主梁纵横向移位
Figure 2-20 The longitudinal and lateral displacement of the girders

图 2-21 斜交桥梁体发生转动
Figure 2-21 The rotation of skew bridge

图 2-22 支座滑移、剪切变形
Figure 2-22 The bearing slide and shear deformation occured

图 2-23 挡块破坏
Figure 2-23 The concrete restricted blocks destroyed

图 2-24 桥墩柱剪切破坏
Figure 2-24 The shear deformation of the pier

图 2-25 桥墩开裂
Figure 2-25 The pier cracked

图 2-26 侧墙倾覆，台后填土垮塌
Figure 2-26 The wing wall overturned and fill collapsed

图 2-27 桥台背墙破坏
Figure 2-27 The back wall of abutment destroyed

2.4.2 震害统计 The statistics of seismic damage

在简支梁桥的构件震害统计中,统计方法为:直梁桥主梁以跨数为单位进行统计;支座以支承线计数,同一支承线的所有支座计为1组;挡块则以墩台数计数,同一墩台上所有挡块计为1组;各类桥墩均以设计编号计数,无论桥墩是何种形式,同一设计编号的桥墩计为1个。

1）震害统计

在实际地震烈度为Ⅶ~Ⅺ度区域内共有简支梁桥958座,其中Ⅶ度的区域内601座,Ⅷ度的区域内193座,Ⅸ度的区域内94座,Ⅹ、Ⅺ度的区域内共70座。在958座简支梁桥中（特）大桥170座,中桥383座,小桥405座。在实际烈度为Ⅶ度的区域内的601座简支梁桥中,未出现严重破坏（C级震害）及完全失效（D级震害）的简支梁桥;而在实际烈度为Ⅷ~Ⅺ度区内的357座简支梁桥中,出现完全失效（D级震害）的桥梁共4座,仅占区域内简支桥梁总数的1.1%。同时,在Ⅷ、Ⅸ度区内的287座简支梁桥中,出现严重震害（C级震害）的桥梁共8座,仅占区域内简支梁桥总数的2.8%,未出现D级破坏;Ⅹ、Ⅺ度区出现C、D级震害的桥梁分别为15座和4座,分别占区域内桥梁总数的21.4%、5.7%。简支梁桥各烈度区域内桥梁如表2-5与图2-28所示。

表2-5 不同烈度区域内不同规模简支梁桥震害等级统计
Table 2-5 Statistics of seismic damage to simply supported girder bridges in different seismic intensity area

桥梁规模	震害等级	A0-无破坏（座）	A-轻微破坏（座）	B-中等破坏（座）	C-严重破坏（座）	D-全桥失效（座）	合计（座）
Ⅶ度区	（特）大桥	14	49	8	0	0	71
	中桥	86	170	5	0	0	261
	小桥	146	117	6	0	0	269
Ⅷ度区	（特）大桥	3	43	6	0	0	52
	中桥	18	37	10	1	0	66
	小桥	58	13	4	0	0	75
Ⅸ度区	（特）大桥	0	0	25	5	0	30
	中桥	2	8	14	1	0	25
	小桥	15	14	9	1	0	39
Ⅹ、Ⅺ度区	（特）大桥	0	0	6	7	4	17
	中桥	1	9	17	4	0	31
	小桥	2	7	9	4	0	22
合计		345	467	119	23	4	958

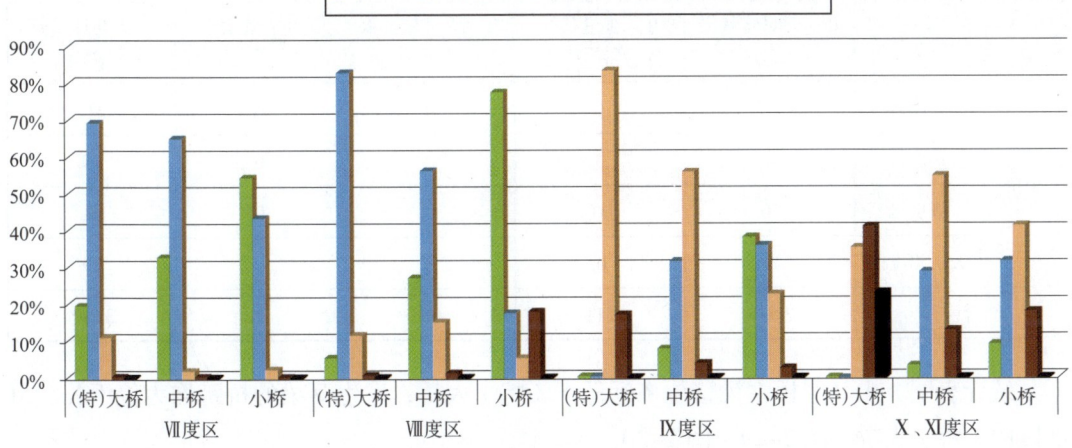

图 2-28 不同规模简支体系桥梁在不同烈度区的破坏比例
Figure 2-28　The ratios of seismic damage to simply supported girder bridges in different seismic intensity area

可以看出，相同烈度区域内，简支梁桥震害严重程度随桥梁规模加大而加重。出现完全失效（D 级震害）的桥梁均为 X、XI 度区的（特）大桥。从实际地震烈度和桥梁规模两个因素来看，简支梁桥的规模越大、桥位区实际地震烈度越高，桥梁发生震害的概率也就越大。

2）主梁移位

在汶川地震中，所有简支梁桥均未发现主梁结构性破坏，震害主要形式为主梁移位。在实际烈度为 VII ~ XI 度区域内，共有简支桥跨 3 298 跨，其中 36 跨梁体发生落梁（B_D 级震害），96 跨梁体发生严重移位（B_C 级震害），511 跨梁体出现一般移位（B_B 级震害）。出现移位的桥跨共 643 跨，占简支梁桥桥跨总数的 19.5%。灾区简支梁桥主梁移位情况见表 2-6。

表 2-6　简支梁桥主梁破坏（移位情况）统计表
Table 2-6　Statistical deformation table of damage to girder of simply supported bridges

桥梁规模	震害等级	B_A-无明显移位（跨）	B_B-少量移位（跨）	B_C-无可靠支承（跨）	B_D-落梁（跨）	合计（跨）
（特）大桥	VII 度区	947	50	0	0	997
	VIII 度区	539	26	0	0	565
	IX 度区	14	202	26	0	242
	X、XI 度区	8	52	46	36	142
中桥	VII 度区	518	9	0	0	527
	VIII 度区	144	13	3	0	160
	IX 度区	17	67	2	0	86
	X、XI 度区	28	42	11	0	81

续上表

桥梁规模	震害等级	B_A-无明显移位（跨）	B_B-少量移位（跨）	B_C-无可靠支承（跨）	B_D-落梁（跨）	合计（跨）
小桥	Ⅶ度区	313	6	0	0	319
	Ⅷ度区	86	3	0	0	89
	Ⅸ度区	30	31	0	0	61
	Ⅹ、Ⅺ度区	11	10	8	0	29
合计		2 655	511	96	36	3 298

统计表明，中、小桥主梁移位率远低于（特）大桥，发生落梁的桥跨均为位于Ⅹ、Ⅺ度区的（特）大桥（图2-29、图2-30）。

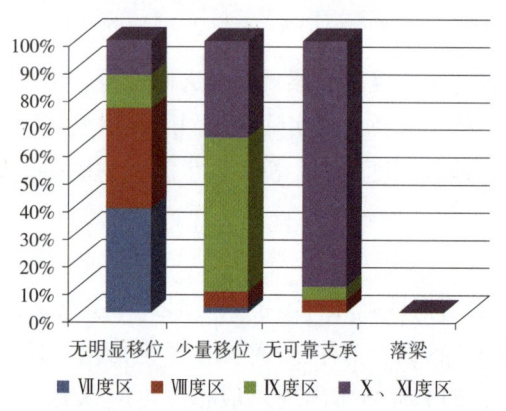

图2-29 中小桥主梁移位情况统计

Figure 2-29 Statistical deformation rating of the girders of medium and short span bridges

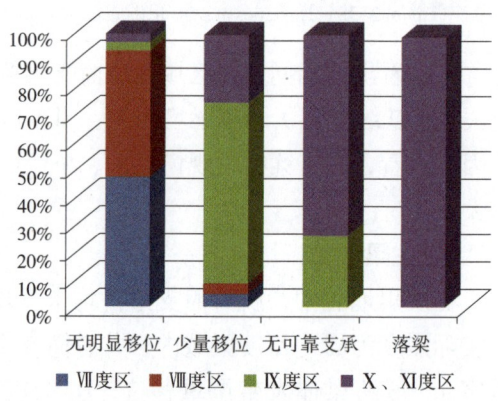

图2-30 （特）大桥主梁移位情况统计

Figure 2-30 Statistical deformation rating of the girders of long span bridges

统计表明，发生落梁的36跨中有29跨梁体是正在施工中，尚未施工铰缝或桥面连续，表明主梁的整体性对于防止落梁有重要影响，铰缝或横隔板等横向连接系也是重要抗震构造。而施工完成的桥梁中，主梁移位均以整跨（单跨桥）或整联（多跨桥）的整体移位为主，主梁表现出良好的整体性，即使对于横向移位较大甚至出现横向部分落梁的桥梁，在一联之内主梁也基本保持顺直，桥面连续构造起到了协调各跨位移、减小主梁位移量的作用。

3）支座、挡块破坏

区域内绝大多数简支梁桥采用板式橡胶支座；唯一采用摆轴钢支座的渔子溪桥所有支座均完全破坏；而在部分低等级公路上的采用油毡支座的小桥，其支座基本未见震害。所有简支梁桥中，发生支座破坏的数量为1 092组，占总数6 596组的16.6%，各烈度区域内简支梁桥支座破坏情况见表2-7。而发生挡块破坏的数量为720组，占总数4 283组的16.8%，各烈度区域内简支梁桥支座破坏情况见表2-8。

表 2-7 简支梁桥支座震害量统计
Table 2-7 Statistics of seismic damage to bearings of simply supported bridges

桥梁规模	震害等级	S_A-无破坏（组）	S_B-破坏（组）	合计（组）
大桥	Ⅶ度区	1 884	110	1 994
	Ⅷ度区	1 082	48	1 130
	Ⅸ度区	148	336	484
	Ⅹ、Ⅺ度区	47	237	284
中桥	Ⅶ度区	1 044	10	1 054
	Ⅷ度区	292	28	320
	Ⅸ度区	42	130	172
	Ⅹ、Ⅺ度区	56	106	162
小桥	Ⅶ度区	632	4	636
	Ⅷ度区	176	2	178
	Ⅸ度区	71	51	122
	Ⅹ、Ⅺ度区	28	30	58
合计		5 502	1 092	6 594

表 2-8 简支梁桥墩、台挡块震害量统计
Table 2-8 Statistics of seismic damage to piers and concrete restricted blocks of simply supported bridges

桥梁规模	震害等级	D_A-无破坏（组）	D_B-破坏（组）	合计（组）
大桥	Ⅶ度区	976	92	1 068
	Ⅷ度区	466	151	617
	Ⅸ度区	169	106	275
	Ⅹ、Ⅺ度区	43	118	161
中桥	Ⅶ度区	761	27	788
	Ⅷ度区	187	39	226
	Ⅸ度区	40	79	119
	Ⅹ、Ⅺ度区	69	43	112
小桥	Ⅶ度区	581	5	586
	Ⅷ度区	161	3	164
	Ⅸ度区	87	24	111
	Ⅹ、Ⅺ度区	21	33	54
合计		3 561	720	4 281

简支梁桥支座、挡块的破坏率与主梁发生移位比例19.5%接近，且与主梁移位情况类似，桥支座、挡块破坏为主梁移位的伴生震害。

4）桥墩破坏

简支梁桥共有桥墩2 316个，桥墩形式主要有钢筋混凝土排架墩、钢筋混凝土独柱墩（含墙式墩）和圬工重力式桥墩三种，其中以排架墩最为普遍，采用矩形空心截面的排架墩仅在庙子坪大桥、新房子大桥等极少数高速公路中的高墩桥梁中采用，圬工重力式桥墩主要用于修建年代较早的桥梁。

桥墩震害形式主要有墩底开裂、墩顶开裂、墩底塑性铰、墩顶塑性铰、墩柱压溃、墩柱倾斜、盖梁开裂、桥墩剪断、桥墩倒塌等。2 316个桥墩中，共56个桥墩出现震害（P_B、P_C、P_D级震害），占其总数的2.4%，远低于主梁、支座、挡块的震害比例，未出现阪神地震、美国北岭地震中桥墩大量破坏的情况，这是汶川地震中简支梁桥震害的一个鲜明特点。

在Ⅶ、Ⅷ、Ⅸ度区内，仅有甘肃省毛坝桥2、3号桥墩轻微开裂，出现P_B级震害。其余出现破坏的桥墩均位于Ⅹ、Ⅺ度区内。在实际地震烈度为Ⅹ、Ⅺ度区域内的184个桥墩中，其中：钢筋混凝土排架墩P_D级破坏比例为12.5%，圬工重力式桥墩P_D级破坏比例为17.6%。其中，完全失效（P_D级震害）的钢筋混凝土排架墩主要在跨越断层的在建桥梁映秀顺河桥中（15个桥墩），扣除此桥墩数后，出现P_D级震害的桥墩数比例率为2.4%。Ⅹ、Ⅺ度区内桥墩震害情况见表2-9。

表2-9　Ⅹ、Ⅺ度区内简支梁桥墩震害情况统计
Table 2-9　Statistics of seismic damage to piers of simply supported bridges in Ⅹ & Ⅺ degree intensity areas

震害等级 桥墩类型	P_A-未破坏 （个）	P_B-一般破坏 （个）	P_C-严重破坏 （个）	P_D-完全失效 （个）	合计 （个）
钢筋混凝土排架墩	103	12	11	18	144
钢筋混凝土独柱墩	14	0	9	0	23
圬工重力式桥墩	13	0	1	3	17
合计	130	12	21	21	184

值得指出的是，在汶川地震中，庙子坪岷江大桥引桥（简支梁部分）出现了桥墩水下震害，淹没于水中的7~11号墩均出现了裂缝，最大裂缝宽度0.8mm。震后的修复比岸上墩要困难得多。庙子坪水中桥墩的震害为深水桥墩的抗震设计提出了一个尖锐的问题。

5）斜交桥震害

调查结果表明，区域内958座未受次生地质灾害影响的简支梁桥中，74座为斜交简支梁桥。统计表明斜交桥的破坏率明显较直线桥要高，无论是全桥失效、严重破坏还是中等破坏，斜交桥的比率均较正交桥要高。其原因在于斜交桥出现主梁移位时，往往纵向移位和横向移位耦合，并伴有转动，增加了落梁风险，加剧了桥梁震害。不同交角的简支梁桥在各烈度区内震害情况与震害比例见表2-10与图2-31。

表 2-10 各烈度区域内不同交角桥梁震害情况统计
Table 2-10 Statistics of seismic damage to skew bridge

主梁交角	震害等级	A0-无破坏（座）	A-轻微破坏（座）	B-中等破坏（座）	C-严重破坏（座）	D-全桥失效（座）	合计（座）
正交桥梁	Ⅶ度区	243	317	18	0	0	578
	Ⅷ度区	78	93	20	0	0	191
	Ⅸ度区	16	18	19	3	0	56
	Ⅹ、Ⅺ度区	3	16	28	9	3	59
斜交桥梁	Ⅶ度区	3	19	1	0	0	23
	Ⅷ度区	1	0	0	1	0	2
	Ⅸ度区	1	4	29	4	0	38
	Ⅹ、Ⅺ度区	0	0	4	6	1	11
合计		345	467	119	23	4	958

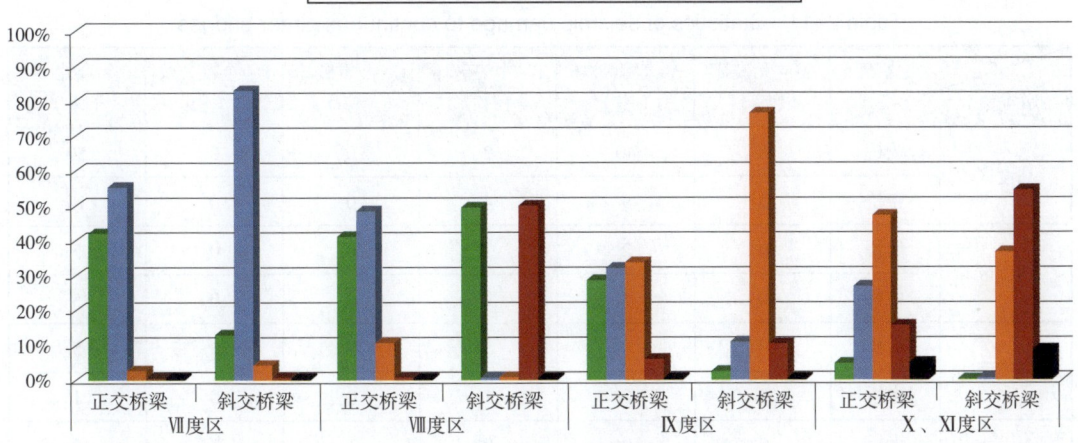

图 2-31 不同交角简支梁桥震损比例

Figure 2-31 The ratios of seismic damage to simply supported bridges according to different intersection angle

2.5 连续梁桥震害 The main damage to continuous girder bridges

汶川震区内的连续梁桥跨径大多在 20~30m 间，均为中小跨径桥梁，上部结构多为预应力混凝土箱梁。部分桥梁处在平面曲率半径小于 300m 的曲线上；下部结构有排架墩、柱式墩或组合式桥墩。支承方式主要有 4 种：其一，各墩为盆式橡胶支座，固定墩采用固定支座设置，区域内高等级公路上常见该类桥梁；其二，固定墩采用盆式橡胶支座，其余墩采用板式橡胶支座，如百花大桥即采用这一形式；其三，固定墩采用墩梁固结，其余墩采用板式橡胶支座或盆式橡胶支座，如小黄沟中桥、回澜立交桥采用该类布置；其四，各墩均采用板式橡胶支座，以锚栓进行限位，这一支承方式多用于跨度不足20m的小跨中，如蒲家沟大桥的连续梁段等。另有少量桥梁除桥台采用板式橡胶支座外，其余均采用盆式橡胶支座，如新房子大桥右线桥。

2.5.1 主要震害表现 The main seismic damage characteristics

连续梁桥上部结构与简支体系桥的震害基本相同，如梁体移位、支座破坏等，不同之处在于连续梁桥大多设置固定墩，而固定墩的破坏较非固定墩的破坏有较大区别，同时，对于采用墩梁固结的连续梁桥，在地震作用下，还可能导致主梁开裂。

2.5.2 震害统计 The statistics of seismic damage

1）震害统计

调查区域内，连续梁桥共90座185联，2座出现C级破坏，D级破坏仅百花大桥1座，出现C、D级破坏的桥梁共占连续梁桥总数的3.3%，均位于Ⅹ、Ⅺ度区。各烈度区内不同规模连续梁桥数量及震害情况见表2-11。

表2-11 连续梁桥震害情况统计表
Table 2-11 Statistics of seismic damage to continuous girder bridges

桥墩类型	震害等级	A0-无破坏（座）	A-轻微破坏（座）	B-中等破坏（座）	C-严重破坏（座）	D-全桥失效（座）	合计（座）
Ⅶ度区	大桥	8	40	2	0	0	50
	中桥	3	9	4	0	0	16
Ⅷ度区	大桥	0	2	3	0	0	5
	中桥	0	3	2	0	0	5
Ⅸ度区	大桥	0	0	5	0	0	5
	中桥	0	0	1	0	0	1
Ⅹ、Ⅺ度区	大桥	0	0	0	1	1	2
	中桥	0	0	5	1	0	6
合计		11	54	22	2	1	90

从表2-11中可以看出，在地震烈度为Ⅶ度区的区域内并未出现严重破坏与完全损毁的情况，出现中等破坏的连续梁桥共6座，占Ⅶ度区连续梁桥总数的9.1%；在实际烈度为Ⅷ~Ⅺ度区内，连续梁桥完全失效的桥梁仅1座，占该区域桥梁总数的4.2%。

2）主梁移位

连续梁构件震害统计时，除上部主梁以联为单位进行统计外，其余均按简支梁桥构件震害统计方法。连续梁桥的构件破坏情况与简支梁桥类似，在185联主梁中，共计39联出现移位（B_B、B_C、B_D级震害），主梁移位比例为21.1%；而出现主梁严重移位（B_C级震害）及主梁失效（B_D级震害）的联数为 8 联，占总联数的 4.3%，这两个比率与简支梁桥基本持平。连续梁桥主梁破坏情况如表 2-12 所示。

表 2-12 连续梁桥主梁破坏情况统计表
Table 2-12 Statistics of seismic damage to girders of continuous girder bridges

桥梁规模	震害等级	B_A-无明显破坏（联）	B_B-少量破坏（联）	B_C-严重破坏（联）	B_D-失效（联）	合计（联）
大桥	Ⅶ度区	121	5	0	0	126
	Ⅷ度区	7	4	0	0	11
	Ⅸ度区	3	10	0	0	13
	Ⅹ、Ⅺ度区	0	0	6	1	7
中桥	Ⅶ度区	12	4	0	0	16
	Ⅷ度区	3	2	0	0	5
	Ⅸ度区	0	1	0	0	1
	Ⅹ、Ⅺ度区	0	5	1	0	6
合计		146	31	7	1	185

3）支座破坏

调查区域内连续梁桥的支座形式主要有板式橡胶支座和盆式橡胶支座两种，其中板式橡胶支座 231 组、盆式橡胶支座 281 组，合计 512 组。两类支座中，合计破坏支座比例为 14.5%，这一比率与简支梁桥的支座破坏比例较为接近。连续梁桥两类支座破坏数量如表 2-13 所示。

表 2-13 连续梁桥支座破坏情况统计表
Table 2-13 Statistics of the damage bearings of continuous girder bridges

支座类型	震害等级	S_A-无破坏（组）	S_B-破坏（组）	合计（组）
板式橡胶支座		17	46	63
盆式橡胶支座		823	97	920
合计		840	143	983

4）桥墩破坏

连续梁桥主要有排架墩、独柱墩两种，以排架墩居多，破坏也多集中在这类桥墩上，从桥墩与主梁的连接关系分为固定墩及非固定墩。主要破坏形式有桥墩倾斜、墩底压溃、墩底塑性铰、系梁破坏、墩柱与系梁节点破坏、完全倒塌等。Ⅶ、Ⅷ度区桥墩 611 个，均未出现破坏。Ⅸ～Ⅺ度共有桥墩 143 个，固定墩 29 个，非固定墩 114 个，其中部分桥墩出现不同程度的破坏。出现破坏（P_B、P_C、P_D 级破坏）的桥墩比例为 35.6%，桥墩严重破坏（P_C 级破坏）及桥墩失效（P_D 级破坏）的比例为 12.5%，这两个比率均较简支梁桥要高。不同类型的连续梁桥墩破坏情况见表 2-14。

表 2-14 连续梁桥Ⅸ～Ⅺ度区内桥墩破坏情况统计表
Table 2-14 Statistics of seismic damage to piers of continuous girder bridges in Ⅸ～Ⅺ degree area

桥墩类型		震害等级	P_A-未破坏（组）	P_B-一般破坏（组）	P_C-严重破坏（组）	P_D-完全失效（组）	合计（组）
独柱墩	一般墩	Ⅸ度区	62	17	0	0	79
		Ⅹ、Ⅺ度区	2	4	0	0	6
	固定墩	Ⅸ度区	12	7	0	3	22
		Ⅹ、Ⅺ度区	0	1	1	0	2
排架墩	一般墩	Ⅸ度区	0	0	0	0	0
		Ⅹ、Ⅺ度区	16	4	1	8	29
	固定墩	Ⅸ度区	0	0	0	0	0
		Ⅹ、Ⅺ度区	0	0	0	5	5
合计			92	33	2	16	143

由于桥墩数量较少，不宜进行破坏比例统计。但通过调查发现，设置墩梁固结的固定墩破坏相对严重，特别是小半径曲线连续梁桥设置墩梁固结的固结墩破坏严重，如Ⅸ度区的绵竹回澜立交桥匝道桥 3 个固结墩压溃（P_D级破坏）、小黄沟中桥的固结桥墩倾斜开裂（P_C级破坏）等。由于结构体系的不同，使得连续梁桥震害也呈现出一些不同于简支梁桥的特点。

5）固定墩破坏

连续梁桥与简支梁桥在结构破坏上明显的区别在于，固定墩的破坏较一般墩要更为严重，这一点在采用墩梁固结的连续梁桥中表现更为突出。在被调查的连续梁桥中，仅有国道 213 线小黄沟中桥（图 2-32）与绵竹市区内回澜立交桥（图 2-33）采用墩梁固结方式，这两座桥梁的固结墩均破坏严重。回澜立交桥甚至因固结墩完全失效而使承载力完全丧失（回澜立交桥为市政桥梁，未纳入总体统计）。而对于采用盆式橡胶支座固结的连续梁桥，在一联中也表现出较一般墩、固定墩破坏更为严重的现象（图 2-34、图 2-35）。

图 2-32 小黄沟中桥固定墩开裂、倾斜
Figure 2-32 The fixed pier of Small Yellow Groove Bridge cracked and inclined

图 2-33 回澜立交桥固结墩压溃
Figure 2-33 The fixed pier of Huilan Overpass destroyed seriously

图 2-34 百花大桥固定墩倾斜、墩底压溃

Figure 2-34 The fixed pier of Baihua Bridge inclined and the bottom of the pier smashed

图 2-35 百花大桥固定墩系梁附近压溃

Figure 2-35 The part of the fixed pier near tie girder of Baihua Bridge smashed

6）小半径曲线桥震害

对于曲率半径小于 300m[2] 的小半径曲线桥（多为曲线连续梁桥），由于其主梁质心偏离桥轴线，同时曲线桥两岸桥台对于梁体的限制要远小于直线桥，导致其破坏特点与震害等级较直线桥有较大区别。从震害调查的结果来看，曲线连续梁桥的破坏情况较直线连续梁桥要更为严重，震区出现严重破坏或完全失效的连续梁桥（如百花大桥、新房子大桥、小黄沟中桥、回澜立交桥等）均为小半径曲线连续梁桥。同时，震害调查结果表明，对于曲线连续梁桥，在主梁发生移位时，存在较为明显的沿桥轴线法向的位移分量。

2.6 拱桥震害 The seismic damage to arch bridges

调查区域内的拱桥结构形式较为丰富，包含圬工拱桥、双曲拱桥、上承式钢筋混凝土拱桥、中承式钢筋（管）混凝土拱桥、刚架拱桥等多种结构形式，共有拱桥 297 座，其中圬工拱桥 276 座，且大多为单跨、小跨度的实腹式圬工拱桥。

2.6.1 主要震害表现 The main seismic damage characteristics

拱桥的震害形式主要有主拱震害和拱上建筑震害两种。主拱震害的主要形式有全桥垮塌、拱圈开裂，对于填土高度较大的实腹拱和桥台较高的空腹拱，还可能出现纵向开裂，对于中承式肋拱桥还出现了横向连接系震害。实腹式拱桥拱上建筑的震害形式主要是侧墙开裂和垮塌，以侧墙开裂居多。空腹式拱上建筑的震害形式主要有腹拱、横墙开裂，尤其是与桥台相接的腹拱拱顶或拱脚更易开裂。梁式拱上建筑的主要震害是立柱开裂。拱桥典型震害如图 2-36~图 2-40 所示。

图 2-36 彭州小渔洞大桥全桥垮塌（刚架拱桥）
Figure 2-36 The Xiaoyudong Bridge in Pengzhou collapsed completely（rigid-framed arch bridge）

图 2-37 辕门坝大桥全桥垮塌（圬工拱桥）
Figure 2-37 The Yuanmen Dam Bridge collapsed completely（masonry arch bridge）

图 2-38 井田坝大桥全桥垮塌（钢筋混凝土拱桥）
Figure 2-38 The Jingtian Dam Bridge collapsed completely（reinforced concrete arch bridge）

图 2-39 铜子梁桥主拱开裂（双曲拱桥）
Figure 2-39 The main arch of Tongzi bridge cracked（double arch bridge）

图 2-40 螺旋沟桥拱脚错位（圬工拱桥）
Figure 2-40 The dislocation at the springing of the arch of Spiral Groove Bridge（masonry arch bridge）

2.6.2 震害统计 The statistical of seismic damage

在实际地震烈度为Ⅶ～Ⅺ度内共有拱桥297座。其中：实际地震烈度为Ⅶ度区内108座拱桥中，未出现C级震害（严重破坏）与D级震害（完全失效）的拱桥，出现中等破坏（B级震害）的拱桥共计16座，占Ⅶ度区拱桥总数的14.8%；实际地震烈度为Ⅷ度区内的84座拱桥中，未出现D级震害（完全失效）的拱桥，出现C级震害（严重破坏）的拱桥共6座，占该区域拱桥总数的7.1%；在实际地震烈度为Ⅸ度区内的64座拱桥中，出现D级震害（完全失效）的桥梁共计3座，占其总数的4.7%，出现C级震害（严重破坏）的桥梁14座，占其总数的21.9%；在实际地震烈度为Ⅹ度及Ⅺ度区域内的41座拱桥中，出现D级震害的拱桥3座，占其总数的7.3%，出现C级震害（严重破坏）的桥梁16座，占其总数的39.0%。区域内拱桥的各级震害比例如图2-41所示。

值得注意的是，拱桥在实际地震烈度为Ⅸ度区即开始出现完全失效（D级震害）的桥梁，而该烈度区域内的其他桥型并未出现D级震害的情况；而且在实际烈度为Ⅹ、Ⅺ度区内，有1座小桥也出现了D级震害。

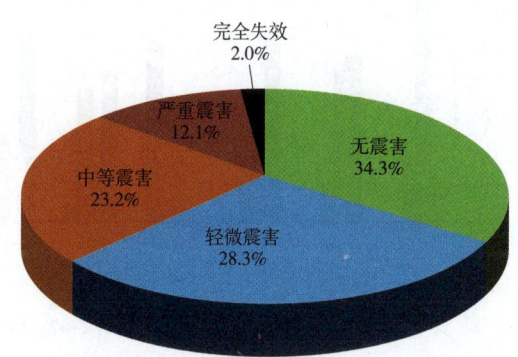

图2-41 拱桥震害比例图
Figure 2-41 Proportion of seismic damage to arch bridges

在这297座拱桥中，圬工材料的拱桥共276座，钢筋混凝土拱桥21座（含钢管拱1座），且均为中、大跨径桥梁。两类材料拱桥的破坏程度大不相同，总体而言，钢筋混凝土拱桥的抗震性能要优于圬工拱桥。

1）圬工拱桥

位于实际地震烈度为Ⅶ度区域内的圬工拱桥102座，Ⅷ度区78座，Ⅸ度区57座，Ⅹ、Ⅺ度区39座。随着地震烈度的增加，圬工拱桥中出现严重破坏与完全失效的比例急剧上升。各烈度区域内不同规模的圬工拱桥的破坏数量与破坏比例如表2-15与图2-42所示。

表2-15 圬工拱桥震害情况统计表
Table 2-15 Statistics of seismic damage to masonry arch bridges

桥梁规模	震害等级	A0-无破坏（座）	A-轻微破坏（座）	B-中等破坏（座）	C-严重破坏（座）	D-全桥失效（座）	合计（座）
Ⅶ度区	大桥	1	8	2	0	0	11
	中桥	12	11	3	0	0	26
	小桥	33	22	10	0	0	65
Ⅷ度区	大桥	0	1	2	3	0	6
	中桥	8	3	7	1	0	19
	小桥	27	11	13	2	0	53
Ⅸ度区	大桥	0	1	0	1	2	4
	中桥	6	4	5	6	0	21
	小桥	10	7	10	5	0	32
Ⅹ、Ⅺ度区	大桥	0	1	0	0	2	3
	中桥	1	2	2	8	0	13
	小桥	3	5	6	8	1	23
合计		101	76	60	34	5	276

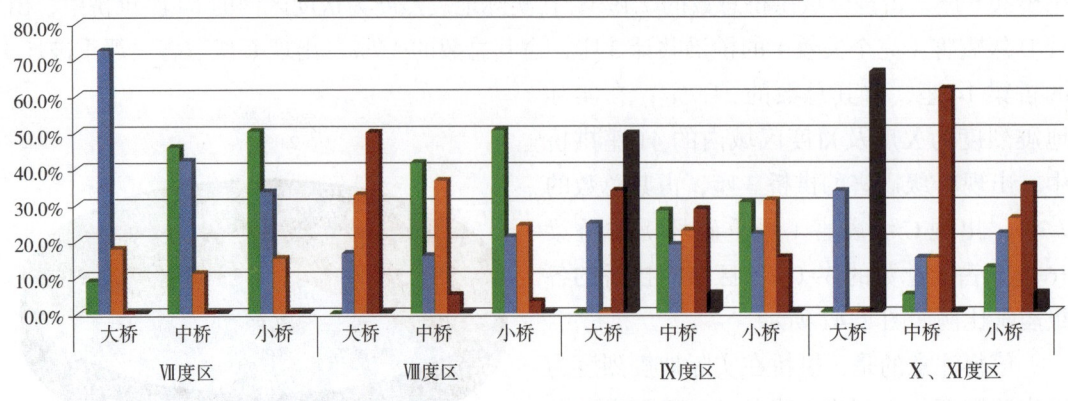

图 2-42　圬工拱桥震害比例
Figure 2-42　Proportion of seismic damage to masonry arch bridges

圬工拱桥的的震害表现与梁桥有明显的区别，其震害表现出一定的极端性，要么基本完好，要么震害严重，甚至全桥垮塌。从图2-42中可以看出，相同烈度、相同桥梁规模的拱桥中，各级破坏率并未表现出类似简支梁桥的完全失效率、严重破坏率与中等破坏率明显的阶梯状增长。这一点在位于Ⅹ、Ⅺ度区的大规模拱桥中表现最为明显，一个典型实例是，位于"映秀极震区"已废弃的老国道318线上的洱沟拱桥基本完好（图2-43），而在该桥附近的多座梁式桥则破坏严重，而位于相同烈度下的多座大跨圬工拱桥，如南坝旧桥、辕门坝大桥等，则在地震中全桥垮塌。

图 2-43　位于Ⅺ度区的洱沟拱桥基本完好（跨径60m）
Figure 2-43　The Ergou Arch Bridge intacted in XI degree area

2）钢筋混凝土拱桥震害

21座中、大跨钢筋混凝土拱桥，仅有井田坝大桥出现全桥垮塌（D级震害），该桥采用圬工重力式墩，且桥墩较高。震害调查结果表明，其垮塌原因为圬工桥墩墩底发生弯曲破坏，其余钢筋混凝土拱桥在地震中的表现均好于同烈度下的圬工拱桥。如位于Ⅺ度区的桂溪大桥为3×40m钢筋混凝土肋拱桥，仅发生中等破坏（图2-44）；位于Ⅸ度区的白水河大桥为3×90m钢筋混凝土箱拱，其单跨跨径为调查拱桥中最大的，破坏等级为C级（图2-45）。各烈度区域内钢筋混凝土拱桥震害情况见表2-16。

图2-44　震后的桂溪大桥（钢筋混凝土肋拱）
Figure 2-44　The Guixi Bridge after earthquake（reinforced concrete arch bridge）

图2-45　震后的白水河大桥（钢筋混凝土箱拱）
Figure 2-45　The White Water Bridge after earthquake（reinforced concrete arch bridge）

表2-16　钢筋混凝土材料拱桥震害情况
Table 2-16　Statistics of seismic damage of reinforced concrete arch bridges

桥梁规模 \ 震害等级	A0-无破坏（座）	A-轻微破坏（座）	B-中等破坏（座）	C-严重破坏（座）	D-完全失效（座）	合计（座）
Ⅶ度区	0	5	1	0	0	6
Ⅷ度区	1	2	3	0	0	6
Ⅸ度区	0	1	3	2	1	7
Ⅹ、Ⅺ度区	0	0	2	0	0	2
合计	1	8	9	2	1	21

3）拱上建筑与横向联系破坏

拱式腹拱是上承式拱桥的易损部位。白水河大桥、曲河大桥等腹拱和拱上横墙均出现了开裂、变形等震害，尤其是与桥台相接的腹拱，因变形较大，极易受损，白水河大桥、曲河大桥与桥台相接的腹拱近乎垮塌（图2-46）。

此外，调查表明，横撑是中承式拱桥的易损构件。调查区域内仅2座中承式拱桥，其横撑均出现了较为严重的开裂现象（图2-47）。

图 2-46　曲河大桥腹拱拱脚错位　　　　　　　图 2-47　安州大桥斜撑开裂
Figure 2-46　The dislocation at the springing of arch of Quhe Bridge　　Figure 2-47　The cracks in the sway brace of Anzhou Bridge

2.7 连续刚构桥震害 Damage to continuous rigid frame bridges

区域内共有 2 座连续刚构桥，只有位于 X 度区的庙子坪岷江大桥主桥发生破坏，其主要震害表现为：①主梁边跨与中跨部分节段顶板、底板及腹板均出现裂缝，如图 2-48、图 2-49 所示。边跨开裂较中跨严重，腹板裂缝较顶板、底板裂缝要多而密。②主梁发生明显的纵横向移位。主梁移位以边跨横向移位为主，呈现明显的摆尾现象。边跨端部相对主墩的横向最大移位为 41cm。过渡墩支座受损极为严重，基本功能丧失（图 2-50）。③ 5 号主墩墩身部分出现了水平贯穿裂缝。3 号交界墩墩底出现多条裂缝。过渡墩比主墩倾斜严重，纵向比横向倾斜明显（图 2-51）。

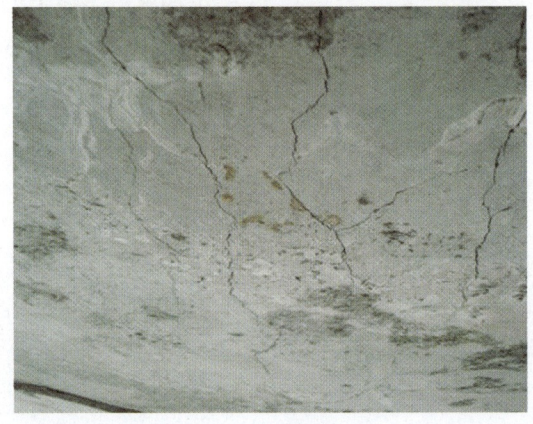

图 2-48　底板开裂　　　　　　　　　　　　图 2-49　腹板开裂（修补后）
Figure 2-48　The bottom of the girder cracked　　Figure 2-49　The girder web cracked

同时，庙子坪岷江大桥 4 号主墩墩高达 102.5m，5 号主墩墩高 99.5m；主引桥交界墩墩高分别为 67.5m（3 号墩）与 85.4m（5 号墩）。其中 5 号主墩水下部分出现了水平贯穿裂缝，3 号交界墩墩底出现多条裂缝。此外，简支引桥段中 7 号墩（墩高 86.7m）、8 号墩

（墩高88.2m）、9号墩（墩高84.6m）、10号墩（墩高82.2m）与11号桥墩（墩高84.7m）也出现了水下裂缝。虽然庙子坪大桥桥墩开裂并不严重，裂缝最宽处约0.8mm，但因其裂缝均位于深水中，导致其震后修复代价巨大。

图2-50 交界墩上边跨主梁变位

Figure 2-50 The deformation of side span's main girder on the junctional pier

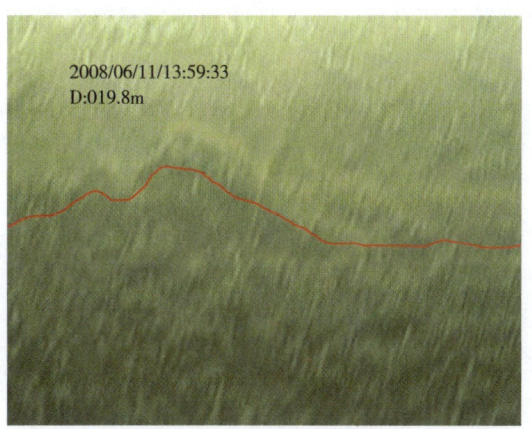

图2-51 主墩水下裂缝

Figure 2-51 The main pier cracked under water

2.8 汶川地震公路桥梁震害特征 The characteristics of seismic bridge damage in the Wenchuan Earhtquake

在对灾区国省干线公路上的2 154座桥梁震害评级基础上进行了震害统计分析，研究了次生地质灾害、断层及烈度、斜坡地形等因素对桥梁震害的影响，分析了桥梁规模及不同桥型的震害特点。归纳总结出汶川地震公路桥梁的震害特征：

（1）灾区公路桥梁总体表现良好，未出现历次国内外大地震中落梁较多、桥墩破坏严重的情况。在实际地震烈度为Ⅶ～Ⅺ度内的1 408座桥梁中，严重破坏（C级震害）及全桥失效（D级震害）的桥梁共计112座，占其总数的8.0%；在受地震动直接震害的3 298跨简支梁桥跨中，36跨发生落梁，占其总数的1.1%。

（2）完全损毁或失效（D级震害）的桥梁主要是由山体崩塌、堰塞湖等次生地质灾害所致。52座D级震害的桥梁中，40座桥梁是由于次生地质灾害造成的，占D级震害桥梁的76.9%。同时发生次生地质灾害的桥梁主要集中在龙门山断裂带上盘。这一特征体现了山区桥梁的震害特点。

（3）灾区严重破坏的桥梁呈"两点一带"的分布特点。汶川地震的发震断层——龙门山中央主断裂自映秀向东北方向破裂，同时呈现出"映秀"、"北川"两个极震区，灾区桥梁的破坏程度分布与发震断层走向及地震实际烈度分布有密切相关，也呈现出相应的"两点一带"的分布规律。

（4）不同规模的桥梁破坏程度不同，大桥（特大桥）的破坏明显比中、小桥要严重。这主要是由于中、小桥的振动易受到桥台的约束；桥台对桥梁抗震有较大的贡献，而对于大桥、特大桥桥台对结构的约束相对较弱。

（5）简支梁桥的震害以主梁移位、支座破坏、挡块破坏为主，桥墩破坏率较低。这是汶川地震简支梁桥独特的震害特征。这与灾区简支梁桥普遍采用板式橡胶支座有关。板式橡胶支座在地震中变形或滑动后具有良好的隔震性能，支座与梁体间的滑移大大减小了桥墩的水平地震力，从而使得桥墩得到保护。此外，斜交简支梁桥主梁在移位时伴随明显的平面转动，使得斜交桥的破坏明显较直线桥严重。

（6）连续梁桥的震害也以主梁移位、支座破坏为主，桥墩破坏率也较低，但固定墩破坏比非固定墩严重。这主要是因为连续梁桥中固定墩的约束远大于非固定墩，导致在地震作用下大部分水平地震力由固定墩承受，从而使其产生比非固定墩更为严重的破坏。

（7）钢筋混凝土拱桥的表现优于圬工拱桥，主拱横向连接系是其易损构件。在地震作用下，横向连接系将出现较大的内力响应，并可能导致横向连接系的失效。

（8）圬工拱桥的破坏表现出一定的极端性，拱上建筑（腹拱、横墙等）是其易损构件。圬工拱桥要么不坏，要么破坏严重或全桥垮塌。同时由于拱上建筑（腹拱、横墙等）是多次超静定结构，加之圬工材料抗裂性差的特点，是拱上建筑易损的原因。

（9）大跨连续刚构桥除桥墩易出现震害外，主梁也易出现开裂，边跨易出现横向"摆尾"及竖向"拍击"振动。地震动作用下带来"恒载损失"或"恒载放大"效应、主墩与主梁刚结使得主梁不能适应地震作用下交变内力的需要，是主梁开裂的主要原因；连续刚构桥横向刚度小，主墩和交界墩对主梁的约束情况相差较大，是导致主梁出现"摆尾"的主要因素，极大的竖向地震动是导致主梁出现"拍击"现象的重要原因，横向"摆尾"和竖向"拍击"加剧了主梁开裂。

第 3 章　国道 213 线映秀镇至都江堰段公路
Chapter 3　The 213 National Highway from Yingxiu to Dujiangyan

3.1　公路及桥梁概况 Outline of route and bridges

国道 213 线映秀镇至都江堰段公路建成于 1966 年，全长 20.75km，后因受紫坪铺水利枢纽工程的影响，于 2003 年进行了改、扩建。改建该段全长 31.6km，公路等级为山岭重丘区三级公路。汶川地震后，该段公路是进入震源地映秀镇的唯一生命线。

该段公路位于四川盆地西北侧，龙门山中南段，沿岷江右岸展布，地势自西北向东南倾斜。龙门山断裂带（发震断裂带）穿越映秀镇，除渔子溪桥位于中央断裂带上盘，本段公路内其余桥梁均位于下盘。公路抗震设防烈度为Ⅶ度[1]，而在汶川地震中，该段路实际烈度为Ⅸ～Ⅺ度[3]。

本段公路以映秀镇为线路起点，以映秀镇至都江堰方向为正方向对各桥进行编号（图 3-1）。

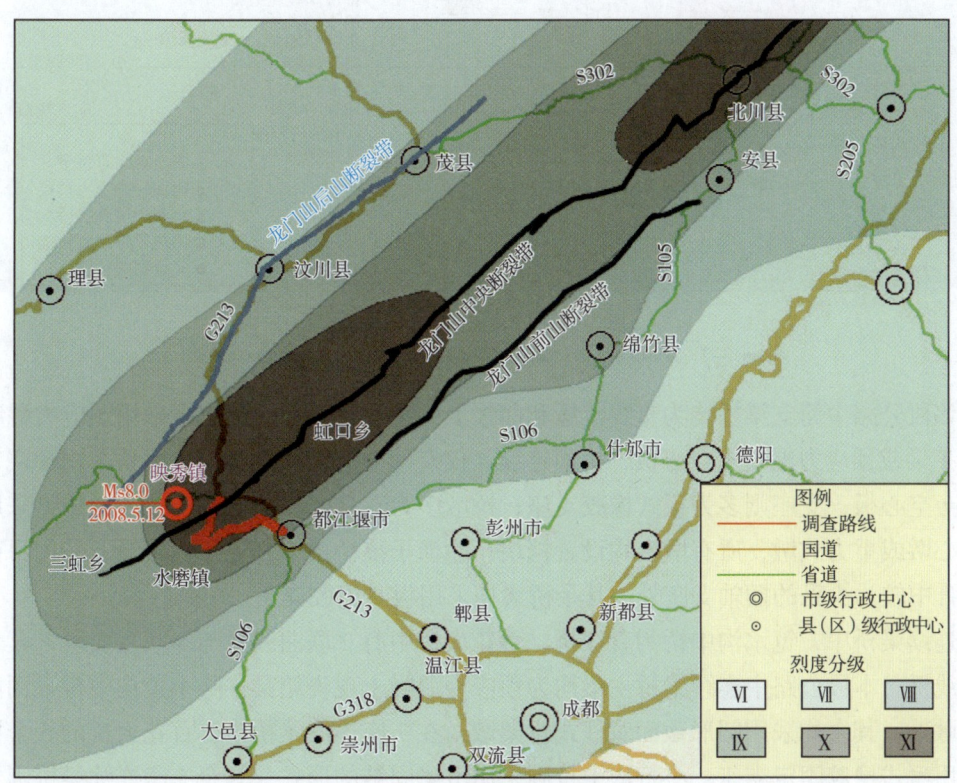

图 3-1　本段公路地理位置图
Figure 3-1　Location of the national highway in seismic areas

该段公路共有桥梁 35 座，均为中、小跨径梁式体系桥梁。其中以简支梁居多，共 28 座，共计 89 跨；其余 7 座为连续梁桥，共计 44 跨。该段公路中各类桥型数量参见表 3-1；桥梁展布图及震害情况参见图 3-2，桥梁基本信息及震害情况参见附录 C 表 C-1。

表 3-1　国道 213 线映秀至都江堰段桥梁桥型及规模
Table 3-1　Types and size of the bridge on National Highway 213 from Yingxiu to Dujiangyan

桥梁规模 桥梁类型	特大桥 （座）	大桥 （座）	中桥 （座）	小桥 （座）	合计 （座）
简支梁桥	0	6	16	6	28
连续梁桥	0	1	6	0	7
合计	0	7	22	6	35

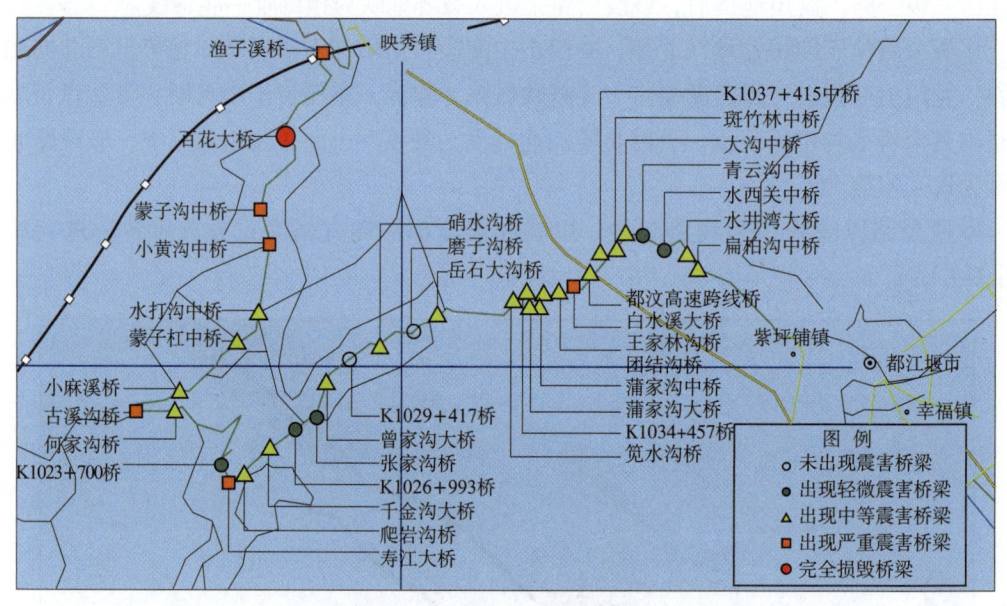

图 3-2　桥梁沿路线分布及震害
Figure 3-2　Location and seismic damage of the bridges along the highway

该段公路中简支梁桥均为直线或缓和曲线上的正交桥梁。主梁大多采用预应力混凝土简支 T 梁或预应力混凝土空心板，桥面连续，仅有部分单跨小跨径简支梁桥采用现浇钢筋混凝土空心板；支座则多为板式橡胶支座；桥墩多为双柱式排架墩，还有少量桥梁采用矩形空心墩或重力式墩，所有墩台均设置挡块；除渔子溪桥由于修建年代较早，采用目前桥梁设计中较为少见的摆轴支座外，其余桥梁均采用板式橡胶支座。

连续梁桥中，笕水沟中桥为直线桥，百花大桥中有 2 联曲线段与 4 联直线段，其余均为曲线桥。本段公路中连续梁桥主梁均为预应力混凝土现浇箱梁；除小黄沟中桥采用圆形独柱墩外，其余均采用圆形截面双柱式排架墩；在 7 座连续梁桥中，百花大桥的 5 个固定墩采用盆式橡胶固定支座，小黄沟中桥则采用墩梁固结的形式，其余 5 座连续梁桥则未设置固结墩。

3.2 震害概要 Outline of damage

该段公路靠近发震断裂带，所有桥梁均位于Ⅸ～Ⅺ度地震区，桥梁震害主要为由地震惯性力所引起的直接震害，而次生地质灾害对桥梁影响较小。本段公路桥梁在地震中破坏严重，完全失效（D级震害）的百花大桥即在本段路线上，此外，还有寿江大桥、白水溪大桥、小黄沟中桥、蒙子沟中桥等6座出现严重破坏（C级震害）的桥梁，本段公路中震害情况较为典型的桥梁将在本节后面进行详细介绍。

3.2.1 桥梁整体震害情况 Information on seismic bridge damage from investigated area

本段公路的35座桥梁中，除2座单跨小桥无明显震害外，其余33桥梁均有明显的震害表现。其中出现D级震害（完全失效）的桥梁1座；出现C级震害（严重破坏）的桥梁6座；另有21座桥梁出现B级震害（中等破坏）。同时，统计还表明桥梁的震害情况与其规模有非常明显的关系，42.9%的大桥出现C、D级震害，而中桥中出现C级震害仅占其总数的18.2%，小桥则均未出现C、D级震害。国道213线都江堰至映秀段桥梁各级震害比例如图3-3所示。

3.2.2 简支梁桥震害 Seismic damage to simply supported girder bridges

1）主要震害表现

本段公路中，简支梁桥的主要震害表现为：主梁出现纵、横向移位，部分梁体两端因纵向撞击导致梁端局部破损；支座及挡块破坏；桥墩墩柱开裂、倾斜及系梁开裂，但并未出现塑性铰、压溃与倾覆等严重破坏。

2）主梁震害

在所有89跨简支梁中，有64跨出现中等破坏（B_B级破坏），占梁跨总数的71.9%，17跨发生严重破坏（B_C级破坏），占移位梁体的19.1%。即本段公路中91.0%的简支梁跨出现震害，本段公路中简支梁桥主梁破坏比例如图3-4所示。

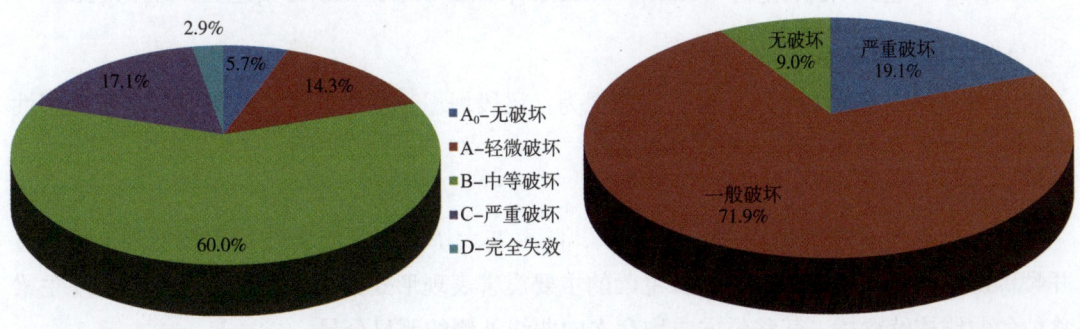

图3-3 桥梁震害情况统计　　　　　　　　图3-4 简支梁桥主梁移位率统计
Figure 3-3 Proportional extent of bridge damage　　Figuer 3-4 The displacement of girders of the simple support girder bridges

梁体移位表现出一定的方向性,在靠近发震断层的桥梁中表现尤为明显。如渔子溪桥桥轴走向与断层基本平行,主梁移位方向以横桥向位移为主;而寿江大桥桥轴走向与断裂带基本垂直,其主梁移位方向则以顺桥向移位为主。

3)支座、挡块震害

所有178组支座中,75.3%损坏,其中6组摆轴支座全部破坏,其原因在于摆轴支座在水平地震荷载下极易发生倾覆,而板式橡胶支座破坏比例达到74.4%,本段公路中简支梁桥支座破坏情况如表3-2所示。

表3-2 支座破坏情况
Table 3-2 The situation of bearings' damage

震害表现 支座类型	S_A-支座完好 (组)	S_B-支座破坏 (组)	合计 (组)
板式橡胶支座	44	128	172
摆轴支座	0	6	6
合计	44	134	178

本段公路中所有117组挡块中,破坏的挡块共计61组,占总数的52.1%。

4)桥墩震害

28座简支梁桥共有桥墩61个,各种桥墩形式的数量及震害情况如表3-3所示。统计表明,简支梁桥桥墩破坏比例仅为11.9%,远低于主梁、支座及挡块的破坏比例。

表3-3 简支梁桥桥墩震害情况简表
Table 3-3 The seismic damage of piers of simple support girder bridges

震害表现 桥墩类型	P_A-无破坏 (个)	P_B-一般破坏 (个)	P_C-严重破坏 (个)	P_D-完全失效 (个)	合计 (个)
圆形排架墩	37	5	0	0	42
矩形墩	17	0	0	0	17
圬工实体墩	2	0	0	0	2
合计	56	5	0	0	61

3.2.3 连续梁桥震害 Seismic damage to continuous girder bridges

1)主要震害表现

本段公路中连续梁桥的主要震害表现为:梁段坍塌、桥墩压溃、桥墩倾斜及出现塑性铰、主梁移位、支座破坏等。

2)主梁震害

本段公路共有连续梁桥7座共12联,除百花大桥第五联垮塌外,其余主梁未见明显开裂等影响梁体承载能力的震害,主梁的主要震害表现形式为梁体移位,且对于出现主梁移位的曲线连续梁桥,其移位方向均存在向曲线外侧的明显分量。

连续梁桥的12联桥均出现明显的主梁破坏,这一比率与简支梁桥较为接近,其中6

联出现严重破坏（B_C级破坏），占连续梁桥总联数的50.0%，连续梁桥支座破坏情况及破坏比例见表3-4、图3-5。

表3-4 连续梁桥主梁震害情况简表
Table 3-4 The seismic damage to beams of continuous beam bridges

序号	桥名	联数	主梁破坏情况（联）			
			B_A-无明显破坏	B_B-一般破坏	B_C-严重破坏	B_D-完全失效
1	百花大桥	6	0	0	5	1
2	小黄沟中桥	1	0	0	1	0
3	水打沟中桥	1	0	1	0	0
4	硝水沟中桥	1	0	1	0	0
5	笕水沟中桥	1	0	1	0	0
6	蒲家沟中桥	1	0	1	0	0
7	大沟中桥	1	0	1	0	0
	合计	12	0	5	6	1

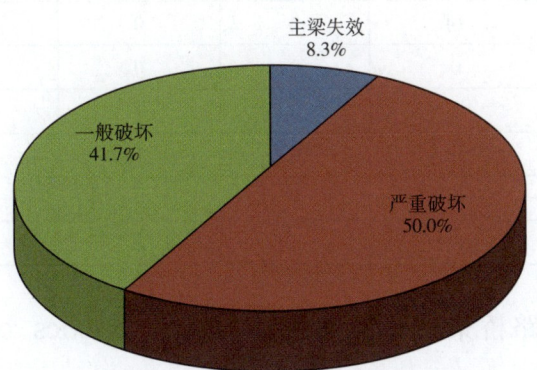

图3-5 连续梁桥主梁破坏率统计
Figure 3-5 The damage to the girders of continuous girder bridges

3）支座震害

连续梁桥共布置各类支座共计55组，其中盆式橡胶支座5组，板式橡胶支座50组。55组支座中共有49组支座损坏，占全部支座组数的89.1%，其中5组盆式橡胶支座全部损坏，板式橡胶支座的损坏率也达88.0%。本段公路中支座破坏情况如表3-5所示。

表3-5 支座破坏情况简表
Table 3-5 The situation of bearings' damage

支座类型 \ 震害表现	S_A-支座完好（组）	S_B-支座损坏（组）	合计（组）
盆式橡胶	0	5	5
板式橡胶	6	44	50
合计	6	49	55

4）桥墩震害

连续梁桥共计有 37 个墩柱，其中 6 个为固定墩。百花大桥的桥墩破坏情况最为严重，该桥 4 个桥墩倒塌倾覆、9 个桥墩压溃，此外还有 1 个桥墩出现塑性铰、6 个桥墩开裂。小黄沟中桥则为本段公路中唯一采用墩梁固结方式的连续梁桥，该桥墩受主梁向曲线外侧横移的影响，墩底处曲线内侧开裂，并有较为明显的倾斜，与地基间出现较大间隙。而非固定桥墩的震害表现则与简支梁桥墩震害情况较为类似。

连续梁桥出现震害的桥墩共计 20 个，占桥墩总数的 54.1%，远高于简支梁的桥墩破坏比例（11.9%）。其中固定墩的损伤比例为 100%，而且在同一座桥梁中，固定墩的震害严重程度也较非固定墩更为严重。在未设置固定墩的 5 座连续梁桥中，桥墩震害比率为 13.3%，与简支梁的桥墩震害比例相近。本段公路中各类桥墩震害情况参见表 3-6。

表 3-6 连续梁桥桥墩震害情况简表
Table 3-6 The seismic damage to piers of continuous girder bridges

桥墩类型	震害评级	P_A-无明显破坏（个）	P_B-一般破坏（个）	P_C-严重破坏（个）	P_D-完全失效（个）	合计（个）
圆形排架墩（有盖梁）	固定墩	0	0	0	0	0
	非固定墩	14	2	0	1	17
圆形排架墩（无盖梁）	固定墩	0	0	0	5	5
	非固定墩	2	2	1	7	12
圆形独柱墩	固定墩	0	0	1	0	1
	非固定墩	1	1	0	0	2
合计		17	5	2	13	37

3.2.4 本段公路桥梁震害特点 The characteristics of bridges damage in the highway

本段公路桥梁震害呈现出以下特点：

（1）桥梁震害以惯性力导致的直接震害为主，地质次生灾害对桥梁的影响不大。

（2）简支梁桥震害以主梁移位、支座破坏及挡块破坏为主。28 座简支梁桥中，出现震害（震害评级为 A 级及以上）的比例为 92.9%，而其主梁出现移位（主梁震害评级为 B_B 级以上）的比例为 91.0%；出现严重震害（C 级震害）的桥梁比例为 20.0%，而出现主梁严重破坏（B_C 级震害）的比例为 19.1%。对比简支梁桥的整体破坏比例与主梁破坏比例，以及整体严重破坏比例和主梁严重破坏比例，可以看出这两者基本相当，表明主梁破坏是导致简支梁桥受损的主要原因，而主梁破坏的主要表现为主梁移位，而主梁移位又会引起支座及挡块的破坏。

（3）简支梁桥桥墩破坏比例则仅为 11.9%，远低于主梁破坏比例，且未出现塑性铰、压溃与倾覆等严重破坏。这与本段公路中简支梁桥多采用板式橡胶支座，而板式橡胶支座具有良好的隔震作用有极大的关系。

（4）多座桥梁梁体移位具有明显的方向性，如位于上盘且与断层平行的渔子溪桥，其各跨梁体均向右侧发生了几乎等量的横向移位；位于下盘而与断层基本垂直的寿江大桥，其主梁梁体在横桥向移位量很小，而在纵桥向则几乎落梁。而有 20 跨主梁的连续梁桥百花大桥，其所有主梁梁体残余位移的方向均为沿断裂带走滑的方向。

（5）连续梁桥固定墩破坏较为严重。在未设置固定墩、全部采用板式橡胶支座的水打沟中桥、笕水沟中桥等 5 座连续梁桥中，桥墩震害率为 13.3%，与简支梁的桥墩震害率相近。而采用墩梁固结及固定盆式支座的连续梁桥的固定墩震害率为 100%，远高于全部采用板式橡胶支座的连续梁。

3.3 渔子溪桥 The Yuzixi Bridge

3.3.1 桥梁概况 Outline of the bridge

渔子溪桥位于映秀镇西北角，建于 1966 年，由于设计施工年限较早，支座采用摆轴支座，于 2003 年进行了桥面铺装改造，设置了桥面连续。该桥是本段公路中唯一一座位于龙门山中央断裂带上盘的桥梁，距离中央断裂带不足 1km，桥轴走向与断裂带成 20°左右的夹角。渔子溪桥与断裂带位置关系如图 3-6 所示。

图 3-6　渔子溪桥与断层的位置关系（四川省国土资源厅提供，空军司令部航拍影像）
Figure 3-6　The relationship between the Yuzixi Bridge and the fault (provided by the Land and Resources Department of Sichuan Provincial , aerial images from Air Force Command)

震后的渔子溪桥见图 3-7 所示。桥梁的主要设计参数如下：
- 上部结构：3×22.2m 简支 T 梁　　　・支座：摆轴支座
- 桥墩构造：圬工实体桥墩　　　　　・基础：扩大式基础

图 3-7　震后的渔子溪桥

Figure 3-7　The layout of the Yuzixi bridge after the earthquake

- 桥台：重力式桥台
- 竣工时间：1966 年
- 采用抗震规范：未采用
- 实际地震烈度：XI
- 上下盘关系：上盘
- 与断层距离：约 0.6km

渔子溪桥处置后限制通行，震害等级为 C 级（严重破坏）。震害主要表现为各跨主梁均存在严重的横桥向移位，在地震中，该桥主梁全部从摆轴支座上滑脱。

3.3.2　上部结构及支承 Superstructure and supports

渔子溪桥主梁未出现明显的开裂等影响结构承载能力的震害，主梁主要震害表现为刚体位移。由于该桥建设年代较久，支座情况比较特殊，渔子溪桥使用了在当代桥梁建设中已淘汰的摆轴支座（图 3-8），在地震中渔子溪桥的所有支座均发生了倾覆，三跨主梁均从支座上脱落在桥墩或桥台上，并出现了向桥梁右侧 40~50cm 的移位（图 3-9~ 图 3-11）。

图 3-8　渔子溪桥使用的摆轴支座

Figure 3-8　The balance staff support bearing of the Yuzixi Bridge

图 3-9　梁体向右侧横向移位

Figure 3-9　The girders moved transversely rightward

图 3-10　梁体向右横移，存在落梁风险

Figure 3-10　The girders moved transversely to the right and was risking falling

因为摆轴支座倾覆稳定性较弱，支座倾覆后主梁从支座上脱落，导致桥面连续开裂

(图 3-7),各跨主梁之间、主梁与桥台之间形成高差。由于主梁纵向振动,梁体与桥台、桥墩发生撞击,导致部分梁端混凝土破碎、露筋;各跨横隔板湿接缝损坏严重(图 3-12)。

图 3-11 都江堰岸桥台梁体与桥台间存在间隙
Figure 3-11 A gap between the girders and the abutment on the Dujiangyan shore

图 3-12 横隔板开裂
Figure 3-12 The diaphragms cracked

3.3.3 下部结构 Substructure

渔子溪桥桥墩为圬工实体墩。经现场勘查,未发现桥墩发生过不均匀沉降,该桥的桥墩墩身与桥台也未见开裂、倾斜等明显震害表现。因梁体撞击,桥墩右侧挡块全部被撞坏。同时,由于梁体纵向冲击桥台,导致两岸桥台背墙均出现较为严重的损坏(图 3-13)。

3.3.4 震后处理 Treatment after the earthquake

渔子溪桥是通过国道 213 线进入映秀镇的必经之路。因该桥的修建时间较早,加之该桥采用圬工桥墩与扩大基础,在地震发生后,各跨桥面出现明显的高差。因在第一时间无法判断该桥基础是否出现沉陷、失稳等破坏,故全桥布置双排双层 321 钢梁维持应急通行(图 3-14);对两岸桥台塌陷较大的部位采用土石方填筑并压实,对出现的裂缝部位采用灌注混凝土或水泥浆进行封闭的加固措施,并限载,限载标准为 20t。

其后对破损梁体、挡块进行修补,对移位梁体进行顶推复位,并将原有的摆轴支座更换为板式橡胶支座,如图 3-15、图 3-16 所示。

3.3.5 震害简析 Analysis on damage mechanism

渔子溪桥为本段路唯一一座位于断裂带上盘的桥梁,也是本路段修建年代最早的桥梁,也为本段路线中距离龙门山中央主断层最近的桥梁。该桥的主要震害特点是:①大幅的主梁横向移位和支座破坏;②梁体以横桥向移位为主。

图 3-13　梁体挤压冲击桥台
Figure 3-13　The beam crash the abument

图 3-14　321 钢架加固梁体
Figure 3-14　Repair the bridge by 321 steel frame

图 3-15　梁体顶推复位
Figure 3-15　The girders reseted with jack

图 3-16　修补破损混凝土，更换支座
Figure 3-16　Repairing the damaged concrete and replacing the bearing

摆轴支座在水平地震力作用下倾覆稳定性不足的特点，在唐山地震中已有体现，在《公路工程抗震设计规范》[4]中，明确规定Ⅶ度及以上地区，不宜采用摆轴支座。渔子溪桥摆轴支座在水平地震力作用下的倾覆，是主梁出现大幅移位的主要原因。

渔子溪桥的梁体移位具有一定的方向性。该桥梁体以横桥向移位为主，虽然主梁对桥台产生一定的纵向冲击，但从桥台的损伤程度来看，其纵移并不算严重。结合该桥桥轴走向与断层的位置关系可以看出，该桥基本和中央主断层平行，换而言之，该桥的振动方向应基本与断层垂直，这一点与近场地震动的主震方向较为符合。

该桥虽然为圬工墩，扩大基础，但位于中央断裂带的上盘，其基础主要为质地较为坚硬的闪长岩，墩下基础未发生类似液化、不均匀沉降等能够对扩大基础产生毁灭性破坏的震害。同时，该桥设置摆轴支座，将上部结构水平地震力传递至桥墩的能力较弱。从挡块的破坏情况来看，该桥挡块为圬工结构，在地震中易破坏，事实上该桥右侧所有挡块均已破坏，这使得上部结构所产生的横向惯性力无法通过挡块传递至桥墩，加上该桥墩高并不高，使得墩底所受到的弯矩不大，这是该桥桥墩并未出现明显震害的主要原因。

3.4 百花大桥 The Baihua Bridge

3.4.1 桥梁概况 Outline of the bridge

百花大桥建成于 2004 年，为一座 S 形曲线连续梁，在地震发生后该桥第五联垮塌，其余联跨均出现极为严重的破坏。百花大桥丧失通行能力，震害等级为 D 级（完全失效）。

百花大桥沿岷江右岸顺河布设，大桥距离映秀镇 1.6km，位于进入极震区的咽喉要道上。在地震发生后，因其结构受到毁灭性损伤，严重影响到抗震救灾的及时开展。在"抢通"阶段，因其修复困难，且在余震中可能进一步坍塌，危及桥下的救灾临时便道，因而被爆破拆除。百花大桥为汶川地震中结构受损最为严重、震害现象最为典型的桥梁之一，深入研究其震害表现，总结其震害经验，对梁式体系桥梁的抗震设计与研究有重要的参考价值。百花大桥震前、震后情况参见图 3-17、图 3-18。

图 3-17 震前的百花大桥（图片来自互联网）
Figure 3-17 The Baihua Bridge before the earthquake (from internet)

图 3-18 震后的百花大桥
Figure 3-18 The Baihua Bridge after the earthquake

百花大桥位于映秀至北川断裂带的下盘，距发震断裂带——龙门山中央主断裂带的断层距约 0.6km，且与发震断裂带基本垂直（见图 3-19）。百花大桥按《公路工程抗震设计规范》（JTJ 004—89）[4]进行抗震设计，抗震设防烈度为Ⅶ度[1]，场地类别为Ⅱ类，实际地震烈度为Ⅺ度[3]。强烈的地震作用是造成破坏最直接的原因。

图 3-19　震后的百花大桥遥测图（四川省国土资源厅提供）

Figure 3-19　The telemetry figure of the Baihua Bridge after the earthquake（provided by Land and Resources Department of Sichuan Province）

3.4.2　结构参数 The design values of the bridge

百花大桥桥长 495.6m，桥宽 8m，墩高最高为 30.3m，最矮为 7.1m，设计荷载为汽车—20 级、挂车—100 级。上部构造分为 6 联，跨径组合为 $4\times25m+5\times25m+50m+3\times25m+5\times20m+2\times20m$，除第 3 联采用简支梁外，其余各联均为连续梁。平面上大桥第一联位于 $R=150m$ 左偏圆曲线内，第五联位于 $R=66m$ 右偏圆曲线内。纵面上，全桥基本位于 1% 单坡内。

1）上部结构

（1）50m 简支 T 梁

第 3 联采用 50m 跨径预应力混凝土简支 T 梁，横向 4 片主梁，梁高 2.6m，翼板宽 2.0m。梁体采用 C50 混凝土，每片梁内布置 8 束 $7\phi15.24$ 钢绞线，按全预应力混凝土构件设计。其横断面参见图 3-20。

（2）25m 跨连续梁

第 1 联、第 2 联、第 4 联采用 25m 跨预应力混凝土连续梁，梁高 1.3m，箱宽 6.5~7.1m，翼缘板悬臂长 0.75m，桥梁全宽 8.0~8.6m。横向开孔 5~6 个，采用竹笼成孔。梁体采用 C40 混凝土，主梁纵向通长布置 12~14 束 $9\phi15.24$ 钢绞线，按 A 类部分预应力构件设计。支点处的隐性盖梁横向布置 9 束 $6\phi15.24$ 钢绞线，按 A 类部分预应力构件设计。其标准横断面参见图 3-21。

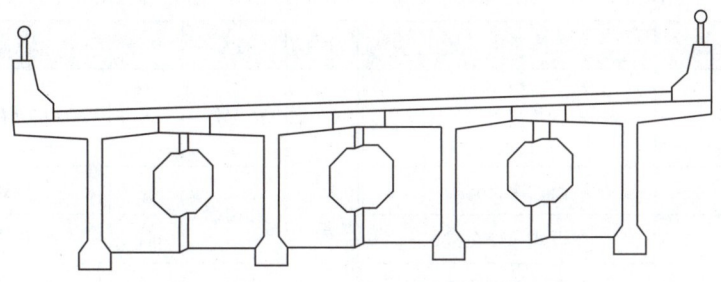

图 3-20 50m 简支 T 梁标准断面图

Figure 3-20 The layout of the transverse section of the 50m span T girder

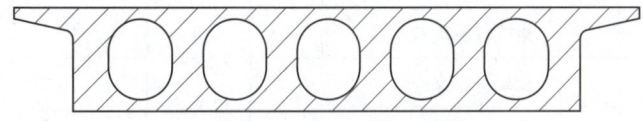

图 3-21 25m 跨连续梁标准横断面

Figure 3-21 The layout of the transverse section of the 25m span continuous girder

（3）20m 跨连续梁

第 5 联、第 6 联采用 20m 跨预应力混凝土连续梁，梁高 1.1m，箱宽 6.5~7.7m，翼缘板悬臂长 0.75m，桥梁全宽 8.0~9.2m。横向开孔 5~6 个，采用竹笼成孔。梁体采用 C40 混凝土，主梁负弯矩区段按 A 类部分预应力构件设计，在支点两侧各 6m 范围内布置 10~14 束 $4\phi15.24$、12~16 束 $3\phi15.24$ 钢绞线；正弯矩区段按普通钢筋混凝土构件设计。支点处的隐性盖梁横向布置 9 束 $5\phi15.24$ 钢绞线，按 A 类部分预应力构件设计。其标准横断面参见图 3-22。

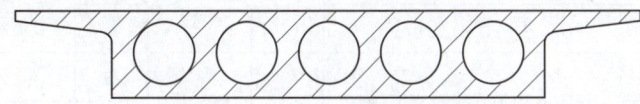

图 3-22 20m 跨连续梁标准横断面

Figure 3-22 The layout of the transverse section of the 20m span continuous girder

2）支承情况

百花大桥连续梁段中，2、7、12、16 与 19 号墩为固定墩，左右墩墩顶分别设置 GPZ（Ⅱ）5D X 纵向滑动盆式支座与 GPZ（Ⅱ）5GD 固定盆式支座，各交界墩（包括牛腿）设置 $GJZF_4$ 200×350×56 双向滑动板式橡胶支座，其余墩柱均设置 GYZ 650×100 板式橡胶支座。

第三联简支梁段中，9 号桥墩设置 4 个 450mm×500mm×124.5mm 坡形滑动橡胶支座，10 号桥墩设置 4 个 450mm×500mm×92mm 坡形橡胶支座。百花大桥各跨支座布置情况参见表 3-7。

表 3-7　百花大桥支座布置情况简表
Table 3-7　The layout of the bearings of the Baihua Bridge

联号	墩号	柱号	支座布置情况	联号	墩号	柱号	支座布置情况
第一联	0号台	左	双向滑动板式橡胶支座×6	第四联	10号墩	左	双向滑动板式橡胶支座×6
		右				右	
	1号墩	左	板式橡胶支座		11号墩	左	板式橡胶支座
		右	板式橡胶支座			右	板式橡胶支座
	2号墩	左	纵向滑动盆式橡胶支座		12号墩	左	纵向滑动盆式橡胶支座
		右	固定盆式橡胶支座			右	固定盆式橡胶支座
	3号墩	左	板式橡胶支座		13号墩	左	双向滑动板式橡胶支座×6
		右	板式橡胶支座			右	
	4号墩	左	板式橡胶支座		13号墩	左	双向滑动板式橡胶支座×6
		右	板式橡胶支座			右	
第二联	4号墩牛腿	左	双向滑动板式橡胶支座×6	第五联	14号墩	左	板式橡胶支座
		右				右	板式橡胶支座
	5号墩	左	板式橡胶支座		15号墩	左	板式橡胶支座
		右	板式橡胶支座			右	板式橡胶支座
	6号墩	左	板式橡胶支座		16号墩	左	纵向滑动盆式橡胶支座
		右	板式橡胶支座			右	固定盆式橡胶支座
	7号墩	左	纵向滑动盆式橡胶支座		17号墩	左	板式橡胶支座
		右	固定盆式橡胶支座			右	板式橡胶支座
	8号墩	左	板式橡胶支座		18号墩牛腿	左	双向滑动板式橡胶支座×6
		右	板式橡胶支座			右	
	9号墩	左	双向滑动板式橡胶支座×6		18号墩	左	板式橡胶支座
		右				右	板式橡胶支座
第三联	9号墩	左	双向滑动板式橡胶支座×4	第六联	19号墩	左	纵向滑动盆式橡胶支座
		右				右	固定盆式橡胶支座
	10号墩	左	板式橡胶支座×4		20号台	左	双向滑动板式橡胶支座×6
		右				右	

注：表中支座单位为"个"，"板式橡胶支座×4"表示有4个板式橡胶支座，余类同。

3）下部结构

大桥映秀侧使用肋板式桥台，都江堰侧采用桩柱式桥台，桥墩多为圆形截面双柱式墩，少量为独立柱双柱墩，墩、台均为桩基础。值得特别说明的是，该桥墩柱系梁采用钻孔植筋的方式，在墩柱施工完成后增加。墩柱、桩基采用C30混凝土，盖梁、系梁采用

C25 混凝土。大桥各桥墩墩高、桩长见表 3-8。

表 3-8 百花大桥桥墩高度、桩基长度表
Table 3-8 The length of the piers and piles in the Baihua Bridge

桥墩编号	桥墩高度（m）	桩基长度（m）	桥墩编号	桥墩高度（m）	桩基长度（m）
1	13.0	30.9	11	28.5	25.9
2	15.6	28.2	12	29.7	24.7
3	21.0	25.9	13	30.3	24.1
4	27.2	21.1	14	29.9	25.0
5	28.8	19.5	15	29.7	21.7
6	16.8	16.1	16	26.9	25.4
7	15.1	14.2	17	22.2	29.5
8	16.7	16.7	18	18.1	19.3
9	28.0	18.5	19	7.1	19.3
10	9.7	29.3			

（1）50mT 梁（9、10 号桥墩）

采用双柱式桥墩，间距 5.2m，墩柱直径 2.0m，桩基直径 2.5m，桩底置于风化砂岩层内。墩柱主筋 28ϕ25，截面配筋率 0.438%；墩柱箍筋 ϕ8@20cm，体积配箍率 0.048%；桩基顶部主筋 28ϕ25，截面配筋率 0.280%；桩基箍筋 ϕ8@20cm，体积配箍率 0.039%。墩顶设 2.4m 宽、2.0m 高矩形盖梁。桩顶设一道 1.2m 宽、1.5m 高系梁。

（2）25m 跨连续梁（1~8、11~13 号桥墩）

采用双柱式桥墩，间距 4.8m，墩柱直径 1.5m，桩基直径 1.8m，桩底置于风化砂岩层内。墩柱主筋 26ϕ25，截面配筋率 0.722%；墩柱箍筋 ϕ8@20cm，体积配箍率 0.063%；桩基顶部主筋 26ϕ25，截面配筋率 0.502%；桩基箍筋 ϕ8@20cm，体积配箍率 0.053%。除 13 号桥墩外，其余各墩在桩顶及墩柱中部各设一道 1.2m 宽、1.5m 高系梁。13 号桥墩墩顶设 1.7m 宽、1.4m 高矩形盖梁，桩顶设一道 1.2m 宽、1.5m 高系梁。

（3）20m 跨连续梁（14~19 号桥墩）

采用双柱式桥墩，间距 4.8m，桩底均置于风化砂岩层内。14~18 号桥墩墩柱直径 1.4m，桩基直径 1.7m。19 号桥墩墩柱、桩基同径，均为 1.4m。

3.4.3 主要震害表现 The main seismic damage characteristics

百花大桥邻近发震断层，各联之间墩高差异明显，在汶川地震中，各联均出现严重的结构损伤，丧失通行能力。主要震害如下：

（1）位于 R=66m 圆曲线上的第五联在地震中整联坍塌。

（2）主梁移位，并表现出明显的方向性，主梁多向路线右侧移动，与断层走滑方向基本平行。前四联梁体向西南移位，与第四联呈 115° 夹角的第六联梁体向东北方向移位，并伴有部分平面转动，所有梁体均存在严重的落梁风险。

（3）多个桥墩墩底、墩身与系梁交界处压溃、开裂，系梁破坏严重，几乎完全失效。同梁体移位的方向类似，前四联绝大多数桥墩出现震害的方向为墩身的左右两侧，而第六

联桥墩出现震害的方向为墩底的前后两侧。

（4）桥梁地基与基础均出现损伤，如地表覆土层开裂、墩（桩）身与地基之间出现较大间隙等。

3.4.4 垮塌的第五联 The fifth unit of the bridge collapsed

纵观震区的所有连续体系梁桥，因地震动直接作用发生整联坍塌的情况仅百花大桥的第五联（图3-23，图3-24）。该联（14~18跨）主梁为$5\times20m$连续梁，联跨长度98.6m，位于$R=66m$圆曲线。本联主要震害如下：

图3-23 垮塌的第五联平面图
Figure 3-23 The fifth unit bridge collapsed

图3-24 第五联立面图
Figure 3-24 The elevation of the fifth unit

（1）第五联全部桥墩均已倒塌，墩柱普遍存在折断、压溃、系梁破坏等状况，也有斜剪破坏，其中固定墩16号墩左柱的剪切破坏现象较为明显。各墩的倾倒方向为：大桥17号墩为向后倾覆，且左右两墩倾斜方向均向曲线外侧；16号墩为固定墩，该墩向前倾覆，左右两墩倾覆方向则向梁体两边，同时，16号墩左柱（固定支座）墩身上出现明显的剪切裂缝；14、15号墩则均为左柱向前倾覆，右柱向曲线外侧倾覆。

（2）主梁混凝土压碎，梁肋箍筋失效，主筋拉断、崩离，铺装剥离，护栏损毁。倒塌后主梁断裂或折断的共有7处，其中位于第17跨在17号墩侧梁体预应力筋锚头截面附近梁体断裂成两节。

（3）断裂后的梁体有明显的搭叠现象，映秀侧梁体叠置在都江堰侧梁体上方，都江堰侧梁体与16号墩墩底有明显的撞击痕迹，同时，靠近映秀岸一截梁体存在一定的扭转现象。

3.4.5 上部结构及支承 Superstructure and supports

1）主梁

除完全垮塌的第五联外，其余上部结构相对完整，主梁梁体未见明显的开裂等影响结构承载能力的损伤，主梁的主要震害表现为梁体发生较为严重的刚体位移，除完全损毁的第五联外，其余各联均存在极大的落梁风险。根据震后梁体残余位移的情况可以看出，该桥梁体移位体现出如下几个特征。

（1）各跨梁体的位移存在一定的方向性，主梁主位移方向与主断层方向平行

百花大桥位于龙门山中央主断层的下盘，桥位走向与断裂带几乎垂直。主断层为逆冲—走滑断层，下盘右旋明显。

位于$R=150m$圆曲线段的第一联梁体的主位移方向基本为沿径向向曲线外侧平动；基本垂直于发震断裂带的第二、三、四联主梁均表现为各联梁体整体向右横移，并伴有一定的纵移；第六联梁体与第三、四跨之间约成115°夹角，基本平行于发震断裂带，该联梁体震后残余位移为整联向后移位60cm，向左侧移位47~61cm，即横、纵向均有明显移位。各联梁体的移位方向与断裂带的走滑方向基本一致。

（2）部分主梁发生了平面转动

第1联梁体在0号桥台左侧从垫石上滑落，直接支承于帽梁上，而右侧与桥台之间纵向相对位移并不明显，3~4联间伸缩缝被拉开并形成夹角在平面上呈V形张开，转动的迹象十分明显。同时，大桥1~2联间、2~3联间护栏左侧，5~6联间、第6联与20号桥台护栏右侧有碰撞痕迹。这些均反映出大桥各联之间均存在一定的相对转动。

大桥各联残余位移情况参见表3-9，上部结构相对位移情况如图3-25~图3-29所示。

表3-9 各联梁体位移数据表
Table 3-9 Displacement of girders in each unit

梁体编号	顺桥向移位（cm）	横桥向移位（cm）	平面转动	桥跨形式
第一联	前4	右58~65	—	25m跨箱梁
第二联	后1	右65~93	0.13°	25m跨箱梁
第三联	后6	右90		50m简支T梁
第四联	前1	右45~90	0.34°	25m跨箱梁
第五联	坍塌	坍塌	坍塌	20m跨箱梁
第六联	后60	左61~47	-1.55°	20m跨箱梁

注：平转以逆时针方向为正。

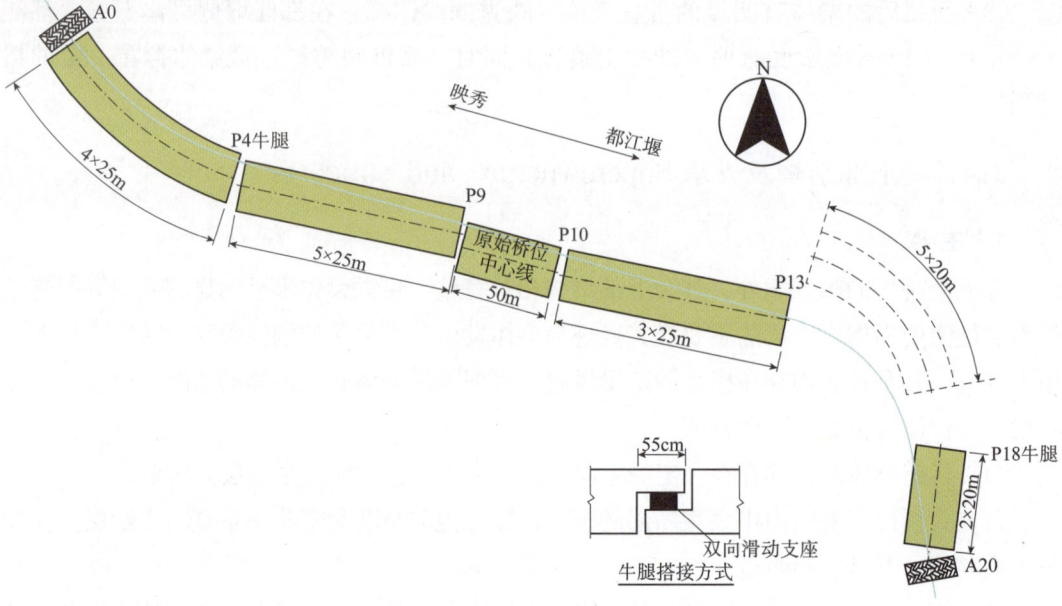

图 3-25　百花大桥梁体位移情况示意图
Figure 3-25　The displacement of girders in the Baihua Bridge

图 3-26　第一联梁体向曲线外平移
Figure 3-26　The girders of the first unit moved outward

图 3-27　第三、四联梁体移位情况
Figure 3-27　The movement of the girders of the third and fourth unit

图 3-28　18号墩左侧挡块部位、墩柱前移
Figure 3-28　The left concrete restricted block of the 18th pier and the pier moved forward

图 3-29　2号固定墩墩右倾但墩梁无横向相对位移
Figure 3-29　The 2nd pier inclined rightward, but there was no relative displacement between the pier and the girders

2）支座

由于百花大桥墩、梁之间存在严重位移，该桥的支座不可避免地受到严重损伤，尤其是板式橡胶支座的滑移现象最为明显，几乎所有的板式橡胶支座均部分或完全失效，甚至有部分支座从墩顶甩出，导致梁体悬空（图3-30）。值得指出的是，该桥的固定墩布置的固定支座和纵向活动支座均未破坏，但纵向活动支座纵向滑动明显（图3-31~图3-33）。

图3-30　18号墩右墩顶支座脱落，梁体悬空
Figure 3-30　The bearings on the 18th pier completely failure

图3-31　6号墩上支座滑移严重
Figure 3-31　The bearing on the 6th pier moved greatly

图3-32　牛腿处支座滑移，几近脱落
Figure 3-32　The bearings on the corbel moved out of the girder nearly

图3-33　固定墩纵向滑动明显，但无横向移动
Figure 3-33　The fixed pier moved longitudinally, but there is no transverse displacement

与一般连续梁桥不同的是，该桥固定墩一侧墩柱设置固定支座，另一侧墩柱设置单向（纵向）滑动支座。如此设置使得支座对主梁的纵向位移的约束不足，整联桥无绕竖向的转动约束，这是所有各联主梁均有大幅转动的重要原因，可能也是位于曲线段的第五联坍塌的一个重要原因。

3.4.6　下部结构 Substructure

1）桥墩

百花大桥共有桥墩19组，均为双柱式圆形墩。该桥桥墩震害表现明显，半数以上的桥墩已完全或丧失绝大部分的承载能力，随时都有坍塌的风险。该桥桥墩震后的震害表现有如下几个特点。

（1）百花大桥墩柱出现震害的比例大，震害严重

百花大桥除1、9号墩外，其余桥墩出现倾覆、压溃、倾斜、严重开裂等不同的震害现象。在全桥38个墩柱中倒塌、压溃的共24个，比例高达63%；未压溃但出现环向开裂的有6个，占16%；墩柱震害不明显的有8个，占21%。

（2）与主梁位移情况类似，桥墩破坏也存在一定的方向性

除10号墩以外，大桥前4联桥墩出现震害的方向均为横桥向，且破坏形式多为墩底、横系梁附近墩身右侧压溃，左侧开裂，桥墩向右倾斜（图3-34）；而第六联的第19号桥墩则以顺桥向破坏为主，其破坏形式为左墩墩底在路线后退方向及右侧严重压溃，并且严重倾斜，右墩墩底路线前进方向严重压溃（图3-35，图3-36）。

（3）在同一联中，固定墩的破坏程度比一般墩严重

2、7、16、19号墩均为各联的固定墩，且墩高最矮，在各联中破坏也最为严重，倾斜度更大（图3-35～图3-38），16号墩则完全倒塌，表现出固定墩、矮墩的破坏程度比一般墩、高墩要严重的趋势。同时，几个采用盖梁的交界墩（9、10、13号墩）的损伤均明显，较其他桥墩要轻（图3-39）。

图3-34　6号墩系梁附近墩身压溃

Figure 3-34　The 6th pier near the tie beam crushed

图3-35　19号墩左柱墩底纵向压溃

Figure 3-35　The left column's bottom of the 19th pier crushed longitudinally

图3-36　19号墩左柱纵向倾斜明显

Figure 3-36　The 19th pier's left colum inclined longitudinally obviously

图3-37　2号墩墩身严重右倾，墩底开裂

Figure 3-37　The 2nd pier inclined rightward seriously and the bottom of the column cracked

图 3-38　7号墩右柱墩底右侧严重压溃
Figure 3-38　The bottom of the right column of the 7th pier crushed seriously

图 3-39　9号墩墩底开裂，但未压溃
Figure 3-39　The columns bottom of the 9th pier cracked, but the concrete did not crush yet

（4）各墩、台系梁（帽梁）上挡块右侧均被梁体撞击破坏

与主梁位移方向相同，各墩、台系梁（帽梁）上挡块右侧均被梁体撞击破坏（图3-40），左侧挡块虽有损伤，但程度远不如右侧严重。

（5）系梁整体性差，系梁与主墩结合面均严重开裂

因为墩身系梁为桥墩浇筑完成后二次植筋浇筑形成，且系梁与主墩之间结合面未经

图 3-40　13号墩上盖梁右侧挡块被撞掉
Figure 3-40　The right restricted block on the 13th pie was destroyed

过打毛处理，使得墩柱与系梁之间未能形成良好的整体受力体系，使得各系梁两端均未能形成塑性铰，而是沿系梁与墩柱结合面受拉开裂，甚至完全被拉断（图3-41，图3-42）。

图 3-41　2、3号墩系梁两侧破坏
Figure 3-41　The concrete of both sides of the 2nd and 3rd pier near the tie beams was destroyed

图 3-42　系梁与墩身未能形成整体
Figure 3-42　The tie beam and column separated

墩柱震害概况见表3-10。

表 3-10 墩柱震害概况表
Table 3-10 Seismic damage to piers

编号	桥墩高度（m）	系梁数量	压溃情况描述	墩身开裂情况描述	倾斜情况描述	备注
1	13	1	—	—	—	—
2	15.6	1	两墩墩底右侧局部压溃	两墩墩底左侧严重开裂	左右墩分别向右倾斜 1.8°、2.2°	固定墩
3	21	1	右墩墩身右侧系梁附近压溃	左墩墩身系梁附近开裂	两墩均向右倾斜 0.5°	—
4	27.2	1	—	两墩墩底左侧开裂	两墩均向右倾斜 0.6°	—
5	28.8	1	两墩系梁附近墩身右侧局部压溃	两墩墩底左侧开裂	两墩均向右倾斜 0.4°	—
6	16.8	1	右墩右侧系梁附近墩身严重压溃	两墩墩底左侧开裂	—	—
7	15.1	1	两墩墩底右侧严重压溃，左墩系梁附近局部压溃	两墩墩底左侧开裂	左右墩分别向右倾斜 1.8°、2.2°	固定墩
8	16.7	1	—	左墩墩底左侧	—	—
9	28	0	—	—	—	有盖梁
10	9.7	0	两墩墩底在去路方向局部压溃	两墩墩底在来路方向开裂	左右墩均向去路方向斜 1.3°	有盖梁
11	28.5	2	—	—	左右墩分别向前倾斜 0.5°、0.6°	—
12	29.7	2	两墩墩身右侧上系梁附近处压溃	两墩左侧上系梁附近开裂	右墩向前倾斜 0.7°	固定墩
13	30.3	1	两墩在盖梁底部，左墩柱左侧，右墩柱左侧、右侧，均出现局部压溃	—	—	有盖梁，系梁在墩身下 1/3 附近
14	29.9	1	—	—	—	—
15	29.7	1	—	—	—	—
16	26.9	1	—	整联垮塌	—	固定墩
17	22.2	1	—	—	—	—
18	18.1	1	—	右墩墩底开裂	—	—
19	7.1	0	左墩来路方向与右侧、右墩去路方向压溃	—	左墩向后倾斜 4.3°	固定墩

注：表中统计系梁数量均为墩身系梁，桩顶系梁未纳入统计范围；百花大桥墩身开裂方向均为环向；对于有系梁的桥墩，墩身倾斜量仅为靠近基础段的倾斜量，系梁以上桥墩倾斜量则未纳入统计。

2）桥台

百花大桥 0 号桥台左侧挡墙外移，台后路基沉陷，桥台两侧肋板前部开裂（图 3-43），裂缝上宽下窄，其中左侧肋板裂缝宽度达 15mm；20 号桥台的背墙开裂（图 3-44）。两岸桥台的右侧挡块均被梁体撞坏。从两岸桥台的破坏形式来看，梁体与桥台之间发生过严重的碰撞、挤压。

图 3-43　0 号桥台肋板前部开裂，挡块破坏

Figure 3-43　The web of the abutment cracked and the concrete restricted blocks were destroyed

图 3-44　20 号桥台背墙及挡墙破坏

Figure 3-44　The back wall of the 20th abutment and retaining wall behind it were destroyed

3.4.7　其他 Others

调查中发现，百花大桥附近地表土有开裂现象，墩（桩）身与地表土之间出现较大间隙。第 11~17 号桥墩间的地表覆盖层出现了较为严重的开裂现象，2、4、5、12、13 号桥墩墩底左侧与地表土均形成了较大间隙，最大处达 30cm 以上，右侧则表现为墩身与地表土发生挤压（图 3-45，图 3-46）。

图 3-45　5 号墩桩顶与地表土间有 30cm 间隙

Figure 3-45　The width of the gap between the top of piles and ground at the 5th pier is about 30cm

图 3-46　13 号桥墩周围地表土破坏

Figure 3-46　The soil near 13th pier was destroyed

3.4.8　震后处理方式 Treatment after the earthquake

百花大桥全桥在地震中遭受到毁灭性破坏，已无修复的必要与可能性。同时，残余桥

体随时有在余震中发生二次坍塌的可能性。基于百花大桥残存部分已无利用价值，保留风险大，且修复代价高，为避免二次坍塌带来人员伤亡、桥侧抢险便道中断等严重后果，经过抗震救灾指挥部同意，由四川省交通运输厅公路规划勘察设计研究院对残桥进行细致的检测存档后，残存部分于2008年5月28日爆破拆除，如图3-47所示。

图3-47 百花大桥爆破拆除

Figure 3-47 The blasting demolition of the Baihua Bridge

3.4.9 震害简析 Analysis on damage mechanism

1）地震动特性

此外，百花大桥距中央主断裂带的断层距约0.6km（图3-48），是典型的近断层桥梁，近断层地震具有大速度脉冲等特有的地震动特性。

汶川地震破裂长度超过300km，破裂的时间长达90s，共分为5个破裂子事件，其中汶川—映秀一带下方沿断层走向长达180km范围内发生的第二次破裂子事件释放了60%的地震矩，是汶川地震中能量释放最大的一次破裂。由于破裂长度大，破裂时间长，地震能量以线状断裂为中心向两侧辐射。就百花大桥而言，以该桥为中心，对半径35km内的能量辐射源[5]，根据地震动效应的衰减率与距离平方成正比的关系，绘制地震动输入玫瑰图，如图3-49所示。可见，能量输入集中在北偏西、北、北偏东、东偏北等方向。总体而言，第1~4联以横向输入为主，兼有纵向分量；第5、6联以纵向输入为主，兼有横向分量。

图 3-48 百花大桥桥位与断裂带关系

Figure 3-48 The relationship between the Baihua Bridge and the faults

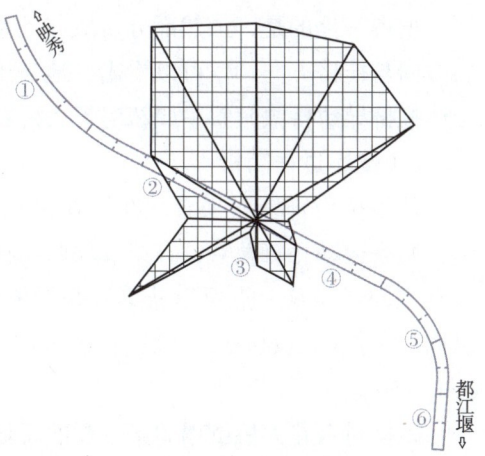

图 3-49 百花大桥地震玫瑰图

Figure 3-49 The rose graphic of seismic loads applied on the Baihua Bridge

2）主梁移位及墩柱震害

从百花大桥的支座布置情况来看，每一联桥只有固定墩支座为主梁提供了可靠的横向约束，其余桥墩上布置的板式橡胶支座，由于板式橡胶支座的抗剪刚度远小于固定支座的抗剪刚度，在强大的横桥向地震动作用下，整联主梁横向振动的惯性力大部分仅由固定墩承受，从而导致固定墩的横桥向压溃。墩柱的压溃使得固定墩横桥向倾斜，注意到，主梁在横桥向上受固定墩支座约束，固定墩的倾斜必然导致主梁的大幅横向移位，这从固定墩在横桥向上与主梁间无相对位移可以看出。因此，固定墩的压溃和倾斜是百花大桥第 1、2、4 联主梁出现大幅横向位移的主要原因，而不恰当支座布置则是固定墩的压溃在结构方面的直接原因。

对于其他桥墩来说，主梁的横向位移相当于在墩顶施加了强迫位移，从而导致其他桥墩的破坏，有的在系梁节点处压溃，有的在墩底压溃，这从其他桥墩的压溃方向与主梁的移位方向相同可以看出。此外，系梁与墩柱整体性差，导致许多系梁受拉破坏，未能有效约束墩柱转动，也是墩柱大面积破坏的结构因素之一，反观 9、10、13 号墩，由于盖梁与墩柱结合较好，震害明显较其他墩轻，若其他桥设置墩顶系梁，桥墩大面积损毁的情况有望得到大幅改善。

主梁的转动也与支座布置的方式有密切关系。如前所述，由于在顺桥向上，仅有固定支座一个点为主梁的纵向位移提供可靠约束，而且主梁的质心与固定支座不重合，在顺桥向地震荷载作用下，主梁将产生绕竖向的转动。由于地震能量的主要方向与第 6 联大致一致，因此第 6 联出现了大幅转动，19 号墩处可看到由于主梁转动，纵向活动支座出现了明显的纵向移动，而固定支座却未出现墩、梁相对位移，但导致了该墩柱的纵向倾斜和柱底压溃。

至于第 3 联简支梁的移位，其原因与其他简支梁桥相同，也是由于支座不能为主梁提供可靠的水平约束所致。

值得一提的是，虽然部分桥墩与地基间出现相互推挤、地表土开裂现象，但从桥墩倾斜方向与推挤方向相反可以看出，地表土的开裂是由于桥墩倾斜时推挤地表土所致，而非土体推挤导致桥墩倾斜（如新房子大桥右线）。

3）倒塌过程简析

从该桥设计资料来看，在第6联P18号墩顶附近布置牛腿，牛腿上设置双向滑动支座，两联运动相对独立，且第5联墩高比第6联要高，两联的自振频率不同，导致各联的振动不同步，这一点可以从第6联梁体牛腿右侧出现严重撞击的痕迹得到证明。第6联纵向残余位移达60cm，可知第5联的位移更为严重，而两联间牛腿的搭接长度仅有55cm（图3-50）。

根据对百花大桥倒塌的第五联的现场调查情况，有以下几点值得注意：

（1）第5联对应的地表开裂，靠近18号墩。而在第6联18号墩墩高要比19号墩高150%以上，19号墩的破坏严重程度远大于18号墩，可以判断在地震发生时，18号墩墩顶发生了较大的位移。

（2）第5联梁体存在7处明显的断点，其中6处均为折断，只有在第17跨靠近17号墩方向，距离跨中约4m位置处为完全断裂，该断点两端梁体重叠，第18跨梁体置于下层，且与16号墩墩底发生了明显撞击，如图3-51所示。

图3-50　第五联牛腿

Figure 3-50　The corbel of the fifth unit

图3-51　梁体重叠，16号墩被梁体冲击

Figure 3-51　The beams overlap, and crash the 16th pier

（3）从梁体跌落的趋势来看，在断裂点之后的梁段存在一定的顺时针扭转现象。

结合大桥的结构特性与震害表现，对大桥第5联的倒塌过程进行推测，推测该联倒塌过程分为以下三个阶段：

（1）第18跨滑落。地震进行至某一时刻，大桥第5、6联梁体之间发生了较大的相对位移，当位移大于牛腿的搭接长度时，第5联梁体从牛腿上滑落，第18跨的边界条件亦发生改变，由原来的连续梁结构变为了悬臂结构。

（2）16号墩撞击倒塌。当第5联梁体从牛腿上滑落的瞬间，由第18跨梁体重力所产生的负弯矩作用于17号墩附近，导致第17跨原零弯矩区承受了极大的负弯矩，使梁体在承载能力减弱的预应力锚头截面处拉断,第 18 跨梁体即带动 17 号墩向后倾覆,且与 16 号墩墩底发生剧烈撞击。而 16 号墩因承受了极大的墩底冲击力在瞬间破坏,向前倾覆。

(3)残余各跨垮塌。16 号墩的瞬间倾覆改变了主梁的支承条件,并带动主梁向都江堰侧前冲,导致第 17 跨叠置于第 18 跨之上,也导致了 14、15 号墩的倒塌。

第 5 联破坏过程示意图见图 3-52。

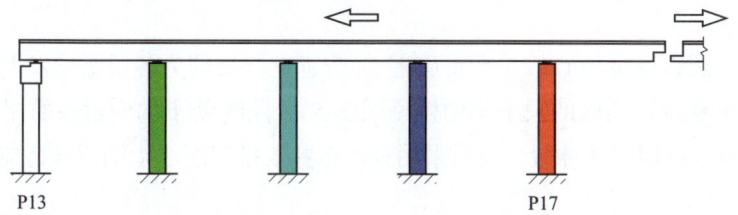

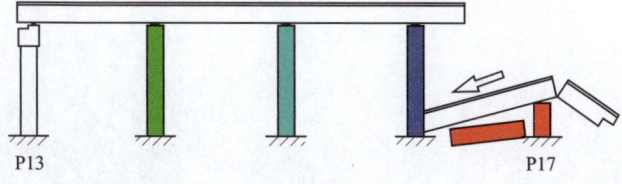

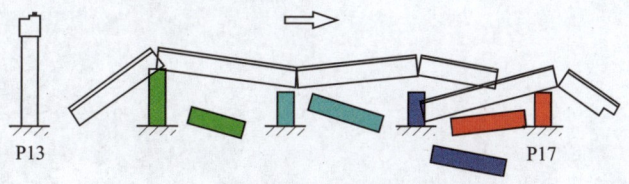

图 3-52　第 5 联破坏过程示意

Figure 3-52　The process of collapse of the fifth unit damage process

该桥的震害启示是:①弯连续梁桥的破坏情况较直线连续梁桥要更为严重。这是由于在水平地震动作用下,弯桥的受力比直线桥复杂所致。②连续梁桥的固定墩震害较非固定墩严重。主要是因为地震作用下大部分水平地震力由固定墩承受所致。在小黄沟桥、回澜立交中也出现了类似的情况,采用适当措施[如锁定装置(lockup)]使所有墩共同承担水平地震力是减轻连续梁桥震害的有效措施。③连续梁桥支座的布置方式对抗震性能影响巨大,在设计支承体系时应综合考虑常遇荷载和地震荷载的需要。④对于双柱式墩,桥墩的横系梁对于协调两墩柱共同受力非常重要,先施工墩柱后施工系梁的做法是十分有害的。⑤搁置长度不足是第 5 联垮塌的主要原因,设计中应注意弯桥对搁置长度的特殊要求;同时应充分注意弯桥桥墩在地震作用下是承受复杂的弯、剪、扭耦合作用,对抗剪及延性要求较高的特点。

3.5 蒙子沟中桥 Mengzigou Bridge

3.5.1 桥梁概况 Outline of the bridge

蒙子沟中桥位于岷江右岸，路线里程中心桩号为 K1015+819。桥位地形为傍山 V 形沟谷，山势陡峻。地基主要由砂岩与炭质页岩组成，表面覆土层较厚，桥位处覆盖土层厚度最大达 11m。

蒙子沟中桥震害等级为 C 级（严重震害），震害主要表现为各桥墩均发生了严重的纵向倾斜，梁体严重移位，震后的蒙子沟中桥见图 3-53，同时蒙子沟中桥映秀岸山体发生严重滑坡，桥台后路基被崩塌体冲毁。震后采用全桥布置双排双层 321 钢梁维持应急通行。

图 3-53 震后的蒙子沟中桥
Figure 3-53 The Mengzigou Bridge after the earthquake

桥梁上部结构为预应力混凝土简支空心板（桥面连续），都江堰侧部分位于缓和曲线上；下部结构为双柱式变截面圆形墩，在各横系梁处变换截面直径，各墩墩高差异较大，最高墩与最矮墩高度相差 18m（见桥梁平面布置图 3-54）。

桥梁的主要设计参数如下：

- 上部结构：4×20m 简支空心板
- 桥墩构造：双柱式变截面圆形墩
- 桥台：桩柱式桥台
- 采用抗震规范：《公路工程抗震设计规范》(JTJ 004—89)
- 抗震设防烈度：Ⅶ
- 支座：板式橡胶支座
- 基础：桩基础
- 竣工时间：2003 年
- 实际地震烈度：Ⅺ

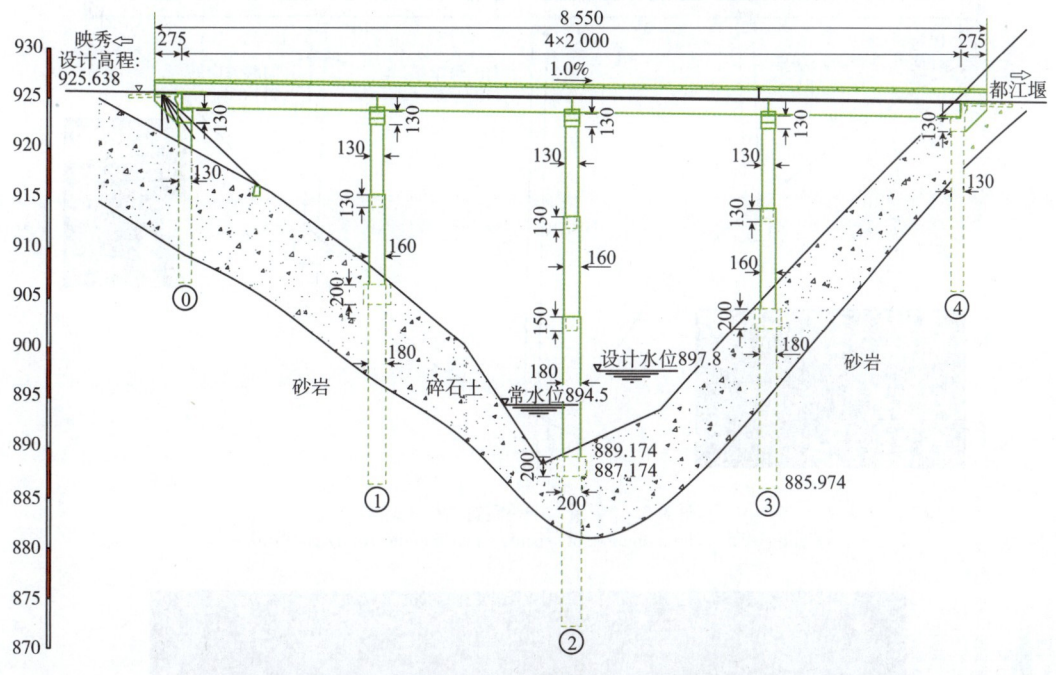

图 3-54 蒙子沟中桥立面布置图（尺寸单位：cm）
Figure 3-54 The elevation of the Mengzigou Bridge（unit：cm）

3.5.2 桥梁震害概况 Outline of damage

蒙子沟中桥震害主要表现为桥墩均发生了严重的纵向倾斜，各墩的倾斜方向不一致，但均向 V 形边坡临空面倾斜，倾斜最为严重的是 1 号墩，该墩向都江堰岸倾斜 1.813%，墩柱倾斜使得墩顶纵向偏移 30cm；同时主梁发生严重的纵、横向移位。纵向移位导致墩梁纵向相对位移最大达 45cm，部分梁体从支座上滑落，导致 2、3 号墩顶桥面存在高差，最大 6cm，桥面连续处均发生横向开裂。各跨存在纵向落梁风险；蒙子沟中桥主要震害情况如图 3-55 所示。

3.5.3 上部结构及支承 Superstructure and supports

1）主梁

蒙子沟中桥各跨梁体本身未见明显开裂等影响结构承载能力的损伤，但各空心板间湿接缝破坏如图 3-56 所示。四跨主梁均向左侧发生了严重的横桥向位移，其中 1 号墩处梁体向左移 30cm，2 号墩处梁体向左移 50cm，3 号墩处梁体向左移 40cm；同时，根据现场检测情况，2 号墩处梁体与墩顶相对位移达 45cm，而 2 号墩墩顶自身向映秀岸倾斜，墩顶偏移 20cm，而各跨梁体之间未见明显的纵向相对位移，故可推测该桥各跨主梁均向映秀岸纵向移位 25cm。梁体移位情况参见图 3-57。梁体因纵向位移从垫石上滑落，导致各墩墩顶处梁体形成高差。

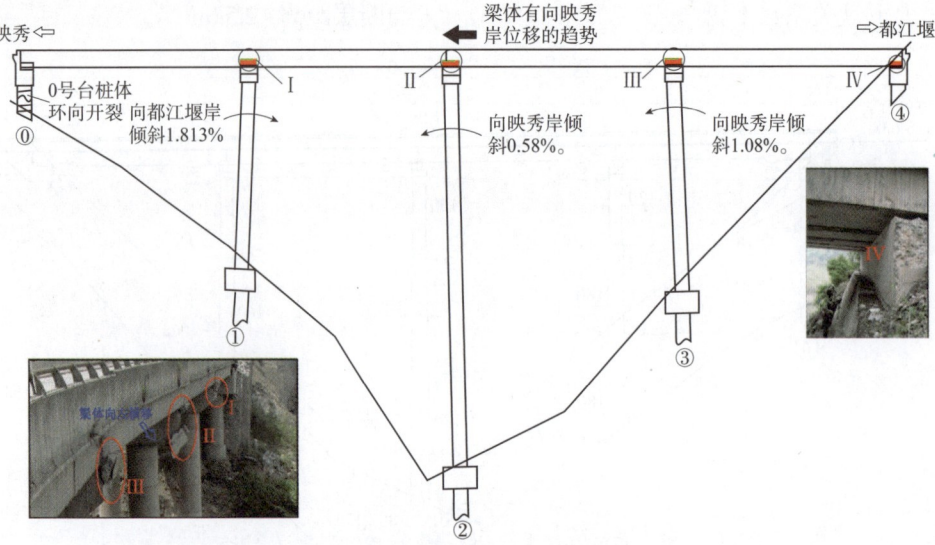

图 3-55　蒙子沟中桥震害情况示意图
Figure 3-55　The indication of seismic damage to the Mengzigou Bridge

图 3-56　湿接缝破坏
Figure 3-56　The concrete casted in-situ in longitudinal joint was destroyed

图 3-57　蒙子沟中桥墩梁相对位移情况
Figure 3-57　The relative displacement between the piers and girders of the Mengzigou Bridge

2）支座

由于各跨梁体均发生了较大的移位，虽无详细的支座损坏检测资料，但通过梁体与墩台相对位移情况可以推定，该桥所有支座均出现滑移、剪切、脱空等震害，部分支座完全失效，其震害情况参见图 3-58。

图 3-58　支座滑移失效
Figure 3-58　The bearing moved

3.5.4　下部结构 Substructure

1）盖梁

因上部结构发生严重横桥向位移，导致该桥 1、2、3 号墩盖梁左侧挡块全部破坏（图 3-59），同时，4 号桥台右侧挡块也被撞击破坏（图 3-60）。

图 3-59　桥墩左侧挡块剪断
Figure 3-59　The left concrete restricted blocks on the piers were broken by shear

图 3-60　都江堰岸桥台右侧挡块破坏
Figure 3-60　The right concrete restricted block on the abutment on the Dujiangyan side was destroyed

2）桥墩

各桥墩未见明显的开裂、压溃等情况，但均向临空面纵向倾斜，1 号桥墩向都江堰侧倾斜 18.1%，墩顶偏移量约 30cm；2 号桥墩均向汶川侧倾斜 0.58%，3 号桥墩向汶川侧倾斜 1.08%，两墩墩顶偏移量均为 20cm。蒙子沟中桥各桥墩倾斜情况参见表 3-11。

表 3-11　蒙子沟中桥各桥墩倾斜情况
Table 3-11　Data of the inclined piers of the Mengzigou Bridge

墩号	墩高（m）	倾斜方向	倾斜度（%）	墩顶偏移量（cm）
1	16.55	都江堰岸	1.81	30
2	34.55	映秀岸	0.58	20
3	18.55	映秀岸	1.08	20

3）桥台

两岸桥台处，主梁与桥台间均相互挤紧，桥梁总长缩短，伸缩缝附近混凝土出现破损，各桥面连续处虽出现横向开裂，但未见拉开的迹象，由此可推测两岸桥台存在相对的纵向移动。

地震还导致汶川岸桥台前墙开裂，裂缝从上向下发展；都江堰岸右侧挡块及右侧背墙破损。0号桩柱式桥台，左侧桩身分布大量环向裂缝。两岸桥台破坏情况参见图3-61~图3-64。

图 3-61　都江堰岸桥台桩身开裂严重
Figure 3-61　The pile of the abutment on the Dujiangyan side cracked seriously

图 3-62　映秀岸桥台前墙开裂
Figure 3-62　The front wall of the abutment on the Yingxiu side cracked

图 3-63　都江堰岸桥台挡墙有挤压痕迹
Figure 3-63　The retaining wall of the abutment on the Dujiangyan side was pushed

图 3-64　映秀岸桥头搭板下沉
Figure 3-64　The run-on slab on the Yingxiu side sunk

3.5.5　震后处理方式 Treatment after the earthquake

蒙子沟中桥各桥墩出现了明显的倾斜，主梁发生严重移位，存在纵向落梁风险，抢通阶段在清理桥上及桥头落石后，利用2号桥墩作为支点，布置两跨连续双排双层321钢梁维持应急通行。其后又进行了墩柱加固、盖梁加宽、梁体复位等修复工程。

3.5.6　震害简析 Analysis on damage mechanism

蒙子沟中桥受不良地质条件影响很大。该桥地处V形峡谷，两岸山势陡峭，且覆土层较厚，最厚达11m。地震发生后，因两岸覆盖层向临空面滑动，推动两岸桥台相向移动，导致两岸的伸缩缝均被挤紧，桥梁总长度缩短，因桥台桩基嵌入基岩，桩底位移量有限，导致桩柱受弯，汶川岸桥台桩基开裂。覆盖层的滑动同样也推动了桥墩移动，由于桩底的嵌固作用，桥墩发生倾斜，且桥墩的倾斜方向均为覆盖层临空面方向。

该桥距离中央主断裂较近，且与断层夹角在40°左右，该桥的主震方向为横、纵向耦合，因此在顺桥向和横桥向主梁均出现了明显的位移。由于桥墩的倾斜，导致顺桥向墩顶墩梁相对位移量较大。

3.6　小黄沟中桥 The Xiaohuanggou Bridge

3.6.1　桥梁概况 Outline of the bridge

小黄沟中桥跨越U形沟谷，位于半径 $R=50\sim67.38m$ 的平面曲线上。场地类别为Ⅱ类，桥梁结构为 $4\times20m$ 连续箱梁，0、4号台布置橡胶伸缩缝，桥梁全长85.52m，桥面宽8.92~9.2m，梁高1.5m。桥墩为单柱式圆形墩，其中2号墩为墩梁固结，1、3号桥墩支座采用圆形板式橡胶支座。0号桥台为桩柱式桥台，4号桥台为重力式桥台，桥台支座采用矩形四氟滑板橡胶支座。

小黄沟中桥其余设计参数如下：

· 竣工时间：2003年

· 采用抗震规范：《公路工程抗震设计规范》（JTJ 004—89）

· 抗震设防烈度：Ⅶ

· 实际地震烈度：Ⅺ

· 上下盘关系：下盘

· 与断层距离（km）：3.1

· 桥墩纵筋截面配筋率：1.1%

· 桥墩箍筋体积配箍率：0.09%

小黄沟中桥抢通阶段进行简单处置后，直接限载20t通行。震害等级为C级（严重破坏），震后的小黄沟中桥如图3-65所示。

图 3-65　震后的小黄沟中桥

Figure 3-65　The Xiaohuanggou Bridge after the earthquake

3.6.2　桥梁震害概况 Outline of damage

本桥主要震害表现为：梁体严重移位，最大达40cm，并伴有平面转动；支座出现剪切变形、移位等震害；各墩墩底处出现环向裂缝，固结墩向曲线外侧发生明显倾斜；汶川岸桥台盖梁出现斜向裂缝，桩基顶部出现环向裂缝；两岸桥台挡块均出现破损、断裂；都江堰岸桥台侧墙开裂。小黄沟中桥主要震害情况如图3-66所示。

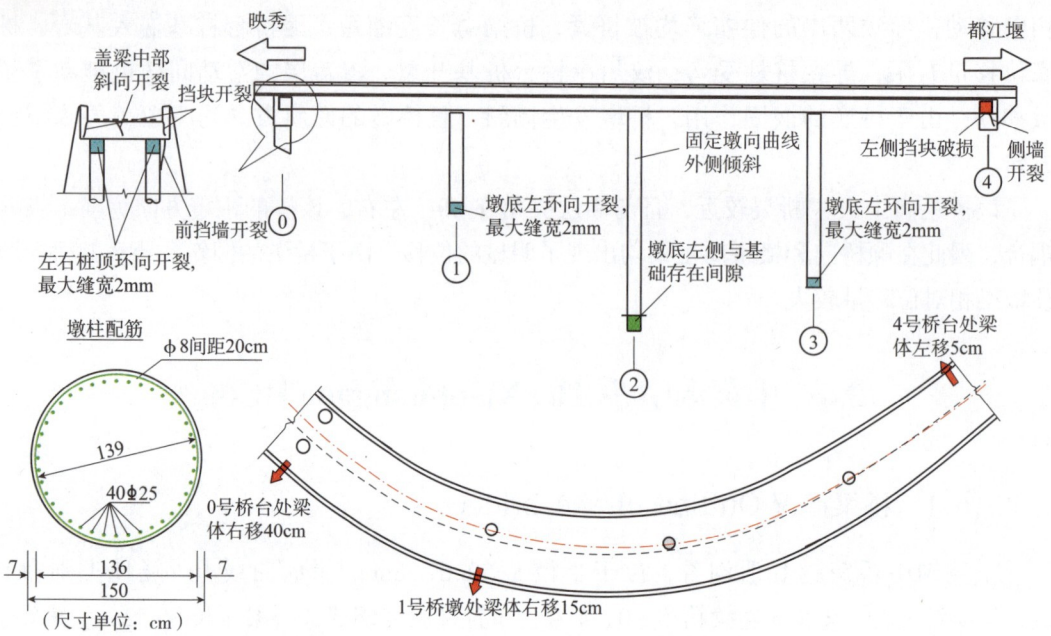

图 3-66　小黄沟中桥震害情况及墩柱配筋示意图

Figure 3-66　The indication of seismic damage to the bridge and the layout of the reinforcement in the pier

3.6.3　上部结构及支承 Superstructure and supports

1）主梁

小黄沟中桥桥面系相对完好，主梁未发生明显的开裂等影响结构承载能力及完整性的震害表现。0号桥台处梁体向右侧移位40cm，1号桥墩处梁体向右侧移位20cm，4号桥台处梁体向左侧移位5cm（图3-67~图3-69）。因梁体自身未出现明显的损伤，根据梁体位移情况可以推测，该桥主梁运动趋势为整体向曲线外移位与部分逆时针平面转动，转动中心在固结墩附近。

图 3-67　1号墩墩顶位置梁体移位

Figure 3-67　The displacement of girder on the top of the 1st pier

图 3-68　0号桥台梁体向右横向移位

Figure 3-68　The girders on the abutment moved rightward transversely

2）支座

由于主梁出现较大的位移，小黄沟中桥各个支座均出现剪切变形，同时，设置在桥墩上的剪力销均发生弯曲、部分剪切破坏的现象，如图 3-70 所示。

图 3-69　4 号桥台位置梁体移位、撞断挡块

Figure 3-69　The displacement of the girders on the 4th abutment and the concrete restricted block was broken

图 3-70　3 号墩支座与剪力销剪切变形

Figure 3-70　The bearing on the 3th pier and the shear pin deformed because of shear force

3.6.4　下部结构 Substructure

1）桥墩

小黄沟中桥 2 号墩墩梁固结，该墩明显向曲线外侧沿径向倾斜，且墩底左侧出现轻微的环向开裂，裂缝宽度在 0.1mm 左右，如图 3-71 所示。1、3 号墩墩底左侧，即曲线段的内侧位置均出现环向开裂墩，裂缝最大宽度 2mm，如图 3-72 所示。

图 3-71　固定墩柱向曲线外倾斜

Figure 3-71　The fixed pier inclined along the radial direction outward

图 3-72　1 号墩柱环向开裂

Figure 3-72　The 1st pier cracked along the ring

2）桥台

小黄沟中桥 0 号桩柱式桥台盖梁梁体开裂，裂缝上宽下窄，最大裂缝宽度 2mm，左右墩柱墩顶位置出现环向开裂缝，最大裂缝宽度 2mm；映秀岸桥台右侧挡块、都江堰岸

桥台左侧挡块破坏严重。0号桥台前挡墙开裂，裂缝宽10mm（图3-73）；4号桥台侧墙严重开裂、错台，裂缝宽4cm，错台最大达4cm（图3-74）。

图3-73　0号桥台前墙、台帽开裂，挡块破坏
Figure 3-73　The front wall and the cap in the abutment cracked, the concrete restricted block was destroyed

图3-74　4号桥台侧墙开裂
Figure 3-74　The wing wall of the 4th abutment cracked

3.6.5　震后处理方式 Treatment after the earthquake

虽然小黄沟中桥主梁发生严重移位，各桥墩也出现了明显的倾斜，但仍然具有一定的承载能力，抢通阶段未对桥梁进行加固处理，直接通行，限载20t。其后进行了梁体顶推复位、墩柱加固等修复工程。

3.6.6　震害简析 Analysis on damage mechanism

小黄沟中桥为本段公路中唯一采用单柱式圆形墩的桥梁。其主要震害为主梁发生向曲线外侧径向移位，固结墩向曲线外侧倾斜。同时，根据0号桥台挡块的破坏情况，主梁与桥台发生过严重的撞击。

对比距离小黄沟中桥距离不到2km的水打沟中桥（见3.7节），两桥同为弯连续梁桥，墩高、主梁形式与曲率均较为接近，小黄沟桥的单跨跨径比水打沟桥长7m，两桥的最大区别为小黄沟桥采用圆形独柱墩，而水打沟桥采用双柱式圆形排架墩，在地震中小黄沟桥出现严重的横桥向破坏，而水打沟桥仅局部受塌方的冲击，并未出现明显的直接震害，说明采用排架墩比采用独柱墩具有更好地抵御结构横桥向地震的能力。

3.7　水打沟中桥 The Shuidagou Bridge

K1017+932水打沟中桥全长57m，位于$R=50m$的平曲线上。中桥上部采用$4\times13m$钢筋混凝土连续梁，桥面宽7.5m，0、4号台布置橡胶伸缩缝。支座为板式橡胶支座，下部结构采用双柱式圆形排架墩、桩基础、桩柱式桥台。地震设防烈度为Ⅶ，实际地震烈度为Ⅺ。距龙门山中央断层3.9km。震后的水打沟中桥如图3-75所示。

水打沟中桥震害等级为 B 级（中等破坏），震害主要表现为第一跨主梁受到山体落石的冲击，防撞护栏破损（图 3-76）；同时，都江堰岸桥台下方坡体塌方，危及桥梁的安全（图 3-77）。震后清理桥面落石后限载、限速通行，但桥墩完好，未见开裂、倾斜等明显震害。

图 3-75　震后的水打沟中桥
Figure 3-75　The Shuidagou Bridge after the earthquake

图 3-76　第一跨梁体受滑坡体冲击
Figure 3-76　The girders of the first span was collided by the stones when landslide occured

图 3-77　都江堰岸桥台下方塌方
Figure 3-77　Landslide occured under the abutment on the Dujiangyan side

3.8　蒙子杠中桥 The Mengzigang Bridge

3.8.1　桥梁概况 Outline of the bridge

K1018+647 蒙子杠中桥，桥面宽 8m，上部结构为预应力混凝土空心板（桥面连续），孔跨为 3×20m，桥梁全长为 65.5m；支座为板式橡胶支座，下部结构采用双柱式圆形墩，最高墩高 15m，1 号墩设置系梁一根；两岸桥台为桩柱式桥台，桥台与桥墩均为桩基础。

该桥按《公路工程抗震设计规范》（JTJ 004—89）进行抗震设计，抗震设防烈度为Ⅶ度[1]，Ⅱ类场地，实际地震烈度为Ⅺ度[3]。桥位距龙门山中央断裂带 3.9km。震后的蒙子沟中桥如图 3-78 所示。

图 3-78　震后的蒙子杠中桥

Figure 3-78　The Mengzigang Bridge after the earthquake

3.8.2　桥梁震害概况 Outline of damage

蒙子杠中桥震害等级为 B 级（中等破坏），其主要表现为：①主梁梁体位移撞坏挡块，挡块与盖梁连接处开裂（图 3-79）；②部分支座出现剪切变形、滑移、脱空；③1 号墩系梁与主墩结合处开裂破损（图 3-80）；④两岸桥台均有不同程度的损坏，伸缩缝抵拢，伸缩缝后浇带开裂。

图 3-79　1、2 号墩挡块与盖梁边缘破坏

Figure 3-79　The concrete restricted blocks and edg of pier heads on the 1st and the 2nd pier damaged

图 3-80　1 号墩系梁端部开裂

Figure 3-80　The end of the tie beam at the 1th pier cracked

3.9 小麻溪中桥 The Xiaomaxi Brdge

K1021+144 小麻溪中桥主梁为 3×20m 预应力混凝土 T 梁，桥梁全长为 65.5m，桥面宽 8m，分别在 0、3 号台设置型钢伸缩缝。该桥下部结构为双柱式圆形墩，肋板式桥台，桩基础。该桥按《公路工程抗震设计规范》（JTJ 004—89）进行抗震设计，抗震设防烈度为Ⅶ度[1]，Ⅱ类场地，实际地震烈度为Ⅺ度[3]。该桥距龙门山中央断层 3.3km。

小麻溪中桥震害等级为 B 级（中等破坏）。其主要集中表现在：上部结构中，梁体出现少量横向位移，并与挡块挤拢；下部结构中，都江堰岸桥台开裂，肋端与盖梁连接处破损。震后桥梁情况参见图 3-81~图 3-83。

图 3-81 震后的小麻溪中桥
Figure 3-81 The Xiaomaxi Bridge after the earthquake

图 3-82 小麻溪中桥梁体与挡块挤拢
Figure 3-82 The gap between the beam and the concrete restricted block of the Xiaomaxi Bridge closed

图 3-83 都江堰岸桥台右侧侧墙开裂
Figure 3-83 The right wing wall of abutment on the Dujiangyan side cracked

3.10 古溪沟中桥 The Guxigou Brdge

3.10.1 桥梁概况 Outline of the bridge

古溪沟中桥为直线简支梁桥，桥位中心桩号为 K1022+480，桥位地形为对称 U 形河谷，主要设计参数如下：

- 上部结构：3×30m 简支 T 梁
- 桥墩构造：双柱式圆形墩
- 桥台：肋板式桥台
- 支座：板式橡胶支座
- 基础：钻孔桩基础
- 竣工时间：2003 年

- 采用抗震规范：《公路工程抗震设计规范》（JTJ 004—89）
- 抗震设防烈度：Ⅶ   · 实际地震烈度：Ⅺ
- 上下盘关系：下盘   · 与断层距离：2.8km
- 场地类别：Ⅱ

本桥震害等级为 C 级（严重震害），主要震害表现为主梁移位与两岸桥台受损。各跨梁体均有不同程度的横桥向移位，最大位移量达 40cm；桥墩支座全部滑落、失效，梁体直接支承在盖梁上；两岸桥台侧墙损坏严重，3 号台锥坡完全垮塌，两岸桥台桥头搭板下填土均出现局部沉陷，搭板部分悬空。在"抢通"阶段对悬空搭板进行紧急回填后恢复通行。古溪沟中桥震后桥梁概貌如图 3-84 所示。

图 3-84　震后的古溪沟中桥
Figure 3-84　The Guxigou Bridge after the earthquake

3.10.2　上部结构及支承 Superstructure and supports

1）主梁

本桥主梁未见明显开裂等影响结构承载能力的损伤，桥面系相对完整，桥面连续处也未见明显破坏。各跨主梁均有不同程度的横桥向移位，第 1 跨梁体相对 0 号台向左横向移位约 40cm（图 3-85），第 3 跨梁体相对 3 号台向左横向移位约 15cm（图 3-86），因主梁桥面系完整，主梁横移为刚体位移，故可推知在 1 号墩墩顶处梁体移位 32cm，2 号墩上梁体移位 23cm，可见主梁在横移时还伴有转动。由于主梁平移和转动，两岸桥台处伸缩缝被拉开，梁体与桥台间存在高差（图 3-87、图 3-88）。

2）支座

由于主梁横移错位，该桥支座破坏也较为严重，绝大部分支座梁底钢垫板与支承垫石钢垫板之间均发生明显错位或橡胶支座本身发生移位，0 号台处梁体从支座上滑落，导致桥台与梁体之间形成高差，伸缩缝破坏，1、2 号桥墩上支座滑移严重，2/3 的梁体悬于支座之外，如图 3-84~图 3-87 所示。

3.10.3　下部结构 Substructure

下部结构中桥台损伤最为严重，出现两侧桥台侧墙与背墙多处开裂，台后填土沉陷搭板悬空，锥坡破坏等震害。

图 3-85 1 号墩处梁体移位

Figure 3-85 The girder at the 1th pier moved

图 3-86 主梁移位、挡块破坏

Figure 3-86 The girder moved and the concrete restricted blocks damamged

图 3-87 0 号台处梁体与桥台形成高差

Figure 3-87 The different altitude between the gider and the abutment

图 3-88 3 号桥台处伸缩缝拉开

Figure 3-88 The expansion joint at the 3th abutment opened

1）桥墩与盖梁

本桥除 2 号墩左柱向映秀岸倾斜 0.8% 以外，其余墩身未见明显的震害，但各墩盖梁上挡块均破坏严重（图 3-89）。从挡块破坏情况来看，该桥挡块为预制块，直接搁置在盖梁上（图 3-90）。

图 3-89 左侧挡块破坏

Figure 3-89 The left concrete restricted blocks damaged

图 3-90 挡块与盖梁无钢筋连接

Figure 3-90 There is no steel bars in the concrete restricted block

2）桥台

该桥两岸桥台锥坡均破坏，导致 0 号桥台搭板右侧悬空，3 号桥台搭板垮塌；0 号桥台右侧侧墙开裂；3 号桥台肋板上多处开裂，裂缝上宽下窄，背墙右侧与台帽连接处开裂破损，背墙向都江堰岸倾斜；3 号桥台两侧八字墙破坏严重，右侧垮塌，左侧向外倾斜。两岸桥台震害情况参见图 3-91~图 3-96。

图 3-91　0 号桥台填料垮塌、搭板悬空
Figure 3-91　The filler in the abutment collapsed and a void formed under the run-on slab

图 3-92　3 号桥台填料垮塌、搭板下沉
Figure 3-92　The filler in the 3rd abutment collapsed and the run-on slab sunk

图 3-93　3 号桥台背墙与盖梁交界处严重开裂
Figure 3-93　The area between the back wall and the 3th abutment cap cracked seriously

图 3-94　3 号桥台肋板开裂
Figure 3-94　The web the 3rd abutment cracked

虽然该桥主梁纵向残余位移量较小，但根据两岸桥台的破坏情况可以看出，桥台与主梁之间发生过严重的挤压碰撞，导致桥台后倾，挤压台后填土，台后填土产生的动土压力将桥台的挡土系统破坏，导致填土垮塌，使得桥头搭板悬空。

图 3-95　3 号桥台背墙　　　　　　　　　　图 3-96　3 号桥台右侧翼墙垮塌
Figure 3-95　The back wall of the 3th abutment　　Figure 3-96　The right wing wall of the 3rd abutment collapsed

3.10.4　震害简析 Analysis on damage mechanism

从震害现象分析，古溪沟中桥在地震动作用下，纵、横向振动均较为强烈。在横桥向，由于挡块为预制块，无连接钢筋，几乎对主梁无限制作用，导致主梁出现大幅的横向移位，梁体从支座上滑落。在纵桥向，由于主梁位移受到桥台约束，移位并不明显，但主梁与桥台的挤压撞击导致桥台损伤严重，3 号桥台背墙与台帽交界处严重开裂还导致桥台后填土被前墙挤压，所产生的动土压力使得两岸桥台侧墙与翼墙严重破坏，台后填土坍塌，造成桥头搭板悬空。从震害现象判断，该桥的纵向振动较横向更加强烈。

3.11　寿江大桥 The Shoujiang Bridge

3.11.1　桥梁概况 Outline of the bridge

寿江大桥为简支梁桥，共 7 跨 3 联，跨越岷江一级支流——寿江，桥位地形为对称 U 形河谷。桥跨布置为 3×30m+3×50m+13m，其中 30m、50m 跨为简支 T 梁，13m 跨为简支空心板，桥墩采用双柱式圆形墩和矩形独柱墩，两种桥墩墩高差异大，且 1、2 号墩墩底存在较厚的覆土层。总体布置见图 3-97。

桥梁的主要设计参数如下：

- 上部结构：3×30m+3×50m+13m 简支梁
- 支座：板式橡胶支座
- 桥墩构造：1、2 号墩为双柱式圆形墩，墩径为 150cm。3~6 号墩为实体薄壁式桥墩，墩身尺寸为 400cm×240cm；各墩墩高依次为：15.5m、18.5m、39.3m、59.8m、56.8m、17.8m（图 3-98，图 3-99）。

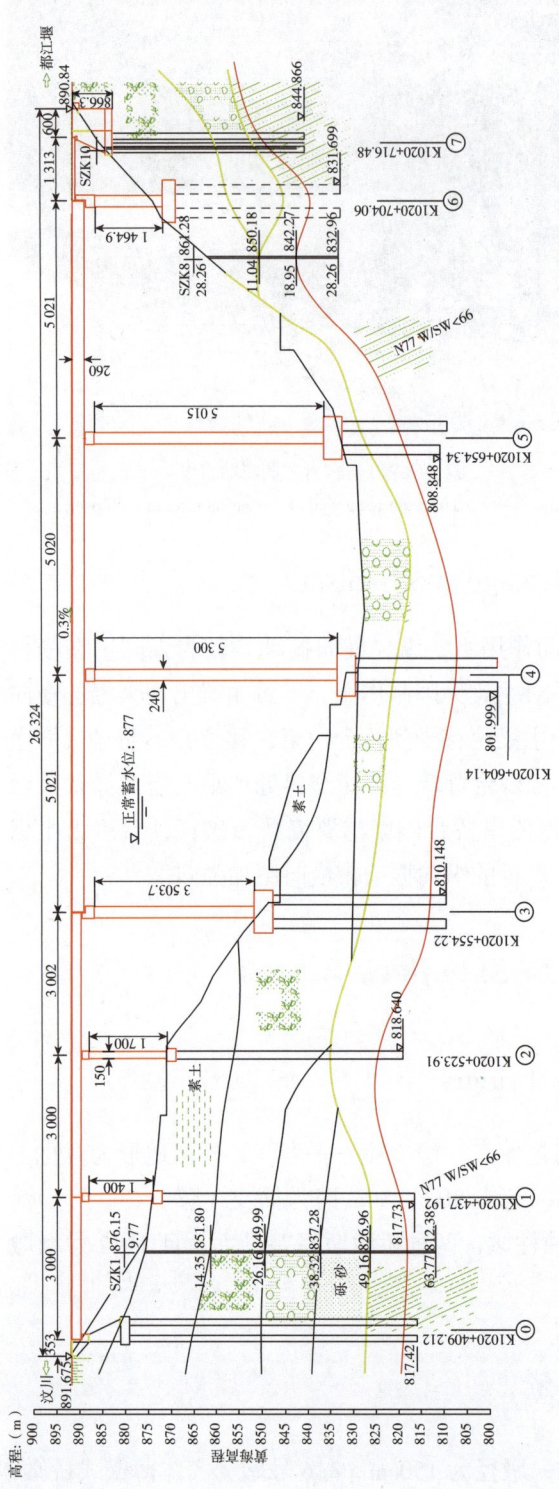
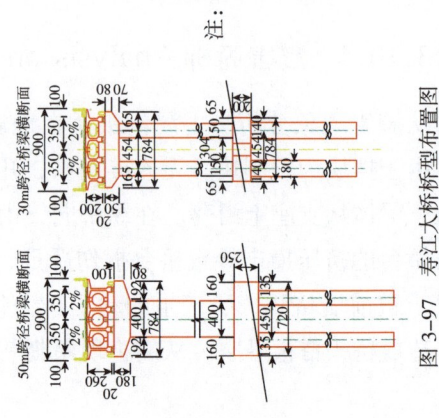

图 3-97　寿江大桥布置图

Figure 3-97　The layout of the Shoujiang Bridge

- 桥台：0号台为肋板式桥台、7号台为重力式
- 基础：桩基础，双柱墩下设置2根桩基，实体薄壁式桥墩与两岸桥台各设置4根端桩基
- 主要材料：主梁C40混凝土；桥墩及盖梁、系梁C30混凝土；桥台C25混凝土
- 竣工时间：2003年
- 采用抗震规范：《公路工程抗震设计规范》（JTJ 004—89）
- 抗震设防烈度：Ⅶ
- 实际地震烈度：X
- 上下盘关系：下盘
- 与断层距离（km）：5.5
- 场地类别：Ⅱ类长度
- 桥轴方位角：S 169°

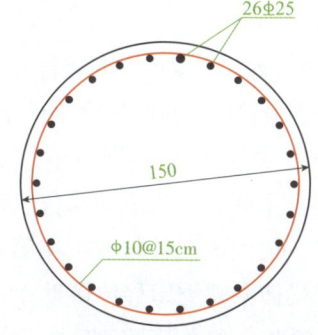

图 3-98　1、2号墩墩柱钢筋布置（尺寸单位：cm）

Figure 3-98　The layout of the steel bars in the lst and 2th pier（unit：cm）

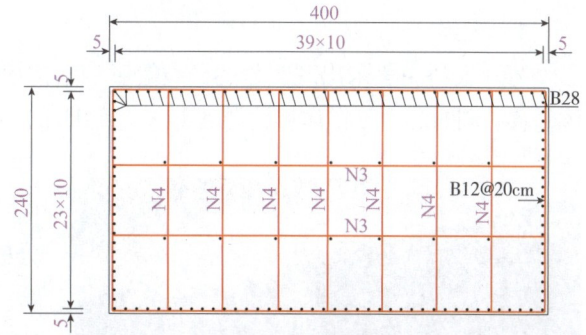

图 3-99　3~6号墩墩柱钢筋布置（尺寸单位：cm）

Figure 3-99　The layout of the steel bars from the 3rd to 6th pier（unit：cm）

3.11.2　桥梁震害概况 Outline of damage

寿江大桥在汶川地震中受到严重震害（C级震害），震后寿江大桥见图3-100。本桥最显著的震害表现为：该桥第一跨发生较大的墩梁相对位移，导致第一跨梁体在1号墩上搁置长度不到10cm，存在严重的落梁风险。此外，部分梁体也发生了明显的纵、横向移位。下部结构主要震害表现为部分墩柱发生倾斜，两岸桥台受梁体挤压冲击，出现倾斜、碎裂等震害。

由于震后第1跨主梁不能提供可靠的承载能力，在"抢通"阶段对该桥的第一跨紧急架设321钢架与临时支墩进行加固，并限制通行。后对该桥移位的梁体进行复位，封闭双柱墩墩底裂缝并使用钢护筒加固，修补桥台、桥面铺装，更换支座、伸缩缝后恢复正常通行。各跨的震害简图见图3-101。

图 3-100　震后的寿江大桥

Figure 3-100　The Shoujiang Bridge after the earthquake

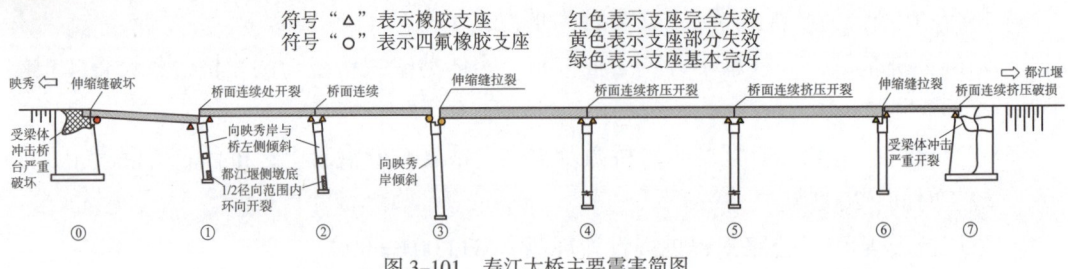

图 3-101　寿江大桥主要震害简图

Figure 3-101　The indication of main seismic damage to the Shoujiang Bridge

3.11.3　上部结构及支承 Superstructure and supports

1）主梁

寿江大桥主梁未出现明显的开裂等影响结构承载能力的震害，主梁的主要震害表现为刚体位移。同时，由于梁体移位导致部分支座破坏、伸缩缝拉裂或挤压、桥面连续处开裂等。

图 3-102　第一跨梁体纵移，梁底钢板大面积外露

Figure 3-102　The girder of the first span moved longitudinally, and the steel plates under the girder almout exposed totally

从大桥主梁的残余位移情况可以看出，该桥主梁移位主要表现为纵向移位，伴有部分横向位移，最大纵向移位发生在第一、二跨。第一跨梁体向映秀岸移位接近0.5m，梁体从垫石上滑落，右边梁下钢板大部分外露，该跨梁体已失去可靠支承，临近落梁（图3-102，图3-103）。虽然第一跨梁体从垫石上滑落，桥面与第二、三跨形成波浪形高差，在桥面连续处出现开裂，但并未被拉开（图3-104~图3-106）。第七跨梁体与都江堰岸桥头发生撞击，导致都江堰岸桥台桥面连续处被压碎，6号墩位处伸缩缝被拉断。

图 3-103　第一跨梁体冲击映秀岸桥台

Figure 3-103　The girder of the first span climbed on the abutment on the Yingxiu side

图 3-104　第一、二跨桥面形成波浪形高差

Figure 3-104　A differential settlement occured between the first and second spans

图 3-105　第 1 跨梁体具有较大落梁风险
Figure 3-105　The girder of the first span was risking falling

图 3-106　第一、二跨间桥面连续开裂
Figure 3-106　The deck continuity between the first and second span cracked

此外，各跨梁体也或多或少地发生了一定的横向移位（图 3-107），梁体之间的相互挤压还导致部分栏杆与人行道板破坏（图 3-107，图 3-108）。根据对各跨跨径长度的现场检测结果，各跨跨径均不满足《公路工程质量检验评定标准》（JTG F80/1—2004）对桥墩跨径的要求，详细跨径观测结果参见表 3-12。

图 3-107　梁体向右侧移位
Figure 3-107　The girder moved rightward

图 3-108　梁体相互挤压导致人行道板破坏
Figure 3-108　The footway slab damaged because the two span girders pressed each other

表 3-12　寿江大桥跨径测量表
Table 3-12　The spans' length of the Shoujiang Bridge

跨数	上游侧观测跨径（m）	下游侧观测跨径（m）	轴线跨径（m）	设计跨径（m）	跨径差值（m）
第一跨	—	—	—	—	—
第二跨	29.660	29.687	29.673	30.000	-0.327
第三跨	29.802	29.796	29.799	30.020	-0.221
第四跨	49.990	49.954	49.972	50.210	-0.238
第五跨	49.993	50.037	50.015	50.200	-0.185
第六跨	49.725	49.699	49.712	50.210	-0.498
第七跨	15.457	12.598	14.027	13.130	0.897

2）支座

寿江大桥各个支座均存在不同程度的震害，或支座滑移、脱空，或出现较大的剪切变形，部分支座出现全部脱空或滑移失效的情况。情况最为严重的是0号台和1号墩桥墩，其上的支座全部移位、滑脱，完全失效；2、3、4号墩支座出现移位、滑脱、剪切变形；5号墩~7号台部分支座有明显剪切变形，少量支座有移位。从支座震害沿桥梁走向的分布来看，呈现出从0号台向7号台逐渐减轻的趋势。其典型支座震害见图3-109、图3-110。

图3-109　2号墩支座剪切变形并局部脱空

Figure 3-109　The sheer deformation of the bearing on the 2nd pier occured and the girder lost reliable support

图3-110　4号墩支座横桥向移位并局部脱空

Figure 3-110　The bearing on the 4th pier moved transversely and the girder lost reliable support

3.11.4　下部结构 Substructure

寿江大桥下部结构震害较为严重，不仅出现了较为常见的盖梁挡块破坏，而且出现了部分双柱圆形墩产生环向裂缝、部分桥墩倾斜的严重情况。

1）盖梁

本桥盖梁未出现开裂等破坏，但3、6号墩两交界墩挡块开裂，3号墩右侧挡块竖向开裂、破碎（图3-111），裂缝宽1.5cm，6号桥墩左侧挡块开裂（图3-112）。4、7号墩盖梁上的部分垫石局部破碎。

图3-111　3号盖梁挡块开裂

Figure 3-111　The concrete restricted block on the 3rd pier cracked

图3-112　6号墩挡块开裂

Figure 3-112　The concrete restricted block on the 6th pier cracked

2）桥墩

1~3 号墩均发生了较为严重的纵向倾斜，同时 1、2 号墩还出现严重的横向倾斜，且两墩墩底都江堰侧 1/2 径向范围内出现数条环向裂缝，裂缝间距大概 25cm 左右，缝宽 1mm，如图 3-113~ 图 3-115 所示。大桥各墩倾斜情况参见表 3-13。

3）桥台

两岸桥台受到梁体纵向冲击、挤压，均出现了严重破坏。汶川岸桥台背墙被挤压失效，侧墙严重开裂，露筋，桥头搭板与路面挤压破坏；都江堰岸桥台同样受到梁体挤压，桥台侧墙严重开裂，台后路面隆起（图 3-116~ 图 3-118）。

图 3-113　1 号墩右柱墩底环向开裂
Figure 3-113　The bottom of the right column of the 1st pier cracked circumferentially

图 3-114　1 号墩左柱墩底环向开裂
Figure 3-114　The bottom of the left column of the 1st pier cracked circumferentially

图 3-115　2 号墩墩底环向开裂
Figure 3-115　The bottom of the right column of the 2nd pier cracked circumferentially

表 3-13　寿江大桥桥墩垂直度测量表
Table 3-13　The table of the pier's verticality of the bridge

位置	横向倾斜度（%）	倾斜方向	纵向倾斜度（%）	倾向方向
1 号	2.09	倾向左侧	2.06	倾向映秀岸
2 号	1.85	倾向左侧	1.84	倾向映秀岸
3 号	0.21	倾向右侧	1.26	倾向映秀岸
4 号	0.14	倾向右侧	0.11	倾向映秀岸
5 号	0.01	倾向右侧	0.04	倾向都江堰岸
6 号	0.31	倾向右侧	0.25	倾向都江堰岸

图 3-116 映秀岸桥台挤压破坏

Figure 3-116　The abutment on the Yingxiu side damaged

图 3-117 映秀岸桥头搭板冲击破坏

Figure 3-117　The run-on slab on the Yingxiu side damaged

4）地基与基础

寿江大桥 0 号桥台，1、2 号桥墩处的地基覆土层较厚，并在 2 号墩左侧局部范围内出现溜坍滑坡（图 3-119）。1、2 号桥墩出现较为严重的纵、横向倾斜，存在因桩基弯曲导致桥墩倾斜的可能性。

图 3-118 都江堰岸桥台侧墙剪切破坏

Figure 3-118　The sheer failure happened on the wing wall of the abutment on the Dujiangyan side

图 3-119 2 号墩附近基础溜坍

Figure 3-119　The foundation near the 2nd pier damaged

图 3-120 紧急加固后的寿江大桥

Figure 3-120　The Shoujiang Bridge was strengthened urgently

3.11.5　震后处理方式 Treatment after the earthquake

寿江大桥位于由成都进入映秀极震区生命线的咽喉位置，在"抢通"阶段，在失去可靠支承的第一跨梁体上架设双排双层 321 钢梁，并在 1 号墩右柱前架设临时支墩，限载标准为 20t（图 3-120）。后对移位梁体进行顶推复位，并使用钢护筒对倾斜的桥墩进行加固（图 3-121，图 3-122）。

图 3-121 顶推复位
Figure 3-121 The girder were reseted with jack

图 3-122 钢护筒加固倾斜桥墩
Figure 3-122 The inclined pier was strengthened by the steel casing

3.11.6 震害简析 Analysis on damage mechanism

寿江大桥的墩柱布置形式在本段路中较为特殊，该桥1、2号桥墩为双柱式圆形墩，4~6号墩为墙式墩，且两类桥墩墩高差异较大。大桥震害主要集中在前两跨，以纵向破坏为主。从大桥上部结构的残余位移与两岸桥台的破坏情况可以看出，梁体与桥台发生了严重的冲撞，第四~六跨50m T梁虽然纵向残余位移较小，但据伸缩缝与桥面连续处的破坏情况可以看出，地震中这三跨的桥墩也发生了较大的弹性变形，只是在震后变形恢复了。

因此，可以推断出在地震发生时，大桥的纵向振型占主导地位。50m跨主梁自重最大，所产生的惯性力也最大，但其对应的桥墩较高，纵向刚度较小，地震惯性力通过桥面连续与伸缩缝传递至墩高较矮的前三跨与第七跨，而第四~六跨则存在较长时间的往复运动。

从设计资料可以看出，前两跨桥墩处在陡坡上，覆盖层较厚，土体稳定性差，在地震发生后，第2跨附近地基出现局部溜坍，这可能是震害主要集中在前两跨的一个因素。

3.12 蒲家沟大桥 The Pujiagou Bridge

3.12.1 桥梁概况 Outline of the bridge

蒲家沟大桥中心桩号为K1034+497，该桥由两座独立的桥梁组成，即8×20m预应力混凝土空心板简支梁桥与5×13m钢筋混凝土连续梁桥，两座桥之间由路堤相连，桥梁全长为234.04m。蒲家沟大桥桥型布置见图3-123。

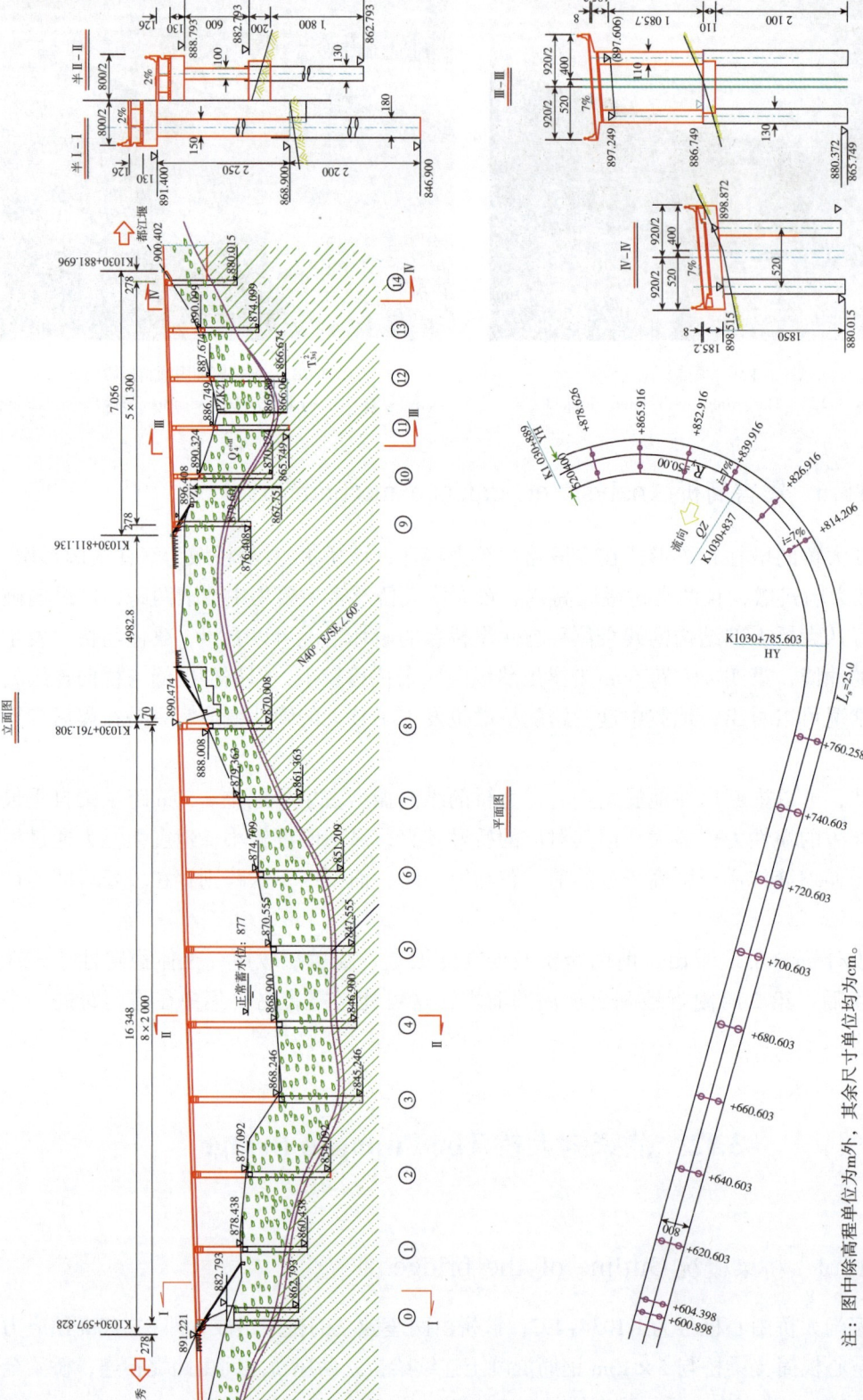

图 3-123　蒲家沟大桥立面图

Figure 3-123　The elevation of the Pujiagou Bridge

该桥的主要设计参数如下所示：
- 上部结构：8×20m 预应力空心板简支梁桥 + 5×13m 钢筋混凝土连续梁桥
- 桥墩构造：双柱式圆柱墩
- 支座：板式橡胶支座
- 桥台：桩柱式桥台
- 基础：桩基础
- 竣工时间：2003 年
- 抗震设防烈度：Ⅶ
- 采用抗震规范：《公路工程抗震设计规范》(JTJ 004—89)
- 实际地震烈度：Ⅹ
- 上下盘关系：下盘
- 与断层距离：6.4km
- 场地类别：Ⅱ

为便于表述，本节将蒲家沟大桥中简支段称为"蒲家沟大桥"（图 3-124），而连续段称为"蒲家沟中桥"（图 3-125）。下文中的"蒲家沟大桥"专指该桥的简支段。

图 3-124 蒲家沟大桥
Figure 3-124 The Pujiagou Bridge

图 3-125 蒲家沟中桥
Figure 3-125 The Pujiagou Mid-Bridge

3.12.2 桥梁震害概况 Outline of damage

蒲家沟大桥的震害等级为 B 级，其主要震害表现为：主梁出现顺、横桥向的移位，导致部分挡块被撞击开裂，伸缩缝被挤压等；支座出现剪切变形、滑移，甚至脱落；桥台侧墙、前墙受撞击开裂等。震后桥梁情况参见图 3-126、图 3-127。

图 3-126 7 号盖梁左侧挡块开裂
Figure 3-126 The left concrete displacement restricted on the 7th pier head cracked

图 3-127 侧墙开裂、外倾
Figure 3-127 The wing wall cracked and inclined

蒲家沟中桥的震害等级也为 B 级，其主要震害表现：主梁向曲线外侧方向少量移位，汶川岸左侧锥坡开裂，桥台背墙开裂等，如图 3-128、图 3-129 所示。

图 3-128 映秀岸桥台锥坡开裂

Figure 3-128 The cone slop of the Yingxiu abutment cracked

图 3-129 映秀岸桥台台背背墙贯通开裂

Figure 3-129 The back wall of abutment on the Yingxiu side cracked

3.13 白水溪大桥 The Baishuixi Bridge

3.13.1 桥梁概况 Outline of the bridge

白水溪大桥与都映高速上的庙子坪大桥毗邻。大桥横跨白水溪，沟谷呈 U 形，高差达 50 余米，沟床宽 30 多米。桥宽 8.0m，上部结构为 25m+3×40m 预应力混凝土 T 形梁，1、4 号桥台设伸缩缝。大桥第一跨位于缓和曲线上。震后白水溪大桥见图 3-130，主要设计参数如下所示：

图 3-130 震后的白水溪大桥

Figure 3-130 The Baishuixi Bridge after the earthquake

- 上部结构：25m+3×40m 简支 T 梁
- 支座：板式橡胶支座
- 桥墩构造：矩形截面墩
- 基础：桩基础
- 桥台：肋板式桥台
- 竣工时间：2003 年
- 采用抗震规范：《公路工程抗震设计规范》(JTJ 004—89)
- 抗震设防烈度：Ⅶ
- 实际地震烈度：Ⅹ
- 上下盘关系：下盘
- 与断层距离：6.2km
- 场地类别：Ⅱ

3.13.2　桥梁震害概况 Outline of damage

白水溪大桥震害等级为 C 级（严重震害），主要震害为：上部结构中，各跨主梁均发生了较大的纵、横向位移，伸缩缝挤紧；梁体滑移时将支座搓起，同时撞坏右侧挡块；大桥映秀岸桥台向前倾斜等。

3.13.3　上部结构及支承 Superstructure and Supports

1）主梁

大桥梁体分为缓和曲线段与直线段两部分，伸缩缝并未设置在桥头，而是设置在曲线段与直线段的连段交界墩处。大桥直线段整体向右侧横移，最大移位距离 48cm，梁体撞坏挡块，存在落梁风险，如图 3-131、图 3-132 所示。同时，两跨梁体交界位置腹板下缘发生碰撞挤压，局部压碎，各桥面连续处开裂、隆起，如图 3-133、图 3-134。

图 3-131　梁体右移，撞坏挡块
Figure 3-131　The girder moved rightward and collided the concrete restricted blocks

图 3-132　梁体右移，支座滑脱
Figure 3-132　The girder moved rightward and lost reliable supports

图 3-133　桥面连续处开裂
Figure 3-133　The sufacing near the continuity cracked

图 3-134　梁体局部破损
Figure 3-134　The end of the girder damaged

2）支座

因梁体严重移位，导致几乎所有的支座发生滑移破坏，部分支座被梁体翻滚，紧贴T梁腹板上，如图3-135、图3-136所示。

图3-135　支座卷曲

Figure 3-135　The bearing curled

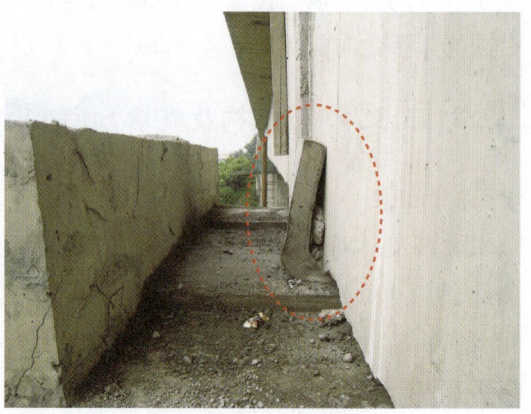

图3-136　支座卷曲

Figure 3-136　The bearing curled

3.13.4　下部结构 Substructure

白水溪大桥采用矩形独柱墩，墩柱本身未发现明显的墩身开裂、倾斜等震害。

1）盖梁

大桥主梁梁体向右滑移，导致大桥右侧挡块全部开裂，如图3-131、图3-137、图3-138所示。

图3-137　右侧挡块破坏

Figure 3-137　The right concrete restricted blocks damaged

图3-138　挡块破坏，有落梁风险

Figure 3-138　The concrete restricted block damaged and the girder was risking falling

2）桥台

都江堰岸桥台侧墙受梁体挤压，顺、横桥向开裂，外鼓，如图3-139所示；映秀岸桥台前倾变位，台背沉陷约3cm，如图3-140所示；侧墙开裂而外鼓。

图 3-139　都江堰岸桥台侧墙开裂、外鼓

Figure 3-139　The wing wall of the abutment on the Dujiangyan side cracked and bulging

图 3-140　映秀岸桥台倾斜

Figure 3-140　The abutment on the Yingxiu side inclined

3.13.5　震害简析 Analysis on damage mechanism

白水溪大桥为临近桥梁中墩高最高、破坏最为严重的桥梁。对比与之邻近的都江堰至映秀高速公路的庙子坪岷江大桥引桥可以看出，破坏具有方向性。庙子坪大桥的第 10 跨主梁从 11 号墩位置发生纵向落梁，同时也出现了一定的横桥向破坏；桥轴与庙子坪大桥垂直的白水溪大桥主梁发生严重的向右侧移位，同时各联梁体间存在纵向挤压。

3.14　大沟中桥 The Dagou Mid-Bridge

3.14.1　桥梁概况 Outline of the bridge

大沟中桥中心桩号为 K1037+597，主梁为 5×13m 连续梁桥，桥梁全长为 68.39m，桥面宽 8 m，分别在 0、5 号台设置伸缩缝。震后的大沟中桥如图 3-141 所示，桥梁设计简图参见图 3-142。主要设计参数如下：

- 上部结构：5×13m，钢筋混凝土空心板
- 支座：板式橡胶支座
- 桥墩：双柱式圆柱墩、
- 基础：桩基础
- 桥台：桩柱式桥台
- 竣工时间：2003 年
- 采用抗震规范：《公路工程抗震设计规范》（JTJ 004—89）
- 抗震设防烈度：Ⅶ
- 实际地震烈度：Ⅹ
- 上下盘关系：下盘
- 与断层距离：5.2km
- 场地类别：Ⅱ类场地

图 3-141　检测中的大沟中桥

Figure 3-141　The Dagou Mid-Bridge under detection

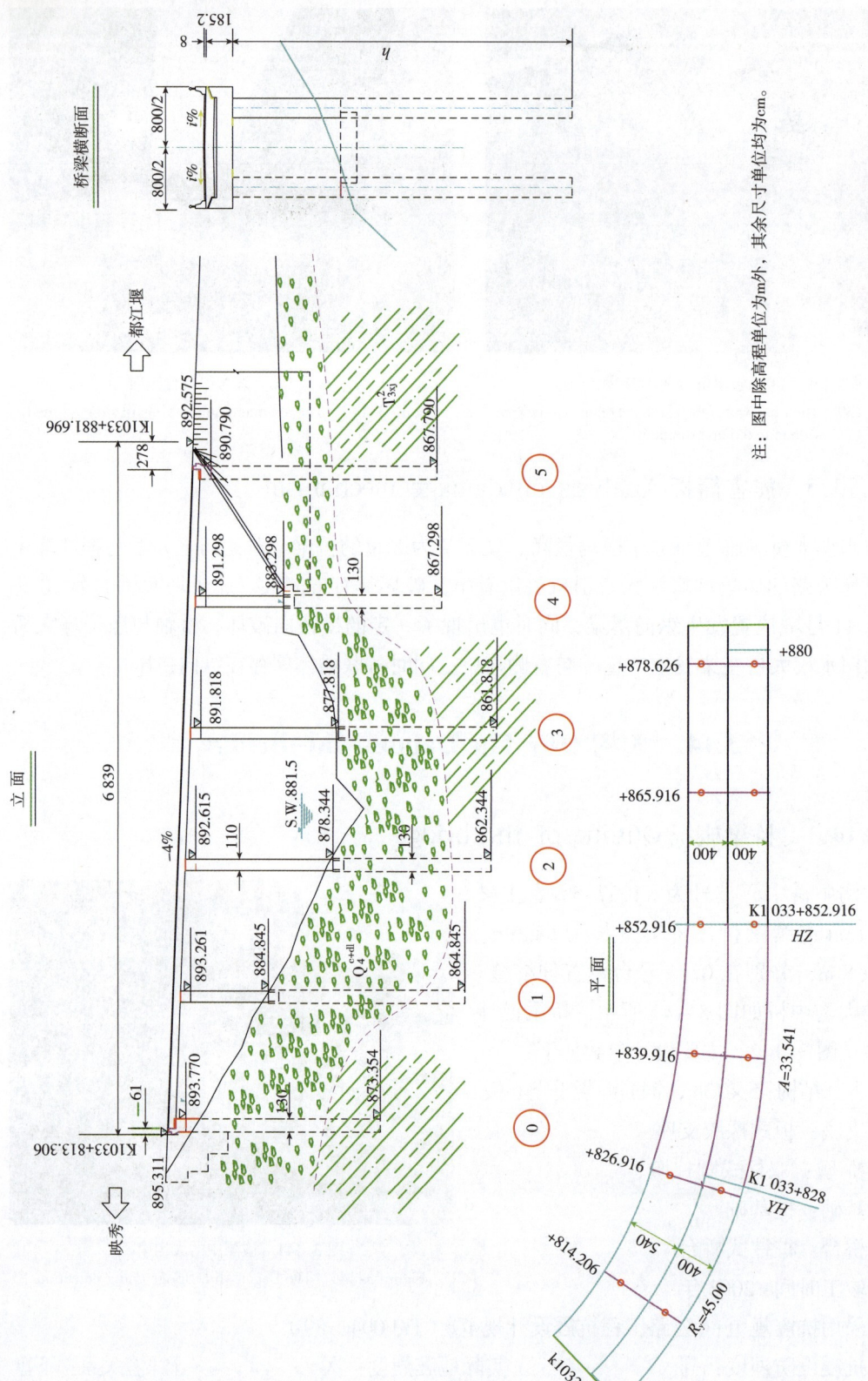

图 3-142　大沟中桥桥梁结构简图

Figure 3-142　The elevation of the Dagou Mid-Bridge

3.14.2 桥梁震害概况 Outline of damage

汶川地震中大沟中桥震害等级为 B 级（中等破坏）。该桥主要震害集中表现：5 号桥台支座全部严重滑移，支座与梁相对偏移达 25cm，其中有 3 个支座脱空，如图 3-143 所示；5 号桥台左右挡块均破坏，如图 3-144 所示；1、4 号墩抗震锚栓剪切破坏，如图 3-145 所示；0 号桥台左侧墩柱盖梁下约 3/4 处 1~2m 范围内有三道环向裂缝，裂缝长 2~2.5m，宽 1.0mm，右侧墩柱盖梁下 0.3~2m 范围内有六道环向裂缝，裂缝长 1.0~2.5m，宽 1.0mm，1 号桥墩右侧墩柱墩顶处开裂，其缝宽和长度为 0.06mm×1 000mm；3 号桥墩右侧墩柱环向开裂，其缝宽和长度为 0.1mm×1 500mm，如图 3-146~ 图 3-148 所示。

图 3-143 5 号桥台支座滑移
Figure 3-143 The bearing on the 5th pier moved

图 3-144 5 号桥台右侧挡块严重破坏
Figure 3-144 The right concrete restricted block on the 5th pier damaged seriously

图 3-145 4 号桥墩抗震锚栓剪切破坏
Figure 3-145 The anti-seismic anchor bolts on the 4th pier were destroyed by the horizontal shear force

图 3-146 0 号桥台左侧墩柱环向裂缝
Figure 3-146 The left column of the abutment cracked circumferentially

图 3-147　5 号桥台桥左侧墩柱环向裂缝　　　　　　图 3-148　0 号桥台右侧墩环向裂缝

Figure 3-147　The left column of the 5th abutment cracked circumferentially

Figure 3-148　The right column of the abutment cracked circumferentially

3.15　水井湾大桥 The Shuijingwan Bridge

3.15.1　桥梁概况 Outline of the bridge

水井湾大桥中心桩号为 K955+970，主梁为预应力混凝土空心板，桥梁全长为 113m，桥面宽 7.5m，分别在 0、5 号台设置伸缩缝。桥梁设计简图参见图 3-149，主要设计参数如下：

- 上部结构：5×20m 预应力空心板
- 支座：板式橡胶支座
- 桥墩：双柱式圆柱墩
- 基础：桩基础
- 桥台：重力式桥台
- 竣工时间：2003 年
- 采用抗震规范：《公路工程抗震设计规范》（JTJ 004—89）
- 抗震设防烈度：Ⅶ
- 实际地震烈度：Ⅹ
- 上下盘关系：下盘
- 与断层距离：6.0km
- 场地类别：Ⅱ类场地

3.15.2　桥梁震害概况 Outline of damage

水井湾大桥震害等级为 B 级（中等破坏）。主要震害为：第 1 跨梁体存在一定程度移位导致 1 号盖梁两侧挡块开裂，0 号台左侧挡块开裂。震后桥梁情况参见图 3-150~图 3-153。

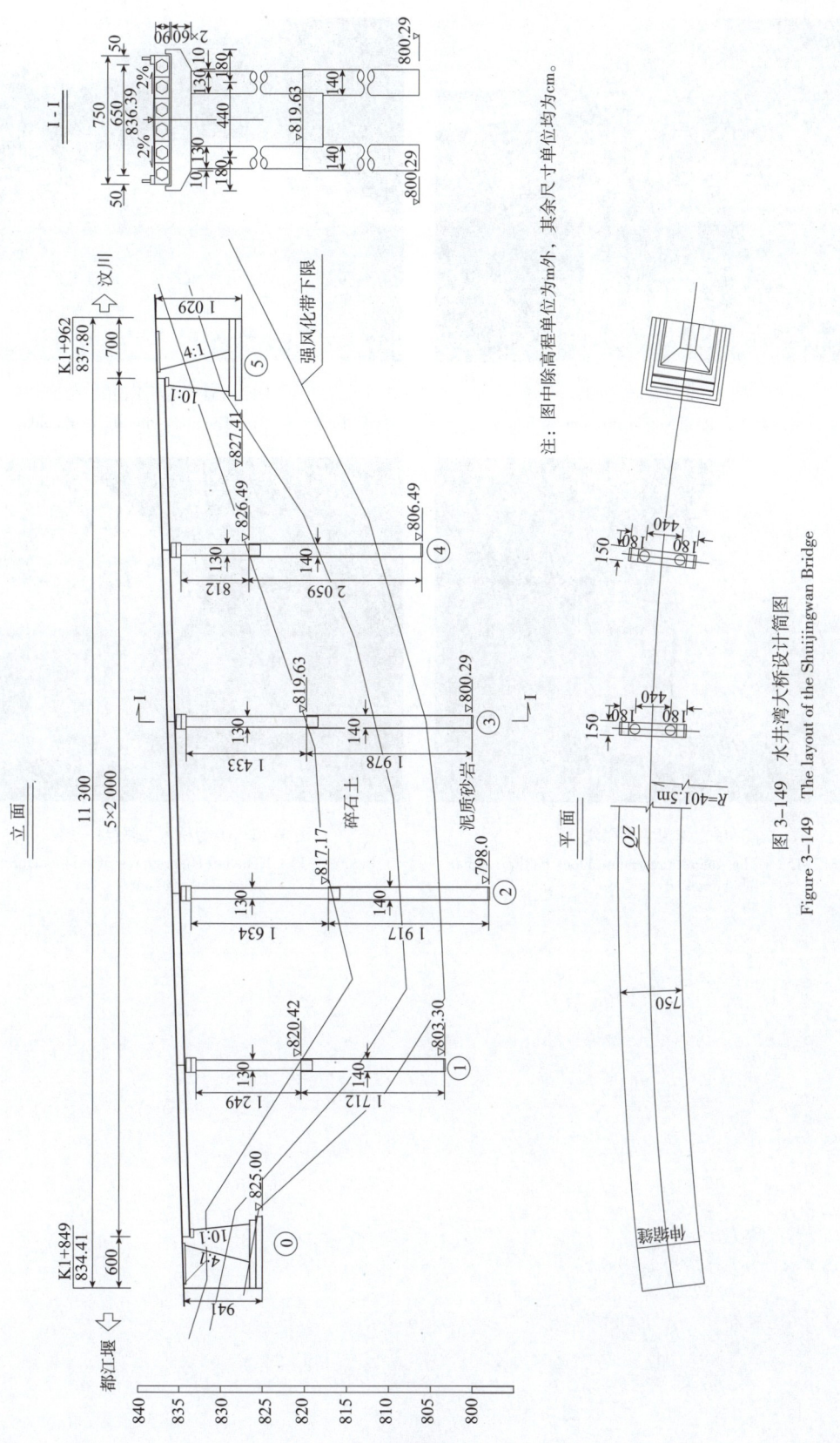

图 3-149　水井湾大桥设计简图

Figure 3-149　The layout of the Shuijingwan Bridge

图 3-150 震后立面图
Figure 3-150 The elevation after the earthquake

图 3-151 震后平面图
Figure 3-151 The plane after the earthquake

图 3-152 1号盖梁挡块开裂
Figure 3-152 The concrete restricted block on the 1st pier head cracked

图 3-153 0号桥台左侧挡块开裂
Figure 3-153 The left concrete restricted block on the abutment cracked

第 4 章　都江堰至映秀高速公路
Chapter 4　The Expressway from Dujiangyan to Yingxiu

4.1　公路及桥梁概况 Outline of route and bridges

都江堰至映秀高速公路毗邻国道 213 线都江堰至映秀段，公路起点位于成灌高速公路 K34+810 处，自东向西穿过董家山后，跨越紫坪铺电站库区，再北上到达映秀镇附近。路线全长 25.8km，设计于 2006 年。地震发生时，本段公路处于在建状态，所有桥梁的主体部分已经完工，部分桥梁的桥面系（伸缩缝及桥面连续）还未完成施工。

本段公路绝大部分位于龙门山中央断裂带下盘，仅映秀镇附近的少量区段位于中央断裂带上盘，区域内次级断层较为发育。从地形地貌上来看，公路分为两个段落，即都江堰市附近为平原微丘区，其后为山岭重丘区。本段公路抗震设防烈度为Ⅶ度[1]，而在汶川地震中，本段公路实际烈度为Ⅸ～Ⅺ度[3]。

本段公路以都江堰为起点，以都江堰至映秀镇方向为正方向对各桥进行编号。线路区域位置图见图 4-1。

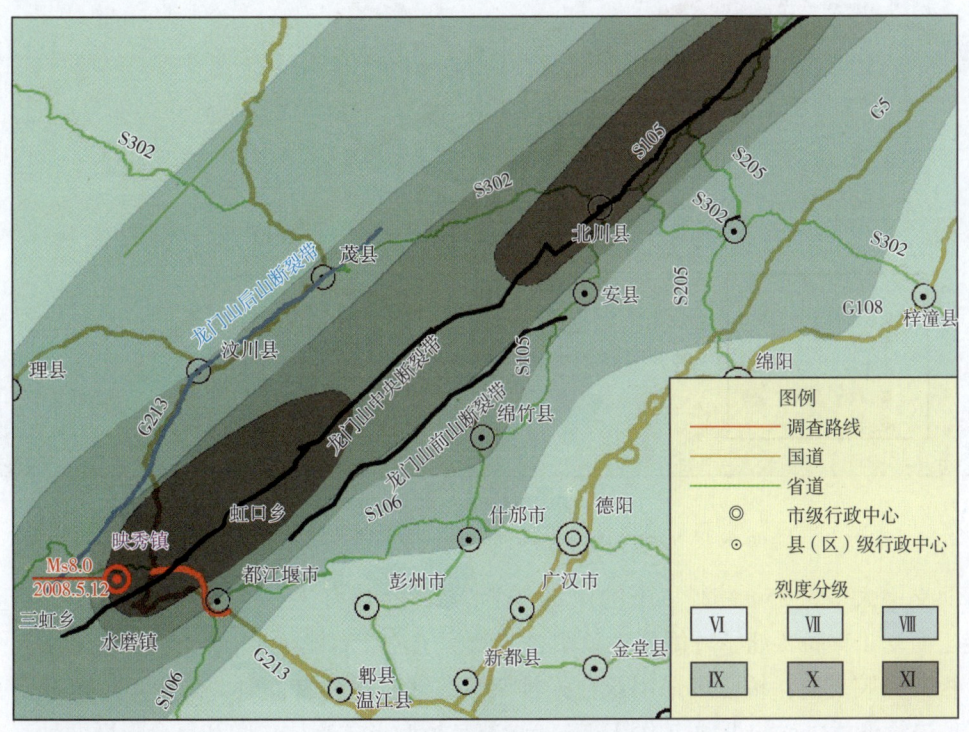

图 4-1　线路区域位置图
Figure 4-1　Location of the Expressway in seismic areas

都江堰至映秀高速公路全线共有桥梁 37 座，涉及简支梁桥、连续梁桥和连续刚构桥三种桥型，以简支梁桥居多，共计 33 座；另有连续梁桥 3 座、连续刚构桥 1 座。各类桥型数量见表 4-1，线路桥梁分布图及震害情况见图 4-2。37 座桥梁中，Ⅸ度区内 28 座桥梁，Ⅹ、Ⅺ度区内 9 座桥梁。本段公路中桥梁情况详见附表 C-2。

表 4-1 都汶高速都映段桥梁桥型及规模
Table 4-1 Types and sizes of the bridges on the Dujiangyan–Yingxiu expressway

桥梁类型 \ 桥梁规模	特大桥（座）	大桥（座）	中桥（座）	小桥（座）	合计（座）
简支梁桥	0	8	10	15	33
连续梁桥	0	2	1	0	3
连续刚构	1	0	0	0	1
合计	1	10	11	15	37

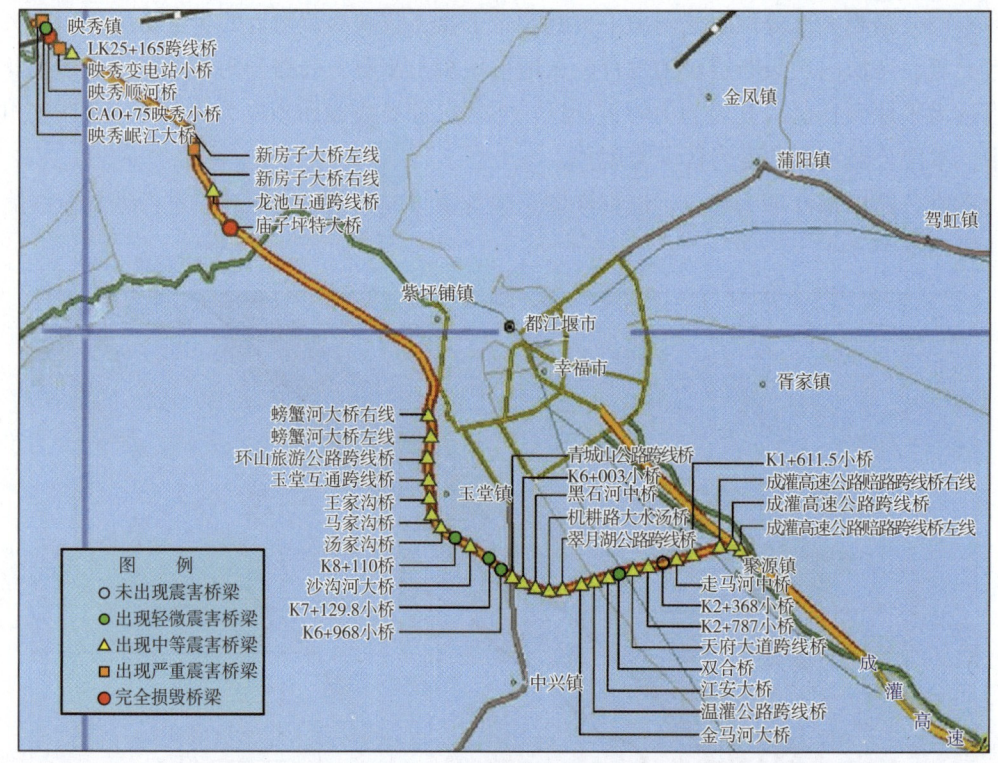

图 4-2 桥梁分布及震害情况
Figure 4-2 Location and seismic damage of the bridges along the highway

简支梁大多为 25m 跨径以下的预应力空心板梁，仅有 3 座跨径在 25m 以上的预应力混凝土简支 T 梁桥（庙子坪岷江大桥引桥，新房子左、右线桥）。简支梁桥均采用连续桥面，板式橡胶支座；桥墩多采用双柱式排架墩，墩高超过 30m 时，采用矩形薄壁空心排架墩。连续梁桥主梁均为预应力混凝土箱形梁，桥墩形式有柱式墩和复合形墩两种，支座有盆式橡胶支座和板式橡胶支座两种。连续刚构桥仅庙子坪岷江大桥一座。其主桥主梁为三向预应力箱梁，主墩为矩形空心墩，交接墩为矩形薄壁空心排架墩，交接墩支座为盆式橡胶支座。在地震发生时，庙子坪岷江大桥伸缩缝尚未安装。

值得一提的是，本段公路中的高墩桥梁，在设计中均采用了两水准设防、两阶段设计的抗震设计思想，采用强度和变形双重指标控制抗震设计，在地震中经受住了实践检验，成功地达到了抗震设防目标。

4.2 震害概要 Outline of damage

本段公路中出现 D 级震害（完全失效）的桥梁有两座，即跨越断层的映秀顺河桥及庙子坪岷江特大桥。在映秀镇附近，映秀至北川的地表破裂带从映秀顺河桥下穿过，造成区域地貌发生改变，地表隆起 3m 以上；而跨越紫坪铺水库的庙子坪岷江特大桥引桥第 10 跨发生整体落梁，导致桥梁失效。此外成灌高速公路跨线桥、映秀岷江大桥等 4 座桥梁都出现了 C 级震害（严重破坏）。

4.2.1 桥梁整体震害情况 Information on seismic bridge damage from investigated area

本段公路的 37 座桥梁中，除了 K2+368 小桥未出现震害（A0 级震害）外，其余 36 座桥梁均出现不同程度的震害，而绝大部分震害为地震作用所产生的直接震害。出现 D 级震害（完全失效）的桥梁共两座，即映秀顺河桥及庙子坪岷江特大桥，占桥梁总数的 5.4%；C 级震害（严重震害）桥梁共计 4 座，占总数的 10.8%；B 级震害（中等破坏）共计 25 座，占总数的 67.6%。具体的桥梁震害比例如图 4-3 所示。破坏桥梁多集中在山岭重丘区，而在位于成都平原的都江堰附近，桥梁震害要轻得多。

在本段公路中共有（特）大桥 7 座，其中 6 座为简支体系桥梁，1 座为连续梁桥；中桥 22 座，其中 16 座为简支体系桥梁，6 座为连续梁桥；其余 6 座小桥均为单跨简支梁桥。（特）大桥中，出现严重破坏（C 级震害）及完全失效（D 级震害）的桥梁占其总数的 45.5%，而中桥中并未出现严重破坏（C 级震害）的桥梁，小桥中有 1 座在建桥梁出现严重破坏，即映秀变电站小桥。

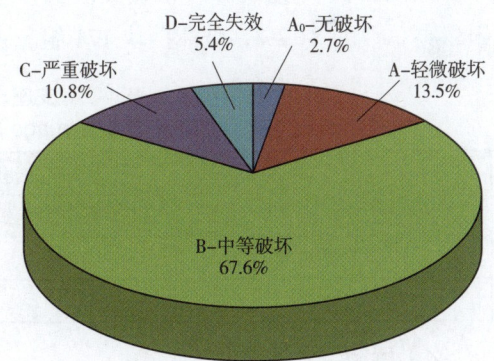

图 4-3 都江堰至映秀高速公路桥梁震害情况
Figure 4-3 Proportional extent of bridge damage

4.2.2 简支梁桥震害 Damage to simply supported girder bridges

1）主要震害表现

本段公路简支梁桥的主要震害现象与国道 213 线映秀至都江堰段相似，也表现为以主梁移位、支座震害为主，有少量桥墩墩柱开裂、倾斜。但庙子坪岷江特大桥引桥出现了落梁现象，还出现了桥墩水下震害，而映秀顺河桥穿越龙门山中央断裂带，因断裂带的巨大错动导致全桥垮塌。

2）主梁

本段公路共有简支体系桥梁35座（含庙子坪岷江大桥的引桥及新房子大桥右线简支梁部分），共计有218跨。与国道213线都江堰至映秀段主梁震害情况类似，主梁震害仍为主梁移位，97.7%的桥跨出现主梁移位，18.3%的主梁移位严重。可见主梁移位仍为简支梁桥最为常见的震害形式，其中斜交桥的主梁移位除纵、横向移位外，通常还伴有向主梁交角增大的方向的平面转动。简支体系桥梁主梁破坏比例见图4-4。

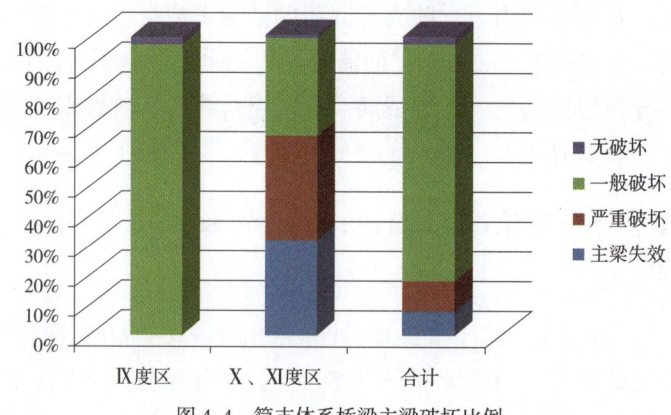

图4-4　简支体系桥梁主梁破坏比例

Figure 4-4　The proportion of damage to the girders of simply supported girders

3）支座、挡块

该段公路简支梁桥共布置支座436组、钢筋混凝土挡块278组，其中破坏支座354组，占总数的81.2%，破坏挡块171组，占总数的61.5%。支座、挡块破坏详见表4-2。

表4-2　支座、挡块破坏情况统计表

Table 4-2　Statistics of damage to bearings and concrete restricted blocks

烈度区域	震损情况	支座（组）		挡块（组）	
		支座总数	S_B-支座破坏	挡块数量	D_B-挡块破坏
Ⅸ度区		316	236	206	105
Ⅹ、Ⅺ度区		120	118	72	66

4）桥墩

都江堰至映秀段简支梁桥共有桥墩159个，以双柱式圆形排架墩为主，共131个，矩形空心排架墩19个，此外还有薄壁矩形空心墩9个。统计表明，发生震害的桥墩数为45个，占所有桥墩的28.3%，集中出现在庙子坪岷江大桥引桥，新房子大桥左、右线及映秀顺河桥4座非规则桥梁中，这4座桥梁或为高墩，或穿越断层。其中完全失效的桥墩共15个，占总数的9.4%，出现震害严重的桥墩共7个，均出现在映秀顺河桥和庙子坪岷江大桥中。各类桥墩震害情况见表4-3。

表 4-3 简支体系桥梁桥墩震害情况
Table 4-3　The seismic damage to the piers of simply supported girder bridges

桥墩类型	震损等级	P_A-无破坏（个）	P_B-一般破坏（个）	P_C-严重破坏（个）	P_D-完全失效（个）	合计（组）
Ⅸ度区	圆形排架墩	110	0	0	0	110
Ⅹ、Ⅺ度区	圆形排架墩	4	0	2	15	21
	矩形空心排架墩	0	14	5	0	19
	矩形薄壁空心墩	0	9	0	0	9
	合计	114	23	7	15	159

4.2.3　连续梁桥震害 The damage to continuous girder bridges

1）主要震害表现

该段公路有连续梁桥 3 座，共有主梁 4 联，合计 19 跨，分别为成灌高速公路跨线桥（2 联）、天府大道跨线桥（1 联）以及新房子大桥右线（1 联）。其中天府大道跨线桥为直线桥，其余两座均为曲线桥。3 座桥梁中，新房子大桥右线位于地震烈度为Ⅹ度的区域内，其余两座桥桥址区地震烈度则为Ⅸ度。所有连续梁桥的固定墩均采用固定盆式橡胶支座。

与道路中简支梁桥的震害表现类似，连续梁桥线路中所有连续梁桥主梁均未见开裂等影响结构承载的震害，震害的主要形式亦以主梁移位、支座破坏为主，除新房子大桥（右线）的连续梁段桥墩因土体溜坍导致部分桥墩倾斜外，其余桥梁桥墩未见明显破坏。

2）主梁

与简支梁桥相似，连续梁主梁未见开裂等影响结构承载的震害，震害的主要形式是主梁移位。线路中的 4 联连续梁桥全部出现主梁移位，其中除新房子大桥右线的 1 联主梁移位量达 51cm，达到 B_C 级破坏外，成灌高速公路跨线桥与天府大道跨线桥的主梁位移量相对较小，仅为 B_B 级破坏。除新房子大桥右线主梁出现严重破坏（B_C 级破坏）外，其余 3 联均为中等破坏（B_B 级破坏）。

3）支座

本段线路连续梁桥中，盆式橡胶支座与板式橡胶支座均有采用。线路中盆式橡胶支座的主要震害现象是上、下垫板明显错位，限位块破坏；而板式橡胶支座的主要震害形式是支座移位、变形，甚至与主梁间脱开。所有支座中，全部 8 组板式橡胶支座均破坏，而全部 15 组盆式橡胶支座中，有 13 组破坏，都江堰至映秀段连续梁桥支座破坏比例为 91.3%。

4）桥墩

该段公路共有连续梁桥桥墩 17 个，桥墩形式有独立柱式圆形墩和"Y"形墩两种，除新房子大桥的 5 个桥墩出现震害外，其余 2 座桥的 12 个桥墩均未出现震害。新房子大桥因地基震害导致桥墩均向右侧倾斜，墩柱底开裂，最大倾斜达 2.98‰。而在全部 17 个桥墩中，除新房子大桥（右线）连续梁段的 5 个桥墩出现严重破坏（P_C-严重破坏）外，其余 2 座桥的 12 个桥墩均未破坏（P_A-无破坏）。线路中 3 座连续梁桥桥墩详细破坏情况见表 4-4。

表 4-4 连续梁桥桥墩震害情况简表
Table 4-4 The situation of seismic damage of continuous girder bridges' piers

震害等级 桥墩类型	P_A-无明显破坏		P_B-一般破坏		P_C-严重破坏		P_D-完全失效	
	一般墩	固定墩	一般墩	固定墩	一般墩	固定墩	一般墩	固定墩
成灌高速公路跨线桥	8	2	0	0	0	0	0	0
天府大道跨线桥	1	1	0	0	0	0	0	0
新房子大桥右线	0	0	0	0	4	1	0	0

4.2.4 连续刚构桥震害 Damage to continuous rigid frame bridge

连续刚构桥——庙子坪岷江特大桥主桥，是国内第一个连续刚构桥的震害实例。主要震害现象为：主梁出现了顶板、底板、腹板、横隔板开裂等现象；边跨主梁在交界墩处有较大幅度横向移位，并有明显横向弯曲；交界墩支座全部损坏，其中 1 个主墩和 1 个交界墩还出现了桥墩水下震害。

庙子坪岷江特大桥的主梁出现了较为明显的纵、横向震动，且残留有明显的横向位移，两边跨悬臂端部的位移明显大于根部，主梁横向弯曲，边跨"摆尾"的现象十分明显。此外受竖向地震动的作用，地震中边跨悬臂端竖向振动明显，拍击作用导致梁底钢板弯曲，梁底混凝土受损，边跨支点附近腹板出现大量裂缝，同时跨中底板出现纵向长达 4.0m 空鼓，最大缝宽 2mm 的网状裂缝，缝两侧混凝土有挤压破碎痕迹，底板混凝土有被压溃的趋势。另外边跨和中跨跨中横隔板还出现大量 45°裂缝和竖直裂缝，最大裂缝宽度达 10mm。

由于主梁的拍击和移位，边跨支座全部破坏，基本丧失功能，且分别有 1 个主墩和 1 个过渡墩出现了水下裂缝，最大裂缝宽度 0.8mm。

4.2.5 本段公路桥梁震害特点 The characteristics of bridge damages in the highway

通过震害统计分析及典型震害的调查，本段公路桥梁震害情况有如下特点：

（1）庙子坪岷江大桥作为汶川地震区唯一一座高墩大跨连续刚构桥，在地震中呈现出了较其他梁式体系桥梁不同的破坏表现。该桥最为明显的特点有三个：其一，主梁顶板、底板及腹板均出现了大量的裂缝，这一情况在该段公路的简支梁桥和连续梁桥中均未出现，主梁的预应力配置不能适应竖向地震动效应是出现这一现象的主要原因，也表明连续刚构的主梁是抗震设防的重点；其二，出现了首例桥墩水下震害，裂缝宽度虽然不大，但给修复工作带来了很大困难；其三，边跨主梁出现了大幅横向位移和横向弯曲，主梁的这一变形形式与简支梁桥和连续梁桥的主梁刚体位移有明显差别。

（2）该段公路桥梁的破坏程度与区域烈度、地形、地貌条件有直接的关系。统计表明，都江堰市至玉堂段的Ⅸ度区（平原区）虽然桥梁数量达28座，但未出现C级（严重破坏）及以上震害；玉堂至映秀段的Ⅹ度及Ⅹ度以上区（山区）虽然桥梁数量仅9座，但其中4座出现C级（严重破坏）震害，并有2座出现D级（完全失效）震害，严重破坏率达到66.7%。

（3）跨越断层的桥梁毁灭性破坏。穿越断层的映秀顺河桥，因发震断层错动达3.0m，桥梁出现多米诺骨牌式的倒塌，大桥毁灭性破坏。映秀顺河桥的破坏再次证明，对跨越发震断层的桥梁设防是无法成功的，在跨越活动断层时，应注意：①线路应尽量绕避断层；②如无法绕避时，应尽量采用路基跨越；③如必须采用桥梁时，尽可能减小桥梁规模，并采用易修复的结构形式。

（4）高桥墩、超高桥墩的抗震能力得到体现。本段公路庙子坪岷江大桥、新房子大桥（左线和右线）3座大桥桥墩高度40~100m，均超过《公路工程抗震设计规范》（JTJ 004—89）的适用范围，3座桥梁抗震设计采用了两水准设防、两阶段设计的抗震设计思想，采用强度和变形双重指标控制抗震设计。虽然地震时3座大桥的桥墩均发生了一定程度的倾斜，少数桥墩开裂，但未出现塑性铰、压溃等严重破坏，表明都江堰至映秀高速公路高桥墩采用的双柱排架式矩形空心的结构形式，以及采用两水准设防的抗震设计是成功的。

（5）简支体系桥梁上部结构整体性对抗震性能有明显的影响。对比国道213线和都江堰至映秀段的简支体系桥梁破坏情况可以看出，在国道213线中无主梁落梁的情况发生，而在都江堰至映秀高速中则有2座桥梁出现了落梁现象，且这两座桥梁均为未完成施工的桥梁，特别是白水溪大桥与庙子坪岷江大桥的距离不足500m，庙子坪岷江大桥落梁，而白水溪大桥则无此现象。这表明对于简支体系桥梁而言，主梁保持良好的整体性对于防止落梁有至关重要的作用。

（6）正交简支梁桥、连续梁桥的震害特点与其他线路相似，这里不再赘述。

4.3 成灌高速公路跨线桥（左线）The left flyover bridge in the Chengguan Expressway Auxiliary Road

4.3.1 桥梁概况 Outline of bridge

成灌高速公路跨线（左线）桥位于$R=400$、$L_s=100$的圆曲线、缓和曲线和直线段上。本桥为预应力混凝土连续箱梁桥，全桥共11跨，分两联，第一联孔跨布置为$5\times20m$，第二联孔跨布置为$20m+2\times27m+3\times20m$，第6跨设牛腿搭接两联。本桥震害等级为B级

（中等破坏），震后经紧急加固处置后限制通行。该桥桥型布置图见图 4-5，桥墩桥台主要构造及支座布置见表 4-5，桥梁的主要设计参数如下：

- 上部结构：5×20m ＋ 20m+2×27m+3×20m 预应力混凝土连续箱梁
- 支座：盆式橡胶支座
- 桥墩：圆端形 Y 形墩＋独柱式圆形墩
- 基础：桩基础
- 桥台：重力式桥台
- 竣工时间：2008 年 3 月
- 采用抗震规范：《公路工程抗震设计规范》（JTJ 004—89）
- 抗震设防烈度：Ⅶ
- 实际地震烈度：Ⅸ
- 上下盘关系：下盘
- 与断层距离：16.4km
- 场地类别：Ⅱ类

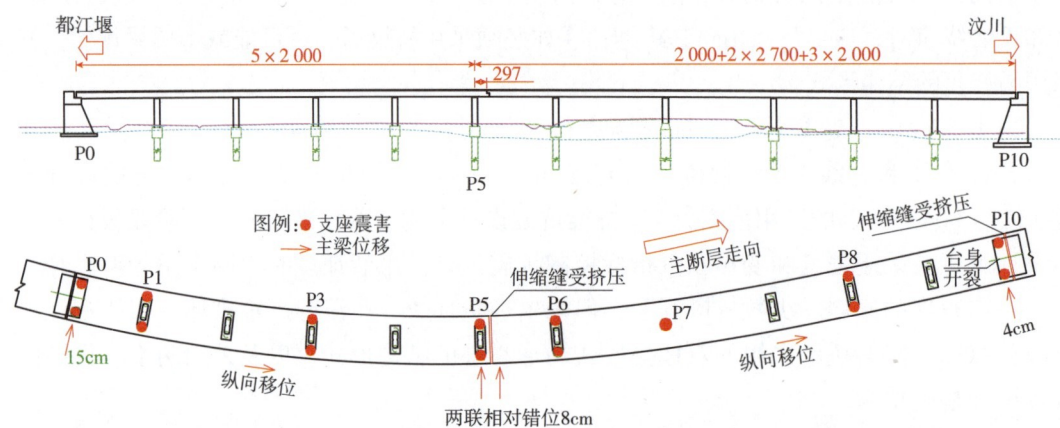

图 4-5　桥型布置及主要震害（尺寸单位：cm）

Figure 4-5　The layout of the bridge and the main seismic damage（unit：cm）

表 4-5　桥墩、桥台主要构造及支座布置

Table 4-5　The configuration of the abutments and the piers and layout of the bearings

墩台编号	结构形式	墩台高（m）	支座型号	支座数量（个）	支座厚度（mm）
0 号台	肋板式	9.285	GYZF$_4$$\phi$350×57	5	57
1 号墩	圆端形 Y 形墩	7.420	GPZ6000DX	2	150
2 号墩	圆端形 Y 形墩	7.500	GPZ6000DX	2	150
3 号墩	圆端形 Y 形墩	7.300	GPZ6000GD	2	150
4 号墩	圆端形 Y 形墩	7.270	GPZ6000DX	2	150
5 号墩	圆端形 Y 形墩	7.420	GPZ6000DX	2	150
6 号墩	圆端形 Y 形墩	7.500	GPZ6000DX	2	150
7 号墩	独柱式圆形墩	6.340	GPZ10000DX	1	190

续上表

墩台编号	结构形式	墩台高（m）	支座型号	支座数量（个）	支座厚度（mm）
8号墩	圆端形Y形墩	8.000	GPZ6000GD	2	150
9号墩	圆端形Y形墩	8.360	GPZ6000DX	2	150
10号墩	圆端形Y形墩	8.200	GPZ6000DX	2	150
11号台	肋板式	10.216	GYZF4φ350×57	5	57
第6跨牛腿支座布置			GJZ（F4）250×350×39	6	39

4.3.2 桥梁震害概况 Outline of damage

本桥上部结构均有较为明显的顺桥向和横桥向位移，顺桥向位移向汶川侧，横桥向位移向曲线内侧（图4-5）。与主梁移位相应，支座震害较为严重，映秀岸桥台支座有明显剪切变形（图4-6），其余墩、台支座也存在移位和局部脱空的现象，部分桥墩抗震锚栓变形、倾斜，甚至被剪断。震后成灌高速公路跨线桥见图4-7。

图4-6 桥台支座变形

Figure 4-6 The bearing on abutment deformed

图4-7 震后成灌高速公路跨线桥

Figure 4-7 The Chengguan Bridge after the earthquake

桥墩未出现开裂、偏位等震害，但2、9号墩处的地基开裂，映秀岸台身开裂，锥坡地基严重下沉，导致锥坡开裂，桥头连接处路基明显沉降。两岸桥台挡块严重破坏。各跨的震害简图见图4-5。

4.3.3 上部结构及支承震害 Damage to superstructure and supports

1）主梁及伸缩缝

主梁无明显的开裂等结构性震害，但纵、横向地震动导致主梁出现了较为明显的刚体移位（表4-6）。两联主梁的横向位移方向均向左侧（曲线内侧），导致都江堰岸桥台与主梁相对错位达15cm（图4-8），汶川桥台处护栏错位4cm左右，第6跨牛腿处两联主梁错位 8cm（图 4-9）。顺桥向残留位移向汶川侧，由于主梁往复运动导致两岸桥台伸缩缝现浇段与路基连接处均开裂，缝宽达 2cm，伸缩缝上下高差错位 1.0cm（图 4-10），映秀岸桥台处和牛腿处伸缩缝被挤压，可用伸缩量明显减小，缝宽仅约 1.0cm。

表 4-6　成灌高速公路跨线桥主梁位移统计表
Table 4-6　Statistics of girders of the crossing line bridges in Chengguan express way

孔 跨 编 号		主梁纵桥向移位（cm）	主梁横桥向移位（cm）	桥跨形式
第一跨	0号桥台处	向汶川侧	左 15cm	20m 箱梁
	1号桥墩处	向汶川侧	左	
第二跨	1号桥墩处			20m 箱梁
	2号桥墩处	向汶川侧	左	
第三跨	2号桥墩处			20m 箱梁
	3号桥墩处	向汶川侧	左	
第四跨	3号桥墩处			20m 箱梁
	4号桥墩处	向汶川侧	左	
第五跨	4号桥墩处			20m 箱梁
	5号桥墩处	向汶川侧	左	
第六跨	5号桥墩处			20m 箱梁
	牛腿处（第1联）	向汶川侧	相对第 2 联左 8	
	牛腿处（第2联）	向汶川侧	相对第 1 联右 8	
第七跨	6号桥墩处			27m 箱梁
	6号桥墩处	向汶川侧	向左	
	7号桥墩处	向汶川侧	向左	
第八跨	7号桥墩处			27m 箱梁
	8号桥墩处	向汶川侧	向左	
第九跨	8号桥墩处			20m 箱梁
	9号桥墩处	向汶川侧	向左	
第十跨	9号桥墩处			20m 箱梁
	10号桥墩处	向汶川侧	向左	
第十一跨	10号桥墩处			20m 箱梁
	11号桥台处	向汶川侧	向左 4	

图 4-8　都江堰岸桥台处主梁向左移位
Figure 4-8　The girder near the abutment moved leftward

图 4-9　牛腿处主梁相对移位
Figure 4-9　The relative displacement of giders near the corbel

图 4-10　都江堰桥台伸缩缝现浇段与路基连接处开裂
Figure 4-10　The concrete near expansion joint on the Dujiangyan side cracked

2）支座

在地震中本桥的支座受损较为严重，两岸桥台处采用的板式橡胶支座普遍有移位和剪切变形现象，其中都江堰岸桥台处支座最大偏移有 5cm，映秀岸桥台处的支座均有明显剪切变形。桥墩支座上下垫板错位（图 4-11）、锚栓变形现象较为普遍（图 4-12），部分锚栓甚至被剪断，部分支座螺栓脱落、限位块损坏。支座震害详情见表 4-7。

图 4-11　1号墩支座上下垫板错位、锚栓变形
Figure 4-11　The pad of 1st pier bearing dislocated and the bolt curled

图 4-12　3号桥墩处支座锚栓变形相当明显
Figure 4-12　The bolt on the 3rd pier curled obviously

表 4-7 成灌高速公路跨线桥支座破坏统计表
Table 4-7 The damage to bearings

墩台编号	支座破坏情况描述
都江堰岸桥台	均有移位，最大偏移有 5cm
1 号桥墩	曲梁外侧支座有剪切变形
2 号桥墩	曲梁外侧支座有剪切变形
3 号桥墩	限位块破坏，有移位，锚栓变形、倾斜移位
4 号桥墩	—
5 号桥墩	左右方向移位约 2cm，前后方向移位约 2cm，并且内部有挤压变形
6 号桥墩	限位块破坏，螺栓脱落
7 号桥墩	均有移位
8 号桥墩	—
9 号桥墩	向左侧方向位移 2cm，锚栓也有一定变形
10 号桥墩	限位块破坏，锚栓也有一定变形
映秀岸桥台	均有明显剪切变形

4.3.4 下部结构主要震害表现 Damage to substructure

下部结构震害相对较轻，墩身未见开裂、倾斜等现象。映秀岸桥台右侧肋板开裂，最宽处达 3mm，锥坡严重下沉 26cm，破碎、开裂，露出填料，同时外移约 13cm（图 4-13）；都江堰岸桥台台身和梁体有明显的撞击痕迹，背墙开裂。同时锥坡地基整体下沉，变形开裂，露出填料。两岸桥台挡块已基本破坏（图 4-14）。

图 4-13 映秀岸桥台台身右侧开裂

Figure 4-13 The cracks on the right side of the abutment on the Yingxiu side

图 4-14 都江堰岸桥台右侧挡块破坏

Figure 4-14 The right concrete displacement restricted block of the abutment was damaged on the Dujiangyan side

4.3.5 震害简析 Analysis of damage mechanism

本桥下部结构在地震中表现较好,承载力未受损,锥坡震害在震后也易处理,主要震害是支座震害和主梁移位,与其他梁式桥的主要震害特征基本一致。

该桥主梁移位较有特点,一般认为曲线梁桥的横桥向位移多向曲线外侧,对于地震动输入方向主要沿顺桥向,这一认识无疑是正确的。因为顺桥向输入将对弯桥产生向曲线外侧的转动力矩,使主梁有向曲线外侧运动的趋势。对于本桥,桥梁的走向与中央主断裂基本平行,地震动为往复运动,因此,在横桥向地震动的作用下主梁向曲线内侧或外侧移位均是可能的。此外,本桥位于主断裂下盘,地基的运动趋势向北偏西方向,即向本桥曲线内侧,在两个因素的共同作用下,本桥向曲线内侧横移也就不足为奇了。该桥震害的启示是,对于曲线梁桥的横桥向移动方向,一方面与地震动输入方向有关,另一方面还与桥梁走向与断层走向的相对关系有关,并不一定均向曲线外侧移动。

4.4 成灌高速赔路跨线桥(右线)
The right flyover bridge in the Chengguan Expressway Auxiliary Road

4.4.1 桥梁概况 Outline of the bridge

成灌高速公路赔路跨线桥(右线)中心桩号为 RK1+163,与桥下道路斜交 30°,位于直线段,横桥向布置 8 片空心板。墩台均采用扩大基础,以成都平原的卵石质土为持力层。本桥震害等级为 B 级(中等破坏),在应急救灾阶段限速限载通行。该桥桥型布置图见图 4-15,桥梁的主要设计参数如下:

- 平曲线:直线,墩梁斜角 60°
- 上部结构:3×16m 简支空心板(桥面连续)
- 支座:板式橡胶支座
- 桥台:重力式桥台
- 竣工时间:2008 年 3 月
- 采用抗震规范:《公路工程抗震设计规范》(JTJ 004—89)
- 抗震设防烈度:Ⅶ
- 上下盘关系:下盘
- 场地类别:Ⅱ类
- 桥墩构造:双柱式排架墩
- 基础:扩大基础
- 实际地震烈度:Ⅸ
- 与断层距离:16.3km

4.4.2 桥梁震害概况 Outline of damage

地震中本桥大部分支座有不同程度的移位、脱空等震害。主梁有较为明显的顺、横桥向移位（图 4-16），并伴有转动，但梁体、铰缝均未见有明显的开裂。部分挡块破坏严重。两岸桥台耳墙均有开裂、外倾现象；都江堰岸桥台锥坡有下沉、开裂现象。未见墩柱开裂、偏位情况。图 4-17 为震后的成灌高速公路赔路跨线桥。

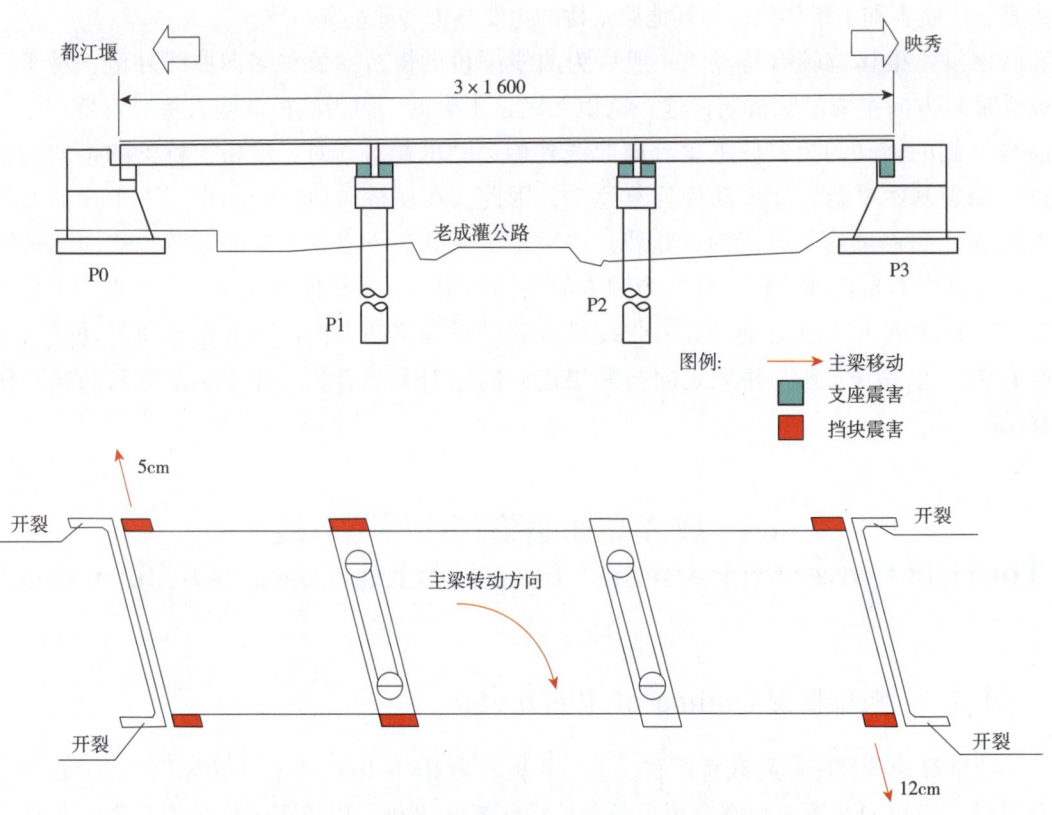

图 4-15　桥型布置及主要震害简图（尺寸单位：cm）

Figure 4-15　The layout of the bridge and main seismic damage（unit：cm）

图 4-16　从标线可看出主梁明显横移

Figure 4-16　According to the marking, the displacement of the girder was obvious

图 4-17　震后的成灌高速公路赔路跨线桥

Figure 4-17　The bridge in Chengguan Expressway after the earthquake

4.4.3　上部结构及支承震害 Damage to superstructure and supports

1）主梁

主梁有明显的顺、横桥向移位，映秀岸桥台处最大横向移位达 12.5cm，方向向路线右侧（图 4-18），导致护栏明显错位，挡块完全破坏（图 4-19）。2 号墩位置处主梁向右侧偏移 10cm，都江堰岸桥台处梁体横向向左偏移 5.0cm。从横向位移方向可以看出，主梁还存在一定的转动，转动方向沿顺时针方向。在纵向，由于主梁向映秀岸移动和转动，导致两岸桥台伸缩缝成"V"形拉开（图 4-20），如映秀岸桥台处伸缩缝右侧被拉开宽约 6.5cm，左侧被挤拢（图 4-21）。主梁位移统计见表 4-8。

图 4-18　映秀岸桥台处主梁横桥向移位
Figure 4-18　The transverse displacement of the girder on the abutment on the Yingxiu side

图 4-19　映秀岸桥台处主梁移位导致右侧破坏
Figure 4-19　The right block on the abutment of the Yingxiu side was damaged because of the girder displacement

图 4-20　都江堰岸伸缩缝拉开呈"V"形
Figure 4-20　The expansion joint on the Dujiangyan side opened

图 4-21　映秀岸桥台处左侧伸缩缝挤拢，混凝土护栏被压碎
Figure 4-21　The expansion joint near abutment on the Yingxiu side closed and the end of the concrete barrier was crushed

表 4-8　成灌高速公路赔路跨线桥（右线）梁体位移统计表
Table 4-8　The displacement of the girder

孔跨编号		主梁顺桥向移位（cm）	主梁横桥向移位（cm）	桥跨形式	备　注
第一跨	0号桥台处	向汶川侧	向左 5.0cm	16m 空心板	伸缩缝拉开
	1号桥墩处	向汶川侧			
第二跨	1号桥墩处	向汶川侧	向右 10cm	16m 空心板	—
	2号桥墩处				
第三跨	2号桥墩处	向汶川侧	向右 12.5cm	16m 空心板	左侧拉开、右侧被压紧
	3号桥台处	向汶川侧			

2）支座

支座震害较为普遍，几乎所有墩台的支座均存在不同程度的震害，或滑移、脱空，或剪切变形，甚至出现完全脱空失效的情况。两岸桥台、2号墩部分支座移位明显，最大移位量达 12cm，并有局部脱空现象（图 4-22），其中都江堰岸 8号梁支座已完全脱空失效（图 4-23）。支座震害统计见表 4-9。

图 4-22　映秀岸桥台支座移位
Figure 4-22　The displacement of bearing on the abutment on the Yingxiu side occured

图 4-23　都江堰岸桥台支座完全脱空
Figure 4-23　The bearing on the abutment on the Dujiangyan side separated from the soffit of the girder

表 4-9　成灌高速公路赔路跨线桥（右线）支座震害统计表
Table 4-9　The damage of bearings

墩台编号	支座破坏情况描述
0号桥墩处（都江堰岸）	部分支座明显移位，移位量达 5~8cm，并有局部脱空，少数已完全脱空
1号桥墩处	支座剪切变形
2号桥墩处	部分支座部分移位明显
3号桥台处（映秀岸）	支座普遍移位，部分支座移位量达 12cm，1号梁的支座顶部被碎石填塞

4.4.4　下部结构震害 Damage to Substructure

1）盖梁

都江堰岸桥台两侧挡块严重开裂，混凝土碎裂脱落，挡块整体外倾，基本失效（图4-24），右侧挡块与主梁的间距变大，1号墩左、右侧挡块开裂，右侧较为严重（图4-25），映秀岸桥台挡块也破损严重，右侧挡块已基本脱落（图4-26、图4-27）。

图4-24　都江堰岸桥台左侧挡块严重开裂
Figure 4-24　The left concrete displacement restricted block on the Dujiangyan abutment cracked seriously

图4-25　1号墩右侧挡块开裂
Figure 4-25　The right concrete displacement restricted block on the 1st pier cracked

图4-26　映秀岸桥台左侧挡块外倾
Figure 4-26　The left concrete displacement restricted block of the abutment on the Yingxiu side inclined outward

图4-27　映秀岸桥台右侧挡块严重破坏
Figure 4-27　The right concrete displacement restricted block of the abutment on the Yingxiu side was damaged seriously

2）桥台

受挡块震害的影响，两岸桥台耳墙均受损。都江堰岸桥台耳墙混凝土被撕裂，缝宽达10cm以上，已脱落、分离；同时右侧耳墙斜向开裂，裂缝最宽达1cm。映秀岸桥台左、右耳墙开裂严重（图4-28），左耳墙开裂2cm、外倾。都江堰岸锥坡均有开裂、沉降现象，其中左侧下沉5cm，右侧下沉10cm（图4-29）。

图4-28　映秀岸桥台右耳墙开裂
Figure 4-28　The right wing wall of the abutment on the Yingxiu side cracked

图4-29　都江堰岸桥台锥坡下沉、开裂
Figure 4-29　The abutment's conical slope on the Dujiangyan side sunk and cracked

4.5　走马河中桥 The Zoumahe Bridge

4.5.1　桥梁概况 Outline of the bridge

走马河中桥中心桩号为K1+944，与走马河斜交15°，分左、右双幅，每幅桥设2%单向横坡，单幅桥设8片空心板梁。桥墩采用桩基，持力层为黏土角砾；桥台为扩大基础，持力层为卵石质土。该桥桥型布置图及主要震害简图见图4-30。桥梁的主要设计参数如下：

- 平曲线：直线，墩梁斜角75°
- 上部结构：13m+2×25m+13m 预应力混凝土空心板，桥面连续
- 支座：板式橡胶支座
- 桥墩构造：双柱式排架墩
- 桥台：重力式桥台
- 竣工时间：2008年3月
- 采用抗震规范：《公路工程抗震设计规范》（JTJ 004—89）
- 抗震设防烈度：Ⅶ
- 实际地震烈度：Ⅸ
- 上下盘关系：下盘
- 与断层距离：16.3km
- 场地类别：Ⅱ类

4.5.2　桥梁震害概况 Outline of damage

震后的走马河中桥见图4-31。本桥主要震害为梁体横桥向移位（图4-32）并伴有转动，部分支座有不同程度的移位、脱空、剪切变形等震害（图4-33）。受主梁移位影响，

挡块普遍有开裂，部分挡块甚至已脱落，失去作用（图4-34）。两岸桥台锥坡有下沉、开裂等现象，都江堰岸桥台填土明显下沉，移位，路面上形成裂缝。

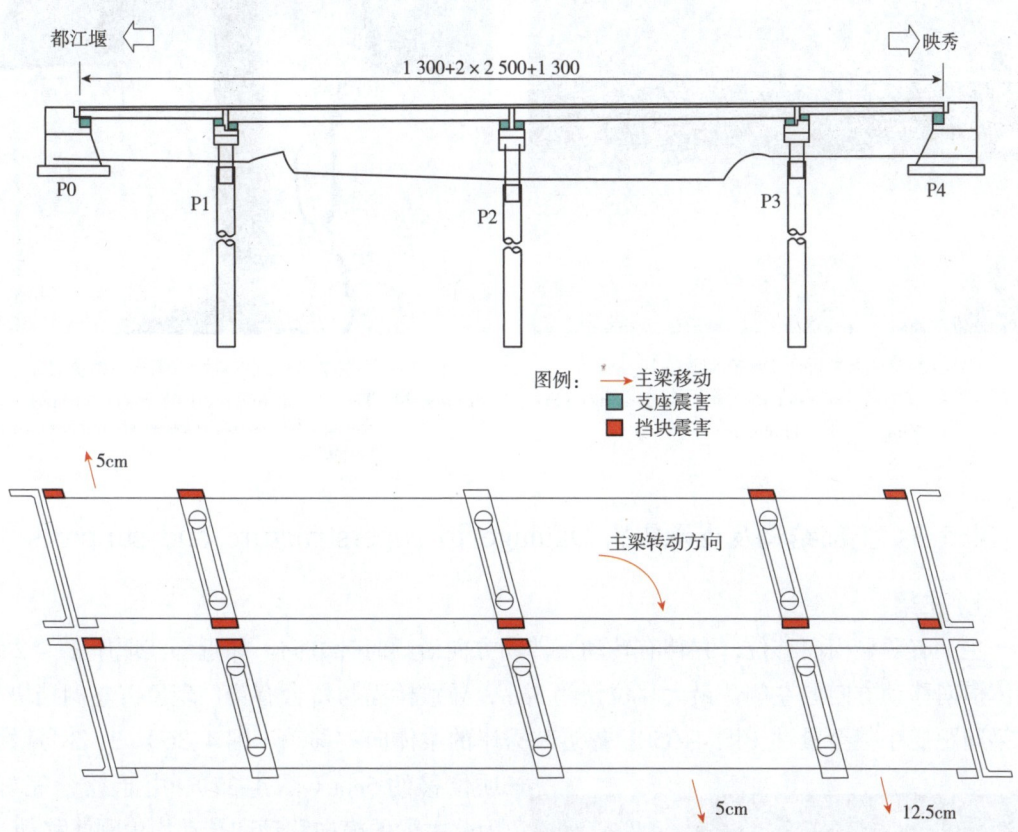

图4-30 桥型布置及主要震害简图（尺寸单位：cm）

Figure 4-30 The layout of the bridge and the main seismic damage（unit：cm）

图4-31 震后的走马河中桥

Figure 4-31 The Zoumahe Bridge after the earthquake

图4-32 都江堰岸主梁向左横向移位

Figure 4-32 The transverse displacement of gider on the Dujiangyan side

走马河中桥承载能力无明显损失，震后抢通阶段限制通行，震害等级为B级（中等破坏）。

图 4-33　映秀岸桥台支座有明显剪切变形

Figure 4-33　Obvious shear deformation of the bearing on the Yingxiu side's abutment

图 4-34　主梁横移致 1 号墩右幅桥左挡块破坏

Figure 4-34　The left concrete restricted blocks of 1st pier were damaged because of the trasnsverse displacement of the girders

4.5.3　上部结构及支承震害 Damage to superstructure and supports

1）主梁

主梁有明显横向移位，并伴有转动，转动方向沿顺时针方向。靠近都江堰岸 1～2 跨梁体横向移动方向向左侧，最大移位量约 3cm，导致桥面与桥台有错位现象，左侧挡块与主梁间距变小甚至紧贴（图 4-35）。靠近映秀岸的梁体向右移动（图 4-36），2、3 号墩墩顶位移约 5cm（图 4-37）。由于铰缝完好，因此主梁的横向移动和转动均为刚体移动。

2）支座

支座震害较为普遍，各墩台支座出现不同程度的滑移、脱空、剪切变形等震害。都江堰岸桥台、1 号墩支座有一定剪切变形；2 号墩部分支座局部脱空；3 号墩支座有明显剪切变形，且部分支座局部脱空（图 4-38）；映秀岸桥台支座均有剪切变形。

3）伸缩缝

都江堰岸伸缩缝处桥面与桥台左右错位约 3.0cm，映秀岸伸缩缝也有挤压、错位现象（图 4-21）。

图 4-35　都江堰岸桥台主梁向右横移

Figure 4-35　The transverse displacement of girders near the Dujiangyan side's abutment

4.5.4　下部结构震害 Damage to substructure

1）盖梁

与主梁移位情况相应，都江堰岸桥台、1 号墩处，左侧挡块受损较右侧明显，都江堰岸桥台左幅桥左侧挡块开裂严重，几乎与桥台分离，而右侧挡块基本无损伤，但与主梁间距明显变大，在1号墩处也有这一现象。与之相反，在2、3号墩，映秀岸桥台，右侧挡块的受损情况较左侧要严重（图4-36、图4-37）。

图4-36　映秀岸桥台处主梁向右横移

Figure 4-36　The girders on the Yingxiu side's abutment moved transversely rightward

图4-37　2、3号墩主梁向右移位导致挡块开裂

Figure 4-37　The girders on the 2nd & the 3rd pier moved rightward and the concrete displacement restricted blocks cracked

2）桥墩与桥台

墩柱、台身基本完好，未见开裂、倾斜等震害。都江堰岸桥台左侧挡块连带部分侧墙一并开裂。两侧锥坡下沉20cm，且局部开裂、破损，右侧锥坡下沉15cm，且局部开裂、破损；映秀岸左侧锥坡局部开裂、沉降约3～5cm。都江堰岸右幅桥搭板与路基连接处沉降严重（图4-39），左幅桥搭板与路基连接处也有沉降，路面明显开裂。

图4-38　3号墩支座局部脱空

Figure 4-38　The bearing on the 3rd pier seperated from the girder partly

图4-39　都江堰岸桥台台后填土下沉，路面开裂

Figure 4-39　The filler in the abutment collapsed and the road surface cracked

4.6 沙沟河大桥 The Shagouhe Bridge

4.6.1 桥梁概况 Outline of the bridge

沙沟河大桥路线里程中心桩号为K7+884.5,跨越沙沟河、机耕道和水渠,同时供规划通道通过,与沙沟河斜交25°。桥位地形为宽浅形,地震时沙沟河已干涸。大桥为简支空心板桥,1、5号桥台设置橡胶伸缩缝,平面位于直线上,左、右幅结构分离,横向布置8片空心板梁。桥型布置各跨主要震害简图见图4-40。桥梁的主要设计参数如下:

- 主梁线形:直线,墩梁交角60°
- 支座:板式橡胶支座
- 桥台:重力式桥台
- 竣工时间:2008年3月
- 采用抗震规范:《公路工程抗震设计规范》(JTJ 004—89)
- 抗震设防烈度:Ⅶ
- 上下盘关系:下盘
- 上部结构:5×25m混凝土空心板
- 桥墩构造:双柱式排架墩
- 基础:桩基+扩大基础
- 场地类别:Ⅱ类
- 实际地震烈度:Ⅸ
- 与断层距离:14.4km

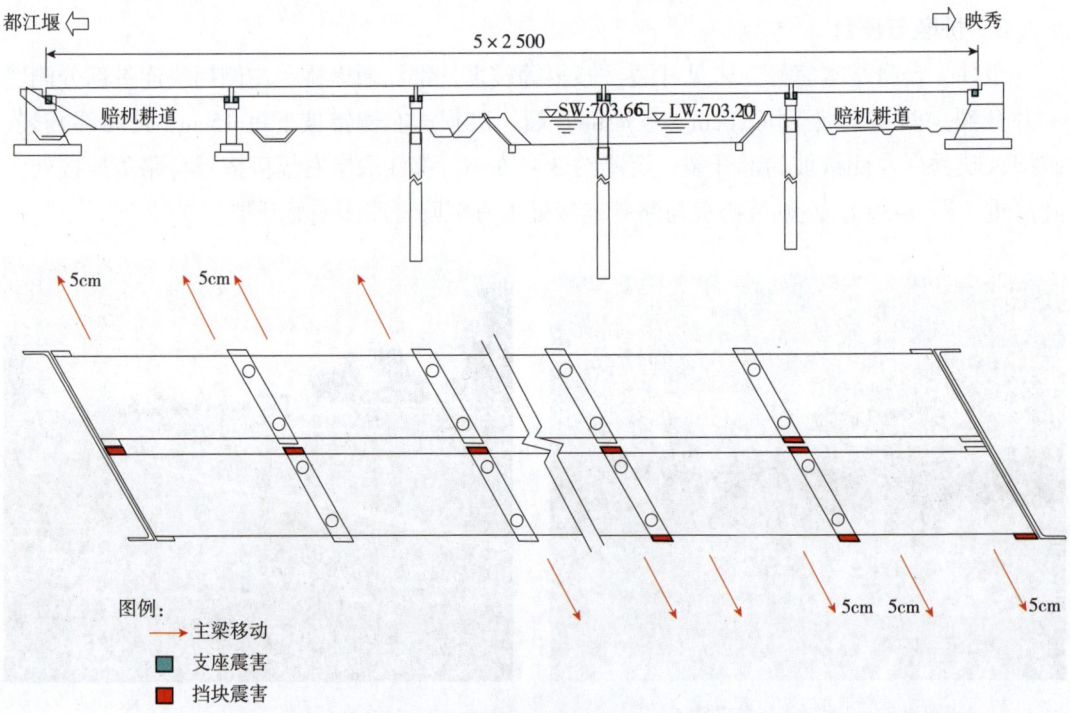

图4-40 桥型布置及主要震害(尺寸单位:cm)
Figure 4-40 The layout of bridge and main seismic damage (unit : cm)

4.6.2 桥梁震害概况 Introduction of seismic damage

震后的沙沟河大桥见图4-41。沙沟河大桥主梁有较为明显的横桥向位移，并伴有转动。多数支座均出现局部脱空，或剪切变形，所有桥墩的挡块均有不同程度的开裂现象，其中2号墩、4号墩和5号挡块破损较为严重，并有明显的撞击痕迹。

图4-41 震后的沙沟河大桥
Figure 4-41 The Shagouhe Bridge after the earthquake

沙沟河大桥承载能力无明显损失，震后抢通阶段限制通行，震害等级为B级（中等破坏）。

4.6.3 上部结构及支承震害 Damage to superstructure and supports

沙河沟大桥各跨主梁都有明显的横桥向位移，都江堰岸桥台处主梁向左侧移动，映秀岸桥台、3、4号墩处向主梁向右侧移动，导致主梁产生顺时针方向的旋转，并使主梁与部分墩、台挡块密贴（图4-42、图4-43）或分离，由于铰缝混凝土未见裂缝，可以看出，主梁的横向移动、转动为刚体位移。

图4-42 映秀岸桥台处主梁与右侧挡块密贴
Figure 4-42 The gap between the girder and the right concrete displacement restricted block of the abutment on the Yingxiu side closed

图4-43 4号墩主梁与右侧挡块密贴
Figure 4-43 The gap between the girder and the right concrete displacement restricted block of the 4th pier closed

沙河沟大桥部分支座均存在不同程度的震害，主要现象为支座局部脱空，或出现较大的剪切变形，少数支座还伴有移位（图4-44、图4-45）。

图 4-44 2号墩支座局部脱空、位移

Figure 4-44 The girder was not supported reliably by the bearing on the 2nd pier

图 4-45 4号墩支座剪切变形

Figure 4-45 Shear deformance of the bearing on the 4th pier

4.6.4 下部结构震害 Damage to substructure

下部结构的震害较轻，主要震害是挡块开裂及桥台锥坡下沉。受主梁横向振动的冲击，多数桥墩两侧挡块均开裂（图4-42、图4-46、图4-47）。映秀岸桥台锥坡中部下沉5cm，且左、右侧锥坡均有纵向裂缝。所有墩柱均未见开裂、混凝土破损等震害。桥墩、台盖梁挡块破坏统计见表4-10。

图 4-46 2号墩处主梁左侧挡块密贴

Figure 4-46 The gap between the left concrete displacement restricted block on the 2nd pier and the girder closed

图 4-47 主梁与0号台左侧挡块密贴，挡块开裂

Figure 4-47 The gap between the left concrete displacement restricted block on the abutment and the girder closed and the block cracked

表 4-10 盖梁挡块破坏统计表
Table 4-10 The damage to block

桥墩编号	左侧挡块	右侧挡块
0号台	右幅桥开裂、露筋	—
1号桥墩	右幅桥开裂	—
2号桥墩	右幅桥开裂	—
3号桥墩	右幅混凝土剥落	右幅桥微裂
4号桥墩	右幅桥混凝土破损，并露筋	左、右幅桥开裂
5号台		右幅混凝土出现贯通缝，混凝土破损

4.7 庙子坪岷江特大桥 The Miaoziping Bridge

4.7.1 桥梁概况 Outline of the bridge

庙子坪岷江特大桥起点桩号 K17+487.00，止点桩号 K18+927.22，跨越岷江（紫坪铺水库）。桥位位于安县至灌县断裂带（龙门山前山断裂带）附近，距该断裂的垂直距离不到 1km，距中央主断裂的垂直距离也不过 6km 左右，桥梁方位角为北偏西 50°，与安县至灌县断裂带交角约 70°，与中央主断裂的交角约 40°。

主桥为连续刚构桥，引桥为简支梁桥，孔跨布置为 2×50m（简支 T 梁）+125m+220m+125m（连续刚构）+17×50m（简支 T 梁）。桥面设 2% 双向横坡；桥面纵坡为 0.8% 单向纵坡，都江堰岸低，映秀岸高。桥梁全宽 22.5m，采用整体式断面布置。桥型布置如图 4-48 所示，各桥墩高度见表 4-11。汶川地震发生时，本桥主体结构已完成施工，但各联间伸缩缝还未安装。

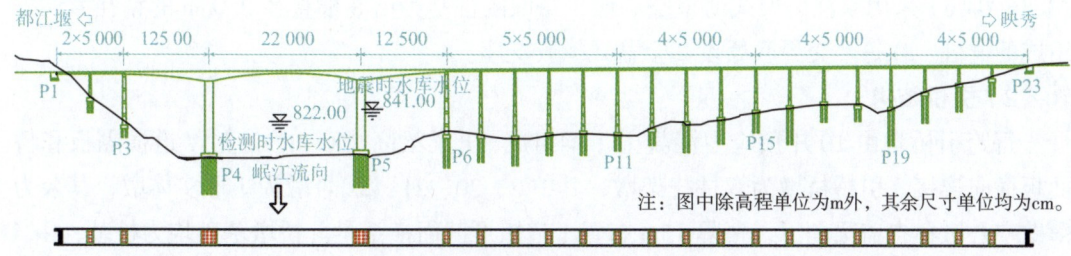

图 4-48 桥型布置图
Figure 4-48 The layout of the bridge

表 4-11 桥墩基本情况一览
Table 4-11 The data of the piers

桥墩编号	桥墩形式	墩高（m）	系梁数量（道）	地震时淹没深度（m）	备注
2 号墩	双柱式实心矩形墩	31.2	1	—	—
3 号墩	双柱式空心矩形墩	67.5	3	19.8	交界墩
4 号墩	矩形空心墩	102.5	—	64.8	连续刚构段主墩
5 号墩	矩形空心墩	99.5	—	60	连续刚构段主墩
6 号墩	双柱式空心矩形墩	85.4	4	39.2	交界墩
7 号墩	双柱式空心矩形墩	86.7	5	38.5	—
8 号墩	双柱式空心矩形墩	88.2	5	39.6	—
9 号墩	双柱式空心矩形墩	84.6	5	35.6	—
10 号墩	双柱式空心矩形墩	82.2	5	32.8	—
11 号墩	双柱式空心矩形墩	84.7	5	34.9	交界墩
12 号墩	双柱式空心矩形墩	79.4	5	29.2	—
13 号墩	双柱式空心矩形墩	70.0	4	19.4	—

续上表

桥墩编号	桥墩形式	墩高（m）	系梁数量（道）	地震时淹没深度（m）	备注
14号墩	双柱式空心矩形墩	64.4	4	13.4	—
15号墩	双柱式空心矩形墩	54.6	3	3.2	交界墩
16号墩	双柱式空心矩形墩	48.4	3	—	—
17号墩	双柱式空心矩形墩	43.6	2	—	—
18号墩	双柱式空心矩形墩	48.9	3	—	—
19号墩	双柱式空心矩形墩	51.9	3	—	交界墩
20号墩	双柱式实心矩形墩	30.8	1	—	—
21号墩	双柱式实心矩形墩	18.8	无	—	—
22号墩	双柱式实心矩形墩	12.3	无	—	—

1）主桥结构

连续刚构主桥的主梁采用单箱单室、三向预应力混凝土箱形截面，采用悬臂浇筑法施工；主墩（4、5号墩）为矩形空心墩，基础为16根直径280cm钻孔灌注桩，两岸交界墩（3、6号墩）采用双柱门架式薄壁空心墩，每墩的桩基为由8根直径250cm的钻孔灌注桩组成的群桩。在每个交界墩处设2个盆式橡胶支座。

2）引桥结构

每跨引桥均由10片预应力混凝土T梁组成，T梁梁高260cm，通过7道横隔板和桥面板横向连接。引桥桥墩为双柱排架墩，其中2、20、21、22号墩为矩形实体墩，其余为薄壁空心墩；自盖梁向下，每隔15m布置1道矩形截面横系梁。桥墩基础均为桩基，由4根直径250cm的钻孔灌注桩组成群桩。两岸桥台均为重力式，基础为扩大基础。其中1号台（都江堰岸）地形较陡，坡积层较厚，而23号台（映秀岸）地形相对平缓。

全桥在1、23号台及3、6、11、15、19号墩设置伸缩缝，主桥和引桥间的伸缩缝宽为48cm。在伸缩缝处，简支梁采用四氟滑板橡胶支座，其余位置为板式橡胶支座。地震时，主桥伸缩缝和引桥伸缩缝均尚未安装。

3）水位及桥墩淹没情况

桥梁设计水位为877.00m（水库正常蓄水位），地震时水位约841.00m，4号墩（连续刚构主墩）处水深为64.8m，5号墩处水深为60.0m。

4.7.2 桥梁震害概况 Outline of damage

庙子坪岷江大桥主、引桥在地震中均有较为明显的损伤，尤为严重的是，第10跨引桥出现了整孔落梁。连续刚构主梁开裂严重，5、7~11号墩的水下部分出现了裂缝。

庙子坪岷江大桥第10孔桥发生落梁，丧失通行能力，震害等级为D级（完全失效）。

1）主桥震害概况

连续刚构部分的主要震害涉及主梁、支座、主墩墩梁结合部、主墩墩身、过渡墩墩身，可以说连续刚构的主要构件均受损。

主梁的主要震害现象是部分节段开裂（图 4-49）。相比较而言，边跨的裂缝较中跨要多得多，腹板裂缝较顶、底板裂缝要多。边跨裂缝主要出现在交界墩附近，靠近主墩的节段裂缝要少得多，但合龙段附近底板混凝土明显空鼓，几近压溃。腹板裂缝主要以斜向裂缝为主，裂缝较密集但裂缝宽度均不大，最大裂缝宽 0.3mm，多数裂缝均在 0.15mm 以下。中跨的裂缝主要集中在跨中部分，底板混凝土有被压溃的趋势。边跨主梁有明显横向移位，纵向移位不如横向移位明显，主梁沿横桥向还存在一定的弯曲，边跨"摆尾"现象较为明显。

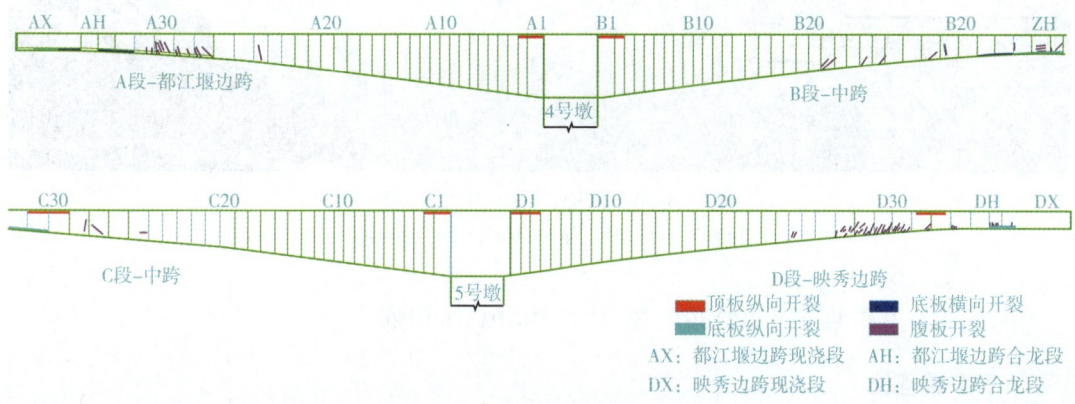

图 4-49　主桥主梁开裂位置示意图
Figure 4-49　Cracks of the main girders

过渡墩支座受损相当严重，有的支座滑脱，有的明显移位、脱空，有的支座锚固螺栓被剪断。主桥 4 个支座均基本丧失功能，而且支座垫石受损严重。

主桥的两个主墩均位于深水下，其中 5 号主墩的淹没部分出现了水平裂缝，该裂缝贯通整个墩身横截面，裂缝宽度达 0.8mm，给震后的加固工作带来了很大的困难，而 4 号主墩墩身却未出现裂缝。在两个过渡墩中，3 号墩受损较为严重，在墩底区域出现了多条裂缝，但 6 号墩却未见明显裂缝。另外本桥过渡墩与主墩均出现明显的桥墩倾斜，且过渡墩比主墩倾斜严重，纵向倾斜比横向倾斜明显。其中 6 号墩顺桥向倾斜度为 0.256%，墩顶移位达 0.22m。

2）引桥震害概况

庙子坪岷江大桥的简支梁共 19 跨，其中 12 跨均出现了较为明显的主梁横、纵向移位现象，第 10 跨还出现了整孔落梁，导致交通中断，主梁最大残余移位量达 42cm；除部分主梁的端部有少量碰撞损伤外，并未出现有明显开裂等结构性损伤；与梁体位移情况相应，引桥支座受损相当严重，绝大多数支座均出现局部脱空、支座移位、严重的剪切变形等破坏，有的支座甚至完全从梁底滑落，其中以 11 号墩破坏最为严重。如图 4-50 所示为修复中的庙子坪岷江大桥。

引桥桥墩主要有四个方面的震害：其一，部分桥墩开裂，尤其是 7~11 号墩出现了水下裂缝，出现的位置一般在墩底区域，裂缝以水平裂缝为主，少数桥墩出现了少量的竖向裂缝；其二，多数桥墩出现倾斜，总体来看顺桥向倾斜比横桥向倾斜明显，由于桥墩倾斜导致了桥梁跨径的改变，跨径最大变化达61.7cm；其三，多数盖梁挡块受损，出现了开裂、混凝土破损、露筋，约70%盖梁左、右挡块均存在断裂，部分甚至倾倒脱落；其四，在都江堰至汶川路其他桥梁震害中较为少见的支座垫石震害，在庙子坪岷江大桥也出现较多。

图4-50　修复中的庙子坪岷江大桥
Figure 4-50　The Miaoziping Bridge（repairing）

4.7.3　主桥震害 Damage to the main bridge

1）主梁移位

庙子坪岷江大桥边跨主梁的残留横向移位十分明显（图4-51），3号墩处主梁横向移位量达43cm，6号墩处也达36cm。主墩处主梁的位移量较过渡墩处明显要小，4、5号墩处移位量为8cm和2cm，可见边跨主梁不仅有横向刚体位移，而且还有较为明显的横向弯曲，边跨的"摆尾"现象十分明显。中跨主梁横向位移主要受4、5号主墩的控制，横向位移量较边跨要小得多，但由于4、5号墩横向位移量不同，中跨箱梁也有一定的横向弯曲。

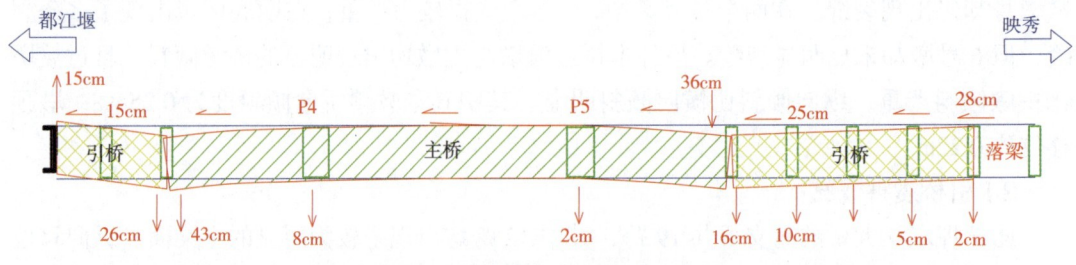

图4-51　主桥及相邻引桥位移示意
Figure 4-51　The displacement of the main bridges and the adjacent spans of the approach bridges

在纵向，连续刚构主梁位移均向都江堰岸方向，震后的残留位移量不大，但从过渡墩垫梁开裂、主梁梁端碰撞损伤的情况可以推知，地震中主梁在纵向上产生过较大幅度的纵向振动，并与垫梁发生碰撞，从伸缩缝宽度（48cm）可以推知，主梁的纵向振幅不小于48cm。

2）主梁开裂

除主梁位移外，连续刚构段主梁箱体内出现数量较多的裂缝。顶板、底板、腹板及横隔板均有开裂现象，相比较而言横隔板裂缝数量最多，腹板裂缝其次，而顶、底板裂缝较少。

顶板裂缝多为纵向裂缝，裂缝延伸均不长，裂缝数量多且密集，但最大宽度仅0.08mm。裂缝的分布较有规律，在纵桥向上主要出现在主墩、交界墩及合龙段附近，在横桥向上主要出现在桥中线或倒角附近（图4-52）。

底板裂缝形态较为复杂，既有纵向裂缝也有横向裂缝，还有网状裂缝，出现的位置也表现出较强的规律性，多在边、中跨合龙段附近。值得注意的是，中跨合龙段、都江堰边跨合龙段底板混凝土出现范围较大的空鼓，并形成密集裂缝（网裂状，纵向裂缝为主），其中中跨合龙段附近的最大缝宽已达2mm，大部分裂缝两侧混凝土存在挤压、剥落痕迹（图4-53~图4-55）。这些现象表明，上述位置处的混凝土有被压溃的趋势。裂缝的详细情况见附表1所示。

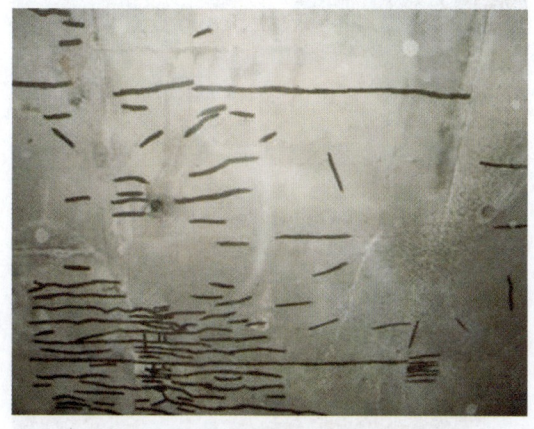

图4-52　C30顶板裂缝（修补后）
Figure 4-52　The cracks of the C30 segment's top slab（repaired）

图4-53　A32梁底露筋、露波纹管
Figure 4-53　The reinforcement and bellows lost cover

图4-54　中跨合龙段梁底波浪起伏、空鼓开裂
Figure 4-54　The cracks of the soffit of closure segment

图4-55　B34下游梁底裂缝，混凝土空鼓
Figure 4-55　The cracks on the soffit of the B34 segment

腹板裂缝以斜向裂缝为主，有分布范围广、数量多、宽度不大、延伸长度较长的特点，最大裂缝宽度为0.3mm，最大长度达5.0m；既有仅在腹板范围延伸的裂缝，也有自底板向上延伸的裂缝，斜裂缝的倾角由交界墩附近向悬臂根部有逐渐变缓的趋势。在腹板内侧和外侧均有裂缝，但从内外对照关系看，内、外侧的裂缝并未贯通。此外，箱梁内锚

固齿块与箱梁腹板内侧交界处普遍开裂，裂缝宽度从 0.1mm 至 0.4mm 不等，齿块本身未见明显开裂（图 4-56）。

值得注意的是，庙子坪岷江大桥边跨和中跨横隔板均出现了数量较多的裂缝（图 4-57、图 4-58），不仅在倒角开裂，在顶板位置也有较为密集的裂缝（图 4-59）。一般来说，对于扭转刚度较大的混凝土箱梁，主梁的扭转频率较高，是地震中不易激发的振型，导致横隔板开裂的扭矩从何而来，值得深究。

图 4-56　D29 块件腹板斜裂缝（修补后）
Figure 4-56　The diagonal cracks of the web of the D29 segment（repaired）

图 4-57　C32 块件箱梁横隔板开裂（修补后）
Figure 4-57　The cracks of the diaphragm of the C32 segment（repaired）

图 4-58　A36 箱梁边跨合龙段横隔板开裂
Figure 4-58　The cracks of the diaphragm of the A36 segement

图 4-59　C32 块件箱梁横隔板开裂（修补后）
Figure 4-59　The cracks of the diaphragm of the C33 segment（repaired）

3）支座

主桥的 4 个盆式支座均完全失效。3 号墩上游支座锚固螺栓被剪断，钢盆损坏，橡胶体开裂。下游支座整个从梁底沿横向滑出（图 4-60），此外，梁底预埋钢板还明显弯曲，垫石破损，可见主梁与支座垫石间存在过较明显的拍击作用。6 号墩上游支座钢盆损坏且从垫石滑落，支座垫石也破坏严重，部分混凝土碎裂，并露出钢筋（图 4-61），其余情况与 3 号墩支座类似。连续刚构支座震害统计表见表 4-12。

图 4-60　3 号墩箱梁下游支座梁底钢板弯曲
Figure 4-60　The steel plate between the 3rd box girder and the bearing curled

图 4-61　6 号墩箱梁上游支座脱落、损坏
Figure 4-61　The damage to the bearing at the 6th pier

表 4-12　连续刚构支座震害统计表
Table 4-12　The seismic damage to the bearings

桥墩编号	上 游 支 座	下 游 支 座
3 号墩	支座破坏，支座锚固螺栓剪断	支座脱落，锚固钢板弯曲
4 号墩	墩、梁固结无支座	墩、梁固结无支座
5 号墩	墩、梁固结无支座	墩、梁固结无支座
6 号墩	滑脱损坏	严重移位，50% 悬空

4）桥墩

主墩和过渡墩的主要震害是桥墩开裂和倾斜，3、5 号墩横桥向在上游侧、纵桥向在都江堰侧和汶川侧均出现裂缝，裂缝形态均为水平裂缝，出现裂缝的位置在墩底倒角面至第一道横隔板间，其中，3 号墩承台以上裂缝见图 4-62，5 号墩墩梁交界处出现横向水平裂缝（图 4-63）。并且 5 号墩裂缝已贯通整个桥墩横截面，裂缝宽度达 0.8mm（图 4-64、图 4-65）。从上述情况可基本判断，这些裂缝均为弯曲裂缝。4、6 号墩未见明显震害。桥墩裂缝详细情况见附表 2。

图 4-62　3 号墩承台以上裂缝
Figure 4-62　The cracks on the pile cape of the 3rd pier

图 4-63　5 号墩 0 号块墩梁交界处表面裂缝
Figure 4-63　The surface cracks on the segment of the 5th pier

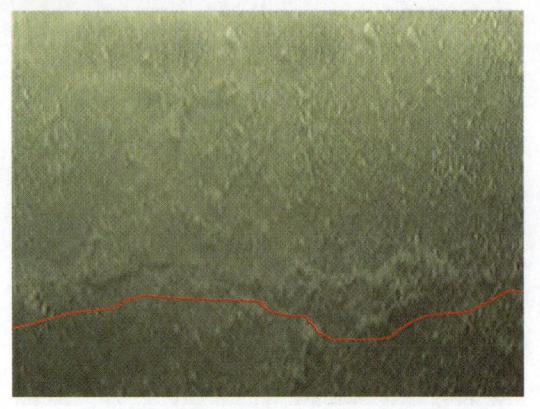 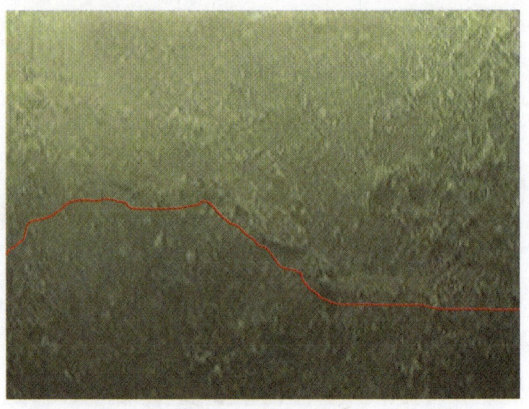

图 4-64　5号墩墩身横向贯通裂缝1（水下摄影）　　　图 4-65　5号墩墩身横向贯通裂缝2（水下摄影）
Figure 4-64　The cracks of the 5th pier (underwater photography)　　　Figure 4-65　The cracks of the 5th pier (underwater photography)

桥墩的测量结果表明，主墩和过渡墩存在不同程度的纵桥向和横桥向倾斜，主墩倾斜的详细情况见表4-13。

表 4-13　庙子坪岷江大桥主桥桥墩倾斜度表
Table 4-13　The inclination of the piers of the main span of the Miaoziping Bridge

桥 墩 编 号	横向倾斜度（‰）	墩身倾斜造成墩顶横向偏位（m）	横向倾斜方向	纵向倾斜度（‰）	墩身倾斜造成墩顶纵向偏位（m）	纵向倾斜方向
3号（过渡墩）	0.496	0.33	右侧方向	0.082	0.055	汶川方向
4号（主墩）	0.077	0.08	右侧方向	−0.083	−0.085	都江堰方向
5号（主墩）	0.016	0.02	右侧方向	0.111	0.111	汶川方向
6号（过渡墩）	−0.005	0.00	左侧方向	0.256	0.219	汶川方向

5）盖梁及挡块、垫石

3号墩（交界墩）盖梁上简支T梁的垫梁竖向开裂，并有碰撞的痕迹（图4-66），6号交界墩也存在类似现象，结合主梁开裂情况可以推知，垫梁的裂缝显然是主梁与垫梁的碰撞所致。

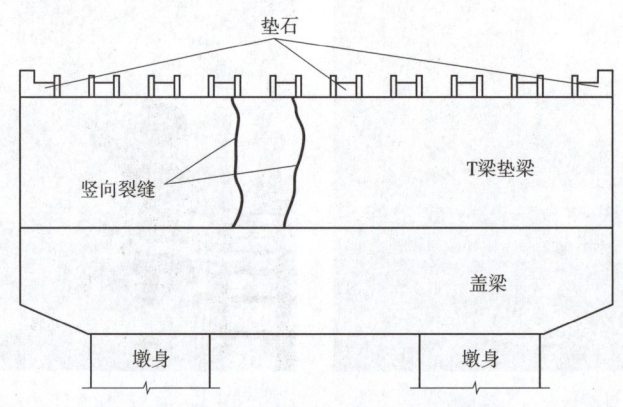

图 4-66　3号墩（交界墩）盖梁裂缝
Figure 4-66　The cracks on pier head on the 3rd pier

过渡墩挡块、垫石也损坏严重，3、6号墩两侧共4个挡块全部破坏（图4-67～图4-70），3号墩垫石开裂，6号墩垫石混凝土剥落。

图4-67　3号墩上游侧挡块破坏

Figure 4-67　The concrete displacement restricted block on the 3rd pier damaged

图4-68　6号墩上游侧挡块破坏

Figure 4-68　The concrete displacement restricted block on the 6th pier damaged

图4-69　6号墩下游侧挡块破坏

Figure 4-69　The concrete displacement restricted block on the 6th pier damaged

图4-70　6号墩主桥支座垫石破坏

Figure 4-70　The bearing plinth on the 6th pier damaged

6）主桥震害简析

庙子坪岷江大桥是近年国内第一座大跨度连续刚构桥震害实例，也是调查范围内出现严重破坏的唯一一座特大桥，主桥的主要震害特点有：①边跨主梁横向弯曲，有较为明显的摆尾现象；②主梁开裂，腹板出现较多的斜裂缝，跨中底板局部混凝土有被压溃的趋势；③支座震害严重，主桥4个支座完全损坏；④桥墩开裂，且4个桥墩的震害表现出较大不同，还出现了桥墩水下震害。

（1）主梁变形和支座震害

主桥位移和变形有以下特点：第一，边跨的位移和变形均大于中跨；第二，两个边跨的横向位移并不对称；第三，横向位移大于纵向位移。

由于连续刚构在过渡墩采用的是双向活动支座，在强大的横桥向地震动作用下，主梁将产生横弯振动。即使是残留的墩、梁，墩、梁间最大相对位移也达40cm左右，过大的横向位移是庙子坪岷江大桥支座破坏的重要原因。上述分析只涉及主梁横向位移的影响，而实际上，主梁竖向振动的拍击，对支座乃至支座垫石也可能有较大的不利影响，这一点从3号墩梁底支座钢板弯曲和6号墩支座垫石损坏可得到证实。在过大的竖向作用力和横向位移的联合作用下，支座的破坏也就在所难免。

边跨主梁所受的横桥向约束十分有限，而主墩处主梁的横向位移则受到主墩的强大约束，主梁横弯振型的频率较低，在地震中极易被激发，边跨的摆尾现象是边跨主梁横弯振型被激发的必然结果。中跨的两端均受到主墩的约束，其横向位移完全受主墩控制，横向弯曲刚度较边跨要大得多，横弯自振频率也高得多，此外一方面边跨主墩的位移将导致其产生刚体平动，同时还附加有边跨自身的横弯振动，因此表现出边跨横向振动响应大于中跨。

主梁的横向残留位移大于纵向残留位移，可从结构的角度分析，由于连续刚构两端伸缩缝的宽度为48cm，在地震中有可能受到过渡墩盖梁上T梁支撑垫梁的约束，这一点从梁端、垫梁上均有碰撞痕迹，防撞护栏因碰撞开裂破损可得到证实。需注意的是，震后残留的纵向位移较小并不能说明地震中连续刚构的纵向振动很小，从主梁的碰撞情况看，结构的纵向振幅不小于48cm。

（2）桥墩裂缝

主桥桥墩的裂缝分布较有规律，4、6号墩均无裂缝，而3、5号墩却均出现裂缝，尤其是5号墩裂缝延伸长度较长，宽度也达0.8mm。导致这一现象的原因是复杂的，既可能有墩水耦合振动的原因，也可能有桥墩刚度不同的原因，还可能有引桥的影响，解释这一现象需要进行较为详细的计算。综合设计图和震害现象初步分析，3号墩墩高为67.5m，而6号墩墩高达85.4m，3号墩的抗推刚度比6号墩要大，这样3号墩有可能分配到比6号墩更多的水平力，这可能是3号墩开裂比6号墩严重的原因之一。至于5号墩开裂比4号墩明显，可能有3号墩分担水平力较多，减轻了4号墩负担的原因。对于墩高、截面尺寸、淹没水深均较为接近的4、5号墩，其震害现象却有较大差别，其深层次的原因需要进一步的分析，才能破解这一谜团。

（3）主梁裂缝

最后值得一提的是主桥主梁的裂缝问题。一般认为梁式桥的震害以桥墩震害为主，主梁不易出现开裂等影响结构承载或正常使用的震害。其原因在于对于简支梁桥和连续梁桥，支座对主梁的约束作用较弱，在水平地震动作用下，一旦支座破坏，主梁受到的约束即大为减小，因此主要表现为主梁的刚体位移，而不易出现开裂等震害现象。

对于庙子坪岷江大桥来说，由于桥位位于前山断裂带（安县至灌县断裂带）和中央主断裂之间，距主断裂的垂直距离仅5.6km，是较为典型的近断层桥梁，地震动特性较为复杂，尤其是竖向地震动较大，距映秀9km处紫坪铺水库大坝台站测定竖向地震动分量高达2.06g。在竖向地震动的作用下，主墩处主梁将受到桥墩的约束，而边跨支座只能提供竖直向上的单向约束，在强大的竖向地震动作用下，边跨易与过渡墩产生拍击，导致支反力和主梁承受的剪力剧增，从而使得边跨腹板开裂。

跨中底板混凝土的开裂和外鼓初步分析应由压应力所致。其原因在于，跨中段为恒载和活载正弯矩最大的位置，在底板往往配有强大的预应力，而竖向地震动是竖直方向的往复运动，既可能产生正弯矩，也可能产生负弯矩，在地震负弯矩的压应力和强大的预压应力作用下，使得底板混凝土有被压溃的趋势。

4.7.4 引桥震害 Damage to the approach bridges

1）主梁移位

庙子坪岷江大桥的引桥主梁普遍有较为明显的移位，且纵、横向位移均较为明显，第10跨还出现了整跨纵向落梁现象（图4-71）。落入岷江中的主梁已折断，两端分别支承在10、11号墩承台上，落梁形态如图4-72所示。第10跨落梁致第9跨桥面铺装损坏，如图4-73所示。

图 4-71　11号墩主梁纵移，第10跨主梁落梁

Figure 4-71　The girders on the 11th pier moved longitudinally and the girders of the tenth span fell

从纵向位移来看，除第2跨向映秀岸外，其余均向都江堰侧移位，位移量一般均较大，除第10跨落梁外，现存主梁的最大位移量达42cm，出现在第11跨，位移量沿纵向的分布规律不明显（图4-73、图4-74）。总的来说，在6~10号墩处（与主桥相邻一联，均为水中墩），墩、梁间相对位移较大。

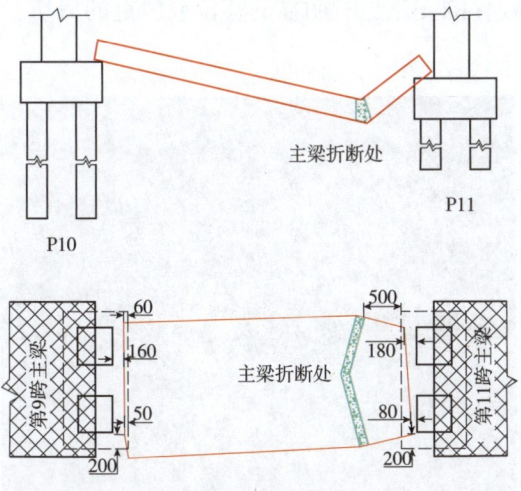

图 4-72　第10跨落梁形态（尺寸单位：cm）

Figure 4-72　The beams of the tenth span fell down（unit：cm）

图 4-73　第10跨落梁致第9跨桥面铺装损坏

Figure 4-73　The damage of the deck of the nineth span caused by the the girder's falling

从横向位移来看，1号台、2号墩处主梁向上游侧移位，其余各墩处多向下游侧移位，第1联出现了较为明显的旋转（图4-51），1号台，3、7、14号墩处主梁横向位移量较大（图4-75），最大位移量达26cm，出现在3号墩处，自7号墩至11号墩位移量逐渐减小。

图4-74　第10跨落梁，第9跨纵移

Figure 4-74　The girder's falling and the longitudinal displacement of the nineth span

图4-75　7号墩处主梁横向移位

Figure 4-75　The transverse diplacement of the girder on the 7th pier

2）主梁开裂及碰撞

庙子坪岷江大桥简支T梁的结构性损伤并不严重，除第6跨（过渡墩跨）T梁端头与主桥箱梁碰撞混凝土破损外，其余主梁未见明显裂缝，横隔板也基本完好。

3）支座

简支T梁的绝大多数支座均存在不同形式的震害，主要震害现象有局部脱空，支座移位，严重的剪切变形，有的甚至完全从梁底滑落。临近主桥桥跨的支座震害较其他桥跨严重，多片主梁的支座从梁底脱落（图4-76），残存的支座也有明显的移位或严重的剪切变形（图4-77），其中以11号墩震害最为严重。

图4-76　6号墩T梁支座移位脱落

Figure 4-76　The T girder lost the support of the bearing

图4-77　7号墩T梁支座严重剪切变形

Figure 4-77　Serious shear deformation ocurred on the 7th pier

4）墩柱

引桥墩柱的主要震害是墩柱开裂和倾斜。开裂墩柱为 7~11 号墩，均为水中墩，墩高 85.9~92.1m，均位于与主桥相邻的一联引桥内，裂缝多为横向水平裂缝，出现的位置多在桥墩内倒角顶面处（距墩底约 2.0m），裂缝延伸长度多在 1～3m 间，最大裂缝宽度为 0.5mm，出现在 7 号墩，其余桥墩裂缝宽度均不大。从方向来说，7、9 号墩既有横向弯曲裂缝也有纵向弯曲裂缝，且都江堰侧和汶川侧均有裂缝（图 4-78、图 4-79），10、11 号墩均为横向弯曲裂缝，且只出现在上游墩柱。桥墩裂缝详细情况见附表 3。

 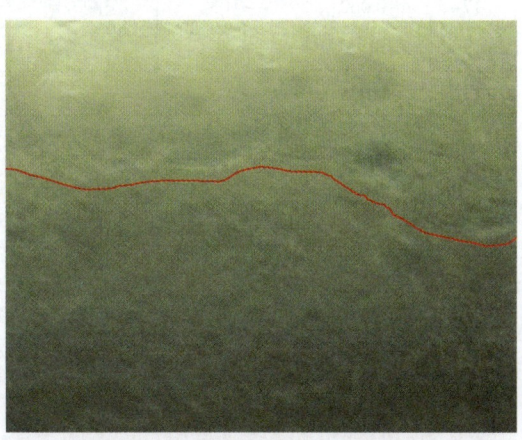

图 4-78　7 号墩下游墩身映秀侧裂缝　　　　　　图 4-79　9 号墩上游墩身都江堰侧裂缝

Figure 4-78　The crack on the column of the 7th pier occurred on the downstream Yingxiu side

Figure 4-79　The crack on the column of the 9th pier occurred on the upstream Dujiangyan side

震后测量的结果表明，引桥桥墩在横桥向和顺桥向均存在不同程度的倾斜。在横桥向上，约 40% 桥墩的墩顶偏位大于 2cm，其中 11 号墩倾斜度最大达 0.978%，墩顶偏位达 83cm（其余各墩均在 8cm 以内）。桥墩的顺桥向倾斜也很严重，除 15、17、22 号墩的墩顶偏位小于 2cm 外，其余倾斜均较为明显，其中 11、13、21 号墩的倾斜度均大于 0.3%，11 号墩的墩顶偏位 32.8cm。引桥桥墩倾斜统计表见表 4-14。桥墩倾斜导致引桥跨度改变，第 9～11 跨的跨度改变均达 20cm 以上，其中落梁跨（第 10 跨）的跨径改变量达 60cm 以上。庙子坪岷江大桥跨径测量结果汇总表见表 4-15。

表 4-14　引桥桥墩倾斜统计表

Table 4-14　The inclination of the pier of the approach bridge

墩号	横向倾斜度（%）	墩顶横向位移（m）	横向倾斜方向	纵向倾斜度（%）	墩顶纵向位移（m）	纵向倾斜方向	备注
7	-0.008	-0.01	左侧方向	-0.043	-0.037	都江堰方向	引桥墩
8	-0.015	-0.01	左侧方向	-0.0226	-0.199	都江堰方向	引桥墩
9	0.020	0.02	右侧方向	0.052	0.044	汶川方向	引桥墩
10	0.019	0.02	右侧方向	-0.190	-0.156	都江堰方向	落梁墩
11	0.978	0.83	右侧方向	0.388	0.328	汶川方向	落梁墩
12	-0.052	-0.03	左侧方向	-0.157	-0.125	都江堰方向	引桥墩

续上表

墩号	横向倾斜度（%）	墩顶横向位移（m）	横向倾斜方向	纵向倾斜度（%）	墩顶纵向位移（m）	纵向倾斜方向	备注
13	−0.004	0.00	左侧方向	−0.303	−0.212	都江堰方向	引桥墩
14	−0.051	−0.03	左侧方向	−0.164	−0.106	都江堰方向	引桥墩
15	−0.003	0.00	左侧方向	0.015	0.008	汶川方向	引桥墩
16	0.005	0.00	右侧方向	−0.074	−0.036	都江堰方向	引桥墩
17	−0.062	−0.03	左侧方向	0.036	0.016	汶川方向	引桥墩
18	0.132	0.06	右侧方向	−0.12	−0.059	都江堰方向	引桥墩
19	−0.035	−0.02	左侧方向	0.288	0.149	汶川方向	引桥墩
20	0.176	0.05	右侧方向	−0.213	−0.066	都江堰方向	引桥墩
21	—	—	—	0.425	0.080	汶川方向	引桥墩
22	0.644	0.08	右侧方向	−0.052	−0.006	都江堰方向	引桥墩
23	—	—	—	—	—	—	桥台

表 4–15 庙子坪岷江大桥跨径测量结果汇总表
Table 4–15　The length of the span of the bridge

序号	孔跨编号	上游跨径（m）	与理论跨径偏差（m）	下游跨径（m）	与理论跨径偏差（m）	上下游跨径差（m）
5	6号	49.989	−0.011	49.929	−0.071	0.060
6	7号	49.838	−0.162	49.838	−0.162	—
7	8号	50.190	0.190	50.198	0.198	−0.008
8	9号	49.736	−0.264	49.793	−0.207	−0.057
9	10号	50.605	0.605	50.617	0.617	−0.012
10	11号	49.685	−0.315	49.682	−0.318	0.002
11	12号	49.939	−0.061	49.932	−0.068	0.007
12	13号	50.057	0.057	50.009	0.009	0.048
13	14号	50.082	0.082	50.141	0.141	−0.059
14	15号	50.158	0.158	50.141	0.141	0.017
15	16号	49.958	−0.042	49.936	−0.064	0.022
16	17号	49.979	−0.021	50.028	0.028	−0.049
17	18号	50.095	0.095	—	—	—
18	19号	50.001	0.001	—	—	—
19	20号	49.981	−0.019	—	—	—
20	21号	50.010	0.010	—	—	—

引桥防震挡块受损严重，所有盖梁挡块均严重开裂、露筋，混凝土破损，70%盖梁左右挡块断裂、损坏，甚至倾倒脱落。虽然挡块损伤严重，但也证实了挡块对于限制主梁过大的横桥向位移有明显效果，体现了牺牲次要构件保证主体结构安全的抗震设计原则（图4-80）。

另一个值得注意的现象是，庙子坪岷江大桥的支座垫石也存在较多的震害，大量支座垫石混凝土破损，这一现象在都江堰至汶川路的其他桥梁中并不多见。其中较为典型的是，11号墩支座滑脱，垫石混凝土破损严重，露出主筋（图4-81）。

图4-80　8号墩T梁挡块损坏

Figure 4-80　The concrete displacement restricted block on the 8th pier was damaged

图4-81　11号墩支座滑脱，垫石混凝土破损

Figure 4-81　The bearings on the 11th pier got off and the concrete of the bearing plinth was damaged

引桥盖梁的主体结构在地震中受损轻微，调查表明，仅11号墩受损，主要受第10跨（落梁跨）梁体的碰撞所致，局部混凝土出现较为严重剥落，并露出钢筋。

需补充说明的是，经仔细检查，10、11号墩未见与第10跨在落梁过程中发生碰撞的痕迹。

5）桥台震害

两岸桥台基础未见有明显变位，台身基本竖直，未见明显倾斜等严重震害；主要震害现象有，1号桥台锥坡横向贯通开裂；两岸桥台上、下游挡块均开裂，混凝土破损，桥台上支座垫石两侧混凝土挡块均剪切破坏。

映秀岸桥台下游，地面可见多条地震造成的环形裂缝，裂缝长约5~10m，其中一条裂缝延伸进入桥台搭板填筑体内，裂缝主轴线指向都江堰偏下游的临空方向，如再遇暴雨、烈度较高的余震或者施工扰动等因素可能降低坡体的稳定性，影响映秀岸桥台的安全。

6）引桥震害简析

（1）第10跨落梁

庙子坪岷江大桥第10跨落梁基本属于纵向落梁，此类落梁一般由于墩、梁纵向相对位移大于主梁支承长度所致。从残留的第9跨、第11跨（图4-72~图4-74）的形态来看，几乎可以肯定，第10跨的11号墩端首先从盖梁上滑落，并牵引9号墩侧下滑，从而导致了第9跨主梁桥面铺装的破坏。这一分析可以解释落梁现象，但不能解释第10跨的折断（图 4-71），因为按上述分析必然是 11 号墩端首先入水，10 号墩端极有可能与 10 号墩碰撞，难以出现两端分别支承在 10、11 号墩承台上的情况。

另一种可能的情况是，在水平地震动的作用下，墩梁发生相对位移导致第 10 跨主梁的搁置长度减小；同时，在强大的竖向地震动作用下，主梁拍击盖梁，这一方面导致盖梁混凝土局部剥落，使得搁置长度进一步减小。更为严重的是，主梁与盖梁间的拍击导致了主梁折断，形成机构落入江中。这一分析可以解释第 10 跨落梁后的形态，也可以解释第 10 跨主梁在下落过程中与 10、11 号墩无碰撞的事实。在震害调查中，目击者称，地震时岷江中波浪较大，第 10 跨主梁被向上抛起，与 11 号墩产生剧烈竖向碰撞后落入江中。

第 10 跨的落梁过程较为复杂，上述分析仅是根据震害现象的推论，相对而言，第二种分析与震害现象更为吻合。

需补充说明的是，第 10 跨与第 11 跨通过伸缩缝连接，地震时伸缩缝尚未安装。若伸缩缝已安装，则第 10 跨的竖向振动将受到第 11 跨的约束，落梁也许是可以避免的。

（2）墩水耦合

综合主梁纵向移位、支座震害、桥墩倾斜、桥墩开裂情况可看出，与主桥汶川端相邻的一联引桥受损最为严重，落梁也发生在该联，而该联引桥的桥墩（7~11 号墩）全部位于水中，最大淹没深度为 38.5m，最小淹没深度为 34.9m。虽然目前尚无计算资料表明这些震害现象均因墩水耦合振动所致，但如此多的震害现象集中于该联表现，并非偶然现象。现有的理论研究表明，附加动水压力对水中桥墩的地震内力有较大的影响，一方面水可能作为地震能量输入的介质，另一方面动水附加质量也可能增大地震作用，这样使得水中桥墩受地震的影响更大。从震后修复的角度来说，水中桥墩的修复，尤其是淹没较深的水中桥墩的修复比岸上墩要困难得多，庙子坪水中桥墩的震害为桥墩的抗震设计提出了一个尖锐的问题。

（3）近断层地震动的影响

如前所述，庙子坪岷江大桥是典型的近断层桥梁。近断层地震动有地表破裂和地面永久变形、近断层破裂的方向性效应、近断层速度大脉冲等特征。从机理来说，地震是在构造应力的作用下，断层两侧的弹性应变不断累积到断层的破裂强度，断层突然破裂，累积的应变能释放并产生弹性回跳导致的。弹性回跳一方面产生了地面运动（地震动），另一方面，它也引起了地面的永久静位移。对于桥梁这样的长线状结构，地面永久位移一方面会由于靠近断层和远离断层的桥梁两端永久位移不同导致结构的破坏，同时还会导致大速度脉冲。破裂方向性效应的具体表现为破裂前方的地震动长周期成分加强，地震动峰值大、持时短，垂直于断层面的分量的速度时程中有明显的长周期脉冲。

对于倾向滑动断层，破裂方向性效应引起的速度脉冲和永久位移引起的速度脉冲都发生在垂直于断层面的方向的分量，因此，两个速度脉冲是叠加在一起的。对于倾角一般的断层，在垂直于断层的走向和垂直于地表的两个方向都有近断层速度大脉冲，该速度脉冲包含有巨大的地震能量，是引起近断层桥梁破坏的一个重要原因。初步分析，导致第 10 跨主梁折断并落梁，主桥边跨"摆尾"和开裂，中跨底板混凝土破损的主要原因均可能为近场大速度脉冲。

虽然目前未获得庙子坪岷江大桥桥位附近的地震动记录，尚无法准确评价近断层地震动特性对庙子坪岷江大桥的影响，但近断层地震动的特殊性已经被大量观测记录和数值模拟所证明，探明近断层地震动特性及其对桥梁结构的作用机理，对于近断层桥梁的设计有重要意义。

4.7.5 本桥附表 Attached list

1）附表1（表4-16）

表 4-16 箱梁主要裂缝情况统计
Table 4-16 The main cracks of the box girder

序号	节段编号或名称	部位	裂缝情况
1	A37 现浇段	内侧腹板	上游侧竖向裂缝1道
		横隔板	端横隔板6条竖向裂缝
		梁底部	下游半幅距离3号墩边缘4.5m处裂纹1条，长度75cm，宽度0.15mm，纵横向开裂
2	A36 合龙段	顶板底部	下游半幅靠桥中线约1.5m范围内裂纹密集，呈网裂状，裂纹最大宽度0.6mm
		梁底部	纵横向开裂，最大缝宽1.0mm
3	A34 节段	顶板底部	桥中线纵向裂纹，A33~A36纵向裂纹连通，最大宽度0.06mm
		梁底部	上游半幅裂纹密集呈网状，最大缝宽0.2mm，大部分裂缝两侧混凝土存在挤压剥落痕迹；于合龙段施工缝处露主筋
4	A33 节段	顶板底部	桥中线纵向裂纹，A33~A36纵向裂纹连通，最大宽度0.06mm
		外侧腹板	上游外侧腹板竖向裂纹，长2m，宽0.15mm
		梁底部	上游半幅裂纹密集呈网状，最大缝宽0.3mm，大部分裂缝两侧混凝土存在挤压剥落痕迹
5	A32 节段	顶板底部	未见明显裂缝
		内侧腹板	上游侧水平裂缝1条
		梁底部	下游局部空洞，露筋和露出波纹管，上游存在1.5m×0.5m蜂窝麻面1处，上游半幅裂纹密集呈网状，大部分裂缝两侧混凝土存在挤压剥落痕迹
6	A31 节段	内侧腹板	上游侧竖向裂缝2条，下游侧见斜裂缝3条
		梁底部	下游侧横向裂缝8条，最大缝宽0.2mm
7	A30 节段至0号节段	顶板底部	A16节段桥中线位置见少量短裂纹，长度小于1.0m，宽度不大于0.06mm。A1节段倒角线及中线附近见纵向裂纹，宽不大于0.06mm
		内侧腹板	A30~A29节段上游侧均存在3~4条斜裂缝，A25斜裂缝1条，在下游侧，A30节段斜裂缝7条，A29节段斜裂缝2条，A28节段斜裂缝1条，A27节段内侧腹板底部倒角短水平裂缝2条
		箱梁外侧腹板	0号节段与A1节段施工缝处抹面砂浆龟裂
		梁底部	A18至A25节段范围内上游侧翼板泄水孔周围露主筋，主筋锈蚀

续上表

序号	节段编号或名称	部　位	裂　缝　情　况
8	0号节段至B31节段	顶板底部	B1节段少量裂缝，B21节段上游侧顶板45°裂缝1条
		内侧腹板	上游侧B21斜裂缝2条，B24、B25、B27斜裂缝各1条，B29、B33竖向裂缝各1条，在下游侧，B29和B21斜裂缝2条，B25~B22斜裂缝各1条
		箱梁外侧腹板	0号节段与B1节段施工缝处抹面砂浆龟裂
9	B33节段横隔板	横隔板	横隔板顶部每隔10~20cm见裂纹，裂纹贯通横隔板顶部截面，宽度不大于0.06mm
10	B33节段	梁底部	梁底空鼓，空鼓范围横向全桥宽，纵向长5.0m，空鼓处形成密集裂缝（网裂状，以纵向裂缝为主），空鼓处混凝土开裂，表面混凝土下挠形成空洞、露筋，节段底面波浪不平
11	B34节段	内侧腹板	下游内侧腹板底部倒角发现水平裂缝1条，裂缝长5m，宽2.0mm，延伸进入中跨合龙段，上游侧水平裂缝5条
		梁底部	梁底空鼓，空鼓范围横向全桥宽，纵向长5.0m，空鼓处形成密集裂缝（网裂状，纵向裂缝为主），空鼓处混凝土开裂，表面混凝土下挠形成空洞、露筋
12	中跨合龙段	顶板底部	多条纵向裂缝
		横隔板	大量45°裂缝和竖直裂缝，尤其是横隔板转角部位裂缝密集，最大裂缝宽度10mm
		内侧腹板	上游侧竖向短裂缝1条，斜向短裂缝2条，内侧腹板底部倒角水平裂缝1条，贯通合龙段并延伸至B34和C34节段
		梁底部	梁底空鼓，空鼓范围横向全桥宽，纵向长4.0m，空鼓处形成密集裂缝（网裂状），最大缝宽2mm，缝两侧混凝土有挤压破碎痕迹，节段底面波浪不平；混凝土表面蜂窝3处，局部形成空洞，露出主筋，最大蜂窝面积1.0m×0.5m
13	C34节段	内侧腹板	上游侧斜向短裂缝1条
		梁底部	混凝土2处空洞，露主筋
14	C33节段	内侧腹板	下游侧斜裂缝2条
15	C32节段	横隔板	横隔板底部转角部位开裂，横隔板顶部距离路中线40cm位置见竖直裂纹1条，贯通横隔板顶部横截面
		梁底部	与C31节段施工缝附近梁底网裂，裂缝以竖向为主，裂缝长度0.5~2.5m，宽度不大于0.1mm，混凝土表面空鼓、起壳，混凝土表面蜂窝1处，面积2m×1.5m
16	0号节段至C31节段	内侧腹板	上游侧C26水平短裂缝1条，C21竖直短裂缝1条，下游侧C24斜裂缝1条，C28短裂缝3条
		箱梁外侧腹板	C14节段下游侧见裂缝1条，长2m，宽0.1mm
17	0号节段至D24节段	内侧腹板	上游侧D24短斜裂缝2条，下游侧D23内侧腹板底部倒角短裂缝1条，D24短裂缝1条
18	D25节段	内侧腹板	下游侧4条斜裂缝，延伸进入D26
19	D26节段	内侧腹板	下游侧多条斜裂缝
20	D27节段	内侧腹板	上下游两侧多条斜裂缝

续上表

序号	节段编号或名称	部位	裂缝情况
21	D28 节段	内侧腹板	上下游两侧多条斜裂缝
22	D29 节段	内侧腹板	上下游两侧多条斜裂缝
23	D30 节段	内侧腹板	上游侧多条斜裂缝
24	D31 节段	内侧腹板	上游侧1条斜裂缝,下游侧1条裂缝
25	D33 节段	内侧腹板	上游侧竖向裂缝3条
25	D33 节段	梁底部	第5跨第4齿块与第5齿块之间内侧腹板下倒角混凝土开裂,最大缝宽1mm
26	D36 合龙段	内侧腹板	上游侧竖向短裂缝5条,下游侧短裂缝1条
26	D36 合龙段	梁底部	纵向裂缝3条,最大缝宽0.1mm,延伸长度2.0m
27	D37 现浇段	内侧腹板	上下游两侧竖向短裂缝各1条

2)附表2(表4-17)

表4-17 连续刚构墩柱裂缝表
Table 4-17 The cracks of the main bridge's piers

墩号	位置	尺寸	形式	备注
3号过渡墩	上游侧,承台以上2.2m处	长1.7m×宽0.2mm	水平裂纹	从都江堰向汶川方向延伸
3号过渡墩	汶川侧,承台以上2.2~5m范围内	长1.05~1.7m,宽0.2~0.4mm	水平裂缝	4条,上下游各分布两条
3号过渡墩	都江堰侧,承台以上1~3m范围内	长1.0m×宽0.2mm,长1.5m×宽0.4mm	水平裂缝	2条,均出现在下游
4号墩	未见明显裂缝(纹)			
5号墩	承台以上2m位置	宽约0.8mm	水平裂缝	1条,贯通整个桥墩横截面
5号墩	第1道横隔板处	宽约0.8mm	水平裂缝	1条,贯通整个桥墩横截面
5号墩	0号块墩梁交界处		水平裂缝	墩顶靠下
6号过渡墩	未见明显裂缝(纹)			

3)附表3(表4-18)

表4-18 引桥墩柱裂缝表
Table 4-18 The cracks of the piers in the approach bridges

墩号	淹没深度	位置	尺寸	形式	备注
7号	19.5m	下游墩柱,都江堰侧、承台以上2.3m处	宽0.5mm	水平裂缝	1条,贯穿整个都江堰侧面
7号	19.5m	下游墩柱,下游侧、承台以上2m位置	长约1m	横向裂缝	1条,从都江堰侧向汶川方向延伸
7号	19.5m	下游墩柱,汶川侧、距离墩身下游侧约1m,距承台3m处向上	—	竖向裂缝	1条

续上表

墩号	淹没深度	位　置	尺寸	形式	备　注
8号	23.5m	上游墩柱，汶川侧，从距承台3m处向上发展	—	竖向裂缝	1条
9号	20m	上游墩柱，都江堰侧、承台以上2.2m处	—	水平裂缝	1条，贯通都江堰侧面
		下游墩柱，下游侧、承台以上2.5m处	长约3m	水平细裂缝	1条
		下游墩柱，汶川侧、承台以上2.5m处	—	水平裂缝	1条
10号	16.8m	上游墩柱，上游侧、承台以上7.5m处	长约1.0m	水平裂缝	1条，从都江堰侧向汶川方向延伸
11号	18.3m	上游墩柱，上游侧、承台以上0.8m和2.0m处	长约1m	水平细裂缝	各1条，都江堰侧面有竖向细裂纹

4.8　新房子大桥左线 The Left Line of the Xinfangzi Bridge

4.8.1　桥梁概况 Outline of the bridge

新房子大桥（左线）位于半径为500m的圆曲线上。该桥跨越冲沟，桥位地形为对称V形山谷。都江堰岸桥台（0号桥台）为桩柱式桥台，映秀岸桥台（5号桥台）为重力式桥台。1~4号墩均采用承台配群桩基础，均以弱风化砂岩为持力层，都江堰岸覆盖层较厚。桥位距龙溪断层仅700m，位于断层下盘，地面有向都江堰侧移动的趋势。地震时主体结构、混凝土铺装和桥面连续已完工，伸缩缝、沥青混凝土桥面铺装未施工。桥型布置及主要震害见图4-82。桥梁的主要设计参数如下：

- 平曲线：R=500m 圆曲线
- 上部结构：5×40m 简支T梁
- 支座：板式橡胶支座
- 桥墩构造：双柱排架矩形空心墩
- 桥台：重力式桥台
- 桥面铺装时间：2008年3月
- 采用抗震规范：《公路工程抗震设计规范》（JTJ 004—89）
- 抗震设防烈度：Ⅶ
- 实际地震烈度：Ⅹ
- 上下盘关系：下盘
- 与主断层距离：3.0km
- 场地类别：Ⅱ类

4.8.2　桥梁震害概况 Outline of damage

新房子大桥（左线）震害等级为C级（严重破坏），其主梁、支座、墩柱、桥台均出现了震害。两岸桥台均向都江堰岸移动，映秀岸桥台移动较多，导致主梁移位并与两岸桥台抵紧，桥长、跨径分别减小 34.5cm 和 3.4～16.6cm；所有桥墩均向都江堰岸倾斜，最大倾斜度 0.032%。受主梁移位的影响，支座震害普遍。除顺桥向移位外，主梁尚有横桥向移位，桥墩也有横桥向倾斜，0 号桥台背墙出现斜向裂缝。桥梁震后情况见图 4-83。

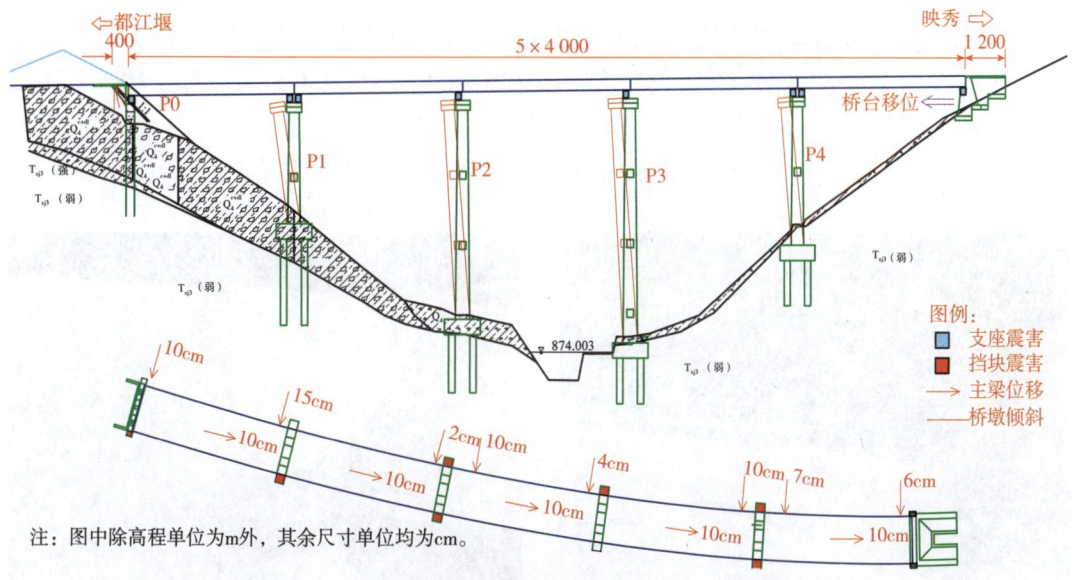

图 4-82 桥型布置及主要震害
Figure 4-82 The layout of the bridge and the main seismic damage

图 4-83 震后的新房子大桥
Figure 4-83 The Xinfangzi Bridge after the earthquake

4.8.3 上部结构及支承震害 Damage to superstructure and supports

1) 主梁

新房子大桥主梁的主要震害是移位,各跨主梁均出现了较为明显的纵、横向移位。在横向上,各跨主梁均向右侧(曲线外侧)发生不同程度的移位(图4-84、图4-85),并与一般曲线桥主梁均向曲线外侧移动的趋势相吻合,横向位移量最大的是第1跨1号墩处,位移量达15cm之多。纵向位移的方向均向都江堰岸,位移量基本相同,均约10cm。主梁与两岸桥台抵紧(图4-86),第1、5跨主梁均有明显的与桥台碰撞痕迹(图4-87)。主梁的横向移位导致桥面伸缩缝处混凝土护栏错位,各跨位移量详见表4-19。

图4-84 第1跨主梁与桥台横向错位

Figure 4-84 The differenctial dislocation between the first span's girders and abutment

图4-85 第5跨主梁平面位移

Figure 4-85 The displacement of the fifth span's girders

图4-86 第1跨主梁与桥台背墙抵紧

Figure 4-86 The gap between the first span's girder and the abutment closed

图4-87 第5跨主梁与桥台抵紧

Figure 4-87 The gap between the fifth span's girder and the abutment closed

表 4-19　新房子左线桥主梁位移统计表
Table 4-19　The displacement of Xinfangzi left bridge

孔 跨 编 号		主梁顺桥向移位（cm）	主梁横桥向移位（cm）	桥跨形式	备　　注
第一跨	0号台处	向都江堰岸约10	向右约10	40mT梁	5号梁都江堰岸底端撞击破损
	1号墩处	向都江堰岸约10	向右约15		
第二跨	1号墩处	向都江堰岸约10	向右	40mT梁	—
	2号墩处	向都江堰岸约10	向右约2		
第三跨	2号墩处	向都江堰岸约10	向右约10	40mT梁	—
	3号墩处	向都江堰岸约10	向右约4		
第四跨	3号墩处	向都江堰岸约10	向右	40mT梁	—
	4号墩处	向都江堰岸约10	向右约10		
第五跨	4号墩处	向都江堰岸约10	向右约7	40mT梁	5号梁汶川岸端头与桥台背撞击破损
	5号台处	向都江堰岸约10	向右约6		

图 4-88　第1跨支座上下板错动图
Figure 4-88　The differential displacement between the bearing and the girder

2）支座

新房子大桥支座震害也较为明显。除第4跨因条件所限未能进行调查外，其余各跨均有支座震害。震害表现为支座上、下支承面（梁底钢垫板与支承垫石钢垫板）之间发生错位，橡胶支座本身发生移位、局部脱空、剪切变形，见图 4-88~图 4-90。各跨支座变形的具体情况见表 4-20。

图 4-89　第2跨部分都岸支座移位、局部脱空
Figure 4-89　The displacement of the bearing and no reliable support of some girders in the 2nd span

图 4-90　第5跨支座剪切变形
Figure 4-90　The shear deformation of the fifth span's bearing occured

3）桥面连续

全桥在1、2、3、4号墩顶处布置了桥面连续，在地震后各桥面连续均存在横向裂缝，最大缝宽1.5mm，如图4-91所示。这表明地震中，桥面连续起到了联系各跨主梁纵向移动的作用，这从各跨主梁的纵向位移基本相同可得到证实。

表4-20 新房子左线桥支座破坏统计表
Table 4-20 The damage to the bearings of the Xinfangzi left bridge

孔跨编号		支座破坏情况描述
第一跨	0号台处	剪切变形，部分有局部脱空
	1号墩处	5号支座移位脱空
第二跨	1号墩处	2、4、5号支座移位、局部脱空
	2号墩处	1号支座局部脱空
第三跨	2号墩处	—
	3号墩处	所有支座均有轻微剪切变形，部分有局部脱空
第四跨	3号墩处	—
	4号墩处	—
第五跨	4号墩处	支座有一定的剪切变形
	5号台处	支座上、下板错位，有轻微脱空、变形

图4-91 桥面横向裂缝
Figure 4-91 The transverse cracks of the deck slab

4.8.4 下部结构震害 Damage to substructure

1）盖梁、台帽

由于主梁普遍有较明显的横向位移，因此新房子大桥左线的挡块破损也较为严重。0号台、1号墩、4号墩挡块均严重开裂（图4-92、图4-93），0、5号台挡块还有较明显的外倾，挡块几近脱落，已基本失去作用，1号墩盖梁右挡块开裂外倾、露筋，也基本失效。挡块损伤具体情况见表4-21。

2）桥墩

震后新房子大桥的墩柱未见明显裂缝，但检测结果（表4-22、表4-23）表明，所有桥墩均有一定纵、横向倾斜。纵向的倾斜方向均向都江堰方向，与主梁移动方向一致，最大倾斜度0.32%。桥墩倾斜使跨径改变，所测孔跨的实际跨径均较设计值偏小，偏差值为3.4～16.6cm。在横向上桥墩均向右侧，最大倾斜0.27%，倾斜方向与覆盖层运动方向一致。

第 4 章　都江堰至映秀高速公路

图 4-92　0 号台盖梁挡块开裂外倾
Figure 4-92　The cap's concrete displacement restricted block of the abutment cracked and inclined outward

图 4-93　4 号墩左挡块中部开裂
Figure 4-93　The cracks of the 4th pier's left concrete displacement restricted block

表 4-21　挡块损伤情况
Table 4-21　Damage to the concrete displacement restricted block

墩台号	左侧挡块	右侧挡块	墩台号	左侧挡块	右侧挡块
0 号台	—	开裂，露筋，外倾	3 号墩	开裂	—
1 号墩	—	开裂，露筋	4 号墩	开裂	开裂
2 号墩	开裂	开裂	5 号台	开裂，露筋	—

表 4-22　新房子大桥（左线）跨径检测结果
Table 4-22　The results of the inspection in the Xinfangzi Bridge

孔跨	设计值（m）	实测值（m）	差值（m）
第 2 孔左侧	39.570	39.410	−0.160
第 2 孔右侧	39.876	39.711	−0.166
第 3 孔左侧	39.433	39.399	−0.034
第 3 孔右侧	39.835	39.795	−0.040
第 4 孔左侧	39.310	39.168	−0.141
第 4 孔右侧	39.798	39.666	−0.133

注：表中某孔左（右）侧的跨径为该孔前后两个墩左（右）墩柱中心之距。

表 4-23　新房子大桥（左线）墩柱倾斜度检测结果
Table 4-23　The inclination of the piers of the Xinfangzi Bridge (the left bridge)

部位	横向倾斜度（%）	倾斜方向	纵向倾斜度（%）	倾斜方向
1 号墩	0.14	往右侧	0.11	往都江堰方向
2 号墩	0.1	往右侧	0.08	往都江堰方向
3 号墩	0.21	往右侧	0.07	往都江堰方向
4 号墩	0.27	往右侧	0.32	往都江堰方向

3）桥台

受龙溪断层的影响，映秀岸桥台向都江堰桥台移位，导致桥面铺装开裂塌陷。0号台两侧背墙开裂，并破损露筋，裂缝发源点基本在与主梁碰撞处，如图4-94所示。此外，0号台后还出现了右侧两段重力式挡墙垮塌，桥头搭板悬空的现象（图4-95）。5号台前墙中部开裂，斜向贯通，缝宽达5mm（图4-96），右侧挡块破裂延伸至右侧墙，导致右侧墙受损。

图4-94　0号台背墙开裂
Figure 4-94　The back wall of the abutment cracked

图4-95　0号台后重力式挡墙垮塌　　　　图4-96　5号台前墙中部开裂，裂缝竖斜向贯通
Figure 4-95　The retaining wall behind the abutment collapsed　　　Figure 4-96　The cracks of the 5th abutment's wall

4.8.5　震害简析 Analysis of damage mechanism

新房子大桥的主要震害是主梁移位和桥墩顺桥向倾斜，这是高墩梁式桥的常见震害形式。值得注意的是，该桥的主梁移位和桥墩倾斜均较有特点。通常来说，如果各跨主梁均向都江堰岸移动，则在映秀岸桥台处，主梁与桥台的距离应增大，而从震害表现来说，却是主梁与两岸桥台抵紧；对于陡坡上的桥墩，受覆盖层下滑趋势的影响，

通常是向陡坡的临空面倾斜，而震害却表现为均向都江堰岸移动。要解释这一现象，应从桥位与断层的关系入手。如前所述，本桥桥位距龙溪断裂仅700m，且位于断层下盘，龙溪断层的活动导致地面高低错位约15cm，地面有向都江堰岸运动的趋势。加之桥台高度达14m，台前地表覆盖层较薄，台后较厚。受地面运动和台后填土移动的共同影响，使得映秀岸桥台向都江堰岸移动，这一分析可从映秀岸桥台尾部桥面铺装拉裂并塌陷得到证实（图4-97）。由于桥台的移动使得主梁与桥台撞击、抵紧，并推动主梁向都江堰岸移动。同时由于主梁的移动带动桥墩的倾斜，从而导致桥墩均向都江堰岸倾斜。该桥的震害启示是，桥梁的震害不仅与主断层有关，与桥位邻近的次断层也有密切关系，而且可能起主导作用。

图 4-97 桥台移动致台后铺装拉裂、塌陷
Figure 4-97 The movement of abutment caused the decks and settlement ot the surfacing

4.9 新房子大桥右线 The Right Line of the Xinfangzi Bridge

4.9.1 桥梁概况 Outline of the bridge

新房子大桥（右线）中心桩号为RK20+926，位于半径为800m的圆曲线上，跨越山间冲沟，桥位地形为的"V"形山谷，映秀岸较陡峻，都江堰岸相对平坦。

上部结构由6×25m连续箱梁和5×40m预应力混凝土简支T梁（桥面连续）组成，桥梁全长为364.00 m，桥面宽11.25m。连续梁布置在0号台至6号墩间，6号墩为连续梁和简支梁的过渡墩。桥型布置及主要震害见图4-98。

连续梁采用独立柱双柱墩，0号台、6号墩处在主梁腹板下布置了3块四氟板橡胶支座，其余桥墩布置2个盆式橡胶支座，其中3号墩布置固定支座，其余墩布置纵向活动支座，在0号台、6号墩处设置了挡块。简支梁采用双柱式矩形空心墩，支座为板式橡胶支座，各墩均设有挡块。连续梁基础为桩基，采用桩柱直接相接的方式，简支梁也采用桩基础，每一桥墩下布置4根桩径1.5m的基桩，通过承台与墩柱相连。墩高统计见表4-24。

全桥在0号台、6号墩、11号台处布置了3道DSSF160型伸缩缝，在7～10号墩顶设桥面连续。地震时主体结构、混凝土铺装和桥面连续已完工，伸缩缝、部分沥青混凝土桥面铺装未施工。

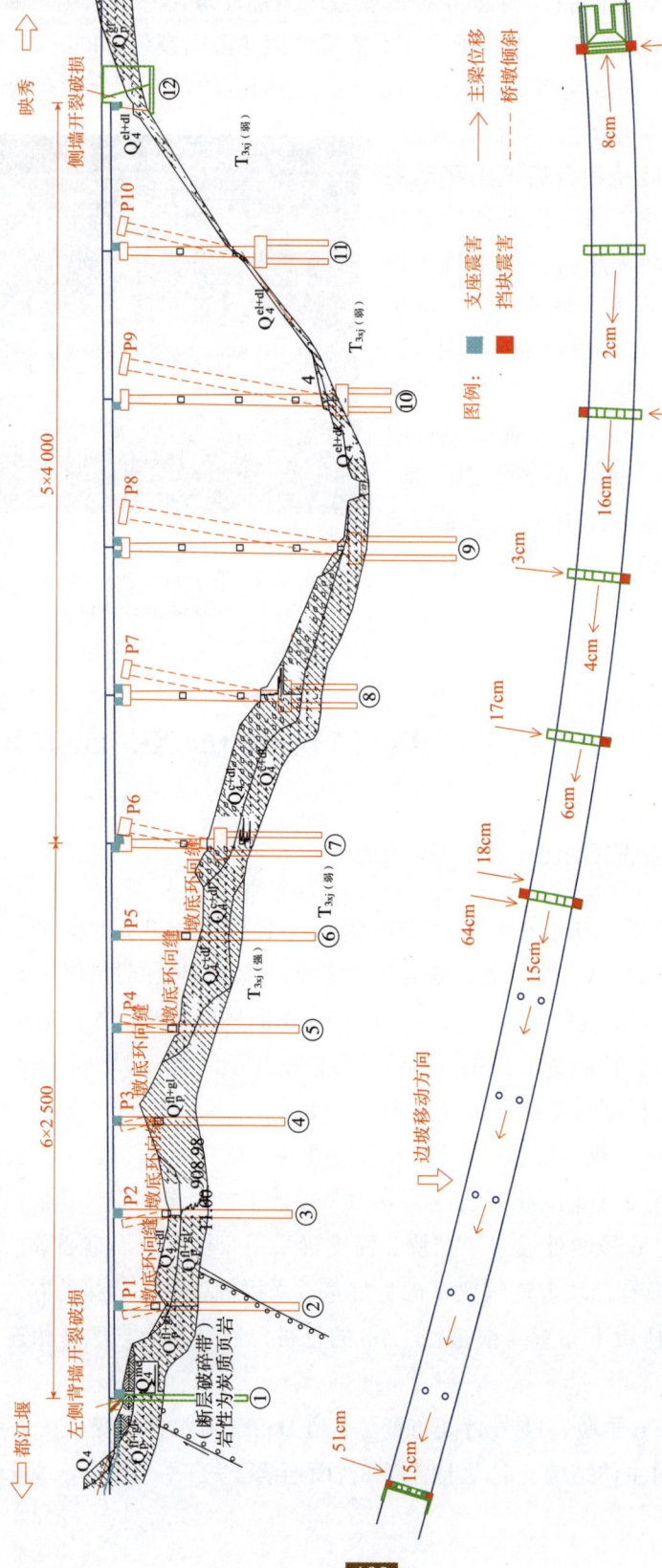

图 4-98 桥型布置及主要震害（图中所标位移均为墩梁相对位移）（尺寸单位：cm）

Figure 4-98 The layout of the bridge and the main seismic damage (unit : cm)

表 4-24 墩 高 统 计
Table 4-24 The height of the piers

桥 墩 编 号		墩高（m）	桥 墩 编 号		墩高（m）
1号墩	左柱	8.136	6号墩	左柱	22.6
	右柱	11.248		右柱	22.789
2号墩	左柱	12.696	7号墩	左柱	40.8
	右柱	15.369		右柱	40.989
3号墩	左柱	9.98	8号墩	左柱	60
	右柱	11.526		右柱	60.189
4号墩	左柱	14.677	9号墩	左柱	58
	右柱	17.677		右柱	58.189
5号墩	左柱	18.907	10号墩	左柱	34.8
	右柱	22.257		右柱	34.989

4.9.2 桥梁震害概况 Outline of damage

新房子大桥上、下部结构均出现较为严重的震害。地震中，映秀岸桥台有向都江堰侧移动的趋势，导致桥长减小 42cm，连续梁和简支梁主梁均有较大的纵、横向位移，并伴有转动，其中连续梁最大位移量达 64cm，简支梁最大位移量达 18cm。各桥墩沿顺桥向和横桥向均出现倾斜，连续梁桥墩墩底开裂。由于桥墩倾斜，导致简支梁跨度改变，改变量在 9.1～18.5cm 之间。受主梁位移影响，支座震害普遍，部分支座完全脱空。

4.9.3 连续梁震害 Damage to continuous girders

1）上部结构

主梁的主要震害现象是主梁移位，且纵、横向移位量均较大，并伴有转动。横桥向移位方向为路线右侧（曲线外侧），0号台处移位量达 51cm（图 4-99），6号墩处移位量更达 64cm（图 4-100），如此之大移位量实属罕见。主梁顺桥向移位方向均向都江堰方向，移位量也达 15cm 之多。

大幅的主梁移位导致支座普遍受损。盆式支座的主要震害是顺桥向上过大的上、下钢盆错位，错位量达 15cm 之多（图 4-101）。值得注意的是，尽管主梁出现了大幅的横向位移，上、下钢盆在横桥向的错位量却并不大，多在 1～2cm 之间。此外，2号墩处的支座还出现了较为少见的脱空现象（图 4-102）。0号台、6号墩处的四氟滑板支座震害十分严重，6号墩右支座、中支座与梁体完全脱空（图 4-103），0号台左支座因过大的墩梁相对位移发生翻滚，所以支座四氟板破坏，橡胶体变形十分严重，基本丧失变形功能。

图 4-99　都江堰岸桥台处连续梁明显右移
Figure 4-99　The obvious right displacement of the girder at the abutment

图 4-100　6号墩处连续梁明显右移
Figure 4-100　The obvious right displacement of the girder at the 6th pier

图 4-101　1号墩右支座上垫板明显顺桥向移位
Figure 4-101　The obvious displacement of the bearing

图 4-102　2号墩右支座完全脱空
Figure 4-102　The girder lost the support of the bearing on the 2nd pier

2）下部结构

调查表明，1～5号墩均有不同程度的开裂和倾斜现象（表4-25）。在横向上各墩均向路线右侧倾斜，桥墩的倾斜方向与主梁移位方向一致，倾斜度均达1%以上，其中4、5号墩的倾斜度接近3%，墩顶位移量达50cm以上。左、右墩柱的倾斜度不同，左柱的倾斜度普遍大于右柱。在顺桥向上各墩的倾斜方向，不完全相同，1～3号墩向都江堰侧倾斜，4、5号墩向汶川侧倾斜，但倾斜度明显小于横向倾斜度，同一桥墩左、右

图 4-103　6号墩四氟滑板支座完全脱空，四氟板破坏
Figure 4-103　The girder lost the support of the right bearing on the 6th pier

柱的顺桥向倾斜度也不相同，除2号墩左柱倾斜度大于右柱外，其余各墩均为右柱大于左柱。连续梁所有墩柱均在墩底附近出现环向开裂，裂缝多出现在墩柱左侧（图4-104、图4-105），裂缝数量多，延伸长度长，最大长度达300cm，部分裂缝宽度已较大，4号墩裂缝宽度已达0.4mm，有向主裂缝发展的趋势。此外，1号右墩柱底部竖向开裂（图4-106，图4-107），缝宽5mm，此裂缝伸入地面以下50cm以上。

表 4-25 连续梁桥墩损伤统计
Table 4-25 The damage to the continuous girder bridge

桥墩编号	左　柱	右　柱
1号墩	多条等间距的环向裂缝，缝宽0.2mm	多条等间距的环向裂缝，最宽0.3mm；竖向开裂，缝宽5mm，此裂缝伸入地面以下50cm以上
2号墩	多条环向裂缝，最长300cm，最宽0.15mm	多条环向裂缝，最长300cm，最宽0.15mm
3号墩	条环向裂缝，最长200cm，最宽0.1mm	—
4号墩	多条环向裂缝，最长250cm，最宽0.4mm	多条环向裂缝，最长300cm，最宽0.15mm
5号墩	多条环向裂缝，最长150cm，最宽0.25mm	存在多条环向裂缝，最长200cm，最宽0.1mm，并受落石撞击

图 4-104 4号墩左柱开裂
Figure 4-104 The cracks of 4th pier

图 4-105 5号墩左柱开裂
Figure 4-105 The circumferential crack of the 5th pier

由于主梁的纵向振动，导致主梁与0号台背墙撞击，一方面导致背墙破损，左侧缝宽达10mm，右侧缝宽也达2mm，同时主梁的振动和移位还使得主梁与桥台背墙靠拢，伸缩量大幅减少（图4-108）。由于主梁的横向振动，0号台、6号墩两侧挡块全部受损，其中右侧挡块已完全破坏（图4-109、图4-110）。此外，在地震作用下，台后填土沉降，导致填土与搭板脱空达30cm（图4-111）。

图 4-106　1 号墩右柱环向开裂
Figure 4-106　The circumferential cracks of the 1st pier

图 4-107　1 号墩竖向开裂
Figure 4-107　The vertical cracks of the 1st pier

图 4-108　主梁碰撞受损，伸缩缝变形量减少
Figure 4-108　The girders were destroyed and the expansion joint closed

图 4-109　0 号台左侧挡块破坏，背墙开裂
Figure 4-109　The left concrete displacement restricted blocks on the abutment were destroyed and the back wall cracked

图 4-110　6 号墩右侧挡块完全破坏
Fig 4-110　The right concrete displacement restricted blocks on the 6th pier were destroyed completely

图 4-111　搭板脱空
Figure 4-111　The run-on slab lost the support

4.9.4 简支梁震害 Damage to simply supported girders

1）上部结构

与其他简支梁桥相似，新房子大桥简支梁的震害现象是主梁移位。无论在纵向还是横向上，各跨的墩、梁的相对位移均是不同的。在横桥向第 7~9 跨主梁向路线右侧移位，最大墩、梁位移量出现在 6 号墩处，为 18cm；7 号墩处纵横向移位也较为明显，横桥向移位 17cm（图 4-112），纵向移位 6cm（图 4-113）；第 11 跨向左侧最大移位量为 5cm（图 4-114）；在顺桥向上，第 7~10 跨均向都江堰岸移位，第 11 跨却表现为与桥台相互靠拢，并有相互碰撞的痕迹（图 4-115），第 9 跨位移量达 16cm，但第 10 跨位移量却仅 4cm。经仔细检查，各墩顶处桥面连续受损并不严重，仅在 8、9、10 号墩处发现细小的横向裂缝，最大缝宽 0.4mm，这表明主梁的移动为整联刚体移位，各跨主梁并无相对位移。

图 4-112　7 号墩处 T 梁横向移位相当明显

Figure 4-112　The obvious transverse displacement of the T girder on the 7th pier

图 4-113　7 号墩处 T 梁明显纵移

Figure 4-113　The obvious longitudinal displacement of the T girder on the 7th pier

与主梁震害相对应，支座破坏普遍，主要震害现象有支座移位、局部脱空、剪切变形，其中墩、梁相对位移较大的 6、7 号墩处支座震害最为严重。6、7 号墩支座明显移位，局部脱空，8 号墩支座剪切变形明显，几近翻滚。

2）下部结构

经仔细检查，6~10 号墩墩柱均未发现裂缝，但在纵、横向均存在倾斜。与 1~5 号墩相比，6~10 号倾斜方向也向路线右侧，但倾斜度明显要小得多，最大倾斜度仅为 0.31%，但纵向倾斜度普遍比 1~5 号墩大，最大倾斜度为 1.27%，且左右柱倾斜度基本相同，倾斜方向均向汶川侧，倾斜方向与主梁移位方向相反。由于桥墩倾斜，导致各跨跨度改变，改变量在 9.1~18.5cm 间，其中除第 8 跨跨径增大外，其余各跨跨度均减小。各跨跨度变化情况见表 4-26。

图 4-114　映秀岸桥台处简支梁有横向移位
Figure 4-114　The transverese displacement of the girder on the Yingxiu side's abutment

图 4-115　映秀岸桥台主梁与台背碰撞破碎
Figure 4-115　The back wall of the abutment was collided by the girder on the Yingxiu side

表 4-26　新房子大桥（右线）实测跨径统计
Table 4-26　The length of the span of the Xinfangzi Bridge

孔跨编号	设计值（m）	实测值（m）	差值（m）
第7孔左侧	40.096	40.029	−0.067
第7孔右侧	40.345	40.253	−0.092
第8孔左侧	40.111	40.171	0.059
第8孔右侧	40.404	40.495	0.091
第9孔左侧	40.125	39.952	−0.173
第9孔右侧	40.456	40.271	−0.185
第10孔左侧	40.127	40.059	−0.068
第10孔右侧	40.463	40.394	−0.069

注：表中某孔左（右）侧的跨径为该孔前后两个墩左（右）墩柱顶中心之距。

需补充说明的是，在维修加固中，将主梁顶升后，桥墩倾斜度明显减小，表明桥墩的倾斜主要为弹性变形。

由于地基沉陷，11号台侧墙、背墙受损极为严重（图4-116、图4-117），出现延伸长度长、宽度大斜向裂缝，宽度达2cm，并形成错台。此外，由于主梁移位，各墩挡块均受损严重，其中6、7、8号墩右侧挡块完全破坏。

图 4-116　11 号台右侧挡块、侧墙开裂
Figure 4-116　The right concrete displacement restricted block and the side wall on the 11th abutment cracked

图 4-117　11 号台背墙开裂
Figure 4-117　The back wall of the 11th abutment cracked

4.9.5　其他 Others

桥下为冲沟，并有公路从桥下穿过。受地震影响，部分边坡土体不稳定，坡体向右侧（临空面）滑移、下陷，地面多处开裂，墩柱与周围地面间开裂达 30cm 以上（图 4-118、图 4-119），左侧挤压墩柱，右侧与墩柱分离，这一现象主要出现在连续梁部分。

图 4-118　地面开裂
Figure 4-118　The ground cracked

图 4-119　地面开裂
Figure 4-119　The ground cracked

4.9.6　震害简析 Analysis of damage mechanism

新房子大桥（右线）的震害有三个明显的特点：第一，连续梁大幅的横桥向位移和桥墩的倾斜；第二，全桥主梁的大幅纵移与桥长减小；第三，简支梁主梁移位方向与桥墩纵向倾斜方向不同。

该桥是典型的傍山桥梁，桥位地处冲沟，边坡不稳定，在地震作用下，边坡下滑，推动桥墩移动。桥墩采用桩基，下端基本固定，边坡土体的推挤导致了桥墩的横桥向倾斜，这从桥墩处地面存在裂缝，桥墩的倾斜方向与边坡滑动方向一致可以看出。从连续梁支座上、下板在横桥向上的相对位移很小还可以看出，墩、梁间不存在相对位移，因此桥墩的倾斜是导致主梁大幅横向移位的主要原因。桥墩的大幅倾斜不仅导致墩顶的倾斜，使得支座上、下板不平行，更为严重的是，还导致左右两柱受力不均和支座反力的重分配，使得2、6号墩右侧支座与主梁完全脱开，而支座反力重分布必然导致主梁内力的重分配，使得主梁内力与设计情况不符，这是十分有害的。

至于全桥主梁的大幅纵移与桥长减小，主要是由于该桥桥位紧邻龙洞子断层，且位于断层下盘，地面有向都江堰岸运动的趋势。受地面运动和台后填土推挤的共同影响，使得映秀岸桥台向都江堰岸移动，并推动主梁向都江堰岸移动。值得一提的是，新房子大桥左、右线虽然主梁的移位方向相同，但桥墩的倾斜方向却是相反的，其原因需结合地形、地质及桥位处的地震动参数进一步研究。

由于桥位地处V形河谷，各墩的高差较大，因此各墩的振幅、相位都可能有差别，振动停止后各墩的残留倾斜不同，墩顶位移也不同，而主梁的纵移是整联的刚体移动，因此震后表现为各跨的墩、梁相对位移不同。值得注意的是，各墩的振幅不同有可能增大桥梁的跨度（表4-26），增大落梁风险，而主梁振动与桥墩振动的相位差则可能增大墩、梁相对位移，这也增大了落梁风险。

这里值得讨论的是，5号墩与6号墩位置相差不过25m，地质条件基本相同，墩高也基本相同，但5号墩的横向倾斜却比6号墩要大得多（表4-27），而且5号墩墩底出现了大量裂缝，而6号墩则基本完好。从结构来说，5号墩为独立柱双柱墩，两墩柱为独立受力的悬臂，而6号墩则由墩柱、盖梁、系梁构成了框架体系，显然，其横向刚度较独立柱要大得多。独立柱双柱墩横向刚度小、抗震性能差的缺点在新房子大桥中得到了体现。

表4-27 新房子大桥（右线）墩柱实测倾斜度统计
Table 4-27 The inclination of the piers in the Xinfangzi Bridge (the right bridge)

部　位	横向倾斜度（%）	倾斜方向	纵向倾斜度（%）	倾斜方向	备　注
1号左墩柱	2.7	往右侧	0.39	往都江堰方向	
1号右墩柱	2.48	往右侧	0.85	往都江堰方向	
2号左墩柱	1.84	往右侧	0.2	往都江堰方向	
2号右墩柱	1.03	往右侧	0	—	
3号左墩柱	1.8	往右侧	0.3	往都江堰方向	连续梁跨
3号右墩柱	1.61	往右侧	0.18	往都江堰方向	
4号左墩柱	2.98	往右侧	0.36	往汶川方向	
4号右墩柱	2.8	往右侧	1.44	往汶川方向	
5号左墩柱	2.86	往右侧	0.06	往都江堰方向	
5号右墩柱	2.66	往右侧	0.28	往汶川方向	

续上表

部　　位	横向倾斜度（%）	倾斜方向	纵向倾斜度（%）	倾斜方向	备　　注
6号左墩柱	0.16	往右侧	1.11	往汶川方向	简支梁跨
6号右墩柱	0.17	往右侧	0.84	往汶川方向	
7号左墩柱	0.05	往右侧	1.07	往汶川方向	
7号右墩柱	0.06	往左侧	1.21	往汶川方向	
8号左墩柱	0.05	往右侧	1.21	往汶川方向	
8号右墩柱	0.0	—	1.27	往汶川方向	
9号左墩柱	0.31	往右侧	1.12	往汶川方向	
9号右墩柱	0.31	往右侧	0.77	往汶川方向	
10号左墩柱	0.01	往左侧	1.27	往汶川方向	
10号右墩柱	0.14	往左侧	1.38	往汶川方向	

另一个值得讨论的问题是，连续梁同一桥墩左、右柱的顺桥向倾斜度是不同的，对比表4-27和表4-24可以看出，墩高大的柱倾斜度大，而倾斜度的不同必然导致左、右柱内力的不同。由此可以看出，对于左、右柱墩高不同的傍山线桥墩，虽然在竖向荷载作用下二者的内力是基本相同的，但在水平地震荷载作用下左、右柱的内力却有差别，这显然不利于充分发挥两墩柱的抗震能力。

该桥的震害启示是：①对于傍山桥梁，边坡的滑动可能成为导致震害的重要因素，而且致灾机理较为隐蔽，易造成误判；②对于连续梁桥，主梁的大幅横向移位将导致支座反力的重分配，从而导致主梁内力的重分配；③对于采用板式橡胶支座的大跨、高墩简支梁桥，墩、梁振动的相位差增大了墩梁相对位移，落梁风险更大；④墩高相差较大的桥梁，各墩振动的振幅、相位不同，可能导致桥梁跨度的增大，增大落梁风险。

4.10　映秀变电站小桥 The Yingxiu Biandianzhan Bridge

4.10.1　桥梁概况 Outline of the bridge

映秀变电站小桥跨越小河沟，位于映秀至北川中央断裂带下盘，距中央主断裂仅200m，桥轴走向与中央主断裂基本平行，为单孔异形简支板桥，跨度13m，桥面总宽31～34.97m，横桥向分为三块板。支座采用板式橡胶支座，桥台为重力式桥台，为扩大基础。地震时，主梁、桥台等主体结构已完工，但桥面铺装、伸缩缝、护栏尚未完成。抗震设防烈度Ⅶ，实际地震烈度为Ⅺ，采用《公路工程抗震设计规范》（JTJ 004—89）。

本桥在地震中破坏严重，震害等级为C级（严重破坏）。

4.10.2 桥梁震害概况 Outline of damage

由于距离中央主断裂仅 200m,在强大的纵向水平地震动作用下,两岸桥台相向运动,导致两岸台间间距减小至 9.5m(原桥台间距 12m)。主梁伸入都江堰岸桥台约 100cm,汶川端与桥台抵紧,横向向左侧移位 70cm。都江堰岸、映秀岸桥台前墙均被剪坏,并被剪切缝分上、中、下三层,其中都江堰岸桥台上段倾倒,中段多处开裂,并向外挤出 1m。两岸右幅桥台背墙与台身断开,背墙倾斜、下沉较大,承载力基本丧失。本桥震损情况参见图 4-120~图 4-125。

图 4-120 主梁已伸入桥台
Figure 4-120 The girder inserted into the abutment

图 4-121 都江堰桥台前墙破坏
Figure 4-121 The front wall of the abutment on the Dujiangyan side was damaged

图 4-122 桥台支座脱空、脱落
Figure 4-122 The bearings on the abutment were unable to support the girder

图 4-123 映秀岸桥台明显剪切破坏
Figure 4-123 The obvious shear deformation of the abutment on the Yingxiu side

图 4-124 梁体横向向左侧移位 70cm

Figure 4-124　The transverse displacement of the girder is about 70cm

图 4-125 梁体纵向向都江堰侧位移 30cm

Figure 4-125　The longitudinal displacement of the girder is about 30cm

4.11　映秀顺河桥 The Yingxiu Shunhe Bridge

4.11.1　桥梁概况 Outline of the bridge

映秀顺河桥位于映秀收费站左侧加宽车道内，路线里程中心桩号为 RK25+283，中央主断裂带穿过本桥桥位。该桥为异形桥，K25+470 ~ K25+562 为等宽段，宽 7.25m，K25+360 ~ K25+470、K25+562 ~ K25+600 为加宽渐变段，宽度由 4.2m 渐变至 7.25m。本桥主体结构已基本完成，桥面系尚未施工完。桥型布置见图 4-126。本桥主要设计参数如下。

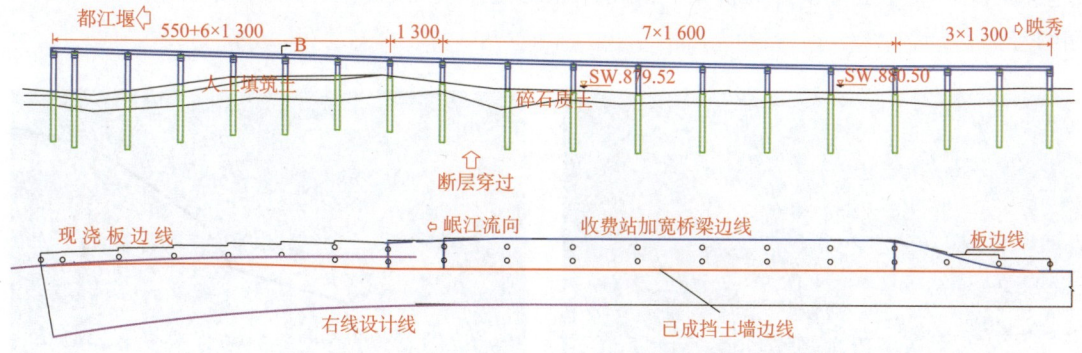

注：图中除高程单位为m外，其余尺寸单位均为cm。

图 4-126　桥型布置图

Figure 4-126　The layout of the bridge

- 上部结构：5.5m+7×13m+7×16m+3×13m，简支空心板，桥面连续
- 支座：板式橡胶支座
- 桥墩：1~5、16、17 号墩为圆形截面独柱墩，其余为双柱墩（墩高统计见表 4-28）

- 完成时间：2007年12月完成主梁架设
- 采用抗震规范：《公路工程抗震设计规范》(JTJ 004—89)
- 抗震设防烈度：Ⅶ
- 实际地震烈度：Ⅺ
- 上下盘关系：断层从第9跨穿过
- 与断层距离：0.13km

表4-28 映秀顺河桥各墩墩高
Table 4-28 The height of the piers of the Yingxiu shunhe Bridge

墩号	墩高(m)	墩号	墩高(m)	墩号	墩高(m)	墩号	墩高(m)
1	9.72	6	3.86	11	6.97	16	4.83
2	8.84	7	4.08	12	6.47	17	4.38
3	6.8	8	5.27	13	6.29	—	—
4	4.44	9	6.62	14	6.15	—	—
5	3.93	10	6.69	15	5.95	—	—

4.11.2 桥梁震害概况 Outline of damage

RK25+283映秀顺河桥在地震中整体倒塌（图4-127），震害等级为D级（整体倒塌或失效）。RK25+283映秀顺河桥尚未完成施工，断层从第9~10跨附近穿过（图4-128），地面隆起达3m（图4-129）。同时，上下盘挡墙横向错位约1m，导致已完工的主梁全部落梁（图4-130），桥墩除与变电站小桥相邻的墩柱尚勉强维持外，其余所有墩柱全部向岷江下游方向垮塌。倒塌的墩柱纵筋被拉断，混凝土被压溃（图4-131）。该桥是都汶高速都映段中唯一全桥损毁的桥梁。值得注意的是，残留的桥墩出现了桥墩墩顶破坏（图4-132）。

图4-127 全桥垮塌，主梁纵向落梁
Figure 4-127 The bridge collapsed and the girder fell longitudinally

图4-128 映秀顺河桥与断层关系遥感图
Figure 4-128 The relationship between the Yingxiu shunhe Bridge and the fault

第 4 章　都江堰至映秀高速公路

图 4-129　主断裂带穿过本桥桥位挡墙隆起达 3m

Figure 4-129　The main fault zone is beneath the bridge and the retaining wall moved upward by 3m

图 4-130　挡墙横向错动近 1m

Figure 4-130　The retaining wall shift nearly 1m

图 4-131　墩柱断裂、纵筋拉断

Figure 4-131　The column and the longitudinal reinforcement broke

图 4-132　墩柱顶破坏

Figure 4-132　The top of the column was damaged

该桥的损毁在某种意义上说是难以避免的。众所周知，断层是地震能量释放的中心，不仅地面加速度大，而且地表位移也相当大，大的地表位移甚至可能导致地表形状的改变。本桥由于主断裂带穿过桥位，导致地面隆起达 3m，一方面岩层断裂释放的巨大能量直接作用于本桥，另一方面，仅地形的大幅改变也是桥梁这样的长线状结构难以承受的。其实这一情况并不鲜见，在中国台湾集集、土耳其伊兹米特地震中，石冈乡丰势桥、校栗埔桥、名竹大桥（图 4-133）、雾峰桥（图 4-134）、某跨线桥等多座桥梁均因断层穿过而垮塌。映秀顺河桥的震害再次提醒工程人员，地震中地表断裂的危害性是巨大的，极易出现全桥倒塌的惨剧，而且是通过人为构造措施所不能解决的。做好地质勘察工作，在选择桥位时尽量避开断层地段，或以路基通过，是唯一可行的方法。

图 4-133 名竹大桥（位于断层上全桥垮塌）
Figure 4-133 The Minzhu Bridge (the displacement of the fault caused the collapse of the bridge

图 4-134 雾峰桥（位于断层而落梁）
Figure 4-134 The Wufeng Bridge (The displacement of the fault which is right beneath the bridge caused falling of the girder)

4.12 映秀岷江大桥 The Yingxiu Minjiang Bridge

4.12.1 桥梁概况 Outline of the bridge

映秀岷江大桥位于都汶高速映秀至卧龙连接线，路线等级为二级，跨越岷江，桥位地形为"U"形，与岷江斜15°相交，为多跨预应力混凝土空心板，桥梁全长为143m。桥位位于映秀至汶川主断裂的上盘，桥位走向与主断裂基本平行，距主断裂仅300m左右。主要设计参数如下：

- 平曲线：直线，墩梁交角15°
- 上部结构：4×25m + 27m简支空心板
- 桥墩：双柱式排架墩
- 基础：1~4号桥墩为桩基础，0、5号桥台为扩大基础
- 采用抗震规范：《公路工程抗震设计规范》（JTJ 004—89）
- 抗震设防烈度：Ⅶ
- 上下盘关系：上盘
- 纵坡：纵坡3.3%
- 支座：板式橡胶支座
- 桥台：重力式桥台
- 完成时间：2007年11月
- 实际地震烈度：Ⅺ
- 与断层距离：0.3km

4.12.2 桥梁震害概况 Outline of damage

映秀岷江大桥震害等级为C级（严重破坏），其主要震害表现各跨主梁均有较大的纵、横向位移，并伴有明显转动，第1跨已出现部分落梁现象（图4-135）。同时0号台附近山体垮塌，造成桥台及第1跨主梁堆积大量石块及部分桥墩被巨石撞击。震后映秀岷江大桥立面图见图4-136。

图 4–135　第 1 跨下游侧边梁落梁
Figure 4–135　The girders of the first span on the downsteam side fell

图 4–136　震后映秀岷江大桥立面图
Figure 4–136　Elevation of the Minjiang Bridge in Yingxiu after the earthquake

尚未落梁的主梁中，第 2 跨、第 3 跨、第 5 跨也有较大的落梁风险（图 4–137、图 4–138）。大幅的主梁位移不仅导致桥墩挡块普遍破损严重，还导致了严重支座震害，部分支座完全滑脱，主梁已落于垫石上。此外，桥墩出现较明显的倾斜，桥梁跨径改变，最大纵向倾斜 2.61%，最大横向倾斜达 0.72%，均超出规范允许范围；受山体崩塌的影响，0 号桥台桥头被落石覆盖，堆积大量石块（图 4–138）。震害简图见图 4–139。

图 4.137　主梁横向移位严重，落梁风险较大
Figure 4–137　The girder moved transveresly seriously and the girders were risking falling

图 4–138　挡块破坏（落梁风险），0 号台落石覆盖
Figure 4–138　The concrete displacement restricted blocks were damaged and the girders were about to falling, the abutment was covered by falling stones

4.12.3　上部结构及支承震害 Damage to superstructure and supports

1）主梁

映秀岷江大桥各跨主梁的纵、横向位移均较大，并伴有明显的转动，第 1 跨下游侧边

梁已横向落梁（图4-140、图4-141）。横向位移方向均向下游侧，映秀岸桥台处主梁横向移位为15cm，至1号墩处已增大至180cm（图4-142），主梁的转动十分明显，第2、3跨主梁有较大落梁风险。大幅度的横向转动导致距离1号墩1.2m处（朝都江堰方向）桥面混凝土碎裂，形成贯穿上游半幅桥梁宽19cm、深5cm的凹槽。

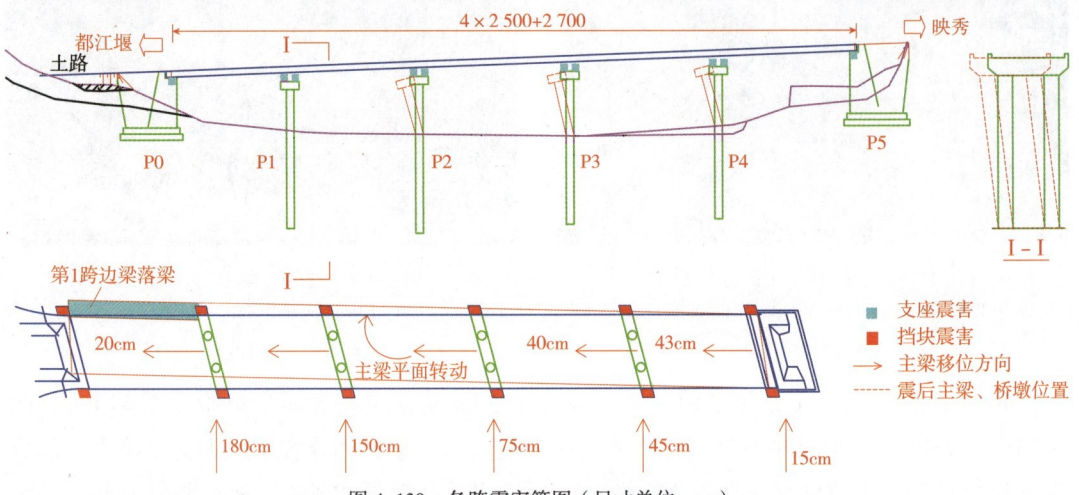

图4-139　各跨震害简图（尺寸单位：cm）

Figure 4-139　The seismic damage to the bridge（unit：cm）

图4-140　边梁落梁、破碎、钢筋外露

Figure 4-140　The side girder fell and the concrete crushed and the reinforcement exposed

图4-141　边梁落梁，一侧搭在落石上

Fig4-141　The side girder fell and on end was supported on the falling stones

主梁纵向位移均向都江堰岸，且有由映秀岸向都江堰岸逐渐增大的趋势。受主梁转动的影响，上游侧主梁的移位量大于下游侧，例如4号墩顶梁体下游侧纵向没有移动，上游侧梁纵向向都江堰方向移位40cm（图4-143）。纵向位移最大的是第5跨，达43cm，上游侧主梁只支承在桥台上5cm，梁底钢板全部露出，下游侧主梁从垫石滑落，桥面下沉约30cm，有较大的落梁风险。各跨主梁的位移详见表4-29。

图 4-142　1 号墩处主梁移位 180cm

Figure 4-142　The girder moved downstream by 180cm on the 1st pier

图 4-143　4 号墩处主梁向下游侧移动 45cm

Figure 4-143　The girder moved downstream by 45cm on the 4th pier

表 4-29　主梁位移统计
Table 4-29　The girder's displacement

墩台号	主梁纵向位移	主梁横向位移
0 号台	下游侧边梁落梁，其余主梁因桥台被碎石掩埋，位移不详	下游侧边梁落梁，其余主梁因桥台被碎石掩埋，位移不详
1 号墩	向都江堰岸 20cm	向下游侧移动 180cm
2 号墩	—	向下游 150cm
3 号墩	—	向下游 75cm
4 号墩	下游侧纵向没有移动，上游侧梁纵向向都江堰方向移位 40cm	向下游侧移动 45cm
5 号台	向都江堰岸移动 43cm，有落梁危险	向下游侧移动 15cm

2）支座

该桥所有支座基本都受到出现较为严重的震害，部分出现全部脱空或滑移失效的情况，其他支座也有较大的剪切变形或移动。0 号台（都江堰岸桥台）、1 号墩、2 号墩支座全部移位，滑脱，完全失效（图 4-144、图 4-145），3 号墩和 4 号墩大部分支座滑脱，未滑脱的支座发生严重剪切变形（图 4-146），5 号墩支座部分滑脱（图 4-147）。支座震害详情见表 4-30。

图 4-144　0 号桥台支座移位、滑脱而失效

Figure 4-144　The bearings on the abutment moved and the girder lost the supports

图 4-145　1、2 号墩顶支座全部滑脱

Figure 4-145　All bearings on the 1st and 2nd pier moved out of the bearing plinths

图 4-146　3、4 号墩顶支座剪切变形、脱空

Figure 4-146　The bearings on the 3rd and 4th pier deformed by sheer force and the bearings moved out of the bearing plinths partly

图 4-147　5 号桥台支座移位部分滑脱

Figure 4-147　The bearings on the 5th pier moved out of the bearing plinths partly

表 4-30　支座震害统计

Table 4-30　The seismic damage to bearings

墩 台 号	支 座 震 害
0 号台	全部移位、滑脱，完全失效
1 号墩	支座全部滑脱
2 号墩	支座全部滑脱
3 号墩	大部分支座滑脱，未滑脱的支座发生严重剪切变形
4 号墩	大部分支座滑脱，未滑脱的支座发生严重剪切变形
5 号台	支座部分滑脱

3）桥面连续及伸缩缝

桥面连续和伸缩缝破坏严重，1、2、4号墩顶桥面连续开裂，1号墩1.2m处桥面铺装形成贯穿半幅桥且宽达19cm、深达5cm的凹槽（图4-148），2、3号墩顶处的桥面铺装裂缝宽也分别达4mm和2mm。5号台处，由于主梁的纵向位移和转动，映秀岸桥头上游侧伸缩缝宽度为48cm（图4-149），下游侧伸缩缝宽度为20cm，已完全破坏。

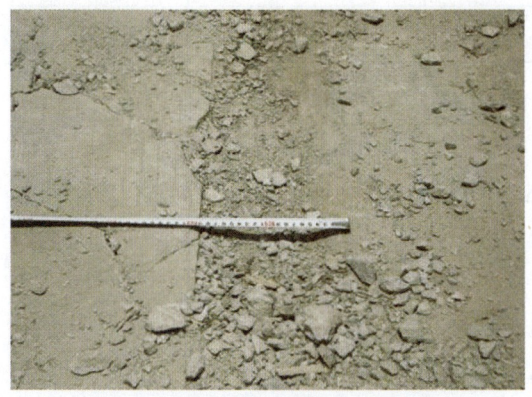

图4-148 1号墩顶附近桥面连续混凝土碎裂

Figure 4-148 The concrete of the surfacing near the continuity on the 1st pier cracked

图4-149 5号桥台上游侧伸缩缝宽度为48cm

Figure 4-149 The width of the expansion joint of the 5th abutment is 48 cm on the upstream side

4.12.4 下部结构震害 Damage to substructure

1）盖梁及台帽

映秀岷江大桥盖梁和台帽挡块损毁严重，在都江堰至汶川高速其他桥梁中较为少见的垫石震害，在本桥中也表现得相当突出，其中0号台、1号墩、3号墩、4号墩、5号台均有垫石损毁现象（图4-144～图4-147）。由于主梁整体向下游侧发生了较为明显的横向移位，因此各墩台下游侧挡块均严重开裂，已基本失效（图4-150、图4-151）。需补充的是，调查表明，所有盖梁均未出现影响承载的结构性震害。盖梁挡块（含台帽挡块）破坏统计见表4-31。

图4-150 2号墩上游侧挡块破损

Figure 4-150 The upsteam side's concrete displacement restricted block on 2nd pier was damaged

图4-151 下游侧所有挡块均破坏

Figure 4-151 All of the downsteam side's concrete displacement restricted blocks were damaged

表 4–31　盖梁挡块破坏统计表
Table 4–31　The seismic damage to concrete displacement restricted blocks on the pier heads

编　号	左侧挡块	右侧挡块	编　号	左侧挡块	右侧挡块
0号台帽	破碎	破碎	3号盖梁	开裂	—
1号盖梁	破碎	—	4号盖梁	开裂	—
2号盖梁	破损	—	5号台帽	开裂	破损

2）桥墩

桥墩的主要震害是桥墩倾斜，部分桥墩倾斜较大。现场测量表明多数桥墩均有一定倾斜，其中以2号墩倾斜最为严重，纵向倾斜达1.13%（上游墩柱）和2.61%（下游墩柱），横向倾斜为0.72%，均超出规范允许范围（表4–32）。由于桥墩倾斜，第2～5跨的跨径均有不同程度的改变，最大变化量达26.7cm。此外，1号墩被落石撞击，水面到水面以上1m的范围内被撞伤，混凝土表面形成凹坑（图4–152），表面混凝土被撞掉，2号墩也被落石撞击（图4–153）。映秀岷江大桥桥墩垂直度测量表见表4–33。

表 4–32　映秀岷江大桥跨径测量表
Table 4–32　The length of the span of the Mingjiang Bridge at Yingxiu

位置	上游侧观测跨径（m）	下游侧观测跨径（m）	轴线跨径（m）	设计跨径（m）	跨径差值（m）
第一跨	土石掩埋	土石掩埋	土石掩埋	25.00	—
第二跨	24.846	24.819	24.833	25.000	−0.167
第三跨	25.033	25.041	25.037	25.000	0.037
第四跨	24.866	24.823	24.844	25.000	−0.156
第五跨	27.341	26.124	26.733	27.000	−0.267

图4–152　1号墩表面混凝土形成凹坑1
Figure 4–152　The 1st pier's concrete was collided 1

图4–153　2号墩被巨石撞击
Figure 4–153　The 2nd pier was collided by huge stones

表 4-33　映秀岷江大桥桥墩垂直度测量表
Table 4-33　The inclination of the piers

位　置	横向倾斜度（%）	倾斜方向	纵向倾斜度（%）	倾向方向
1号上游	0.02	倾向左侧	0.05	倾向都江堰岸
1号下游	0.18	倾向右侧	0	—
2号上游	0.72	倾向左侧	1.13	倾向都江堰岸
2号下游	0.31	倾向左侧	2.61	倾向都江堰岸
3号上游	0.07	倾向右侧	0.39	倾向映秀岸
3号下游	0.14	倾向右侧	0.41	倾向映秀岸
4号上游	0.27	倾向右侧	0.34	倾向映秀岸
4号下游	0.03	倾向右侧	0.78	倾向映秀岸

注：路线左右侧是相对从都江堰至卧龙的前进方向，路线左侧为下游侧，右侧为上游侧。

3）桥台

都江堰岸桥台处桥头被山体滑坡覆盖，桥头堆积大量石块（图 4-154）；卧龙侧桥台基础有明显下沉，导致路面下沉 30cm，桥台挑檐混凝土破损、剥落，露出钢筋（图 4-155）。

图 4-154　都江堰岸桥台被落石覆盖
Figure 4-154　The abutment on the Dujiangyan side was covered by falling stones

图 4-155　卧龙侧台帽混凝土剥落，漏筋
Figure 4-155　The concrete of the Wolong side's abutment was damaged and the steel bars exposed

4.12.5　震害简析 Analysis of damage mechanism

该桥震害的主要特征是主梁出现大幅的横桥向和纵桥向位移。挡块震害、垫石震害、桥墩的顺桥向倾斜是由主梁位移带来的震害现象。

主梁顺桥向位移的特点是，各跨均向都江堰方向（顺下坡方向）移动，且位移量达 20cm 以上。由此可看出，在顺桥向地震动作用下，坡桥有向顺坡方向发生位移的趋势。其原因在于，虽然地震动为往复运动，主梁向两端运动均是可能的，但对于坡桥，由于下坡方向是使主梁的重力势能减小的方向，因此主梁存在向下坡方向移动的趋势。

主梁横桥向位移的特点是，方向均向下游侧（路线左侧），位移量大，并导致第一跨边梁横向落梁，主梁的转动明显，斜桥横向位移的特点较为突出。上述特点与桥位走向及位置有较大关系，本桥距映秀至汶川主断裂仅 300m 左右，桥梁走向与断裂走向基本平行，是较为典型的近断层桥梁。由于近断层地震以短持时高能量脉冲运动为特征，这种脉冲型运动主要沿地震断层的垂直方向传播（对于本桥为横桥向），有强方向性效应。强大的近场地震作用是该桥主梁出现了较大横桥向位移的主要原因。

由于所有桥墩的顺桥向倾斜方向均与主梁位移方向一致，可大致判断，桥墩的顺桥向倾斜主要因大幅的顺桥向移位所致。但桥墩的横桥向倾斜并非主梁移位所致，首先桥墩的倾斜方向并不一致，有的向上游，有的向下游，与主梁的移位方向并不一定相同，且对于倾斜最大的桥墩（2号墩）处可见巨石，因此，该墩的横桥向倾斜疑为巨石撞击所致。

结合映秀顺河桥全桥损毁的情况，该桥的震害启示是，对于简支体系桥梁，只要断层不直接穿过桥位，即使距断层很近，全桥损毁仍是可以避免的。

第 5 章　国道 213 线映秀至汶川段公路
Chapter 5　The 213 National Highway from Yingxiu to Wenchuan

5.1　公路及桥梁概况 Outline of route and bridges

国道 213 线映秀至汶川段公路是指 2007 年竣工的新建二级公路，该公路主要沿岷江左岸展布，原公路仍保留使用，因此震前映秀至汶川有两条公路，均沿岷江河谷两岸布设。它们是进出阿坝藏族羌族自治州的生命通道。震后 3 个多月，利用新老国道 213 线的合成，抢通了一条映秀至汶川的生命线通道。本章仅分析新建国道 213 线的桥梁震害。

该段公路均位于龙门山中央断裂带上盘，并跨越龙门山后山断裂带，属剥蚀—侵蚀中高山深切河谷地貌。山体由坚硬岩浆岩、沉积变质岩系组成，山顶海拔一般为 2 600~3 800m，山势陡峻，多基岩裸露，谷坡陡峻，断崖层出，植被较少，高陡边坡发育；岷江河谷深切，峡谷深邃。国道 213 线映秀至汶川段公路为二级公路，设计速度 40km/h，路基宽度 8.5m，公路全长 56.2km，震前抗震设防烈度为Ⅶ度[1]，而在汶川地震中，该段路实际烈度为Ⅸ~Ⅺ度[3]。

本段公路以映秀镇为起点，以映秀镇至汶川县方向为正方向对各桥进行编号。线路区域位置图见图 5-1。

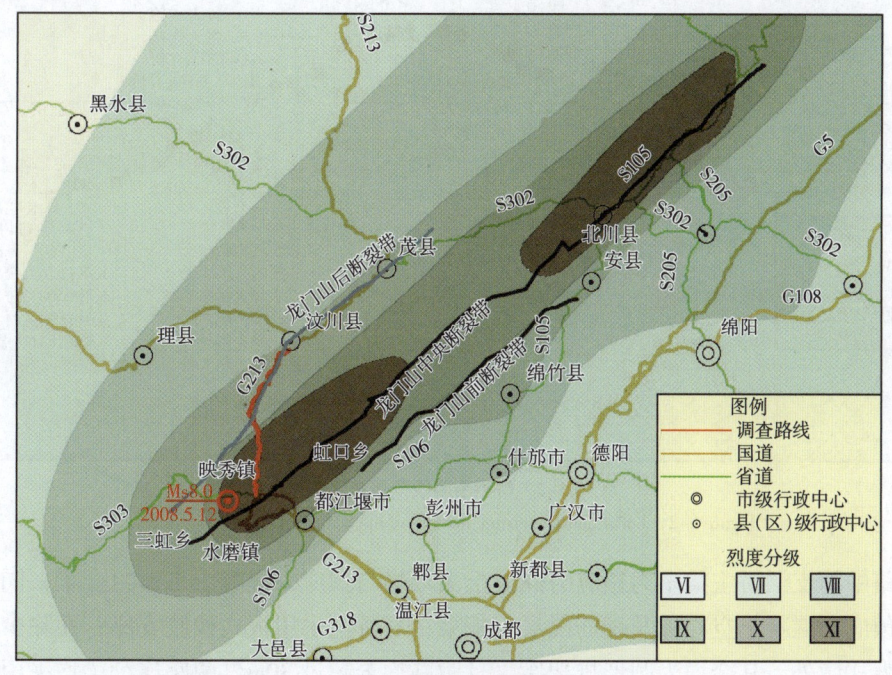

图 5-1　线路区域位置图
Figure 5-1　Location of roads in seismic areas

该段公路共有桥梁 55 座，其中位于实际地震烈度为Ⅺ度区域的桥梁共计 16 座，位于Ⅹ度区域的桥梁 7 座，位于Ⅸ度区域的桥梁 32 座，均为中小跨径梁式体系桥梁。其中简支梁桥 53 座，共计 265 跨，均采用结构简支，桥面连续；连续梁桥 2 座，共 24 跨。在 53 座简支梁桥中，32 座为斜交桥，斜交简支梁桥多是本段公路桥梁最为显著的特点。

线路中各类桥型数量统计参见表 5-1，桥梁地理位置及震害等级见图 5-2，各桥梁基本信息及震害情况参见附表 C-3。

表 5-1 国道 213 线映秀至汶川段桥梁桥型及规模统计表
Table 5-1 The type and size of the bridges on 213 National Highway from Yingxiu to Wenchuan

桥梁类型	桥梁规模	大桥（座）	中桥（座）	小桥（座）	合计（座）
简支梁桥	正交	8	9	4	21
	斜交	28	3	1	32
连续梁桥		2	0	0	2
合计		38	12	5	55

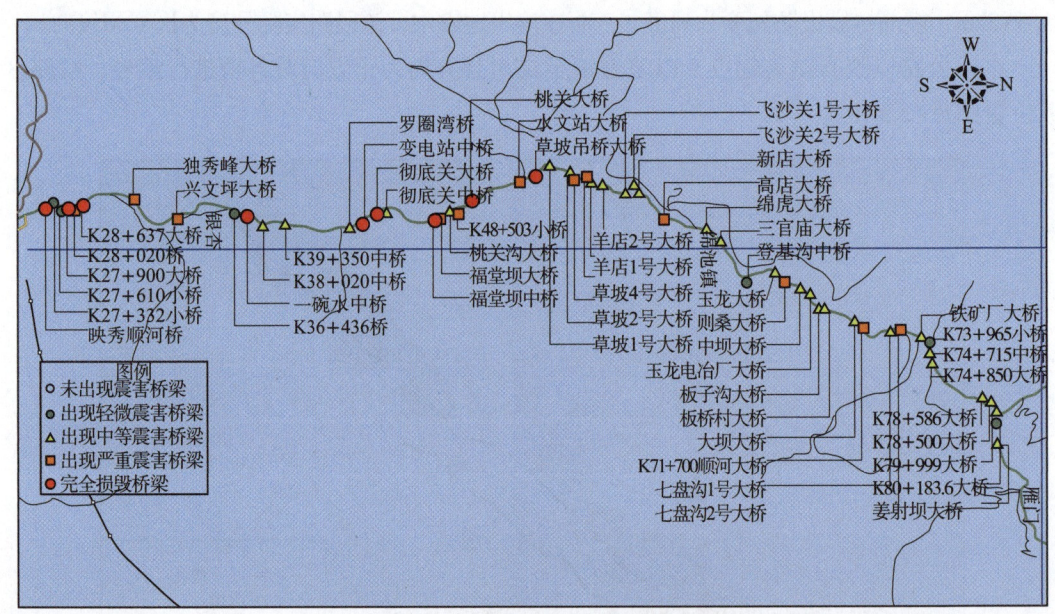

图 5-2 桥梁沿路线分布及震害
Figure 5-2 Location and seismic damage of the bridges along the highway

线路中简支梁桥主梁多为预应力混凝土 T 形梁与预应力混凝土工形组合梁，同时也存在少量预应力混凝土空心板及钢筋混凝土板梁；全桥均采用板式橡胶支座；而除少量桥梁采用重力式墩外，其余均为圆形排架墩，且墩高均未超过 30m。两座连续梁均采用现浇预应力箱梁，桥墩采用圆形独柱墩。

5.2 震害概要 Outline of damage

该段公路靠近发震断裂带，且所有桥梁均位于实际烈度Ⅸ～Ⅺ度区内，桥梁破坏严重。该段公路桥梁震害的一个突出特点是次生地质灾害对桥梁造成破坏巨大，如K26+772.4顺河桥被崩塌山体砸毁并掩埋（图5-3）。该路段桥梁震害另一显著特征是斜交桥桥梁的平面转动，且按增大斜交角度的趋势发生转动（图5-4）。

图5-3 桥跨被崩塌山体砸毁并掩埋顺河桥
Figuer 5-3 The Shunhe Bridge was damaged and buried by the slide soil

图5-4 斜交桥梁体移位
Figure 5-4 The beams of the bridge which was skew moved

该路段中如K26+772.4顺河桥、碗水中桥、彻底关大桥等9座桥梁完全损毁（D级震害），还有福堂坝大桥、草坡3号大桥、高店大桥等12座桥梁严重破坏（C级震害），震害情况较为典型的桥梁将在本节后进行详细介绍。

5.2.1 桥梁整体震害情况 Information on seismic bridge damage from investigated area

该段公路55座桥梁均出现了不同程度的震害：全桥失效（D级震害）的桥梁共计9座，占其总数的16.4%；出现严重破坏（C级震害）的桥梁共计12座，占其总数的21.8%；中等破坏（B级震害）的桥梁共计28座，占其总数的50.9%；轻微破坏（A级震害）的桥梁为6座，占其总数的10.9%。具体的桥梁震害比例如图5-5所示。

在55座桥梁中，其次生地质灾害导致的桥梁破坏的，共计14座，占总数的25.5%（图5-6）；而受直接震害的桥梁中并未出现全桥损毁的桥梁。全桥损毁（D级震害）的9座桥梁，均由次生地质灾害导致，占失效桥梁总数的

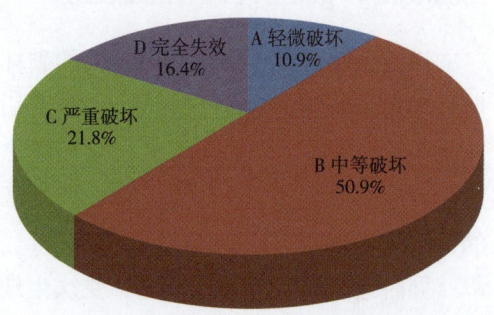

图5-5 桥梁震害情况饼图
Figure 5-5 Proportional extent of bridge damage

100%；出现严重破坏（C级震害）的桥梁共计12座，有3座因次生地质灾害所致，占严重破坏桥梁总数的25.0%；道路中各烈度区域内桥梁不同致灾机理破坏详情见表5-2，全线桥梁不同致灾机理统计分析见图5-7。

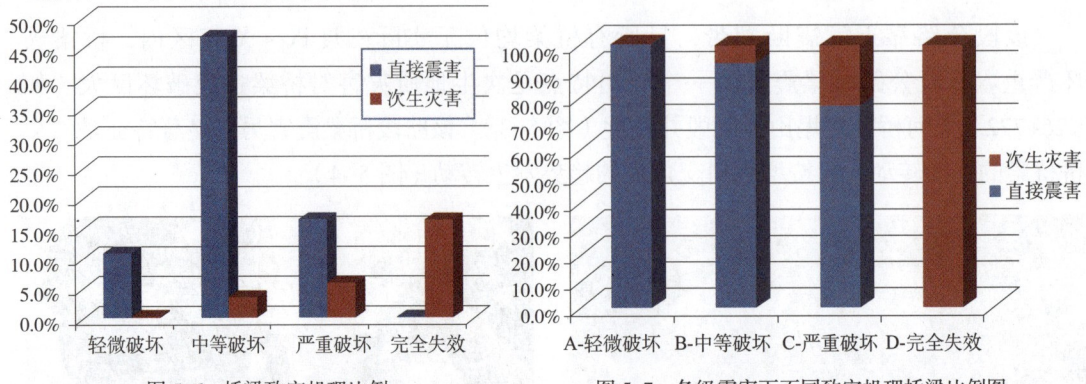

图5-6 桥梁致灾机理比例 图5-7 各级震害下不同致灾机理桥梁比例图
Figure 5-6　Proportion of bridge damage for different hazard mechanisms　　Figure 5-7　Proportion of bridge damages for different hazard mechanisms

表5-2 各烈度区域内不同致灾机理桥梁破坏等级统计
Table 5-2　The levels of the damage to bridges caused by different disaster in different intensity area

烈度区域	震害等级	A-轻微破坏（座）	B-中等破坏（座）	C-严重破坏（座）	D-完全失效（座）	合计（座）
直接震害	Ⅸ度区	3	21	5	0	29
	Ⅹ、Ⅺ度区	3	5	4	0	12
	小计	6	26	9	0	41
次生震害	Ⅸ度区	0	2	1	0	3
	Ⅹ、Ⅺ度区	0	0	2	9	11
	小计	0	2	3	9	14
合计		6	28	12	9	55

5.2.2 次生地质灾害致灾桥梁震害 Seismic bridge damage caused by secondary geological disasters

该段公路次生地质灾害对桥梁的破坏严重，这与该段公路位于上盘，紧邻断裂带，地震烈度高及特殊的地形、地质条件有密切关系。发生次生地质灾害破坏桥梁地理位置图见图5-8。从受次生地质灾害的桥梁破坏率可以看出：在Ⅹ、Ⅺ度区受灾影响较大，9座全桥失效的桥梁均位于此区域，而在Ⅸ度区受次灾的影响则要小得多，这一点与受直接震害的桥梁区域震害类似。

同时通过图5-8可以看出，受次生地质灾害严重的桥梁主要集中在中央断裂带（发震断裂带）与后山断裂带之间。

本段公路与都江堰至映秀高速公路的设计时间是同步进行，2003~2004年设计，两段公路设计地震烈度均为Ⅶ度[1]，且路线走向均为由发震断层起并远离断层的方向。对比两条公路的破坏情况可以看出，位于上盘的国道213线映秀至汶川二级公路，受次生地质灾害远比都江堰至映秀高速公路严重。这与汶川地震的上下盘效应，及上下盘不同地形及地质条件有密切的关系。

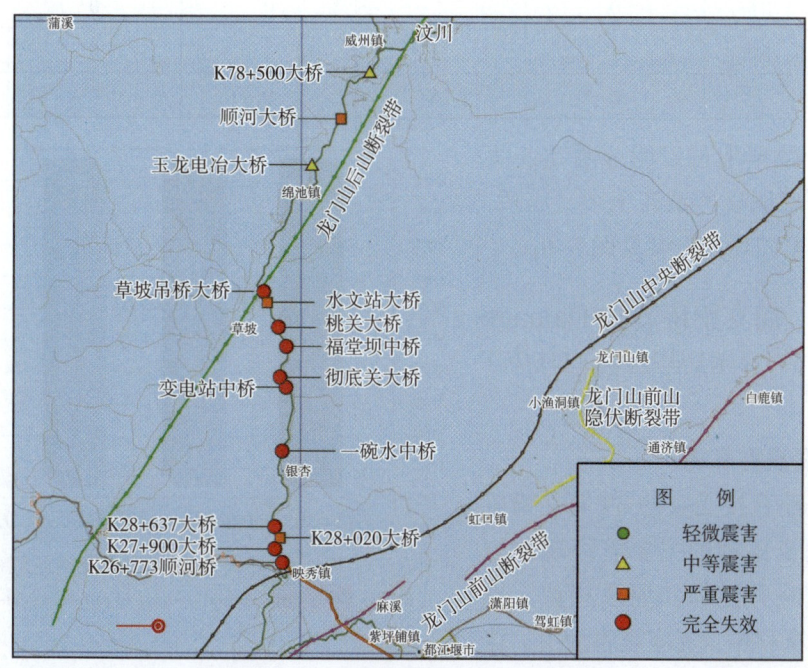

图 5-8　次生地质灾害破坏桥梁地理位置图
Figure 5-8　Location and extent of the bridges damaged by secondary geological disasters

对于所有桥梁，其受到次生地质灾害破坏的严重程度仅与桥址区次灾本身的严重程度有关，而与桥型、桥梁规模、抗震设防烈度等无明显的关系。故在本章后续的统计中，如无特殊说明，仅针对受直接震害的41座桥梁进行。

5.2.3 桥梁规模震害情况统计 Statistics of seismic damage to different scaled bridges

在未受次生地质灾害影响的41座桥梁中，共有大桥29座，其中两座连续梁桥均为大桥。此外还有中桥7座，小桥5座。不同规模桥梁震害情况参见表5-3。

表 5-3　不同规模桥梁破坏情况统计表
Table 5-3　Levels of damage to different scaled bridges

桥梁规模	震害等级	A- 无破坏或轻微破坏（座）	B- 中等破坏（座）	C- 严重破坏（座）	D- 完全失效（座）	合计（座）
Ⅸ度区	大桥	0	20	5	0	25
	中桥	3	0	0	0	3
	小桥	0	1	0	0	1

续上表

桥梁规模	震害等级	A- 无破坏或轻微破坏（座）	B- 中等破坏（座）	C- 严重破坏（座）	D- 完全失效（座）	合计（座）
X、XI度区	大桥	0	1	3	0	4
	中桥	0	4	0	0	4
	小桥	3	0	1	0	4
合计		6	26	9	0	41

从统计数据中可以明显看出，大桥的震害情况明显严重高于中、小桥。不同规模桥梁破坏比例参见图5-9。

5.2.4 简支梁桥震害 Damage to simply supported girder bridge

1）主要震害表现

该段公路直接受灾的39简支梁桥中，正交简支梁桥的主要震害现象与国道213线映秀至都江堰段相似，也表现为以主梁移位、支座震害为主，伴

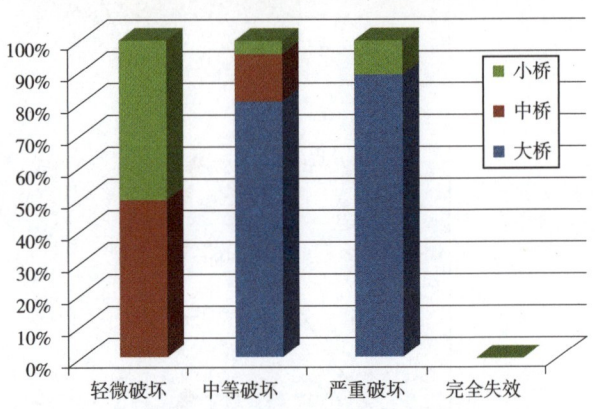

图5-9 不同规模桥梁破坏比例直方图
Figure 5-9 Proportional damage of different scaled bridges

随着桥墩挡块破坏。但斜交简支梁桥除以上震害外，其主梁还呈现出平面转动的震害现象。

2）震害统计

该段公路直接受灾的在39座简支梁桥中，有斜交桥25座。调查结果发现：斜交简支梁桥在地震中主梁除易发生纵、横桥向移位以外，较正交桥梁还更易出现梁体平面转动的现象，使得其边梁存在较正交桥梁更大的落梁风险。本段公路中受到直接震害的39座简支梁桥的破坏情况见表5-4。通过表中可以看出，斜交简支梁的破坏较直线桥严重。

表5-4 桥梁正交（斜交）桥破坏情况统计表
Table 5-4 Damage to square bridges and skew bridges

桥梁类型	震害等级	轻微破坏（座）	中等破坏（座）	严重破坏（座）	完全失效（座）	合计（座）
IX度区	简支梁（正交）	2	6	0	0	8
	简支梁（斜交）	1	13	5	0	19
X、XI度区	简支梁（正交）	3	3	0	0	6
	简支梁（斜交）	0	2	4	0	6
合计		6	24	9	0	39

3）主梁

地震中简支梁桥主梁构件均未见开裂等影响梁体承载能力的损坏，保持良好的整体性，故在统计中并不对不同类型主梁进行区分。在全部163跨简支梁体中40跨发生B_C级

破坏,占总数的 24.6%;103 跨梁体发生 B_B 级破坏,占总数的 63.2%;未发生落梁等极端情况。综合而言,在本段公路中,87.7% 的主梁出现移位等破坏。此外,斜交简支梁桥主梁梁体更容易发生主梁移位(表 5-5),这一点也与桥型震损情况统计结果相符合。

表 5-5 正交(斜交)桥梁体移位情况统计表
Table 5-5 The displacement of girders of simple supported bridges

桥梁类型	震害等级	未移位(跨)	中等移位(跨)	严重移位(跨)	完全失效(跨)	合计(跨)
Ⅸ度区	正交	9	36	3	0	48
	斜交	6	58	21	0	85
Ⅹ、Ⅺ度区	正交	4	2	0	0	6
	斜交	1	7	16	0	24
合计		20	103	40	0	163

本段公路中,有正交桥梁 14 座,共计 54 跨;斜交桥梁 25 座,共计 109 跨。线路中各类简支梁桥主梁移位情况参见表 5-6。

表 5-6 39 座直接震害的桥梁体移位情况简表
Table 5-6 The displacement of the girders

序号	桥名	桥址烈度	几何形式	跨数	主梁移位情况(跨)			
					B_D-主梁失效	B_C-严重移位	B_B-一般移位	B_A-未见移位
1	K27+332 小桥	Ⅺ	正交	1	0	0	0	1
2	K27+610	Ⅺ	正交	1	0	0	0	1
3	独秀峰大桥	Ⅺ	斜交	6	0	3	3	0
4	兴文坪大桥	Ⅺ	斜交	5	0	5	0	0
5	K36+436 桥	Ⅺ	正交	1	0	0	0	1
6	K38+020 桥	Ⅺ	正交	1	0	0	1	0
7	K39+350 桥	Ⅺ	正交	1	0	0	1	0
8	罗圈湾桥	Ⅺ	斜交	1	0	0	1	0
9	彻底关中桥	Ⅺ	正交	1	0	0	0	1
10	福堂坝大桥	Ⅹ	斜交	1	0	0	0	1
11	桃关沟大桥	Ⅹ	斜交	6	0	3	3	0
12	K48+503 小桥	Ⅹ	斜交	5	0	5	0	0
13	草坡 1 号大桥	Ⅸ	正交	1	0	0	0	1
14	草坡 2 号大桥	Ⅸ	斜交	1	0	0	1	0
15	草坡 3 号大桥	Ⅸ	斜交	1	0	0	0	1
16	草坡 4 号大桥	Ⅸ	斜交	1	0	0	1	0
17	羊店 1 号大桥	Ⅸ	斜交	1	0	0	0	1
18	羊店 2 号大桥	Ⅸ	斜交	4	0	4	0	0
19	飞沙关 1 号大桥	Ⅸ	正交	4	0	0	4	0

续上表

序号	桥　名	桥址烈度	几何形式	跨数	主梁移位情况（跨）			
					B_D-主梁失效	B_C-严重移位	B_B-一般移位	B_A-未见移位
20	飞沙关2号大桥	Ⅸ	斜交	1	0	1	0	0
21	新店大桥	Ⅸ	斜交	5	0	0	5	0
22	高店大桥	Ⅸ	斜交	6	0	0	6	0
23	绵虒大桥	Ⅸ	斜交	7	0	0	7	0
24	三官庙大桥	Ⅸ	斜交	6	0	6	0	0
25	登基沟桥	Ⅸ	斜交	6	0	0	6	0
26	玉龙大桥	Ⅸ	斜交	6	0	0	6	0
27	则桑大桥	Ⅸ	斜交	8	0	0	8	0
28	中坝大桥	Ⅸ	斜交	6	0	1	5	0
29	玉龙电冶厂大桥	Ⅸ	正交	6	0	0	6	0
30	板桥村大桥	Ⅸ	斜交	7	0	3	4	0
31	大坝大桥	Ⅸ	斜交	5	0	5	0	0
32	七盘沟1号大桥	Ⅸ	斜交	7	0	1	3	3
33	七盘沟2号大桥	Ⅸ	斜交	2	0	0	0	2
34	铁矿厂大桥	Ⅸ	正交	8	0	0	4	4
35	K73+965桥	Ⅸ	正交	11	0	0	8	3
36	K74+715桥	Ⅸ	斜交	5	0	0	5	0
37	K74+850大桥	Ⅸ	正交	5	0	0	5	0
38	K78+500大桥	Ⅸ	正交	6	0	0	6	0
39	K80+183.6桥	Ⅸ	正交	7	0	0	3	4
合计				163	0	40	103	20

调查结果表明：本路段中所有斜交桥，在梁体发生移位时，均存在明显的绕锐角方向转动的趋势（图5-10）。

4）桥墩

直接震害的39座简支桥梁中，共使用圆形排架墩205个，重力式墩5个，且墩高均不超过30m。所有桥墩均未出现明显的开裂、折断、剪切破坏等震害。但值得一提的是，在两跨被崩塌体掩埋的K26+772.4顺河桥有两个圆形排架墩墩顶出现剪切破坏，如图5-11所示。

5）支座与挡块

直接震害的39座简支梁桥中，共使用支座372组，均为板式橡胶支座。在地震中共有275组支座受损，破坏率为73.9%。其中位于Ⅹ度及以上区域内的桥梁共设置支座54组，其中破坏支座33组，破坏率为61.1%；而位于Ⅸ度区的桥梁共布置支座318组，其中破坏支座242组，破坏率为76.1%。

第 5 章　国道 213 线映秀至汶川段公路

图 5-10　独秀峰桥发生平面转动
Figure 5-10　The beams of the Duxiufeng Bridge rotated in plane

图 5-11　K26+772.4 顺河桥桥墩剪切破坏
Figure 5-11　The piers of the Shunhe Bridge at K26+772.4 broke by sheer force

所有桥梁均设置钢筋混凝土挡块。在 39 座简支梁桥中，共设置挡块 221 组，其中破坏挡块 96 组，破坏率为 43.4%。位于 X 度及以上区域内的桥梁共设置挡块 40 组，其中破坏挡块 18 组，破坏率为 45%；而位于 Ⅸ 度区的桥梁共设置挡块 183 组，其中破坏挡块 78 组，破坏为 42.6%。

5.2.5　本段公路桥梁震害特点 The characteristics of bridge damage

正交简支梁桥、连续梁桥的震害特点与其他线路相似，不再赘述。通过震害统计分析及典型震害的调查，该段公路桥梁震害情况有如下特点。

1）桥梁受次生地质灾害破坏巨大

本段公路位于龙门山中央断裂带上盘。桥梁受砸毁、掩埋等次生地质灾害的影响十分严重。其中 25.5% 的桥梁受地震所引发的地质灾害影响，造成了极为严重的破坏。9 座完全失效（D 级震害）的桥梁均为次生地质灾害造成。次生地质灾害造成如此严重的破坏是以往地震从未出现过的。

值得注意的是，与该段公路同走向但位于发震断裂带下盘的国道 213 线都江堰至映秀段公路受次生地震地质灾害影响较小，这与地震地质灾害分布具有典型的上、下盘效应有密切关系，也与线路地形和地质情况有密切关系。

2）桥梁破坏率与桥梁规模关系密切

通过对比该段公路中地震烈度为 Ⅸ 度区及以上区域内受直接震害的桥梁总体破坏率与构件破坏率可以看出，在本段公路中，高烈度区域内的桥梁破坏率比较低烈度区域内的桥梁破坏率略低，究其原因是因为在高烈度区域内的桥梁规模较小，多为单跨中、小桥，而在较低烈度区域内则多为 6 跨以上的大桥，较大的桥梁规模使得梁体所受到的约束减小，而较多的桥跨数也使得地震激励更加复杂，从而使得桥梁更易受到破坏。

3）斜交桥破坏较直线桥严重，且梁体在移位时伴随平面转动

通过桥型破坏率统计数据与主梁移位情况统计数据可以看出，斜交桥破坏较直线桥严重，且梁体在移位时伴随平面转动现象。斜交桥梁体的转动均存在明显的绕锐角方向转动的趋势。

这一点与其自身结构的受力特性有关。斜交桥的线质量分布不均匀，支承边锐角处与钝角处的支反力差异大，以钝角处的反力最大，锐角处的反力最小，当斜交角与宽跨比都比较大时，锐角处甚至可能出现负反力。而一般板式橡胶支座无抗拉能力，锐角处甚至可能向上翘起。在水平向地震作用下，钝角处的反力大，对应的支座摩擦力也大，而锐角处反力小甚至出现负反力，因此锐角向外平面转动是极可能发生的。

5.3 K26+772.4 顺河桥 Shunhe Bridge in K26+772.4

5.3.1 桥梁概况 Outline of the bridge

本桥是典型沿岷江河谷设置的傍山线顺河桥，为正交缓和曲线桥，位于半径 $R=357.7m$ 的圆曲线及缓和曲线上，桥位中心桩号为 K26+772.4。桥轴方向角为 NW35°，上部结构为 8×20m 空心板，桥面连续，共两联，0 号台、4 号墩、8 号台设伸缩缝；按《公路工程抗震设计规范》（JTJ 004-89）进行抗震设计，抗震设防烈度为Ⅶ度[1]，实际地震烈度为Ⅺ度[3]。桥距离发震断层约 0.1km。桥梁的主要设计参数如下：

- 上部结构：8×20m 空心板，桥面连续　　・支座：板式橡胶支座
- 桥墩：双柱式圆形墩，1~7 号墩墩高分别为 9.0m、8.2m、9.0m、10.0m、9.4m、8.0m、9.2m
- 桥台：重力式桥台　　・基础：钻孔桩基础
- 竣工时间：2007 年 11 月

桥位右侧为斜坡地貌，1~2 跨右侧紧靠山坡。靠近坡顶附近为块状结构花岗闪长岩陡坡，下部斜坡段多为崩坡积层覆盖。斜坡坡向 250°，最大斜坡高度约 300m。

5.3.2 桥梁震害概况 Outline of damage

K26+772.4 顺河桥除直接震害外，还有因严重的次生地质灾害导致的间接震害，主要震害包括：①桥位附近右侧山体垮塌，造成第一联桥第 1 跨与第 2 跨主梁被砸断并掩埋。第 7 跨与第 8 跨主梁边板、部分桥面与防撞护栏被砸坏；②第 2 联向左移位，特别是第 6 跨梁体向左相对移位 30cm；③部分桥墩发生剪切破坏；④桥墩挡块被砸坏或开裂。震后桥梁概貌如图 5-12 所示。

本桥被垮塌山体砸断并掩埋，丧失通行能力。震害等级为 D 级（完全失效）。灾后重建阶段将损毁的第 1、2 跨改为路堤，修补墩身环向裂缝，并用钢护筒加固剪切破坏的桥墩。

5.3.3 上部结构及支承震害 Damage to superstructure and supports

1）主梁及支承

梁体主要震害为第 1 跨与第 2 跨主梁被砸断并掩埋，如图 5-12 所示；第 4 跨右边板

局部被砸坏，如图5-13所示；第7跨与第8跨主梁边板被砸坏，如图5-14所示；其余梁体无明显损伤。此外，主梁存在平面移位，具体表现为曲线段梁体向曲线外侧移位，特别是第6跨梁体向左相对移位30cm。因梁体移位，6号墩上支座滑移。

图5-12 桥梁主要震害简图
Figure 5-12 The main seismic damage to the bridge

图5-13 第4跨右边局部被砸坏

Figure 5-13 The right side of the beams in the 4th span were damaged because of the collision of stones

图5-14 第7跨与第8跨主梁边板被砸坏

Figure 5-14 The side beam of the 7th and 8th span was damaged because of the collision of stone

2）桥面连续及伸缩缝

第5跨桥面连续处开裂，裂缝长5m，宽4cm，如图5-15所示；墩梁顺桥向相对位移导致8号台伸缩缝被抵拢。

5.3.4 下部结构震害 Damage to substructure

1）盖梁

地震中梁体与挡块相互撞击，1、2、3、6、7号墩盖梁左侧挡块破坏，如图5-12所示；3、4、5号墩盖梁右侧挡块破坏，如图5-16所示；部分挡块被砸坏，如图5-14所示。

图5-15 桥面开裂
Figure 5-15 Surfacing cracked

2）桥墩与桥台

2号墩右柱环向开裂，如图5-17所示；3号墩右柱环向开裂。3号墩左柱柱顶下20cm处发生剪切破坏，如图5-18所示；5号墩右柱发生剪切破坏，箍筋断裂，纵筋屈曲，如图5-19所示。查阅设计图纸可知，其墩柱未设置箍筋加密区，整个墩柱配置直径8mm（Ⅰ级钢），间距20cm的螺旋箍筋，其体积配箍率为0.064%。0号桥台被掩埋，如图5-12所示。其余桥墩与桥台未见明显震害。

图 5-16　挡块破坏
Figure 5-16　The concrete displacement restriction was damaged

图 5-17　2号墩右柱环向开裂
Figure 5-17　The right column of the 2nd pier cracked circumferentially

图 5-18　3号墩左柱剪切破坏
Figure 5-18　Sheer failure occurred on the left column of the 3rd pier

图 5-19　5号墩右柱剪切破坏
Figure 5-19　Sheer failure occurred on the right column of the 5th pier

5.3.5　震害简析 Analysis on damage mechanism

K26+772.4顺河桥受地震引发的山体崩塌砸毁1~2跨桥梁。地震诱发斜坡中上部岩体失稳破坏，个别岩体抛射、顺坡坠落、滚动、弹跳，堆积于坡脚及斜坡上，失稳方量约5万m³，掩埋公路长90m，砸毁桥梁2跨。斜坡失稳区图片见图5-20，其失稳剖面见图5-21。斜坡震后继续发生崩塌时照片见图5-22。

图 5-20　斜坡上部失稳区
Figure 5-20　The upper slope is unstable

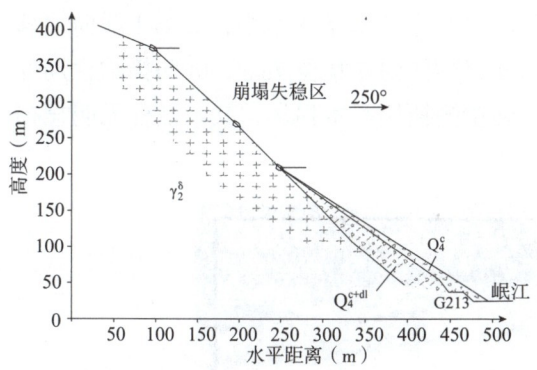

图 5-21 斜坡失稳剖面意图
Figure 5-21 A section of the unstable slope

图 5-22 斜坡震后继续发生崩塌时的照片
Figure 5-22 An image on the slope collapsing after the earthquake

大桥主梁在垮塌体的推动下，有使整个上部梁体有向左移动的趋势，同时桥位轴线与发震断层大致垂直，且离发震断层距离只有0.1km，大桥主震方向在横桥向。再次，桥墩墩顶未进行箍筋加密。在这些因素共同作用下，导致局部桥墩墩顶沿横桥向剪断。

从该桥的震害可以得到如下启示：①对于易于发生滑坡的坡脚位置，在进行桥位选择时，应进行合理的避让；②对于桥位附近边坡在地震动作用下的稳定性应给予足够的重视，加以防护；③桥墩墩顶应按能力保护构件进行设计。

5.4　K27+900 大桥 Bridge in K27+900

5.4.1　桥梁概况 Outline of bridge

K27+900 大桥是典型沿岷江设置的傍山线顺河桥，正交缓和曲线桥，位于 $R=274.4m$、$Ls=35m$ 及 $R=246.1m$、$Ls=45m$ 的两平曲线上，桥位中心桩号为 K27+900。其上部结构为 $7\times20m$ 空心板，桥面连续，共两联，0、4、7 台设伸缩缝；设防地震烈度为Ⅶ度[1]，按《公路工程抗震设计规范》（JTJ 004—89）进行抗震设防，实际地震烈度为Ⅺ度[3]。桥位距离发震断层约 2.4km。主要设计参数如下：

- 上部结构：$7\times20m$ 空心板，桥面连续　　·支座：板式橡胶支座
- 桥墩：双柱式圆形墩，1~6 号墩墩高分别为 1.63m、1.19m、1.63m、1.17m、1.62m、1.08m
- 桥台：重力式桥台　　　　　　　　　　　·基础：钻孔桩基础
- 竣工时间：2007 年 11 月

5.4.2　桥梁震害概况 Outline of damage

K27+900 顺河桥除直接震害外，还有因严重的次生地质灾害导致的间接震害。主要震

害包括：①第7跨梁体被砸断并掩埋，其左侧1、2号空心板落入水中；②第1联向左移位，特别是第1跨梁体向左相对移位12cm，第4跨梁体向左移位7cm；③防撞护栏局部遭撞击损伤；④下部结构主要震害为各桥墩盖梁左侧挡块基本损坏，其余墩柱无明显损伤。震后桥梁概貌如图5-23所示。

图 5-23　震后桥梁概貌
Figure 5-23　The bridge after the earthquake

垮塌山体砸断第7跨梁体，丧失通行能力。震害等级为D级（完全失效）。抢通阶段，直接将损毁的第7跨改为路堤。

5.5　独秀峰大桥 Duxiufeng Bridge

5.5.1　桥梁概况 Outline of the Bridge

独秀峰大桥跨越岷江，为斜交缓和曲线桥，桥位中心桩号为K31+846。第1联（前3跨）位于$R=200m$，$L_s=70m$的缓和曲线上，第2联位于直线段上。墩梁交角为47°。桥面宽度为8.5m，上部结构为6×30m预应力混凝土T梁，桥面连续，共两联，0号台、3号墩、6号台设伸缩缝；支座均为板式橡胶支座；桥墩为双柱式圆形排架墩，1~5号墩墩高分别为8.30m、11.49m、13.01m、14.29m、14.28m，基础为桩基础。0号台为轻型桥台，6号台为重力式桥台；桥型布置见图5-24，大桥于2007年11月竣工。

大桥位于发震断层上盘，距离发震断层约5.5km，桥轴方向角为NW10°，设计抗震设防烈度为Ⅶ度[1]，按《公路工程抗震设计规范》（JTJ 004—89）进行抗震设防，实际地震烈度为Ⅺ度[3]。

5.5.2　桥梁震害概况 Outline of damage

独秀峰大桥上部结构的主要震害为主梁纵横向移位及平面转动。梁端最大横向相对

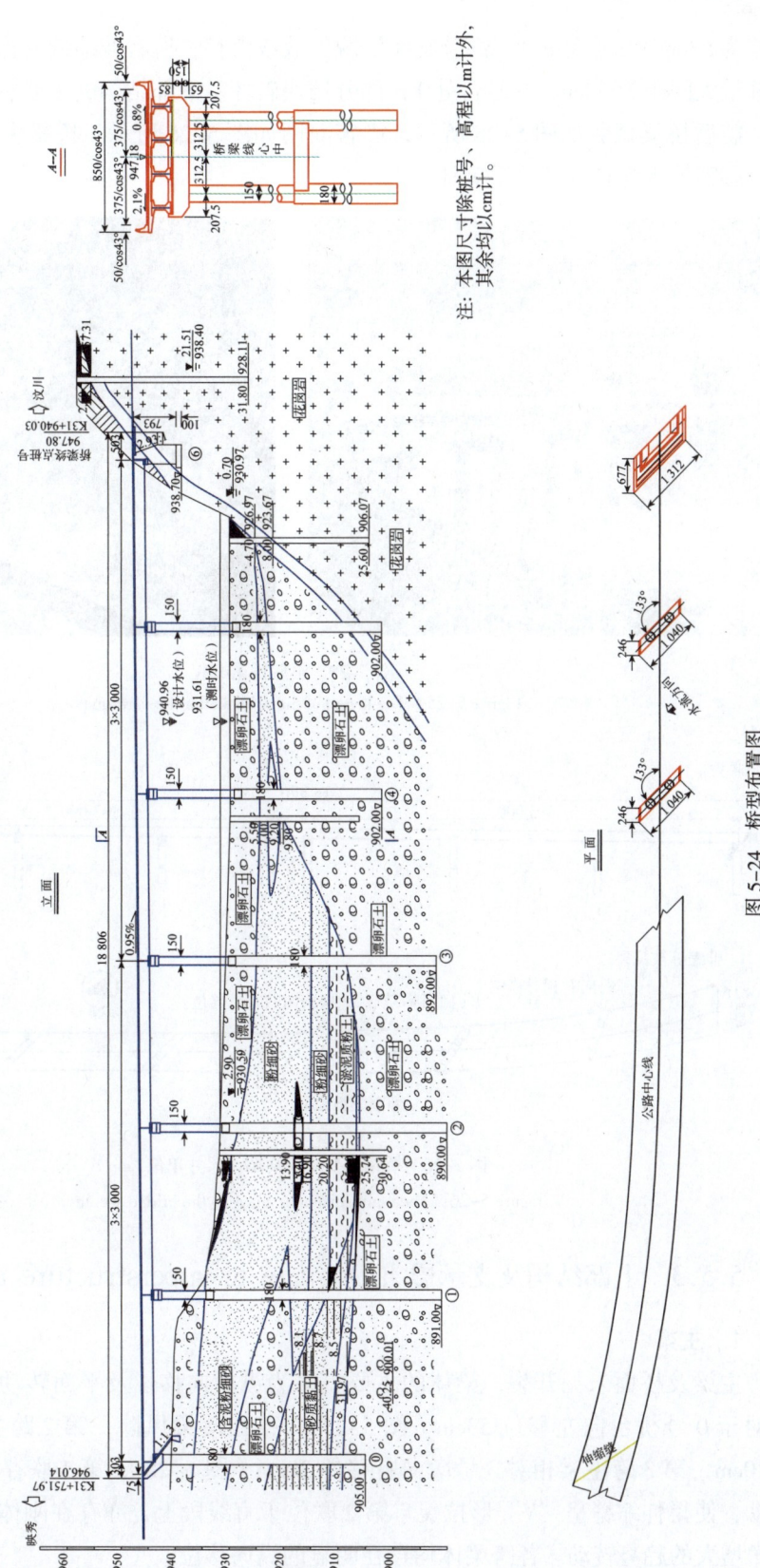

图 5-24 桥型布置图
Figure 5-24 The layout of the bridge

位移为53cm（0号台处）；部分支座滑脱失效或滑移；所有伸缩缝的橡胶被拉裂，震后伸缩缝最大间距为50cm（0号台处）；部分挡块破坏。下部结构的主要震害为6号台锥坡垮塌。震后桥梁概貌如图5-25所示，震害简图如图5-26所示。桥梁主要承重构件局部受损，震害等级为C级（严重破坏）。

图5-25　震后桥梁概貌

Figure 5-25　The layout of the bridge after the earthquake

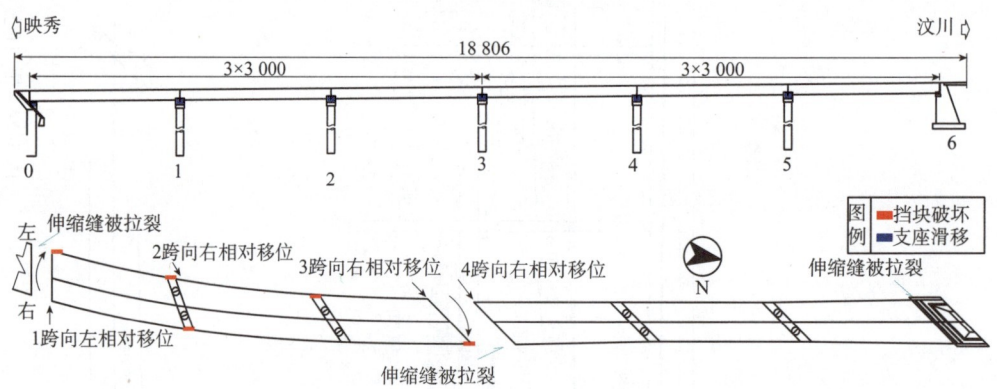

图5-26　桥梁主要震害简图（尺寸单位：cm）

Figure 5-26　The main seismic damage to the bridge（unit:cm）

5.5.3　上部结构及支承震害 Damage to superstructure and supports

1）主梁

主梁及桥面未见开裂，梁体的主要震害为纵横向移位及平面转动。第1跨主梁梁端相对于0号桥台向左移位53cm（图5-27），存在落梁风险，第2跨主梁向右相对移位8~10cm，第3跨主梁相对3号墩向右移位30cm（图5-28），第1联存在明显的刚体平面转动，使得伸缩缝呈"V"形拉裂。第2联位于直线段上，亦存在刚体转动。两联均按斜交角增大的趋势转动。各跨梁体均存在明显的纵向移位。

图 5-27　第 1 跨主梁相对 0 号台向左移位

Figure 5-27　The differential displacement between the girders and the abutment

图 5-28　第 3 跨主梁相对 3 号墩向右移位

Figure 5-28　The differential displacement between the girders and the 3rd pier

2）支座

地震中主梁相对于墩台的移位导致部分支座滑脱失效或滑移，具体表现为 0 号台处支座滑脱失效，如图 5-29 所示；1、2 号墩等处支座横向滑移，如图 5-30 所示。支座震害情况汇总见表 5-7。

图 5-29　0 号台处支座滑脱失效

Figure 5-29　The bearings on the abutment moved out of the bearing plinths

图 5-30　2 号墩处支座滑移

Figure 5-30　The bearing on the 2nd pier moved out of the plinth

表 5-7　支座震害情况汇总

Table 5-7　Seismic damage to the bearings

孔跨编号		支座破坏情况描述
第 1 跨	0 号桥台处	支座均滑脱失效
	1 号桥墩处	支座横向滑移 8~15cm
第 2 跨	1 号桥墩处	支座横向滑移 8~15cm
	2 号桥墩处	支座横向滑移 7cm

续上表

孔　跨　编　号		支座破坏情况描述
第3跨	2号桥墩处	支座横向滑移7cm
	3号桥墩处	支座滑脱失效
第4跨	3号桥墩处	—
	4号桥墩处	支座横向滑移3~5cm
第5跨	4号桥墩处	支座横向滑移3~5cm
	5号桥墩处	—
第6跨	5号桥墩处	—
	6号桥台处	—

3）伸缩缝

0号台、3号墩与6号台处伸缩缝被拉裂，拉裂后伸缩缝呈"V"形拉裂。震后伸缩缝最大间距分别为50cm、25cm、11cm，如图5-31、图5-32所示。

图 5-31　0号台处伸缩缝呈"V"形拉裂

Figure 5-31　The expansion joints on the abutment of the Yingxiu side was cracked widely like "V"

图 5-32　3号台处伸缩缝呈"V"形拉裂

Figure 5-32　The expansion joints on the 3rd abutment was cracked widely like "V"

5.5.4　下部结构震害 Damage to substructure

1）盖梁及台帽

盖梁梁体未见明显开裂现象，主要震害为0号台帽梁左侧挡块破坏，如图5-33所示；1号墩盖梁左右两侧挡块破坏，如图5-34所示；2号墩盖梁左侧挡块混凝土局部破损，3号墩盖梁右侧挡块破坏，边梁有落梁危险，如图5-35所示。

2）桥墩与桥台

墩柱未见明显震害；桥台主要震害为 6 号台锥坡垮塌，如图 5-36 所示。

图 5-33　0 号台左侧挡块破坏
Figure 5-33　The left concrete displacement restriction on the abutment was damaged

图 5-34　1 号墩左侧挡块破坏
Figure 5-34　The left concrete displacement restriction on the 1st pier was damaged

图 5-35　2 号墩与 3 号墩右侧挡块破坏
Figure 5-35　The right concrete restricted blocks on the 2nd and 3rd pier were damaged

图 5-36　6 号台右侧锥坡垮塌
Figure 5-36　The cone slop of the 6th abutment collapsed

5.6　兴文坪大桥 Xingwenping Bridge

5.6.1　桥梁概况 Outline of the Bridge

兴文坪大桥起点接皂角湾隧道出口，跨越岷江，桥位中心桩号为 K33+955.5。大桥为斜交直线桥，墩梁交角为 60°，全桥共 1 联，两岸桥台处设橡胶伸缩缝。大桥于 2007 年 11 月竣工。桥梁的主要设计参数如下：

- 上部结构：5×30m 简支 I 形组合梁，桥面连续；桥宽 8.5m
- 支座：板式橡胶支座
- 桥墩：双柱式圆形墩，1~4 号墩墩高分别为 13.9m、12.7m、4.9m、5.1m
- 桥台：重力式桥台　　　　　・基础：钻孔桩基础

大桥位于发震断层上盘，距离发震断层约 7.5km，桥轴方向角为 NE 5°，设计抗震设防烈度为Ⅶ度，按《公路工程抗震设计规范》（JTJ 004—89）进行抗震设防，实际地震烈度为Ⅺ度[3]。

5.6.2　桥梁震害概况 Outline of damage

本桥上部结构的主要震害为主梁纵横向移位及平面转动，主梁最大横向相对位移为 30cm（0 号台处）。部分支座滑移，伸缩缝的橡胶处被拉裂，挡块破坏。下部结构的主要震害为 5 号台右侧锥坡局部开裂。震后桥梁概貌如图 5-37 所示，桥跨布置及其主要震害简图如图 5-38 所示。

图 5-37　震后桥梁概貌

Figure 5-37　The layout of the bridge after the earthquake

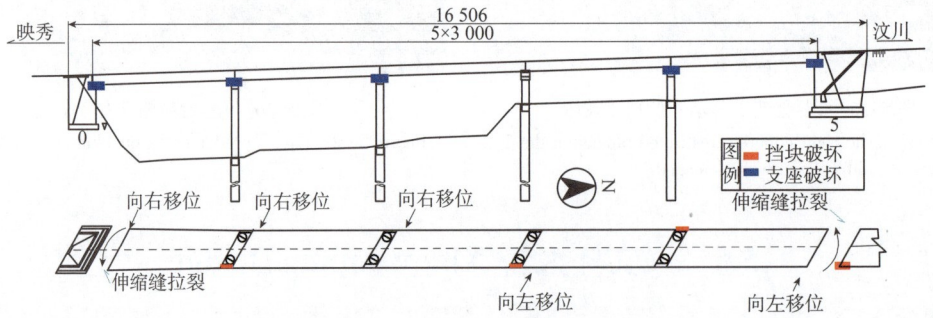

图 5-38　桥梁主要震害简图（尺寸单位：cm）

Figure 5-38　The seismic damage to the bridge（unit：cm）

虽然主梁发生移位及转动等破坏，但承载能力无明显损失，震害等级为 C 级（严重破坏）。

5.6.3 上部结构及支承震害 Damage to superstructure and supports

1）主梁

主梁及桥面未见开裂，梁体的主要震害为横向移位及平面转动。第1跨主梁梁端相对于桥台向右横向移位30cm（图5-39），第3跨主梁向右相对移位3~5cm，第5跨主梁向左相对移位33cm（图5-40），全桥存在明显的刚体平面转动，且亦按斜交角增大的趋势转动。各跨梁体均存在明显的纵向移位。

支座震害情况汇总如表5-8所示，典型支座震害如图5-41所示。

图5-39 第1跨主梁向右相对移位

Figure 5-39 Relative displacement between the first span's girders and the abutment

图5-40 第5跨主梁向左移位

Figure 5-40 The gider of the fifth span moved left wards

2）支座（表5-8）

表5-8 支座震害情况汇总
Table 5-8 Seismic damage to bearings

孔 跨 编 号		支座破坏情况描述
第1跨	0号桥台处	支座横向滑移15~20cm
	1号桥墩处	支座横向滑移3~6cm
第2跨	1号桥墩处	支座横向滑移3~6cm
	2号桥墩处	支座横向滑移3~5cm
第3跨	2号桥墩处	支座横向滑移3~5cm
	3号桥墩处	—
第4跨	3号桥墩处	—
	4号桥墩处	支座纵横向滑移
第5跨	4号桥墩处	支座总横向滑移
	5号桥台处	支座横向滑移16~22cm

3）伸缩缝

0号台与5号台处伸缩缝被拉裂，震后伸缩缝间距分别为12cm、18cm，如图5-42所示。

图 5-41　4 号墩处支座滑移
Figure 5-41　The bearing on the 4th pier has slid from the girder

图 5-42　5 号台处伸缩缝被拉裂
Figure 5-42　The expansion joints on the 5th abutment damaged

5.6.4　下部结构震害 Damage to substructure

墩柱未见明显震害。下部结构主要震害为 1 号墩盖梁右侧挡块破坏，如图 5-43 所示；3 号墩盖梁右侧挡块破坏，4 号墩盖梁左侧挡块破坏，如图 5-44 所示；5 号桥台右侧挡块混凝土局部破损。5 号桥台锥坡局部开裂。

图 5-43　1 号墩右侧挡块破坏
Figure 5-43　The right concrete displacement restriction on the 1st pier was damaged

图 5-44　4 号墩左侧挡块破坏
Figure 5-44　The left concrete displacement restriction on the 4th pier was damaged

5.7　一碗水中桥 Yiwanshui Bridge

5.7.1　桥梁概况 Outline of the bridge

一碗水中桥为沿岷江设置的傍山线桥梁，大桥右侧山体陡峻，坡体为块状结构闪长岩斜坡，坡面不平顺，有较多变坡点，斜坡坡向 285°，坡高 150m。桥梁中心桩号为 K37+080。直线正交桥，全桥共 1 联，桥面宽度为 8.5m，两岸桥台处设橡胶伸缩缝。上部结构为 8m+3×20m+16m 预应力空心板，桥面连续，支座为板式橡胶支座，桥墩为双柱式圆形排架墩。大桥于 2007 年 11 月竣工。

大桥位于发震断层上盘，距离发震断层约 10.7km，设计抗震设防烈度为Ⅶ度[1]，按《公路工程抗震设计规范》（JTJ 004—89）进行抗震设防，实际地震烈度为Ⅺ度[3]。

5.7.2 桥梁震害概况 Outline of damage

一碗水中桥受右侧山体崩塌等严重次生地质灾害而损毁（图 5-45），是傍山线桥梁受崩塌体砸毁的典型。第 1~4 跨梁体被砸垮塌，如图 5-46 所示；仅存的第 5 跨亦被山体掩埋，如图 5-47 所示。桥梁被砸毁，完全丧失通行能力，震害等级为 D 级（完全失效）。崩塌剖面示意图见图 5-48。

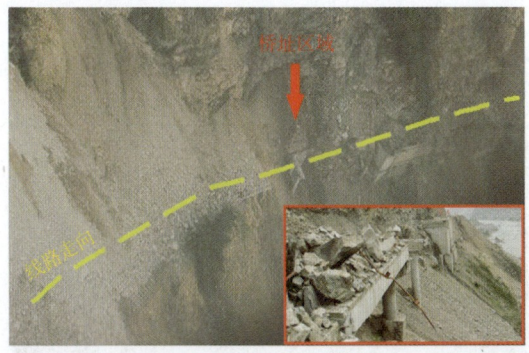

图 5-45 一碗水中桥附近斜坡崩塌

Figure 5-45 The slope on the right of the bridge collapsed

图 5-46 第 1~4 跨主梁被砸垮

Figure 5-46 The girders of the first four spans broke because of collision of stones

图 5-47 第 5 跨被掩埋

Figure 5-47 The 5th spans was buried by stone

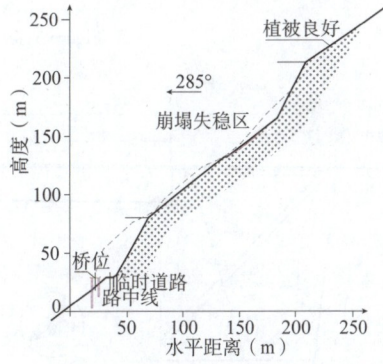

图 5-48 崩塌剖面示意图

Fig 5-48 The profile of landslide

5.8 罗圈湾中桥 Luoquanwan Bridge

5.8.1 桥梁概况 Outline of the bridge

罗圈湾中桥桥位中心桩号为 K42+430，为斜交直线桥（交角 60°），桥面宽度为 8.5m，桥长 50.0m，孔跨布置为 1×30m 简支 I 形组合梁，两岸桥台处设橡胶伸缩缝。桥台采用重力式桥台，扩大式基础，本桥于 2007 年 11 月竣工。

大桥距离发震断层约 15.6km，场地类别为 II 类场地，设防烈度为 VII 度[1]，按《公路工程抗震设计规范》（JTJ 004—89）进行抗震设防，实际地震烈度为 XI 度[3]。

5.8.2 桥梁震害概况 Outline of damage

桥梁上部结构的主要震害为主梁纵横向移位及平面转动，最大横向相对位移为 47cm（0 号台处）；支座滑脱失效；两道伸缩缝一端被挤拢，另一端橡胶被拉裂。下部结构的主要震害为 0 号台台帽左侧挡块破裂，1 号台左侧锥坡局部开裂。震后桥梁概貌如图 5-49 所示；桥跨布置及其主要震害如图 5-50 所示。

图 5-49　震后桥梁概貌
Figure 5-49　The bridge after the earthquake

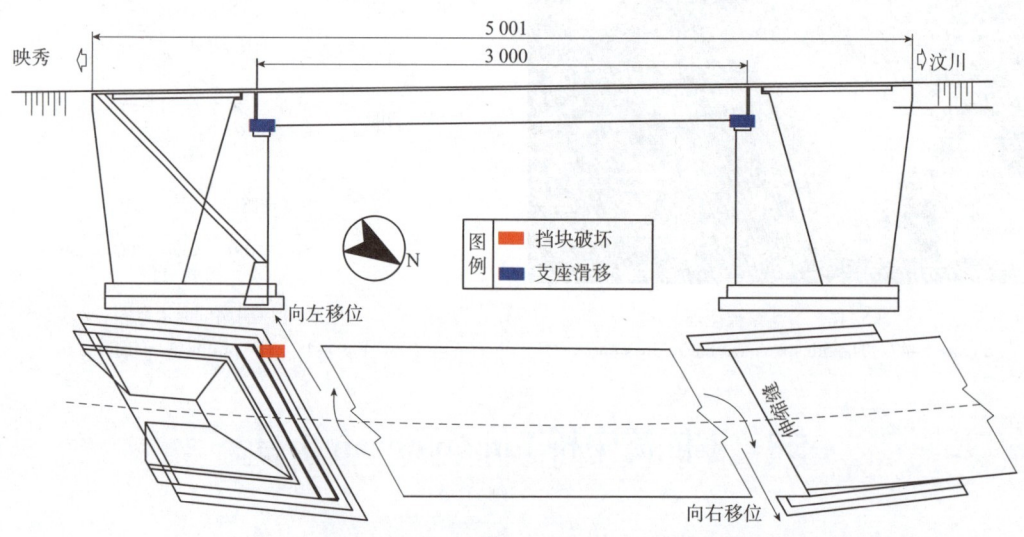

图 5-50　桥跨布置及主要震害简图（尺寸单位：cm）
Figure 5-50　The layout of the bridge and seismic damage（unit:cm）

罗圈湾中桥虽然主梁发生移位及转动，但承载能力无明显损失，震害等级为 B 级（中等破坏）。

5.8.3　上部结构及支承震害 Damage to superstructure and supports

1）主梁

主梁及桥面未见开裂，梁体的主要震害为纵横向移位及平面转动。梁端相对 0 号台向左移位 47cm（图 5-51），相对 1 号台向右移位 23cm（图 5-52）。两岸伸缩缝表现出"V"形拉开，表明梁体出现明显的刚体平面转动，且亦按斜交角增大的趋势转动。

图 5-51　梁端相对 0 号台向左移位及转动

Figure 5-51　The girder moved to the left and rotated relatively to the abutment

图 5-52　梁端相对 1 号台向右移位及转动

Figure 5-52　The girder moved to the right and rotated relatively to the 1st abutment

2）支座

两岸桥台支座从梁体滑脱失效，如图 5-53 所示。

3）伸缩缝

因梁体平面转动，0号台处伸缩缝右侧被挤拢，左侧拉裂，如图5-51所示；1号台处伸缩缝左侧被挤拢，右侧拉裂，如5-54所示。

图5-53　0号台处支座滑脱失效
Figure 5-53　The bearings on the abutment was damaged

图5-54　1号台处护栏撞击损伤
Figure 5-54　The concrete of the barrier on the 1st abutment was damaged

5.8.4　下部结构震害 Damage to substructure

0号台左侧挡块破裂，如图5-55所示；1号桥台左侧锥坡局部开裂，如图5-56所示。0号台、1号台台后填土沉降，路面局部下沉。

图5-55　0号台台帽左侧挡块破裂
Figure 5-55　The left concrete displacement restriction on the abutment was damaged

图5-56　1号台左侧锥坡局部开裂
Figure 5-56　The left cone slop of the 1st abutment cracked

5.9　变电站中桥 Biandianzhan Bridge

5.9.1　桥梁概况 Outline of the bridge

变电站中桥桥位中心桩号为K43+690，直线桥，桥面宽度为8.5m，桥长28.0m，孔跨布置为 1×20m 预应力空心板，两岸桥台处设橡胶伸缩缝。桥台采用重力式桥台，扩大式基础。大桥于 2007 年 11 月竣工。

大桥距离发震断层约 16.4km，场地类别为 Ⅱ 类场地，设防烈度为 Ⅶ 度[1]，按《公路工程抗震设计规范》（JTJ 004—89）进行抗震设防，实际地震烈度为 Ⅺ 度[3]。

5.9.2 桥梁震害概况 Outline of damage

该桥主要震害为梁体被滚石砸垮，如图 5-57 所示。完全丧失通行能力，震害等级为 D 级。

图 5-57 桥跨被砸垮

Figure 5-57 The bridge damaged because of the collision of stones

5.10 彻底关大桥 Chediguan Bridge

5.10.1 桥梁概况 Outline of the bridge

彻底关大桥为跨越岷江设置的大桥，桥位中心桩号为 K44+235。桥位轴线与岷江斜交 45°，大桥主要部分为直线斜交桥（墩梁交角 45°），单向 4% 纵坡。大桥于 2007 年 11 月竣工，桥型布置图如图 5-58 所示，主要设计参数如下：

- 平曲线：第 1 联位于 L_s=70m 缓和曲线上，直线，墩梁斜角 45°
- 上部结构：11×30m（简支 Ⅰ 形组合梁）+2×20m（简支空心板），桥面连续，共 4 联
- 桥墩构造：双柱式圆形墩，最高墩高 20.188m，最矮墩高 7.88m，其中 11 号桥墩由钢筋混凝土肋板式桥台改造而成
- 支座：板式橡胶支座　　·桥台：0 号为桩柱式桥台，13 号为重力式桥台
- 基础：钻孔灌注桩

大桥距离发震断层约 17.1km。桥轴方向角为 NW40°，场地类别为 Ⅱ 类场地，抗震设防烈度为 Ⅶ 度[1]，按《公路工程抗震设计规范》（JTJ 004—89）进行抗震设防，实际地震烈度为 Ⅺ 度[3]。

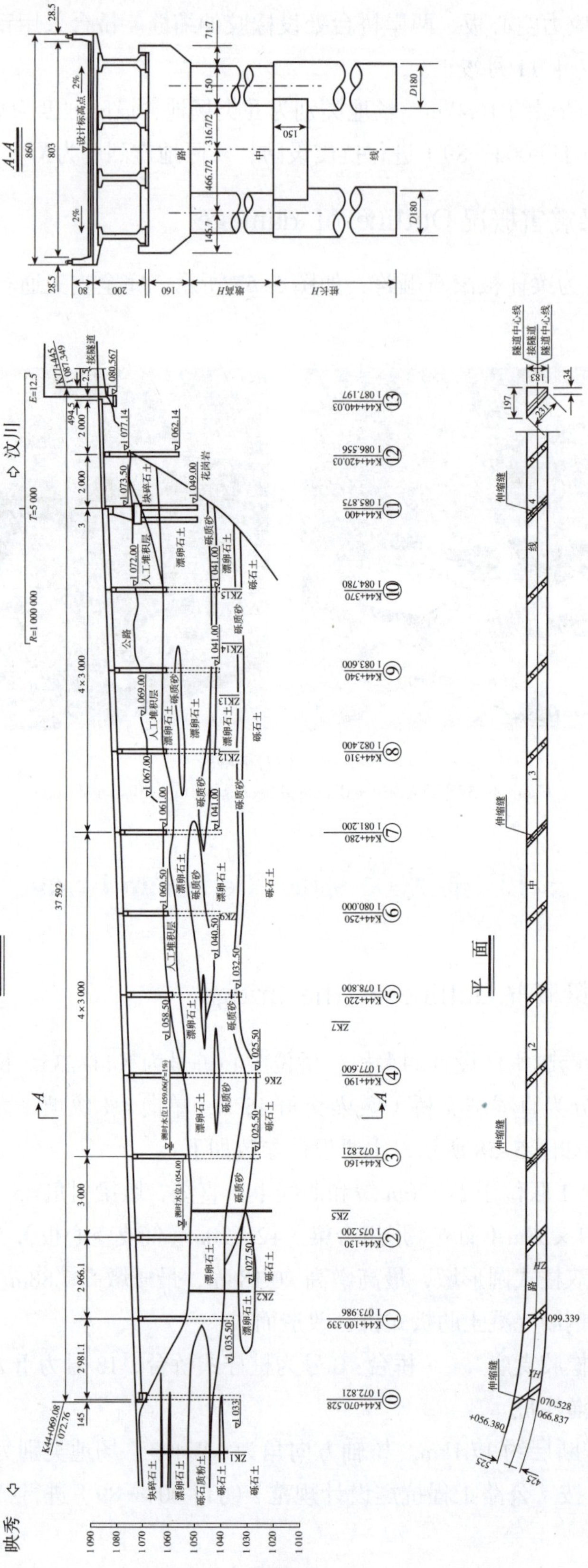

注：图中尺寸单位除高程以m计外，余均以cm计。

图 5-58 桥型布置图

Figure 5-58 The layout of the bridge

5.10.2 桥梁震害概况 Outline of damage

彻底关大桥受严重次生地质灾害而破坏。映秀岸山体崩塌砸毁整个第一联主梁（1~3跨）及1、2号桥墩；第13跨被垮塌山体掩埋；0号桥台被砸坏，13号桥台被滑坡体掩埋。震后桥梁概貌如图5-59所示。大桥残存的第4~13跨，主要体现为梁体纵横向移位及平面转动，部分支座破坏，桥墩挡块破坏，9号墩柱被砸坏。

彻底关大桥丧失通行能力，震害等级为D级（完全失效）。应急抢险阶段在原桥下游约200m处架设60m跨度加强型三排双层321战备钢桥。

图5-59 震后桥梁概貌
Figure 5-59 The bridge after the earthquake

5.10.3 上部结构及支承震害 Damage to superstructure and supports

1）主梁

梁体的主要震害为第1~3跨被崩塌的山体砸毁，如图5-59所示；连接彻底关隧道的第13跨被山体掩埋，如图5-60所示；其余梁体未见开裂，而存在明显纵横向移位及平面转动，如图5-61~图5-63所示。

图5-60 第13跨被崩塌的山体掩埋
Figure 5-60 The thirteenth span was buried stones

图5-61 梁体移位及转动
Figure 5-61 The girders moved and rotated in plane

2）支座

除垮塌的1~3跨梁体外，其余残存梁跨因梁体发生较大位移而导致支座剪切变形、滑移等震害，如图5-64所示。

3）伸缩缝

3号墩处伸缩缝破坏；7号墩处伸缩缝被挤拢，如图 5-62 所示；11号墩伸缩缝处橡胶被拉裂。

图 5-62　7号墩处主梁移位

Figure 5-62　The girders on the 7th pier moved

图 5-63　11号墩处主梁移位

Figure 5-63　The girders on the 11th pier moved

5.10.4　下部结构震害 Damage to substructure

1）盖梁

3号墩盖梁垫石、挡块破坏，如图 5-64 所示；7号墩盖梁右侧挡块破坏，如图 5-62 所示；8、9、10号墩盖梁左侧挡块破坏，如图 5-65 与图 5-66 所示；11号墩盖梁左右两侧挡块破坏，如图 5-63 与图 5-67 所示。

图 5-64　3号墩处支座破坏

Figure 5-64　The bearings on the 3rd pier were damaged

图 5-65　8、9号墩盖梁左侧挡块破坏

Figure 5-65　The left concrete displacement restrictions on the pier heads of the 8th and 9th pier were damaged

2）桥墩与桥台

垮塌的桥跨导致相应墩柱破坏；2号墩残柱见图 5-68，9、10号墩墩柱被砸坏，如图 5-69 和图 5-70 所示；其他墩柱无明显震害。0号桥台被砸坏，如图 5-71 所示；13号桥台

被滑坡体掩埋，如图 5-60 所示。

图 5-66　10 号墩盖梁左侧挡块破坏

Figure 5-66　The left concrete displacement restriction on the pier head of the 10th pier was damaged

图 5-67　11 号墩盖梁左侧破坏

Figure 5-67　The left side concrete of the pier head of th 11th pier was damaged

图 5-68　2 号墩残柱

Figure 5-68　The 2nd pier was damaged

图 5-69　9 号墩两墩柱被巨石砸坏

Figure 5-69　The two columns of the 9th pier were damaged because of the collision of huge stones

图 5-70　10 号墩被巨石砸坏

Figure 5-70　The 10th pier was damaged because of collision of huge stones

图 5-71　0 号桥台被砸坏

Figure 5-71　The abutment was damaged

5.10.5 震后处理方式 Treatment after the earthquake

临时抢通方案为在原桥下游约200m处架设60m跨度加强型三排双层321战备钢桥。60m跨径已创国内321战备钢桥最大跨径，采用推出法施工面临巨大挑战，加上临时钢桥束窄河道，带来水位上涨、流速加大、冲刷加剧等一系列问题。经克服种种困难，终于在2008年8月29日实现对社会车辆开放交通。图5-72为运送抢险人员、物资的简易缆索图，图5-73为搭设基本完成的321钢架图。

图 5-72　运送抢险人员、物资的简易缆索

Figure 5-72　The cable was used to convey succors and supplies

图 5-73　搭设基本完成的321钢架

Figure 5-73　The 321 steel truss bridge was built almost completely

5.11　福堂坝中桥 Futangba Bridge

5.11.1　桥梁概况 Outline of the bridge

福堂坝中桥为60°斜交直线桥，上部结构为2×20m预应力空心板，下部桥墩为双柱式圆形排架墩，重力式桥台，扩大基础。桥长49.03m，桥面总宽8.5m。本桥结构简支，桥面连续。桥位中心桩号为K47+315。大桥于2007年11月竣工。

大桥位于发震断层上盘，距离发震断层约19.6km，桥轴方向角为NE 45°，设计抗震设防烈度为Ⅶ，采用《公路工程抗震设计规范》（JTJ 004—89）进行抗震设防，实际地震烈度为Ⅹ。

5.11.2　桥梁震害概况 Outline of damage

该桥受严重次生地质灾害破坏，两跨主梁被塌方山体砸断，全桥损毁（图5-74）。完全丧失通行能力，震害等级为D级。

图 5-74　桥跨被塌方山体砸断

Figure 5-74　The bridge was destroyed by landslide

5.12　福堂大桥 Futang Bridge

5.12.1　桥梁概况 Outline of the bridge

福堂大桥为跨越岷江的桥梁，为缓和曲线斜角交桥，桥梁中心桩号为K37+080。桥面宽度为8.5m。两岸桥台处设橡胶伸缩缝。桥型布置及主要震害简图如图5-75所示，大桥于2007年11月竣工。主要设计参数如下：

- 平曲线：位于L_s=70m缓和曲线上，墩梁斜角60°
- 上部结构：4×30m（简支I形组合梁），共1联桥
- 桥墩构造：双柱式圆形墩，1~3号墩高分别为6.797m、9.298m、9.599m
- 支座：板式橡胶支座　　・桥台：重力式桥台
- 基础：钻孔灌注桩

大桥位于发震断层上盘，距离发震断层约20.0km，桥轴方向角为NW 40°，场地类别为II类场地，抗震设防烈度为Ⅶ度[1]，按《公路工程抗震设计规范》（JTJ 004—89）进行抗震设防，实际地震烈度为X度[3]。

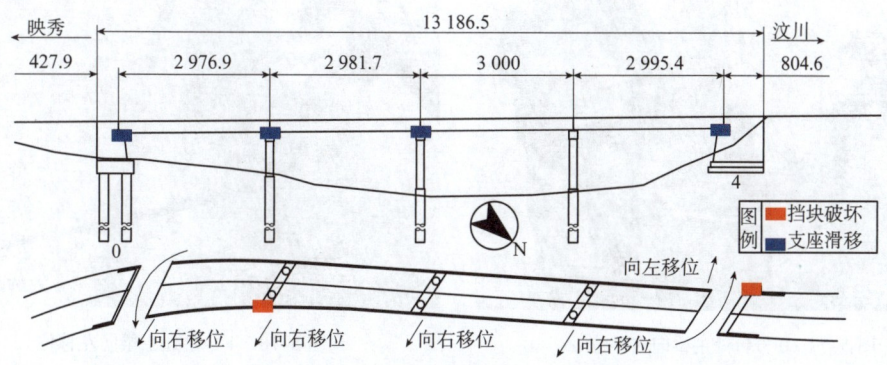

图5-75　桥型布置及主要震害简图（尺寸单位：cm）
Figure 5-75　The layout of bridge and main seismic damage (unit:cm)

5.12.2　桥梁震害概况 Outline of damage

主要震害表现为主梁纵横向移位及平面转动，最大横向相对移位为53cm（0号台处），导致该跨边梁有落梁的潜在危险；部分支座滑脱失效或滑移；0号台与4号台处伸缩缝拉裂，震后伸缩缝间距分别为12cm、8cm；下部结构的主要震害为1号墩右侧与4号台左侧挡块破坏；0号台与4号台右侧锥坡局部开裂。震后桥梁概貌如图5-76所示。

福堂大桥梁体移位严重，存在落梁风险，但尚未完全丧失通行能力，震害等级为C级。

5.12.3　上部结构及支承震害 Damage to superstructure and supports

1）主梁

主梁及桥面未见开裂，梁体的主要震害为纵横向移位及平面转动。具体表现为第1跨

主梁向右相对移位53cm（图5-77），第2跨与第3跨主梁向右相对移位，而第4跨主梁向左相对移位11cm（图5-78），全桥梁体表现出明显的刚体平面转动，且亦按斜交角增大的趋势转动。梁体也存在明显的纵向移位。各跨主梁位移量参见表5-9。

图 5-76 震后桥梁概貌
Figure 5-76 The bridge after the earthquake

图 5-77 0 号台处主梁向右移位
Figure 5-77 The girders on the abutment moved rightward

图 5-78 4 号台处主梁向左移位
Figure 5-78 The girders on the 4th abutment moved leftward

表 5-9 主梁位移统计表
Table 5-9 Displacement of the girders

孔跨编号		主梁横桥向移位（cm）	备注
第1跨	0号桥台处	向右 53	右边梁有潜在落梁危险
	1号桥墩处	向右 8~10	
第2跨	1号桥墩处		—
	2号桥墩处	向右 6~10	
第3跨	2号桥墩处		—
	3号桥墩处	向右 4~8	
第4跨	3号桥墩处		—
	4号桥台处	向左 11	

2）支座

支座震害为0号台处支座滑脱失效（图5-79）；1号墩处、2号墩处、4号台处支座横向滑移，如图 5-80 所示。支座震害情况汇总见表 5-10。

图 5-79　0 号台处支座滑脱失效

Figure 5-79　The bearing on the abutment moved out of the plinth and the girders lost the supports

图 5-80　2 号墩 2 号梁支座滑移

Figure 5-80　The bearing on the 2nd pier moved out

表 5-10　支座震害情况汇总
Table 5-10　Seismic damage to bearings

孔 跨 编 号		支座破坏情况描述
第 1 跨	0 号桥台处	支座滑脱失效
	1 号桥墩处	支座横向滑移 18cm
第 2 跨	1 号桥墩处	支座横向滑移 18cm
	2 号桥墩处	支座横向滑移 2~5cm
第 3 跨	2 号桥墩处	支座横向滑移 2~5cm
	3 号桥墩处	—
第 4 跨	3 号桥墩处	—
	4 号桥台处	支座横向滑移 6~10cm

3）伸缩缝

伸缩缝主要震害为 0 号台与 4 号台处伸缩缝拉裂，震后伸缩缝间距分别为 12cm、8cm，如图 5-81 与图 5-82 所示。

图 5-81　0 号台处伸缩缝破坏

Figure 5-81　The expansion joint on the abutment was damaged

5.12.4　下部结构震害 Damage to substructure

下部结构震害为1号墩右侧与4号台左侧挡块破坏；0号台与4号台右侧锥坡局部开裂，如图5-83所示。

图5-82　4号台处伸缩缝破坏

Figure 5-82　The expansion joint on the 4th abutment was damaged

图5-83　4号桥台左侧锥坡局部开裂

Figure 5-83　The left cone slop of the 4th abutment cracked partly

5.13　K48+503 小桥 Bridge in K48+503

5.13.1　桥梁概况 Outline of the bridge

K48+503 小桥为斜交直线桥，上部结构为 1×8m 钢筋混凝土实心板，下部结构为重力式桥台，扩大基础。桥位中心桩号为 K48+503。

大桥位于发震断层上盘，距离发震断层约21.1km，设防烈度为Ⅶ度[1]，按《公路工程抗震设计规范》（JTJ 004—89）进行抗震设防，实际地震烈度为Ⅹ度[3]。

图5-84　桥台侧墙破坏

Figure 5-84　The wing wall of the abutment was damaged

5.13.2　桥梁震害概况 Outline of damage

主梁及桥面未见开裂，该桥主要震害为梁体逆时针刚体转动，桥台侧墙破坏，1号桥台帽梁左侧挡块破坏，如图5-84所示。

桥梁破坏严重，但尚未完全丧失通行能力，震害等级为C级。

5.14 桃关大桥 Taoguan Bridge

5.14.1 桥梁概况 Outline of bridge

桃关大桥跨越岷江，桥梁中心桩号为 K49+281.785。桃关大桥为直线斜交桥，桥面宽度为 8.5m。两岸桥台处设橡胶伸缩缝。桥型布置图如图 5-85 所示，大桥于 2007 年 11 月竣工。主要设计参数如下：

- 平曲线：直线，墩梁斜角 45°
- 上部结构：5×30m（简支 I 形组合梁），共 1 联桥
- 桥墩构造：双柱式圆形墩，1~4 号墩高分别为 9.0m、17.0m、17.0m、8.0m
- 支座：板式橡胶支座　　　・桥台：重力式桥台
- 基础：钻孔灌注桩

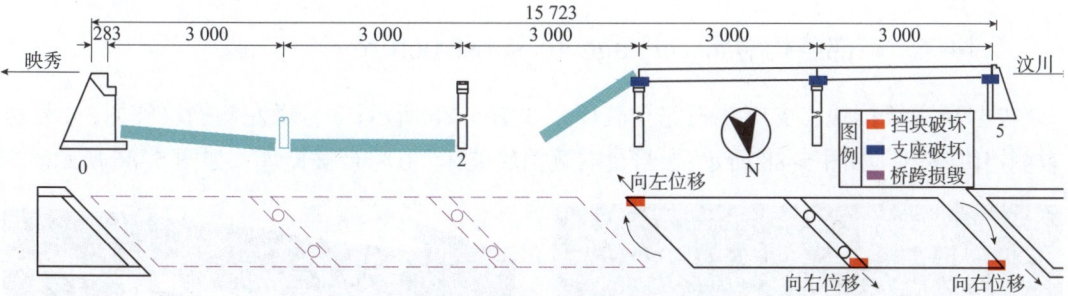

图 5-85　桥跨布置及主要震害简图（尺寸单位：cm）
Figure 5-85　The layout of bridge and main seismic damage（unit:cm）

大桥位于发震断层上盘，距离发震断层约 21.67km，桥轴方向角为 NW 80°，场地类别为 II 类场地，设防烈度为 VII 度[1]，按《公路工程抗震设计规范》（JTJ 004—89）进行抗震设防，实际地震烈度为 X 度[3]。

5.14.2 桥梁震害概况 Outline of damage

桃关大桥受严重次生地质灾害破坏。映秀岸山体崩塌砸毁第 1~3 跨主梁，0 号台、1 号墩被崩塌体掩埋，震后桥梁概貌如图 5-86 所示；桥跨布置及其主要震害如图 5-85 所示。大桥残存的两跨桥，主要体现为梁体纵横向移位及平面转动。

大桥丧失通行能力，震害等级为 D 级（完全失效）。

5.14.3 上部结构及支承震害 Damage to superstructure and supports

上部结构的主要震害为第 1 跨~第 3 跨被塌方山体砸垮，如图 5-87 所示。第 4 跨梁体相对 3 号墩向左移位，相对 4 号墩处向右移位，第 5 跨主梁梁端相对 5 号台向右严重移位，尚存的梁体存在明显的刚体平面转动，相应边梁均存在潜在落梁危险，如图 5-88 所示。因三跨梁体垮塌，其他主梁发生较大相对位移导致部分支座脱落，部分支座滑脱失效

或滑移变形。三跨桥梁垮塌，其相应的伸缩缝完全破坏，第5跨梁体发生较大位移，因此5号台处伸缩缝破坏。

图 5-86　震后桥梁概貌

Figure 5-86　Layout of the bridge after the earthquake

5.14.4　下部结构震害 Damage to substructure

2号墩盖梁挡块、支座垫石完全破坏，如图5-86所示；3号墩左侧挡块破坏，4号墩右侧挡块破坏，如图5-88所示；5号台右侧挡块破坏。0号台被掩埋，如图5-86所示。

图 5-87　第 1~3 跨梁体垮塌

Figure 5-87　The girders from 1st span to 3rd span collapsed

图 5-88　第 4 跨梁体移位

Figure 5-88　The girders of the fourth span moved

5.15　草坡吊桥大桥 Caopo Diaoqiao Bridge

5.15.1　桥梁概况 Outline of the bridge

草坡吊桥大桥为斜交缓和曲线简支梁桥，桥面连续。桥梁全长166m，孔跨组合为5×30m，在两岸桥台处设置伸缩缝。大桥上部结构为30m预应力I形组合梁，下部结构为双柱式圆形墩、重力式桥台，基础类型为桩基础。桥位中心桩号为K52+405。

大桥位于距离发震断层约24.4km，桥轴方向角为NW 55°，设防烈度为Ⅶ度[1]，按

《公路工程抗震设计规范》（JTJ 004—89）进行抗震设防，实际地震烈度为Ⅹ度[3]。桥跨布置及主要震害简图见图5-89。

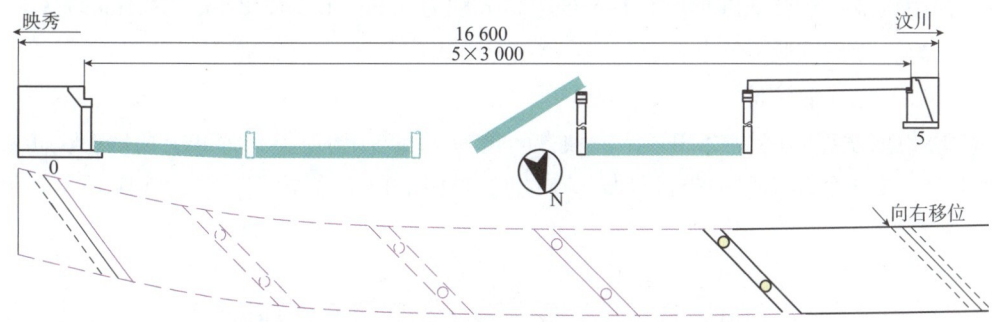

图 5-89　桥跨布置及主要震害简图（尺寸单位：cm）
Figure 5-89　The layout of the bridge and main seismic damage（unit:cm）

5.15.2　桥梁震害概况 Outline of damage

草坡吊桥大桥受严重次生地质灾害破坏，大体量滑坡体导致该桥第1~4跨垮塌，如图5-90所示，第5跨主梁梁端相对于5号台横向移位约1m。4号桥墩墩柱严重倾斜，墩柱开裂，5号桥台开裂严重。

桥梁整体垮塌，完全丧失通行能力，震害等级为D级（完全失效）。草坡吊桥大桥在地震中严重受损，已无修复的必要。震后该桥为地震遗址被永久保留。

图 5-90　震后桥梁概貌
Figure 5-90　The bridge after the earthquake

5.16　草坡2号大桥 Caopo No.2 Bridge

5.16.1　桥梁概况 Outline of the bridge

草坡2号大桥跨越岷江，桥梁中心桩号为K54+605。大桥为直线斜交桥，桥面宽度为8.5m。0号台、3号墩、6号台设伸缩缝。桥型布置图如图5-91所示，大桥于2007年11月竣工。主要设计参数如下：

- 平曲线：直线，墩梁斜角 60°
- 上部结构：6×30m（简支I形组合梁），桥面连续，共2联
- 桥墩构造：双柱式圆形墩，1~5 号墩高分别为 5.3m、6.8m、8.8m、10.1m、7.3m
- 支座：板式橡胶支座　　・桥台：重力式桥台
- 基础：钻孔灌注桩

大桥距离发震断层约 26.3km，桥轴方向角为 NE5°，场地类别为 Ⅱ 类场地，设防烈度为 Ⅶ 度[1]，按《公路工程抗震设计规范》（JTJ 004—89）进行抗震设防，实际地震烈度为 Ⅸ 度[3]。

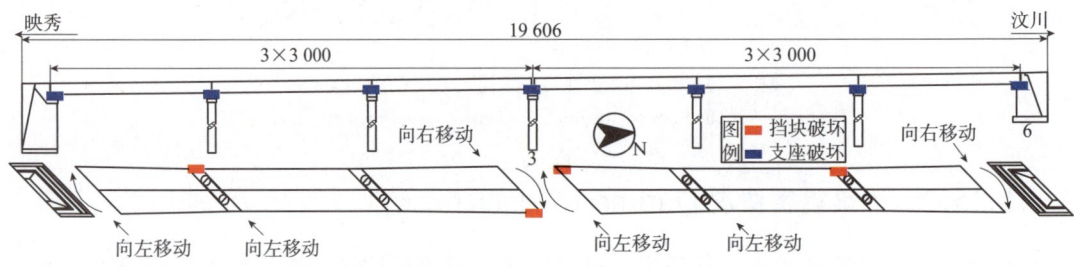

图 5-91　桥跨布置及主要震害简图（尺寸单位：cm）
Figure 5-91　The layout of the bridge and main seismic damage (unit:cm)

5.16.2　桥梁震害概况 Outline of damage

震害主要表现为主梁纵横向移位及平面转动，主梁最大横向相对位移为 20cm；部分挡块开裂破坏。震后桥梁概貌如图 5-92 所示；桥跨布置及其主要震害如图 5-91 所示。

虽然主梁发生移位及转动等破坏，但承载能力无明显损失，震害等级为 B 级（中等破坏）。

图 5-92　震后桥梁概貌
Figure 5-92　The layout of the bridge after the earthquake

5.16.3　上部结构及支承震害 Damage to superstructure and supports

1）主梁

主梁及桥面未见开裂，梁体的主要震害为纵横向移位及平面转动。第 1 跨与第 2 跨主

梁向左相对移位，而第 3 跨主梁向右相对移位，本联存在明显的刚体平面转动（图 5-93 与图 5-94），且均按斜交角增大的趋势转动。第 2 联转动情况类同。各跨梁体还存在明显的横向移位。各跨主梁位移量见表 5-11。

图 5-93　第 1 跨主梁相对 0 号台向左移位
Figure 5-93　The girders of the first span moved leftward

图 5-94　第 3 跨主梁相对 3 号墩向右移位
Figure 5-94　The girders of the third span moved rightward

表 5-11　主梁位移统计表
Table 5-11　The displacement of girders

孔跨编号		主梁横桥向移位（cm）	桥跨形式	备注
第 1 跨	0 号桥台处	向左 20	30m 预应力 I 形组合梁	
	1 号桥墩处			
第 2 跨	1 号桥墩处	向左 10	30m 预应力 I 形组合梁	
	2 号桥墩处			
第 3 跨	2 号桥墩处	向右 10	30m 预应力 I 形组合梁	
	3 号桥墩处			
第 4 跨	3 号桥墩处	向左 10	30m 预应力 I 形组合梁	
	4 号桥墩处			
第 5 跨	4 号桥墩处	向左 7	30m 预应力 I 形组合梁	
	5 号桥墩处			
第 6 跨	5 号桥墩处	向右 18	30m 预应力 I 形组合梁	
	6 号桥台处			

2）支座

支座震害情况汇总见表 5-12，典型震害如图 5-95 所示。

表 5-12　支座震害情况汇总
Table 5-12　Seismic damage to bearings

孔跨编号		支座破坏情况描述
第 1 跨	0 号桥台处	1~4 号支座滑移 17cm
	1 号桥墩处	1~4 号支座滑移
第 2 跨	1 号桥墩处	1 号支座滑脱，3~4 号支座滑移
	2 号桥墩处	1~4 号支座滑移 3~5cm

续上表

孔 跨 编 号		支座破坏情况描述
第3跨	2号桥墩处	1~4号支座滑移 3~5cm
	3号桥墩处	1~4号支座滑移 4~7cm
第4跨	3号桥墩处	1~4号支座滑移 4cm
	4号桥墩处	1~4号支座滑移 5cm
第5跨	4号桥墩处	1~4号支座滑移 5cm
	5号桥墩处	1~4号支座滑移 10cm
第6跨	5号桥墩处	1~4号支座滑移 10cm
	6号桥台处	1~4号支座滑移 15cm

3）伸缩缝

伸缩缝主要震害为0号台伸缩缝拉裂，如图5-96所示；3号墩伸缩缝被挤拢，如图5-97所示；6号台伸缩缝被拉裂，震后伸缩缝间距为11cm，如图5-98所示。

图5-95 第2跨在1号墩上的支座滑移

Figure 5-95 The bearings of the 2rd span on the 1st pier moved out

图5-96 0号台伸缩缝拉裂

Figure 5-96 The expansion joint on the abutment was damaged

图5-97 3号墩伸缩缝被挤拢

Figure 5-97 The expansion joint on the 3rd pier closed completely

图5-98 6号台伸缩缝拉裂

Figure 5-98 The expansion joint on the 6th abutment was damaged

5.16.4 下部结构震害 Damage to substructure

下部结构震害为 1 号墩与 3 号墩盖梁左侧，3 号墩盖梁右侧挡块破坏，如图 5-99 所示；5 号墩盖梁左侧挡块破坏，如图 5-100 所示；6 号桥台两侧锥坡开裂。

图 5-99　1 号墩盖梁左侧挡块破坏
Figure 5-99　The concrete restriction on the left of the coping of 1st pier was destroyed

图 5-100　5 号墩盖梁右侧挡块破坏
Figure 5-100　The right concrete displacement restriction on the pier head of the 5th pier was damaged

5.17　草坡 3 号大桥 Caopo No.3 Bridge

5.17.1 桥梁概况 Outline of the bridge

草坡 3 号大桥跨越岷江，桥梁中心桩号为 K54+004。大桥为直线斜交桥，桥面宽度为 8.5m，0 号台、3 号墩、7 号台处设伸缩缝。桥型布置图如图 5-101 所示，大桥于 2007 年 11 月竣工。主要设计参数如下：

- 平曲线：直线，墩梁斜角 60°
- 上部结构：7×30m（简支 I 形组合梁），桥面连续，共 2 联
- 桥墩构造：双柱式圆形墩，1~6 号墩高分别为 5m、5.2m、7.5m、8.2m、9.8m、8.8m
- 支座：板式橡胶支座　·桥台：重力式桥台
- 基础：钻孔灌注桩

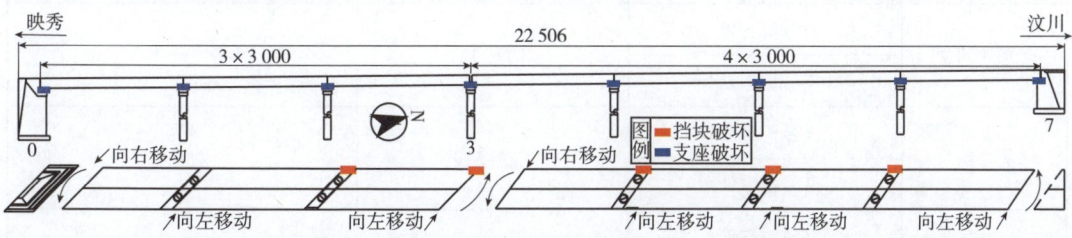

图 5-101　桥跨布置及主要震害简图（尺寸单位：cm）
Figure 5-101　The layout of bridge and main seismic damage (unit: cm)

大桥距离发震断层约 26.5km，桥轴方向角为 NE15°，场地类别为 II 类场地。设防烈度为VII度 [1]，按《公路工程抗震设计规范》（JTJ 004—89）进行抗震设防，实际地震烈度为IX度 [3]。

5.17.2　桥梁震害概况 Outline of damage

本桥主要震害为主梁纵横向移位，最大横向相对位移为 32cm，存在落梁风险；支座滑移，最大位移量为 20cm；下部结构的主要震害为 2~6 号墩盖梁左侧挡块破坏。震后桥梁概貌如图 5-102 所示；桥跨布置及其主要震害如图 5-101 所示。

本桥抢通阶段，限制通行，震害等级为 C 级（严重破坏）。

图 5-102　震后桥梁概貌

Figure 5-102　The bridge after the earthquake

5.17.3　上部结构及支承震害 Damage to superstructure and supports

1）主梁

主梁及桥面未见开裂，梁体的主要震害为纵横向移位及平面转动。第 1 跨主梁向右相对移位 12cm（图 5-103），而第 2 跨与第 3 跨主梁均向左相对移位，第 7 跨梁体向左移位（图 5-104）。第 1 联梁体存在明显刚体平面转动，且均按斜交角增大的趋势转动。第 2 联转动情况类似。各跨梁体还存在明显的纵向移位。各跨主梁位移量见表 5-13。

表 5-13　主梁位移统计表

Table 5-13　The displacement of girders

孔跨编号		主梁横桥向移位（cm）	备注
第 1 跨	0 号桥台处	向右 12	—
	1 号桥墩处		
第 2 跨	1 号桥墩处	向左 5~7	
	2 号桥墩处		
第 3 跨	2 号桥墩处	向左 24	1 号梁有潜在落梁危险
	3 号桥墩处		

续上表

孔跨编号		主梁横桥向移位（cm）	备 注
第4跨	3号桥墩处	向右3	—
	4号桥墩处		
第5跨	4号桥墩处	向左7	—
	5号桥墩处		
第6跨	5号桥墩处	向左10~15	—
	6号桥墩处		
第7跨	6号桥墩处	向左32	—
	7号桥台处		

图 5-103 第1跨梁体向右移位

Figure 5-103 The girders of the first span moved rightward

图 5-104 第7跨梁体向左移位

Figure 5-104 The girders of the seventh span moved leftward

2）支座

支座震害情况汇总见表 5-14，支座典型震害如图 5-105 所示。

表 5-14 支座震害情况汇总

Table 5-14 seismic damage to bearings

孔 跨 编 号		支座破坏情况描述
第1跨	0号桥台处	支座横向滑移7cm
	1号桥墩处	支座横向滑移3cm
第2跨	1号桥墩处	支座横向滑移3cm
	2号桥墩处	支座横向滑移3cm
第3跨	2号桥墩处	支座横向滑移3cm
	3号桥墩处	支座横向滑移10~18cm
第4跨	3号桥墩处	支座横向滑移2cm
	4号桥墩处	支座横向滑移3~5cm
第5跨	4号桥墩处	支座横向滑移3~5cm
	5号桥墩处	支座横向滑移10cm

续上表

孔 跨 编 号		支座破坏情况描述
第 6 跨	5 号桥墩处	支座横向滑移 10cm
	6 号桥墩处	支座横向滑移 7~15cm
第 7 跨	6 号桥墩处	支座横向滑移 7~15cm
	7 号桥台处	支座横向滑移 20cm

图 5-105 6 号墩上支座滑移
Figure 5-105   The bearings on the 6th pier moved out

3）伸缩缝

伸缩缝主要震害为 0、3、7 号台墩伸缩缝被拉裂，震后伸缩缝间距分别为 12cm、7cm、21cm，如图 5-106 和图 5-107 所示。

图 5-106 0 号伸缩缝被拉裂　　　　　　图 5-107 7 号台伸缩缝被拉裂
Figure 5-106   The expansion joint on the abutment was damaged　　　Figure 5-107   The expansion joint on the 7th abutment was damaged

5.17.4 下部结构震害 Damage to substructure

下部结构主要震害为 2~6 号墩盖梁左侧挡块破坏，如图 5-108、图 5-109 所示。0 号台与 7 号台锥坡局部开裂，如图 5-110 图 5-111 所示。

图 5-108 挡块破坏
Figure 5-108 Concrete restricted blocks were damaged

图 5-109 2~6 号墩盖梁左侧挡块破坏
Figure 5-109 The left concrete restricted blocks from 2nd pier to 6th pier were damaged

图 5-110 0 号台锥坡局部开裂
Figure 5-110 The cone slope of the abutment cracked

图 5-111 7 号台锥坡局部开裂
Figure 5-111 The cone slope of the 7th abutment cracked

5.18 草坡 4 号大桥 Caopo No.4 Bridge

5.18.1 桥梁概况 Outline of the bridge

草坡 4 号大桥跨越岷江，桥梁中心桩号为 K55+465。大桥为直线斜交桥，桥面宽度为 8.5m，全桥共 1 联，0、6 号桥台处设 GL-120 伸缩缝。桥型布置如图 5-112 所示，大桥于 2007 年 11 月竣工。主要设计参数如下：

- 平曲线：直线，墩梁斜角 60°
- 上部结构：6×30m（简支 I 形组合梁）
- 桥墩构造：双柱式圆形墩，1~6 号墩高分别为 5m、5.2m、7.5m、8.2m、9.8m、8.8m
- 支座：板式橡胶支座　　　　・桥台：重力式桥台
- 基础：钻孔灌注桩

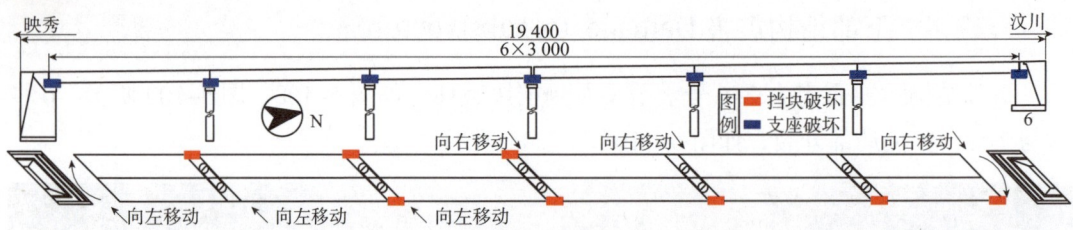

图 5-112　桥跨布置及主要震害简图（尺寸单位：cm）

Figure 5-112　The layout of bridge and main seismic damage (unit: cm)

大桥距离发震断层约 26.8km，桥轴方向角为 NE10°，场地类别为Ⅱ类场地，设防烈度为Ⅶ度[1]，按《公路工程抗震设计规范》(JTJ 004—89) 进行抗震设防，实际地震烈度为Ⅸ度[3]。

5.18.2　桥梁震害概况 Outline of damage

本桥主要震害为主梁纵横向移位，主梁最大横向相对位移为 50cm，存在落梁风险；支座滑移甚至滑脱失效；1~3 号墩盖梁左侧挡块与 2~5 号墩、6 号台盖梁右侧挡块破坏；0 号台左侧锥坡垮塌，右侧锥坡局部破坏，7 号台锥坡局部开裂。震后桥梁概貌如图 5-113 所示，桥跨布置及其主要震害如图 5-112 所示。

图 5-113　震后桥梁情况

Figure 5-113　The layout of the bridge after the earthquake

本桥抢通阶段，限制通行，震害等级为 C 级（严重破坏）。

5.18.3　上部结构及支承震害 Damage to superstructure and supports

1）主梁

主梁及桥面未见开裂，梁体的主要震害为纵横向移位及平面转动。第 1~3 跨主梁向左相对移位，而第 4~6 跨主梁向右相对移位（图 5-114~图 5-116），全桥梁体存在明显的刚体平面转动，且均按斜交角增大的趋势转动。因梁体移位，第 5 跨与第 6 跨右边梁有潜在落梁危险。各跨梁体还存在明显的纵向移位。各跨主梁位移量见表 5-15 所示。

2）支座

支座震害情况汇总见表 5-16，支座典型震害如图 5-117 所示。

图 5-114　第 1 跨主梁相对 0 号台向左移位
Figure 5-114　The girders of the first span moved leftward

图 5-115　第 5 跨主梁向右相对移位
Figure 5-115　The girders of the 5th span moved rightward

图 5-116　第 6 跨主梁相对 6 号台向右移位
Figure 5-116　The girders of the 6th span moved rightward

图 5-117　6 号台上支座滑脱
Figure 5-117　The bearing on 6th pier moved laterally and the girder lost its support

表 5-15　主梁位移统计表
Table 5-15　Displacement of girders

孔跨编号		主梁横桥向移位（cm）	桥跨形式	备　注
第 1 跨	0 号桥台处	向左 13	30m 预应力 I 形组合梁	—
	1 号桥墩处			
第 2 跨	1 号桥墩处	向左 5~8	30m 预应力 I 形组合梁	—
	2 号桥墩处			
第 3 跨	2 号桥墩处	向左 3~5	30m 预应力 I 形组合梁	—
	3 号桥墩处			
第 4 跨	3 号桥墩处	向右 3~7	30m 预应力 I 形组合梁	—
	4 号桥墩处			
第 5 跨	4 号桥墩处	向右 30	30m 预应力 I 形组合梁	右边梁有潜在落梁危险
	5 号桥墩处			
第 6 跨	5 号桥墩处	向右 50	30m 预应力 I 形组合梁	右边梁有潜在落梁危险
	6 号桥墩处			

表 5-16 支座震害情况汇总
Table 5-16　Seismic damage to bearings

孔跨编号		支座破坏情况描述
第1跨	0号桥台处	支座横向滑移 5~7cm
	1号桥墩处	支座横向滑移 5~10cm
第2跨	1号桥墩处	支座横向滑移 5~10cm
	2号桥墩处	支座横向滑移 2~3cm
第3跨	2号桥墩处	支座横向滑移 2~3cm
	3号桥墩处	支座纵向滑移 10~12cm
第4跨	3号桥墩处	支座纵向滑移 10~12cm
	4号桥墩处	支座纵向滑移 10~30cm
第5跨	4号桥墩处	支座纵向滑移 10~30cm
	5号桥墩处	支座横向滑移 10~30cm
第6跨	5号桥墩处	支座横向滑移 10~30cm
	6号桥墩处	支座滑脱

3）伸缩缝

伸缩缝主要震害为0号台伸缩缝左侧被拉裂，右侧被挤拢；6号台伸缩缝被拉裂，震后伸缩缝间距为22cm，如图5-117所示。

5.18.4　下部结构震害 Damage to substructure

盖梁主要震害为1~3号墩盖梁左侧挡块破坏，如图5-118与图5-119所示；2~5号墩、6号台盖梁右侧挡块破坏，如图5-120与图5-121所示。同时，0号台左侧锥坡垮塌，右侧锥坡局部破坏，7号台锥坡局部开裂。

图 5-118　盖梁左侧挡块破坏
Figure 5-118　The left concrete displacement restriction on the pier head was damaged

图 5-119　盖梁左侧挡块破坏
Figure 5-119　The left concrete displacement restriction on the pier head was damaged

图 5-120　盖梁右侧挡块破坏　　　　　　图 5-121　6 号台盖梁右侧挡块破坏

Figure 5-120　The right concrete displacement restriction on the pier head was damaged

Figure 5-121　The right concrete displacement restriction on the pier head of the 6th abutment was damaged

5.19　羊店 1 号大桥 Yangdian No.1 Bridge

5.19.1　桥梁概况 Outline of the bridge

羊店 1 号大桥跨越岷江，桥梁中心桩号为 K55+944。桥面宽度为 8.5m。共两联，0 号台、3 号墩、6 号台处设 FD-80 伸缩缝。桥型布置图如图 5-122 所示，大桥于 2007 年 11 月竣工。主要设计参数如下：

- 上部结构：6×30m 简支 I 形组合梁，桥面连续；
- 桥墩构造：双柱式圆形墩，1~5 号墩高分别为 6.919m、7.890m、8.110m、8.334m、8.565m
- 支座：板式橡胶支座　　　　·桥台：重力式桥台
- 基础：钻孔灌注桩

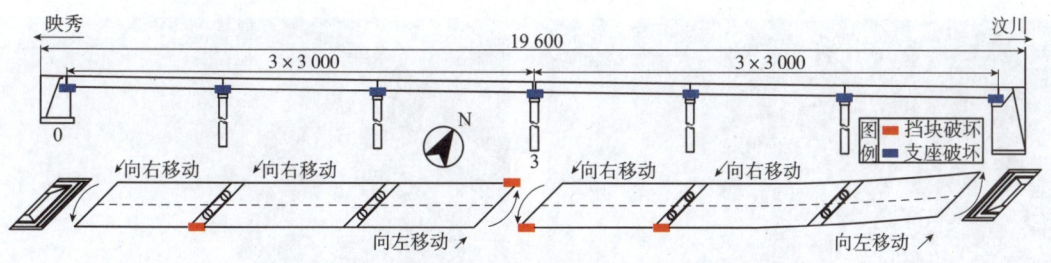

图 5-122　桥跨布置及主要震害示意图（尺寸单位：cm）

Figure 5-122　The layout of bridge and main seismic damage（unit:cm）

大桥距离发震断层约 27.4km，桥轴方向角为 NE 60°，场地类别为 II 类场地，设防烈度为 VII 度[1]，按《公路工程抗震设计规范》（JTJ 004—89）进行抗震设防，实际地震烈度为 IX 度[3]。

5.19.2 桥梁震害概况 Outline of damage

主要震害为主梁纵横向移位及平面转动，最大横向相对位移为 56cm；部分支座滑移甚至滑脱失效；0号台与6号台震后伸缩缝间距分别为 28cm、23cm，3号墩处伸缩缝部分被拉裂，右侧被挤拢，该现象印证了主梁的平面位移及转动。部分挡块开裂破坏，桥台锥坡局部开裂。震后桥梁概貌如图 5-123 所示；桥跨布置及其主要震害如图 5-122 所示。

承载能力无明显损失，震后抢通阶段限制通行，震害等级为 B 级（中等破坏）。

图 5-123　震后桥梁立面图
Figure 5-123　The bridge after the earthquake

5.19.3 上部结构及支承震害 Damage to superstructure and supports

1）主梁

主梁及桥面未见开裂，梁体的主要震害为纵横向移位及平面转动。第1跨与第2跨主梁向右相对移位（图 5-124），而第3跨主梁向左相对移位，第1联梁体存在明显刚体平面转动，且均按斜交角增大的趋势转动。第2联情况类同，如图 5-125 所示。因梁体移位，第1跨与第4跨右边梁、第6跨左边梁有潜在落梁危险。各跨梁体还存在明显的纵向移位。各跨主梁位移量见表 5-17。

图 5-124　第1跨主梁相对0号台向右移位　　图 5-125　第4跨主梁相对3号墩向右移位
Figure 5-124　The girders of the first span moved rightward　　Figure 5-125　The girders of the fourth span moved rightward

表 5-17 主梁位移统计表
Table 5-17 The displacement of girders

孔 跨 编 号		主梁横桥向移位（cm）	桥 跨 形 式	备　　注
第1跨	0号桥台处	向右 56	30m 预应力 I 形组合梁	右边梁有潜在落梁危险
	1号桥墩处			
第2跨	1号桥墩处	向右 4~8	30m 预应力 I 形组合梁	—
	2号桥墩处			
第3跨	2号桥墩处	向左 8~15	30m 预应力 I 形组合梁	—
	3号桥墩处			
第4跨	3号桥墩处	向右 30	30m 预应力 I 形组合梁	右边梁有潜在落梁危险
	4号桥墩处			
第5跨	4号桥墩处	向右 5	30m 预应力 I 形组合梁	—
	5号桥墩处			
第6跨	5号桥墩处	向左 29	30m 预应力 I 形组合梁	左边梁有潜在落梁危险
	6号桥台处			

2）支座

支座震害情况汇总见表 5-18，支座典型震害如图 5-126 和图 5-127 所示。

表 5-18 支座震害情况汇总
Table 5-18 Seismic damage to bearings

孔 跨 编 号		支座破坏情况描述
第1跨	0号桥台处	支座滑脱失效
	1号桥墩处	支座横向滑移 15~20cm
第2跨	1号桥墩处	支座横向滑移 15~20cm
	2号桥墩处	支座横向滑移 2~5cm
第3跨	2号桥墩处	支座横向滑移 2~5cm
	3号桥墩处	支座横向滑移 5~10cm
第4跨	3号桥墩处	支座横向滑移 30cm
	4号桥墩处	支座横向滑移 3~5cm
第5跨	4号桥墩处	支座横向滑移 3~5cm
	5号桥墩处	支座横向滑移 3~7cm
第6跨	5号桥墩处	支座横向滑移 3~7cm
	6号桥台处	支座横向滑移 10~25cm

图 5-126　0 号台上支座滑脱失效

Figure 5-126　The bearing on the abutment out of the abutment

图 5-127　6 号台上支座滑移

Figure 5-127　The bearing on the 6th abutment moved out

3）伸缩缝

0 号台与 6 号台伸缩缝被拉裂，震后伸缩缝间距分别为 28cm、23cm；3 号墩处伸缩缝部分被拉裂，左侧被挤拢，如图 5-125 与图 5-126 所示。

5.19.4　下部结构震害 Damage to substructure

下部结构震害为 1、3、4 号墩盖梁右侧挡块破坏，如图 5-128 所示；3 号墩盖梁左侧挡块破坏，如图 5-129 所示。0 号台两侧锥坡局部开裂，6 号台左侧锥坡局部开裂。

图 5-128　1、3、4 号墩盖梁右侧挡块破坏

Figure 5-128　The right concrete displacement restrictions on the pier heads at the 1st, 3rd and 4th pier were damaged

图 5-129　3 号墩盖梁左侧挡块破坏

Figure 5-129　The left concrete displacement restriction on the pier heads of the 3rd pier was damaged

5.20　羊店 2 号大桥 Yangdian No.2 Bridge

5.20.1　桥梁概况 Outline of the bridge

羊店 2 号大桥跨越岷江，桥梁中心桩号为 K56+689。桥面宽度为 8.5m，共两联，0 号台、4 号墩、8 号台处设伸缩缝 GL-120。桥型布置图如图 5-130 所示，大桥于 2007 年 11 月竣工。主要设计参数如下：

- 平曲线：直线
- 上部结构：8×30m 简支 I 形组合梁，桥面连续
- 桥墩构造：双柱式圆形墩，1~7 号墩高分别为 11.98m、11.22mm、11.23m、11.24m、11.21m、11.24m、11.25m
- 支座：板式橡胶支座　　　　· 桥台：重力式桥台
- 基础：钻孔灌注桩

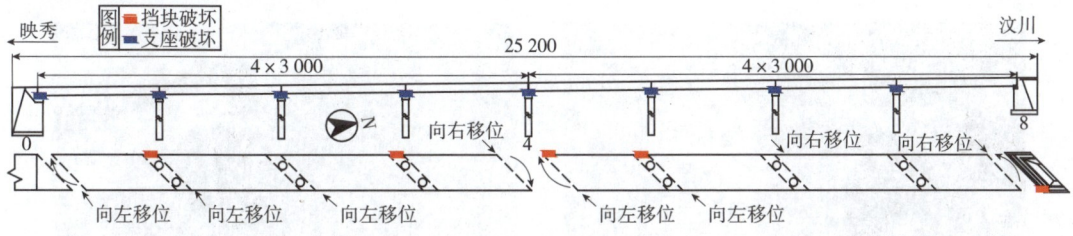

图 5-130　桥跨布置及主要震害示意图（尺寸单位：cm）
Figure 5-130　The layout of bridge and main seismic damage（unit:cm）

大桥距离发震断层约 27.6km，桥轴方向角为 NE 10°，场地类别为 II 类场地，设防烈度为 VII 度[1]，按《公路工程抗震设计规范》（JTJ 004—89）进行抗震设防，实际地震烈度为 IX 度[3]。

5.20.2　桥梁震害概况 Outline of damage

本桥主要震害为主梁纵横向移位及平面转动，最大横向相对位移为 15cm；支座滑移；0 号台、4 号墩、8 号台伸缩缝被拉裂，震后伸缩缝间距分别为 17cm、10cm、11cm。部分挡块开裂破坏，桥台锥坡局部破坏。震后桥梁概貌如图 5-131 所示；桥跨布置及其主要震害如图 5-130 所示。

承载能力无明显损失，震后抢通阶段限制通行，震害等级为 B 级（中等破坏）。

图 5-131　震后桥梁概貌
Figure 5-131　The bridge after the earthquake

5.20.3 上部结构及支承震害 Damage to superstructure and supports

1）主梁

主梁及桥面未见开裂，梁体的主要震害为纵横向移位及平面转动。第1~3跨主梁向左移位（图5-132），而第4跨主梁向右相对移位（图5-133），第1联表现出明显的刚体平面转动，且均按斜交角增大的趋势转动。第2联情况类似。各跨梁体还存在明显的纵向移位。各跨主梁位移量见表5-19。

图 5-132　第1跨主梁相对0号台向左移位
Figure 5-132　The girders of the first span moved leftward

图 5-133　第4跨主梁相对4号墩向右移位
Figure 5-133　The girders of the fourth span moved rightward

表 5-19　主梁位移统计表
Table 5-19　Displacement of girders

孔跨编号		主梁横桥向移位（cm）	桥跨形式	备注
第1跨	0号桥台处	向左15	30m预应力I形组合梁	
	1号桥墩处			
第2跨	1号桥墩处	向左7	30m预应力I形组合梁	
	2号桥墩处			
第3跨	2号桥墩处	向左3	30m预应力I形组合梁	
	3号桥墩处			
第4跨	3号桥墩处	向右3	30m预应力I形组合梁	
	4号桥墩处			
第5跨	4号桥墩处	向左10	30m预应力I形组合梁	
	5号桥墩处			
第6跨	5号桥墩处	向左5	30m预应力I型组合梁	
	6号桥墩处			
第7跨	6号桥墩处	向右3	30m预应力I形组合梁	
	7号桥墩处			
第8跨	7号桥墩处	#	30m预应力I形组合梁	
	8号桥台处			

2）支座

支座震害情况汇总见表 5-20，支座典型震害如图 5-134 所示。

表 5-20 支座震害情况汇总
Table 5-20   Seismic damage to bearings

孔 跨 编 号		支座破坏情况描述
第 1 跨	0 号桥台处	支座横向滑移 15cm
	1 号桥墩处	支座横向滑移 7cm
第 2 跨	1 号桥墩处	支座横向滑移 7cm
	2 号桥墩处	支座横向滑移 3cm
第 3 跨	2 号桥墩处	支座横向滑移 3cm
	3 号桥墩处	支座横向滑移 3cm
第 4 跨	3 号桥墩处	支座横向滑移 3cm
	4 号桥墩处	支座横向滑移 3cm
第 5 跨	4 号桥墩处	支座横向滑移 5cm
	5 号桥墩处	支座横向滑移 2cm
第 6 跨	5 号桥墩处	支座横向滑移 2cm
	6 号桥墩处	支座横向滑移 4~8cm
第 7 跨	6 号桥墩处	支座横向滑移 4~8cm
	7 号桥墩处	支座横向滑移 5cm
第 8 跨	7 号桥墩处	支座横向滑移 5cm
	8 号桥台处	—

图 5-134 0 号台上支座横向滑移
Figure 5-134   The bearing on the abutment moved transversely

3）伸缩缝

伸缩缝主要震害为 0 号台、4 号墩、8 号台伸缩缝被拉裂，呈"V"形张开，震后伸缩缝间距分别为 17cm、10cm、11cm，如图 5-135 与图 5-136 所示。

图 5-135　4 号墩伸缩缝被拉裂

Figure 5-135　The water stop in the expansion joint on the 4th pier was damaged

图 5-136　0 号台伸缩缝被拉裂

Figure 5-136　The water stop in the expansion joint on the abutment was damaged

5.20.4　下部结构震害 Damage to substructure

1）盖梁

盖梁主要震害为部分挡块破坏，具体为 1、3、4、5 号墩盖梁左侧挡块破坏，如图 5-137 与图 5-138 所示；7 号墩盖梁右侧挡块破坏。

图 5-137　3~5 号墩盖梁左侧挡块破坏

Figure 5-137　The left concrete displacement restrictions on the pier heads from 3rd to 5th pier were damaged

图 5-138　1 号墩盖梁左侧挡块破坏

Figure 5-138　The left concrete displacement restriction on the pier head of the 1st pier was damaged

2）桥台

0 号台左侧锥坡局部破坏，8 号台两侧锥坡局部破坏，如图 5-139 所示。

图 5-139 0 号台左侧锥坡局部破坏
Figure 5-139 The left cone slop of the abutment was damaged

5.21 飞沙关 2 号大桥 Feishaguan No.2 Bridge

5.21.1 桥梁概况 Outline of the bridge

飞沙关 2 号桥位中心桩号为 K58+58.5，为斜交直线桥（墩梁交角 60°），桥面宽度为 8.5m。上部结构为 6×30m 简支 I 形组合梁（桥面连续），共 1 联，0、6 号台设橡胶伸缩缝；板式橡胶支座；双柱式圆形墩（1~5 号墩墩高分别为 9.8m、9.3m、5.6m、4.2m、3.2m），基础为桩基础。0、6 号台均为重力式桥台；桥型布置图见图 5-140，大桥于 2007 年 11 月竣工。

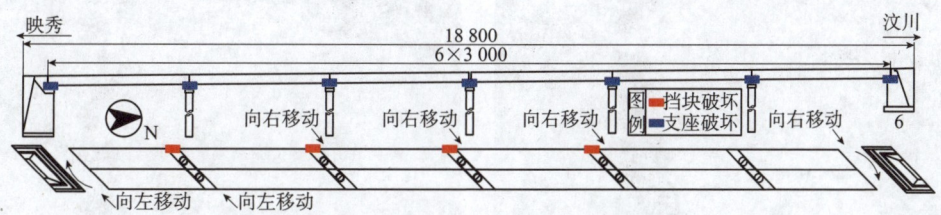

图 5-140 桥跨布置及主要震害示意图（尺寸单位：cm）
Figure 5-140 The layout of the bridge and main seismic damage（unit:cm）

大桥位于发震断层上盘，距离发震断层约 29.1km，桥轴方向角为 NE5°，设防烈度为Ⅶ度[1]，按《公路工程抗震设计规范》（JTJ 004—89）进行抗震设防，实际地震烈度为Ⅸ度[3]。

5.21.2 桥梁震害概况 Outline of damage

本桥震害等级为 B 级（中等破坏）。主要震害为主梁纵横向移位及平面转动，最大横向相对位移为 34cm；支座滑移；伸缩缝被拉裂；部分挡块破坏。此外该桥还受次生灾害的破坏，表现为第 1 跨两侧护栏遭撞击存在局部损伤。震后桥梁概貌如图 5-141 所示，桥跨布置及其主要震害如图 5-140 所示。

图 5-141　震后桥梁概貌
Figure 5-141　The bridge after the earthquake

5.21.3　上部结构及支承震害 Damage to superstructure and supports

1）主梁

主梁及桥面未见开裂，梁体的主要震害为纵横向移位及平面转动。第 1 跨与第 2 跨梁体向左相对移位（图 5-142），第 3~5 跨梁体向左相对移位，图 5-143 为第 6 跨梁体相对 6 号台向右移位示意图。全桥梁体存在明显的刚体平面转动，且均按斜交角增大的趋势转动。因梁体移位，第 6 跨右边梁有潜在落梁危险。各跨梁体还存在明显的纵向移位。各跨主梁位移量见表 5-21。

图 5-142　第 1 跨主梁相对 0 号台向左移位　　图 5-143　第 6 跨主梁相对 6 号台向右移位
Figure 5-142　The girder of the first span moved leftward　　Figure 5-143　The girder of the sixth span moved rightward

表 5-21　主梁位移统计表
Table 5-21　Displacement of girders

孔跨编号		主梁横桥向移位（cm）	桥跨形式	备注
第 1 跨	0 号桥台处	向左 15	30m 预应力 I 形组合梁	—
	1 号桥墩处			
第 2 跨	1 号桥墩处	向左 5	30m 预应力 I 形组合梁	—
	2 号桥墩处			

续上表

孔跨编号		主梁横桥向移位（cm）	桥跨形式	备注
第3跨	2号桥墩处	向右5	30m预应力I形组合梁	—
	3号桥墩处			
第4跨	3号桥墩处	向右5	30m预应力I形组合梁	—
	4号桥墩处			
第5跨	4号桥墩处	向右15	30m预应力I形组合梁	—
	5号桥墩处			
第6跨	5号桥墩处	向右34	30m预应力I形组合梁	右边梁有潜在落梁危险
	6号桥墩处			

2）支座

支座震害情况汇总见表5-22，支座典型震害如图5-144与图5-145所示。

表5-22　支座震害情况汇总
Table 5-22　Seismic damage to bearings

孔跨编号		支座破坏情况描述
第1跨	0号桥台处	支座横向滑移13cm
	1号桥墩处	支座横向滑移5cm
第2跨	1号桥墩处	支座横向滑移5cm
	2号桥墩处	支座横向滑移5cm
第3跨	2号桥墩处	支座横向滑移5cm
	3号桥墩处	支座横向滑移3~5cm
第4跨	3号桥墩处	支座横向滑移3~5cm
	4号桥墩处	支座横向滑移10cm
第5跨	4号桥墩处	支座横向滑移10cm
	5号桥墩处	支座横向滑移22cm
第6跨	5号桥墩处	支座横向滑移22cm
	6号桥台处	支座横向滑移

图5-144　5号墩上支座滑移
Figure 5-144　The bearing on the 5th abutment moved outwardly

图5-145　6号台上支座滑移
Figure 5-145　The bearing on the 6th abutment moved outwardly

3）伸缩缝

伸缩缝主要震害为6号台处伸缩缝被拉裂，呈"V"形张开，震后伸缩缝间距最宽处为18cm，如图5-146所示。

5.21.4 下部结构震害 Damage to substructure

下部结构震害为1~4号墩盖梁左侧挡块破坏，如图5-147所示。5号墩盖梁右侧挡块破坏，如图5-148所示。6号台左侧锥坡局部破坏，右侧锥坡垮塌，如图5-149所示。

图 5-146　6号台伸缩缝被拉裂

Figure 5-146　The expansion joint on the 6th abutment was damaged

图 5-147　1~4号墩盖梁左侧挡块破坏

Figure 5-147　The left concrete restricted blocks on the pier heads from 1st to 4th piers were damaged

图 5-148　5号墩盖梁右侧挡块破坏

Figure 5-148　The right concrete displacement restriction on the pier head of the 5th pier was damaged

图 5-149　6号台右侧锥坡垮塌

Figure 5-149　The right cone slop on the 6th abutment collapsed

5.22　新店大桥 Xindian Bridge

5.22.1　桥梁概况 Outline of the bridge

新店大桥中心桩号为K58+470，为斜交直线桥（墩梁交角45°），桥面宽度为8.5m。上部结构为6×30m简支I形组合梁（桥面连续），共2联，0号台、3号墩、6号台处设伸缩缝GL-120；板式橡胶支座；双柱式圆形墩（1~5号墩墩高分别为10m、12m、12m、

12m、11m），桩基础。0、6号台均为重力式桥台；桥型布置见图5-150，大桥于2007年11月竣工。

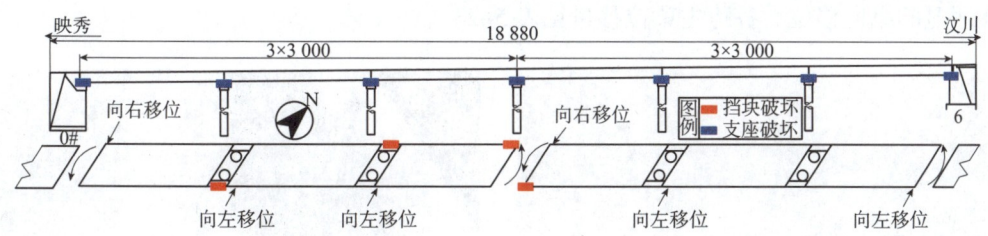

图 5-150　桥跨布置及主要震害示意图（尺寸单位：cm）
Figure 5-150　The layout of the bridge and main seismic damage (unit:cm)

大桥位于发震断层上盘，距离发震断层约29.3km，桥轴方向角为NE45°，设防烈度为Ⅶ度[1]，按《公路工程抗震设计规范》(JTJ 004—89)进行抗震设防，实际地震烈度为Ⅸ度[3]。

5.22.2　桥梁震害概况 Outline of damage

本桥主要震害为主梁纵横向移位及平面转动，最大横向相对位移为20cm；支座滑移；0号台处伸缩缝被挤拢，6号台处伸缩缝被拉裂，震后伸缩缝间距为9cm。下部结构的主要震害为2、3号墩盖梁左侧与1、3号墩盖梁右侧挡块破坏；0号台与6号台两侧锥坡局部破坏，0号台与6号台搭板下沉倾斜。震后桥梁概貌如图5-151所示；桥跨布置及其主要震害如图5-150所示。

承载能力无明显损失，震后抢通阶段限制通行，震害等级为B级（中等破坏）。

图 5-151　震后桥梁概貌
Figure 5-151　The bridge after the earthquake

5.22.3　上部结构及支承震害 Damage to superstructure and support

1) 主梁

主梁及桥面未见开裂，梁体的主要震害为纵横向移位及平面转动。第1跨梁体向右相对移位；第2跨与第3跨梁体向左相对移位，第1联梁体存在明显刚体平面转动，且均按斜交角增大的趋势转动。第2联转动情况类似，如图5-152与图5-153所示。各跨梁体还存在明显的纵向移位。各跨主梁位移量见表5-23。

图5-152 第4跨主梁向右相对移位

Figure 5-152 The girders of the fourth span moved rightward

图5-153 第6跨主梁相对6号台向左移位

Figure 5-153 The girders of the sixth span moved leftward

表5-23 主梁位移统计表

Table 5-23 Displacement of girders

孔跨编号		主梁横桥向移位（cm）	桥跨形式	备注
第1跨	0号桥台处	向右3	30m预应力I形组合梁	—
	1号桥墩处			
第2跨	1号桥墩处	向左3	30m预应力I形组合梁	—
	2号桥墩处			
第3跨	2号桥墩处	向右5	30m预应力I形组合梁	—
	3号桥墩处			
第4跨	3号桥墩处	向右20	30m预应力I形组合梁	—
	4号桥墩处			
第5跨	4号桥墩处	向右5	30m预应力I形组合梁	—
	5号桥墩处			
第6跨	5号桥墩处	向左6	30m预应力I形组合梁	—
	6号桥墩处			

2）支座

支座震害情况汇总见表5-24，支座典型震害如图5-154与图5-155所示。

表 5-24　支座震害情况汇总
Table 5-24　Seismic damage to bearings

孔 跨 编 号		支座破坏情况描述
第 1 跨	0 号桥台处	支座横向滑移 3cm
	1 号桥墩处	支座横向滑移 5cm
第 2 跨	1 号桥墩处	支座横向滑移 5cm
	2 号桥墩处	支座横向滑移 3cm
第 3 跨	2 号桥墩处	支座横向滑移 3cm
	3 号桥墩处	支座横向滑移 5cm
第 4 跨	3 号桥墩处	支座横向滑移 5cm
	4 号桥墩处	支座横向滑移 5cm
第 5 跨	4 号桥墩处	支座横向滑移 5cm
	5 号桥墩处	支座横向滑移 5cm
第 6 跨	5 号桥墩处	支座横向滑移 5cm
	6 号桥墩处	支座横向滑移 10cm

图 5-154　0 号台处支座滑移

Figure 5-154　The bearing on the abutment moved out

图 5-155　6 号台上支座滑移

Figure 5-155　The bearing on the 6th abutment moved out

3）伸缩缝

伸缩缝主要震害为 0 号台处伸缩缝被挤拢；6 号台处伸缩缝被拉裂，震后伸缩缝间距为 9cm。

5.22.4　下部结构震害 Damage to substructure

1）盖梁

盖梁主要震害为部分挡块破坏，具体表现为 2 号墩与 3 号墩盖梁左侧挡块破坏，如图 5-156 所示；1 号墩与 3 号墩盖梁右侧挡块破坏，如图 5-157 所示。

图 5-156　2 号墩与 3 号墩盖梁左侧挡块破坏

Figure 5-156　The left concrete restricted block on the pier heads of at the 2nd and 3rd pier were damaged

图 5-157　1 号墩与 3 号墩盖梁右侧挡块破坏

Figure 5-157　The right concrete restricted block on the pier heads of the 1st and 3rd pier were damaged

2）桥台

0 号台与 6 号台两侧锥坡局部破坏，如图 5-158 所示；0 号台与 6 号台搭板下沉倾斜，如图 5-159 所示。

图 5-158　6 号台两侧锥坡局部破坏

Figure 5-158　The cone slops on the both sides of the 6th abutment was damaged

图 5-159　6 号台搭板下沉倾斜

Figure 5-159　The run-on slab of the 6th abutment was damaged

5.23　高店大桥 Gaodian Bridge

5.23.1　桥梁概况 Outline of the bridge

高店大桥桥位中心桩号为 K60+170，斜交直线桥（墩梁交角 45°），桥度 8.5m。上部结构为 7×30m 简支 I 形组合梁（桥面连续），共 2 联，0 号台、4 号墩、7 号台设 GL-120 橡胶伸缩缝；板式橡胶支座；双柱式圆形墩（1~6 号墩墩高分别为 11m、14m、14m、

12m、9m、7m），基础为桩基础。0、7号台均为重力式桥台；桥型布置图见图 5-160，大桥于 2007 年 11 月竣工。

大桥位于发震断层上盘，距离发震断层约 30.3km，桥轴方向角为 NE5°，设防烈度为Ⅶ度[1]，按《公路工程抗震设计规范》（JTJ 044—89）进行抗震设防，实际地震烈度为Ⅸ度[3]。

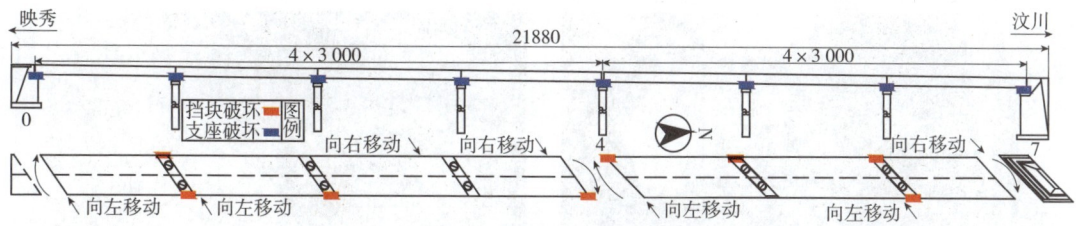

图 5-160　桥跨布置及主要震害示意图（尺寸单位：cm）
Figure 5-160　The layout of the bridge and main seismic damage（unit：cm）

5.23.2　桥梁震害概况 Outline of damage

本桥主要震害表现为主梁纵横向移位及平面转动，主梁横向最大相对位移为 67cm；0 号台、4 号墩、7 号台伸缩缝橡胶被拉裂，震后伸缩缝间距分别为 12cm、10cm、42cm，该现象印证了主梁纵向很大的相对位移；下部结构的主要震害为 1 号、4 号、5 号、6 号盖梁左侧挡块与 2 号、3 号、4 号、6 号盖梁右侧挡块破坏，0 号台与 7 号台两侧锥坡局部开裂。本桥震后概貌如图 5-161 所示，桥跨布置及其主要震害如图 5-160 所示。

图 5-161　震后桥梁概貌
Figure 5-161　The bridge after the earthquake

本桥存在较大的落梁风险，但承载能力无明显损失，震后抢通阶段限制通行，震害等级为 C 级（严重破坏）。

5.23.3　上部结构及支承震害 Damage to superstructure and support

1）主梁

主梁及桥面未见开裂，梁体的主要震害为纵横向移位及平面转动。第 1 跨与第 2 跨主梁向左相对移位（图5-162），而第3跨与第4跨梁体向右相对移位，第1联梁体存在明显刚体平面转动，且均按斜交角增大的趋势转动。第2联转动情况类似，如图5-163与图5-164所示。各跨梁体均存在明显的纵向移位，如图5-164所示。因梁体移位大，第5跨梁体左边梁有落梁风险。各跨主梁位移量见表5-25。

图5-162　第1跨主梁相对0号台向左移位

Figure 5-162　The girders of the first span moved leftward

图5-163　第5跨主梁相对4号墩向左移位

Figure 5-163　The girders of the fifth span moved leftward

表5-25　主梁位移统计表

Table 5-25　Displacement of girders

孔跨编号		主梁横桥向移位（cm）	桥跨形式	备注
第1跨	0号桥台处	向左16	30m预应力I形组合梁	—
	1号桥墩处			
第2跨	1号桥墩处	向左10	30m预应力I形组合梁	—
	2号桥墩处			
第3跨	2号桥墩处	向右3	30m预应力I形组合梁	—
	3号桥墩处			
第4跨	3号桥墩处	向右7	30m预应力I形组合梁	—
	4号桥墩处			
第5跨	4号桥墩处	向左41	30m预应力I形组合梁	1号梁存在落梁危险
	5号桥墩处			
第6跨	5号桥墩处	向左5	30m预应力I形组合梁	—
	6号桥墩处			
第7跨	6号桥墩处	向右67	30m预应力I形组合梁	—
	7号桥台处			

2）支座

支座震害情况汇总见表5-26。

表 5-26　支座震害情况汇总
Table 5-26　Seismic damage to bearings

孔 跨 编 号		支座破坏情况描述
第 1 跨	0 号桥台处	支座横向滑移 17cm
	1 号桥墩处	支座横向滑移 10cm
第 2 跨	1 号桥墩处	支座横向滑移 10cm
	2 号桥墩处	支座横向滑移 5cm
第 3 跨	2 号桥墩处	支座横向滑移 5cm
	3 号桥墩处	支座横向滑移 3cm
第 4 跨	3 号桥墩处	支座横向滑移 3cm
	4 号桥墩处	支座横向滑移 7cm
第 5 跨	4 号桥墩处	支座横向滑移 20cm
	5 号桥墩处	支座横向滑移 5cm
第 6 跨	5 号桥墩处	支座横向滑移 5cm
	6 号桥墩处	支座横向滑移 5cm
第 7 跨	6 号桥墩处	支座横向滑移 5cm
	7 号桥台处	支座滑脱

3）伸缩缝

0 号台、4 号墩、7 号台伸缩缝被拉裂，震后伸缩缝间距分别为 12cm、10cm、42cm，如图 5-165 所示。

图 5-164　第 7 跨主梁相对 6 号台向右移位
Figure 5-164　The girders of the seventh span moved rightward

图 5-165　0 号台处伸缩缝被拉裂
Figure 5-165　The expansion joint on the abutment was damaged

5.23.4　下部结构震害 Damage to substructure

1、4、5、6 号盖梁左侧挡块破坏，2、3、4、6 号盖梁右侧挡块破坏，如图 5-166 与图 5-167 所示；0 号桥台与 7 号桥台两侧锥坡局部开裂。

图 5-166　盖梁左侧挡块破坏

Figure 5-166　The left concrete displacement restriction on the pier heads was damaged

图 5-167　盖梁右侧挡块破坏

Figure 5-167　The right concrete displacement restrictions were damaged

5.24　中坝大桥 Zhongba Bridge

5.24.1　桥梁概况 Outline of the bridge

中坝大桥桥位中心桩号为 K67+575，斜交直线桥（墩梁交角 45°），桥面宽度为 8.5m。上部结构为 5×30m 简支 I 形组合梁（桥面连续），共 1 联，0、5 号台设橡胶伸缩缝；板式橡胶支座；双柱式圆形墩（1~4 号墩墩高分别为 3m、5m、7m、9m），基础为桩基础。桥台均为重力式桥台；桥型布置图见图 5-168，大桥于 2007 年 11 月竣工。

大桥位于发震断层上盘，距离发震断层约 28.8km，桥轴方向角为 NE10°，设防烈度为Ⅶ度[1]，按《公路工程抗震设计规范》（JTJ 044—89）进行抗震设防，实际地震烈度为Ⅸ度[3]。

5.24.2　桥梁震害概况 Outline of damage

主要震害为主梁纵横向移位及平面转动，主梁横向最大相对位移为 20cm；震后桥梁概貌如图 5-169 所示；桥跨布置及其主要震害如图 5-168 所示。震害等级为 B 级（中等破坏）。

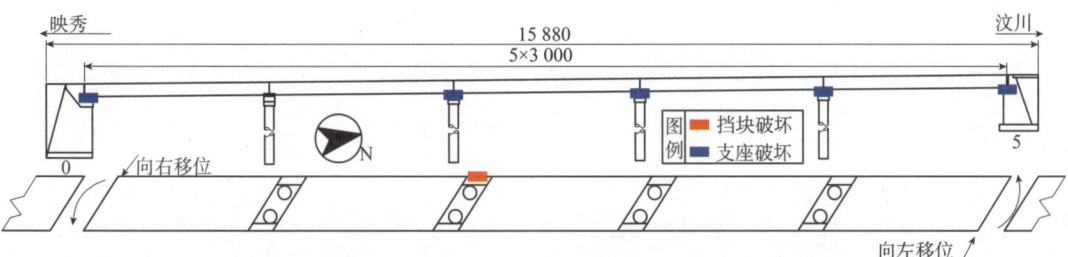

图 5-168　桥跨布置及主要震害示意图（尺寸单位：cm）

Figure 5-168　The layout of the bridge and main seismic damage（unit：cm）

图 5-169　震后桥梁概貌

Figure 5-169　The bridge after the earthquake

5.24.3　上部结构及支承震害 Damage to superstructure and support

1）主梁

主梁及桥面未见开裂，梁体的主要震害为纵横向移位及平面转动。第 1 跨主梁向右相对移位 20cm（图 5-170），而第 5 跨主梁向左相对移位 7cm（图 5-171），全桥梁体存在明显的刚体平面转动，且均按斜交角增大的趋势转动。各跨梁体还存在明显的纵向移位。

图 5-170　第 1 跨主梁相对 0 号台向右移位

Figure 5-170　The girders of the first span moved rightward

图 5-171　第 5 跨主梁相对 5 号台向左移位

Figure 5-171　The girders of the fifth span moved leftward

2）支座

支座震害情况汇总如表 5-27 所示，典型支座震害如图 5-172 和图 5-173 所示。

表 5-27　支座震害情况汇总
Table 5-27　Seismic damage to bearings

孔 跨 编 号		支座破坏情况描述
第一跨	0 号桥台处	支座横向滑移
	1 号桥墩处	—
第二跨	1 号桥墩处	—
	2 号桥墩处	支座横向滑移 10cm
第三跨	2 号桥墩处	支座横向滑移 10cm
	3 号桥墩处	支座横向滑移 10cm
第四跨	3 号桥墩处	支座横向滑移 10cm
	4 号桥墩处	支座横向滑移 10cm
第五跨	4 号桥墩处	支座横向滑移 10cm
	5 号桥台处	—

图 5-172　0 号台支座滑移
Figure 5-172　The bearing on the abutment moved out

图 5-173　2 号墩顶支座横向滑移
Figure 5-173　The bearing on the 2nd pier moved out transversely

3）伸缩缝

0 号台伸缩缝拉裂，震后伸缩缝间距为 10cm；5 号台伸缩缝挤拢，震后伸缩缝间距为 1.5cm。

5.24.4　下部结构震害 Damage to substructure

2 号墩盖梁左侧挡块破坏，如图 5-174 所示。0、5 号桥台两侧锥坡局部破坏，如图 5-175 所示。

图 5-174　2 号盖梁左侧挡块破坏

Figure 5-174　The left concrete restricted block on the pier head of the 2nd pier were damaged

图 5-175　桥台两侧锥坡局部破裂

Figure 5-175　The cone slops on both sides of the abutment was damaged

第6章 省道303线映秀至卧龙段公路
Chapter 6　The 303 Provincial Road from Yingxiu to Wolong

6.1 公路及桥梁概况 Outline of route and bridges

省道303线映秀至卧龙段公路全长50.385km，公路等级为山岭重丘区二级公路，位于四川盆地西北侧中山区，沿渔子溪河展线。区域内受河流溶蚀切割，两侧山势陡峻，形成"V"形谷，岩层节理裂隙发育。本段公路均位于龙门山中央断裂带上盘，设计抗震设防烈度为Ⅶ度[1]，在汶川地震中，实际地震烈度为Ⅸ~Ⅺ度[3]。距映秀40km处卧龙台站所测定的加速度峰值：EW—957.7g，NS—52.851g。

本段公路以映秀镇为起点，以映秀至卧龙方向为正方向对各桥进行编号。

该路段共有桥梁19座，均为中、小跨径的简支梁桥与连续梁桥。从桥梁规模划分，有小桥6座、中桥6座、大桥7座；按桥梁结构体系分，有简支梁桥15座、连续梁桥4座。Ⅹ~Ⅺ度区（映秀镇至耿达乡附近）共有桥梁13座，其余6座桥梁均位于Ⅸ度区。本路段桥梁地理位置见图6-1，各类桥型数量参见表6-1。桥梁基本情况及震害情况参见图6-2、附表C-4。

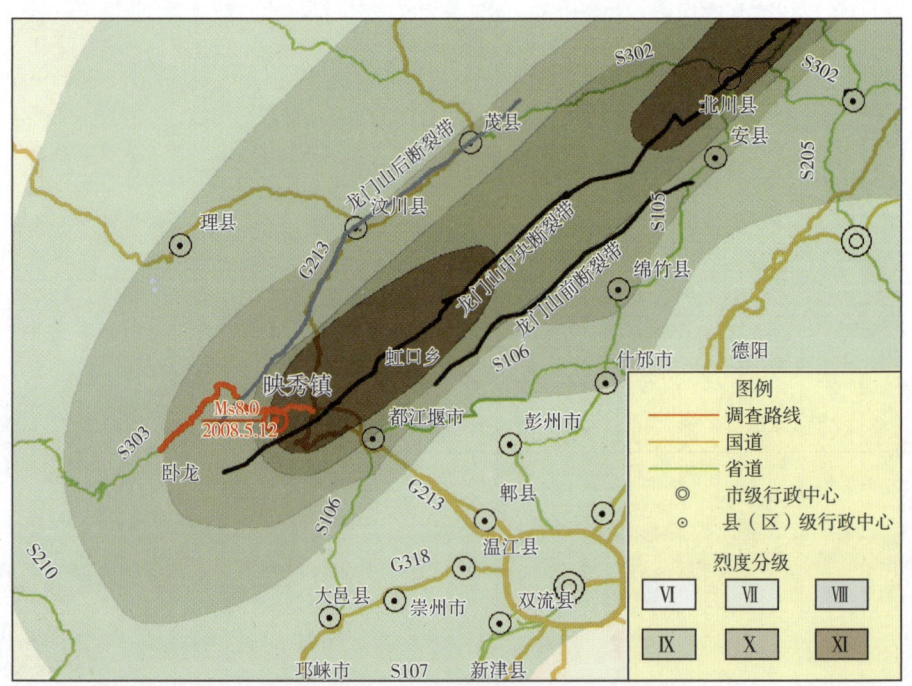

图6-1　线路区域位置图

Figure 6-1　Location of the roads in seismic areas

表 6-1 省道 303 线映秀至卧龙段桥梁桥型及规模
Table 6-1 Types and size of the bridges on the Provincial Roads 303 from Yingxiu to Wolong

桥梁类型 \ 桥梁规模	特大桥（座）	大桥（座）	中桥（座）	小桥（座）	合计（座）
简支梁桥	0	3	6	6	15
连续梁桥	0	4	0	0	4
合计	0	7	6	6	19

15 座简支梁桥，均为直线桥，且以单跨桥梁为主。上部主梁以预应力混凝土空心板为主，桥面连续；支座均采用板式橡胶支座；下部桥墩均为双柱式排架式桥墩。4 座连续梁桥，均为曲线桥，上部结构均为预应力混凝土现浇箱梁；均设置了固定墩。

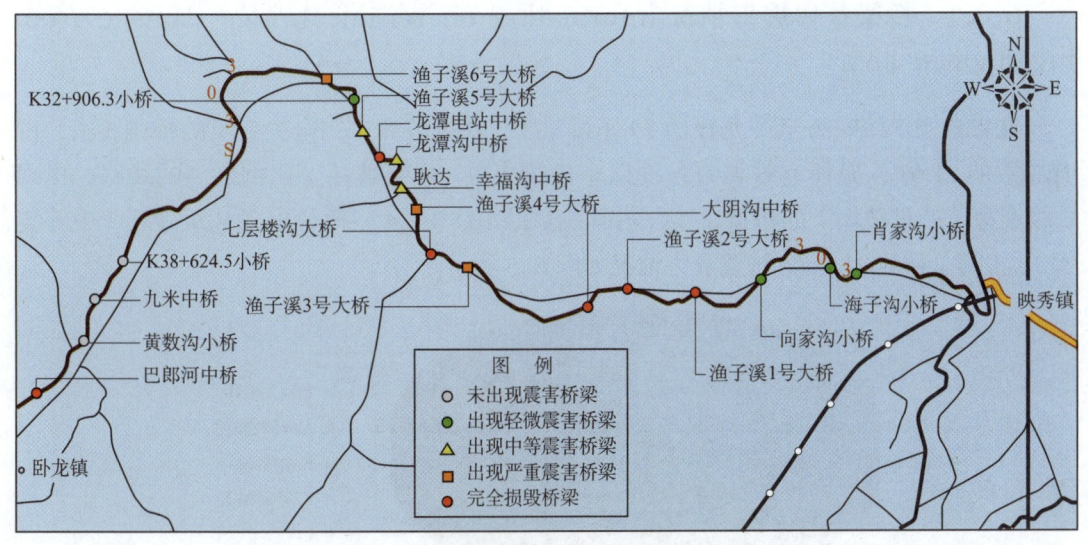

图 6-2 桥梁沿线路分布及震害
Figure 6-2 Location and seismic damage of the bridges along the highway

6.2 震害概要 Outline of the damage

该路段靠近发震断裂带，且所有桥梁均位于实际烈度Ⅸ～Ⅺ度区内，在地震中桥梁损毁严重。本段公路桥梁震害的一个突出特点是次生地质灾害对桥梁造成严重破坏。完全损毁或失效的桥梁均由次生地质灾害所致。渔子溪 1 号桥被碎屑流冲毁（图 6-3），渔子溪 2 号桥被巨石砸断桥墩，全桥垮塌（图 6-4）。

本段公路中除渔子溪 1 号桥、渔子溪 2 号桥、巴郎河中桥等 6 座大桥完全损毁（D 级震害），渔子溪 3 号桥、渔子溪 6 号桥等 2 座严重破坏（C 级震害），震害情况较为典型的桥梁将在本节后进行详细介绍。

图 6-3 渔子溪 1 号桥被碎屑流冲毁

Figure 6-3　The Yuzixi No.1 Bridge was collapsed because of collision of stones

图 6-4　渔子溪 2 号桥全桥垮塌

Figure 6-4　The Yuzixi No.2 Bridge was collapsed completely

6.2.1　桥梁整体震害情况 Information on seismic bridge damage from investigated area

在省道 303 线映秀至卧龙段的 19 座桥梁中，D 级破坏（完全失效）的桥梁 6 座，占其总数的 31.6%，是所有被调查各线路中桥梁失效（D 级破坏）比例最高的线路；出现 C 级震害（严重破坏）的桥梁 2 座，占其总数的 10.5%；4 座桥梁出现 B 级破坏（中等震害），占其总数的 21.1%。桥梁震害情况如图 6-5 所示。

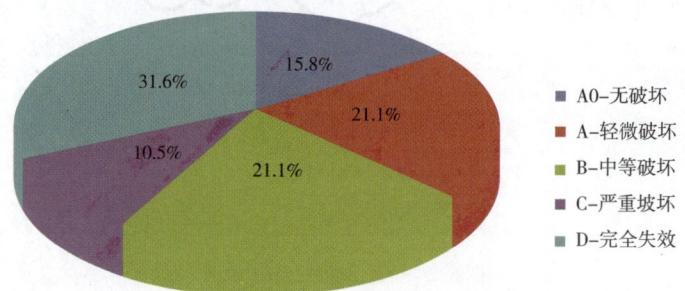

图 6-5　省道 303 线映秀至卧龙段桥梁震害情况

Figure 6-5　Proportional extent of bridge damage on the Provincial Road 303 from Yingxiu to Wolong

6.2.2　次生地质灾害对桥梁的破坏 Seismic damage to bridges due to secondary geological disasters

由于该段公路基本为沿渔子溪展线，桥梁多位于谷底，傍山桥梁较多。公路两侧山坡陡峭，地震中山体崩塌、滑坡、落石等现象较为普遍，并形成了"串珠状"堰塞湖，部分路段和桥梁被堰塞湖淹没，使得该段公路桥梁受次生地质灾害的破坏相当严重。

19 座桥梁中，受次生地质灾害影响的桥梁共 11 座，占总数的 57.9%（表 6-2），其中 D 级震害（完全失效）的 6 座桥梁及 C 级震害（严重破坏）的 2 座桥梁均是由次生地质灾害所致。从表 6-2 中数据可以看出，该段公路中位于Ⅸ度区的桥梁震害程度明显比Ⅹ、Ⅺ

度区内的轻，这除了与地震动强度有关外，还与桥址区域内的地形地貌有关。

表 6-2 次生地质灾害引起桥梁震害情况表
Table 6-2 Seismic damage caused by secondary geological disasters to bridges

烈度区域	震害等级	A0-无破坏（座）	A-轻微破坏（座）	B-中等破坏（座）	C-严重破坏（座）	D-完全失效（座）	合计（座）
Ⅸ度区	次灾破坏	0	0	0	1	1	2
	直接震害	3	1	0	0	0	4
Ⅹ、Ⅺ度区	次灾破坏	0	3	1	0	5	9
	直接震害	0	0	3	1	0	4
合计		3	4	4	2	6	19

通过整理次生地质灾害破坏桥梁的地理位置发现，受次生地质灾害破坏的桥梁与龙门山断裂带有密切关系，发生次生地质灾害破坏的桥梁均集中在中央断裂带与后山断裂带之间。线路中受次生地质灾害影响桥梁区域位置示意如图 6-6 所示。

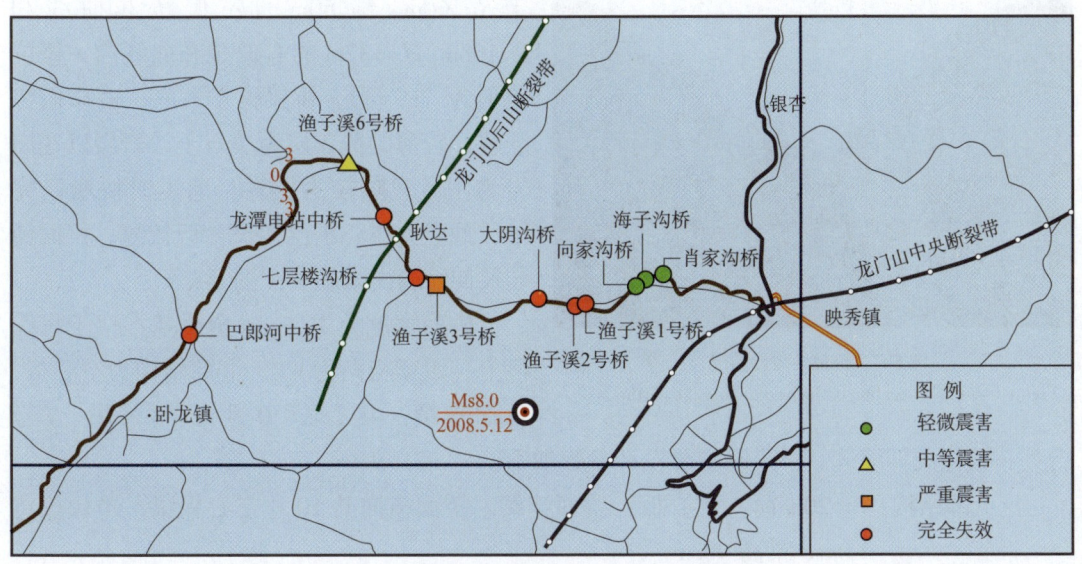

图 6-6 受次生地质灾害影响桥梁区域位置图
Figure 6-6 The location of bridges affected by secondary geological disasters

就次生地质灾害对桥梁的破坏形式而言，本段公路主要出现了滑坡体掩埋桥梁，如渔子溪1号桥、龙潭电站中桥、巴郎河中桥等；崩塌体砸毁桥梁，如渔子溪1、2、3号桥等；堰塞湖淹没桥梁，如巴郎河中桥、大阴沟中桥等。

由于本段公路中桥梁数量不多，且震害多由次生地质灾害所致。从致灾机理来说，次生地质灾害与桥型、构件均关系不大，故本章仅对次生地质灾害进行讨论，不再进行桥型和构件的破坏统计分析。

6.2.3 本段公路桥梁震害特点 The characteristics of bridge damages in the highway

通过震害统计分析及典型震害的调查,本段公路桥梁震害情况有如下特点:由次生地质灾害引起的桥梁震害较为普遍,道路中 63.2% 的桥梁均遭受地质灾害的影响。D 级震害(完全失效)及 C 级震害(严重破坏)的桥梁均因次生地质灾害所致。这与本段公路的地形及地质有关,更主要的原因是,本段公路位于龙门山中央断裂带上盘,且处在中央断裂带和后山断裂带之间。

6.3 渔子溪 1 号桥 Yuzixi No.1 Bridge

6.3.1 桥梁概况 Outline of the bridge

桥梁中心桩号为 K10+974,渔子溪 1 号桥位于盘龙山隧道出口,与渔子溪河成 45°斜交。平面线形为"S"形,分别位于 R=160m、L_s=50m 的左偏缓和曲线和 R=108m、L_s=37m 的右偏缓和曲线内。桥位地形为"U"形,桥梁位于谷底,两岸山势陡峻,较薄的覆盖层为块石土,岩层以花岗岩为主,裂隙较为发育。地震时桥墩已完工,预应力空心板已架设,但铰缝、桥面铺装及伸缩缝尚未施工(图 6-7)。

桥面宽度为 10.5m,全桥基本位于直线段上,墩梁交角为 45°。上部结构为空心板,桥面连续,共 2 联,0 号台、3 号墩、7 号

图 6-7 桥位处地形情况
Figure 6-7 The location of the bridge after the earthquake

台处布置橡胶伸缩缝。桥梁的主要设计参数如下:

- 上部结构:7×20m 简支空心板,桥面连续。桥面横向共 10 片空心板梁,单块板宽 1.0m,梁高 90cm
- 支座:板式橡胶支座　　　　· 基础:钻孔桩基础
- 桥墩:1~6 号墩均为双柱式圆形墩,墩径为 130cm。各墩墩高依次为 5.3m、8.3m、15.3m、12.8m、11.3m、5.3m
- 桥台:0 号桥台为桩柱式、7 号桥台重力式
- 主要材料:主梁采用 C40 混凝土;0 号台、桥墩及盖梁、系梁均采用 C30 混凝土;7 号桥台为 C25 混凝土

桥位距中央断裂带(发震断层)垂直距离约 5km,桥轴方向角为 N-NE60°。抗震设防烈度为Ⅶ[1],按《公路工程抗震设计规范》(JTJ 004—89)进行抗震设计,场地类别为

Ⅱ类，实际地震烈度为Ⅺ[3]。

6.3.2 震害概况 Outline of damage

渔子溪1号大桥受严重次生地质灾害破坏，各跨主要震害见图6-8。映秀岸桥台和1~4跨主梁被崩塌山体砸毁，映秀岸桥台和1~3号墩均被巨石砸毁并掩埋（图6-9）。残存主梁均存在明显的纵、横向位移（图6-10~图6-12），外侧梁体落梁风险大。支座普遍有移位、剪切变形、脱空等震害。现存的4~6号墩均未发现倾斜、开裂等震害，但挡块完全损坏。

本桥震害等级为D级（完全失效）。

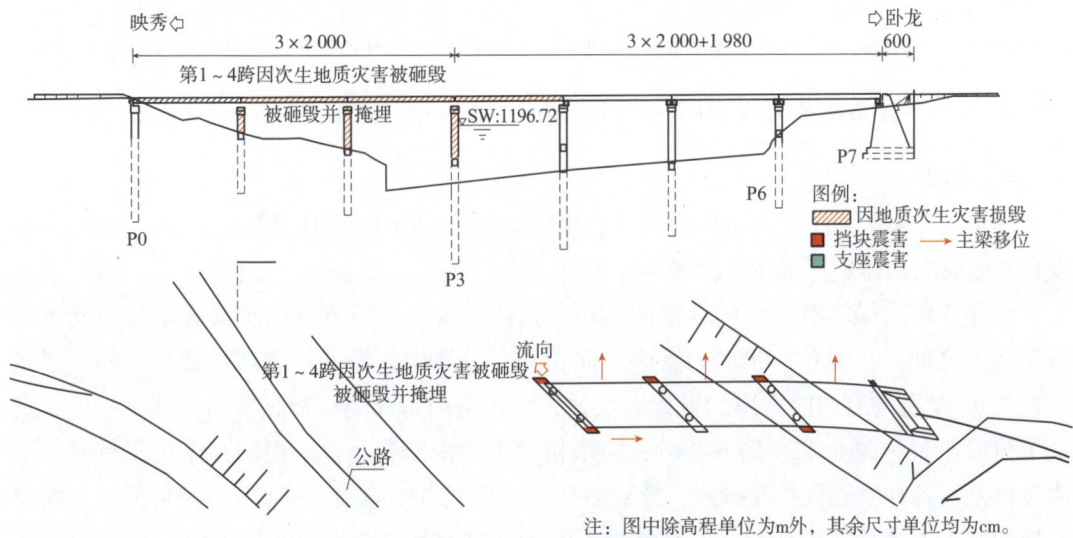

图6-8 各跨主要震害图

Figure 6-8 The main seismic damage to each span

图6-9 渔子溪1号大桥1~4跨被落石砸毁

Figure 6-9 The 1st to 4th spans in Yuzixi 1st Bridge were destroyed by huge stones

图6-10 主梁有明显的横桥向移位

Figure 6-10 The girder moved transversely

图 6-11　第 7 跨主梁纵向移位明显

Figure 6-11　The girders of the 7th span moved longitudinally

图 6-12　第 5 跨左侧主梁落梁风险较大

Figure 6-12　The left girders on the 5th span were risking falling

6.3.3　上部结构及支承震害 Damage to superstructure and support

1）主梁

渔子溪 1 号大桥主梁的主要震害是次生灾害所致。由于桥位两端山势陡峻，岩层裂隙发育，地震时山体崩塌砸毁 4 跨梁体。

残存 3 跨主梁均有一定的纵横向移位，造成支座上、下支承面（梁底钢板与支承垫石钢板）之间发生错位，梁底与支座之间错位，以及梁体撞击导致挡块破坏。相对于墩台，第 6、7 跨均有向映秀岸的纵桥向位移，且每跨内每片空心板纵桥向位移不一致，产生了前后错位（图 6-13、图 6-14）；在横桥向上，由于各片空心板间尚未施工铰缝，整体性很差，各片空心板相互碰撞，导致多片空心板混凝土破损、开裂（图 6-15）。各跨空心板均有向左的横桥向位移，但位移量不一致，最左侧空心板位移量最大（图 6-16、图 6-17），第 5、7 跨最左侧空心板落梁风险较大（图 6-18），第 6 跨各片空心板之间横向间隙见表 6-3。

图 6-13　6 号墩处各梁体纵向位移不一致

Figure 6-13　Longitudinal differential displacement of the girders on the 6th pier

图 6-14　映秀岸桥台处主梁纵向位移

Figure 6-14　Longitudinal displacement of the beams on the abutment on the Yingxiu side

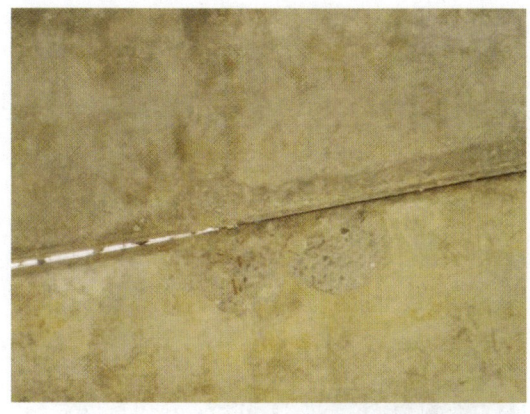

图 6-15 主梁相互碰撞导致混凝土剥落、破损

Figure 6-15　The concrete damaged due to impaction between girders

图 6-16　第 6、7 跨主梁有横向相对位移

Figure 6-16　The transverse displacement between the girders on the 6th and the 7th span

图 6-17　映秀岸桥台处主梁横向位移

Figure 6-17　Transverse displacement of the girders on the abutment on the Yingxiu side

图 6-18　第 7 跨左侧横桥向位移有落梁风险

Figure 6-18　The girders on the left side of the 7th span was risking falling due to the transverse displacement

表 6-3　第 6 跨各片空心板之间横向间隙
Table 6-3　The gap between girders of the 6th span

序 号	位 置	间 隙	序 号	位 置	间 隙
1	1~2 号	39.0cm	6	6~7 号	8.5cm
2	2~3 号	10.0cm	7	7~8 号	11cm
3	3~4 号	10.0cm	8	8~9 号	15.5cm
4	4~5 号	20.0cm	9	9~10 号	14.5cm
5	5~6 号	15.5cm			

2）支座

残存 3 跨桥梁支座均有震害，由于主梁位移较大，造成卧龙岸桥台处大部分支座外露，其他墩处部分支座悬空、移位（图 6-19）。

6.3.4 下部结构震害 Damage to substructure

由于主梁普遍有较明显的横向位移，因此挡块破损较为严重。4、6号墩左侧挡块被撞掉，5号墩左侧挡块与梁体密贴（图6-20、图6-21）。映秀岸桥台完全被巨石掩埋，卧龙岸桥台右侧也被掩埋（图6-22），桥台其他位置未见明显开裂、下沉、倾斜等震害。残存桥墩中，4号墩柱被水流直接冲刷，系梁、墩柱被巨石撞击，左侧号墩柱的倾斜度为0.7%，右侧墩柱的倾斜度为0.5%，5号墩的倾斜度也有约0.2%，6号墩柱被部分掩埋。

图6-19　7号桥台处支座脱空、移位现象严重

Figure 6-19　The bearing on the 7th abutment moved out and deformed seriously

图6-20　4、5号墩左侧挡块震害

Figure 6-20　Seismic damage to the left concrete restricted blocks on the 4th and the 5th pier

图6-21　4号墩柱、系梁受落石和落梁撞击

Figure 6-21　The 4th pier and tie girder were impacted by falling stones and girders

图6-22　卧龙岸桥台被部分掩埋

Figure 6-22　The abutment on the Wolong side was buried partly

6.3.5 震害简析 Analysis on damage mechanism

渔子溪1号大桥主要由映秀岸公路右侧的山体崩塌砸毁。斜坡上岩体失稳破坏区见图6-23，斜坡崩塌典型剖面示意图见图6-24。从该桥的震害可以得到的一点：对于桥位附近边坡在地震动作用下的稳定性应给予足够的重视。

图 6-23 斜坡上方岩体失稳破坏区

Figure 6-23 The slop collapsed

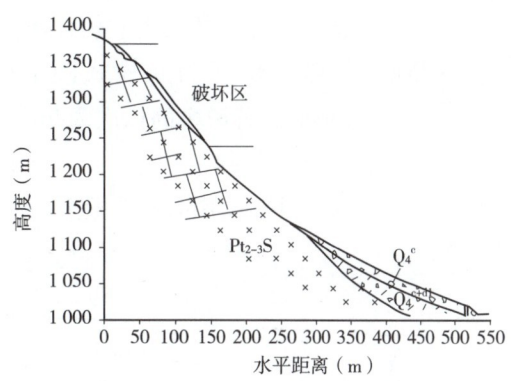

图 6-24 斜坡崩塌典型剖面示意图

Figure 6-24 A section of the unstable slope

6.4 渔子溪 2 号桥 Yuzixi No.2 Bridge

6.4.1 桥梁概况 Outline of the bridge

渔子溪 2 号桥桥梁中心桩号为 K11+481.5，与渔子溪河斜交约 45°，采用连续梁结构，斜桥正做。桥梁平面位于 $R=212.9m$、$Ls=50m$ 的圆曲线和缓和曲线内，曲线加宽 0.7m，设计中采用两侧加宽 0.45m 的方式，桥面最大超高为 6%。纵面位于 4.9% 的上坡段（卧龙岸高）。两岸地形较为陡峻，卧龙岸临近冲沟，山体主要为花岗岩，裂隙较为发育。山体斜坡坡体呈折线形，上陡下缓，下部缓坡段为崩坡积块石，上方为块状结构辉长岩斜坡。发育 135°∠67°、260°∠73° 两组结构面。坡高 560m，坡向 165°（图 6-25）。

桥位位于中央断裂带上盘，距断层垂直距离 5.4km，桥轴方向角为 N-NW121°。设计抗震设防烈度为 Ⅶ度[1]，按《公路工程抗震设计规范》（JTJ 004—89）进行抗震设计，实际地震烈度为 Ⅹ度[3]。

桥面宽度为 10.5m，上部结构为连续箱梁，共 1 联，两端桥台处布置橡胶伸缩缝；桥型布置图见图 6-26。桥梁的主要设计参数如下：

图 6-25 卧龙岸山体情况

Figure 6-25 The situation of mountain on the Wolong side

- 上部结构：4×25m 连续梁。单箱双室，梁高 1.5m，腹板厚 0.4m，顶、底板厚 0.22m
- 支座：盆式橡胶支座，1、3 号墩左顶设固定支座，右墩顶设单向支座，2 号墩顶设

固定支座，桥台处左侧设单向支座，右侧设双向支座
- 桥墩：1、3号墩均为双柱式圆形墩，墩径为130cm，2号墩为独柱墩，墩径为150cm，各墩墩高依次为7m、9m、8m
- 基础：钻孔桩基础　　　　　・桥台：重力式桥台
- 主要材料：主梁采用C40混凝土；桥墩、系梁均采用C30混凝土；桥台为C25混凝土

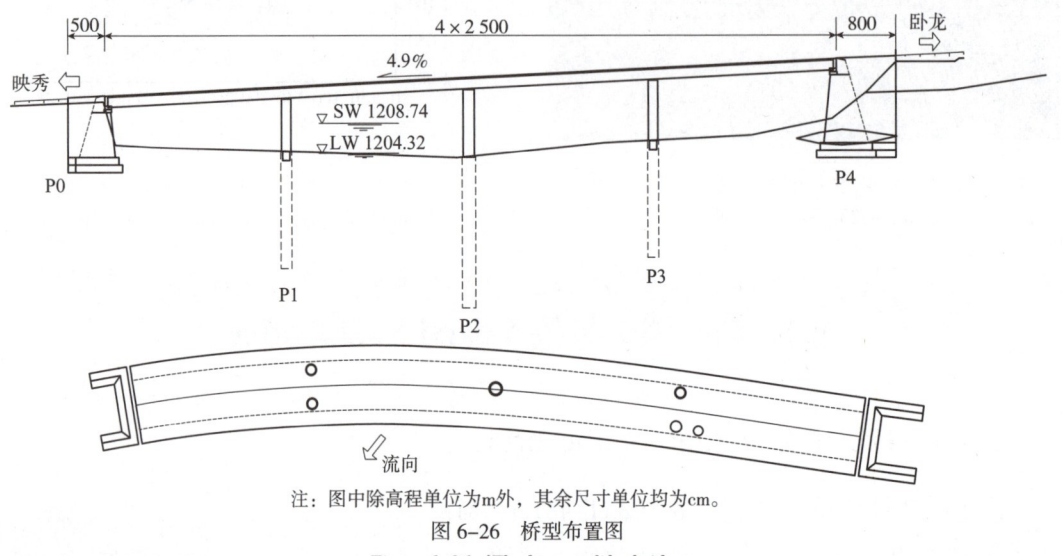

注：图中除高程单位为m外，其余尺寸单位均为cm。

图 6-26　桥型布置图

Figure 6-26　The layout of the bridge

6.4.2　桥梁震害概况 Outline of damage

渔子溪2号桥因巨石冲击全桥垮塌。地震导致两岸山体崩塌，大量落石从山体飞落。第4跨曲线外侧被飞落的巨石击中，导致主梁断裂（图6-27），3号桥墩处左侧梁体底板、腹板、翼缘混凝土开裂，梁体右侧顶板混凝土开裂，第2跨靠近2号墩处梁体被折断，全桥向曲线外侧倾覆（图6-28）。主梁的倾覆，导致墩柱倒塌。0号桥台处被垮塌的山体掩埋。震后的渔子溪2号桥见图6-29。

图 6-27　第4跨被巨石击中，主梁断裂

Figure 6-27　The 4th span was impacted by huge stones and the girder broke

图 6-28　主梁整体向曲线外侧倾覆

Figure 6-28　The whole girder overturned out of curve

本桥丧失通行能力,震害等级为 D 级(完全失效)。

6.4.3 震害简析 Analysis on damage mechanism

渔子溪 2 号桥是典型的因地质灾害而全桥垮塌的桥梁。桥位处为高山峡谷地形,山体为花岗岩,裂隙较为发育。地震中,大量的巨石崩落。调查表明,砸毁第 4 跨的巨石体积达 8m³,质量约 19t;同时 3 号墩为互不相连的两个独立墩柱,毫无整体性可言,且巨石击中的是桥梁边缘,为偏心冲击荷载,在这些因素的综合作用下,桥梁整体垮塌。

对于连续梁桥,一跨破坏后由于结构体系的变化将导致内力重分配,引发整联桥破坏。这是与简支梁桥不同之处。简支梁桥由于各跨主梁受力有一定的独立性,局部桥跨垮塌后,其他跨有可能幸存,如同样受地质灾害破坏的渔子溪 1 号桥,1~4 跨被垮塌山体砸毁,但 5~7 跨尚存。

图 6-29 震后的渔子溪 2 号桥
Figure 6-29 The Yuzixi 2nd Bridge after the earthquake

6.5　渔子溪 3 号大桥 Yuzixi No.3 Bridge

6.5.1　桥梁概况 Outline of the Bridge

渔子溪 3 号大桥为 4 跨预应力混凝土连续弯箱梁桥,斜跨渔子溪河,交角约为 45°,斜桥正做。桥梁平面位于 $R=117.34\mathrm{m}$,$L_s=50\mathrm{m}$ 的圆曲线和缓和曲线内,横坡向超高达 8%,纵坡 3.52%。桥位地形为 V 形河谷,桥梁位于谷底,两岸山势陡峻,卧龙岸山体坡度达 50°左右,映秀岸山体坡度也超过 45°,0 号台和第 1 跨紧临山间冲沟。山体主要为花岗岩,裂隙较为发育。桥型布置及主要震害见图 6-30。

桥面宽度为 10.5m,上部结构为连续箱梁,主梁标准横断面见图 6-31,共 1 联,0、4 号台处布置橡胶伸缩缝。桥梁的主要设计参数如下:

- 上部结构:20m+2×25m+20m 预应力混凝土连续箱梁。单箱双室,梁高 1.5m,腹板厚 0.4m,顶、底板厚 0.22m
- 支座:各墩台均采用盆式橡胶支座。1、3 号墩左侧柱顶为固定支座、右侧柱顶设单向支座;2 号墩顶设固定支座、桥台左侧设单向支座、右侧设双向支座
- 桥墩:1、3 号墩均为双柱式圆形墩,墩径为 130cm,2 号墩为独柱墩,墩径为 150cm,各墩墩高依次为 6.5m、7.5m、7.5m
- 基础:钻孔桩基础　　・桥台:重力式

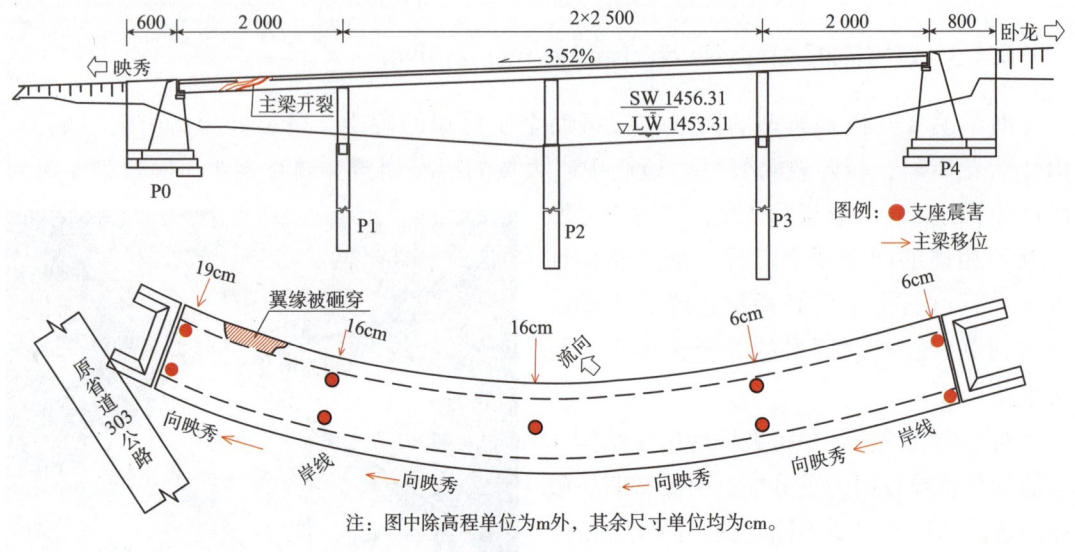

图 6-30 桥型布置及主要震害图
Figure 6-30 The main seismic damage

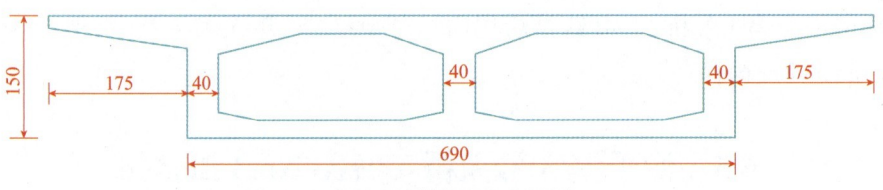

图 6-31 主梁标准横断面（尺寸单位：cm）
Figure 6-31 The standard cross section of the girder (unit: cm)

·主要材料：主梁 C40 混凝土；桥墩、系梁 C30 混凝土；桥台 C25 混凝土

桥位位于发震断裂带上盘，距发震断裂带垂直距离 11km，桥轴方向角为 N-NW129°，Ⅲ类场地，震前抗震设防烈度为Ⅶ度[1]，按《公路工程抗震设计规范》(JTJ 004—89) 进行抗震设计，实际地震烈度为Ⅹ度[3]。

6.5.2 桥梁震害概况 Outline of damage

图 6-32 震后的渔子溪 3 号桥
Figure 6-32 The Yuzixi No.3 Bridge after the earthquake

震后的渔子溪 3 号桥见图 6-32。渔子溪 3 号桥受严重次生地质灾害破坏。两岸山体崩塌，导致第 1 跨主梁内弧侧受崩落巨石冲击，翼缘板完全被砸穿，主梁严重开裂，几近斜截面破坏，两岸桥头被掩埋（图 6-33）。

主梁有明显的纵横桥向位移，最大横向位移达 19cm，支座普遍有移位、剪切变形和脱空，部分墩抗震锚栓变形、倾斜，主梁的支承点已明显偏离设计位置，导致主梁的承载能力受到影响（图 6-34）。

本桥抢通阶段须经过处置方可满足通行需求，震害等级为 C 级（严重破坏）。

图 6-33　第 1 跨下被碎石、泥土填满
Figure 6-33　The space under the first span was filled with gravel and soil

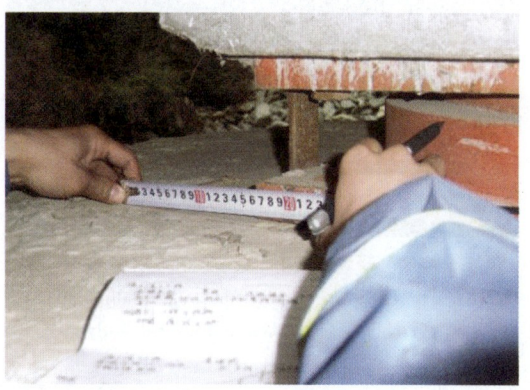

图 6-34　主梁移位、支座锚固螺栓损坏
Figure 6-34　The girder moved and the anchor fixing bolts were damaged

6.5.3　上部结构及支承震害 Damage to superstructure and support

1）主梁

主梁多处被落石撞击，不仅第 1 跨内弧侧翼缘板被巨石砸穿、钢筋裸露（图 6-35），更为严重的是，该处主梁翼缘板也严重受损（图 6-36、图 6-37），形成了多条延伸至梁顶的斜裂缝，混凝土大量剥落，并露出多根箍筋，斜截面承载能力削弱严重。山体崩落物涌入第 1、4 跨下，其中第 1 跨处已堆积至梁底，有可能导致主梁支承边界条件的改变。

图 6-35　主梁被飞石撞击受损
Figure 6-35　The girder was damaged by flying stones

图 6-36　第 1 跨翼缘板被砸穿
Figure 6-36　The flange of the 1st span smashed

主梁纵、横桥向移位较为严重，0 号台、1 号墩、2 号墩处主梁横向移位均达 16cm 以上，其中 0 号台处达 19cm，位移的方向为向外弧侧（图 6-38）；顺桥向移位使得 0 号台处主梁与桥台抵近，4 号台处主梁与桥台间的缝被拉开。主梁移位详情见表 6-4。

图 6-37 受落石撞击主梁，斜截面几近破坏

Figure 6-37 The girders were impacted by falling stones, oblique section was destroyed almostly

图 6-38 0 号台处主梁移位达 19cm

Figure 6-38 The displacement of the girder on the abutment was up to 19cm

表 6-4 渔子溪 3 号大桥主梁位移统计表
Table 6-4 Displacement of the girders of the Yuzixi No.3 Bridge

位 置	纵桥向移位	横桥向移位
0 号台处	向映秀岸	向曲线外侧 19cm
1 号墩处	向映秀岸	向曲线外侧 16cm
2 号墩处	向映秀岸	向曲线外侧 16cm
3 号墩处	向映秀岸	向曲线外侧 6cm
4 号台处	向映秀岸	向曲线外侧 6cm

2）支座

与主梁移位相对应，渔子溪 3 号大桥支座的震害也较为严重，各支座均存在不同程度的损坏，如上、下预埋钢板错位、限位块破坏（图 6-39、图 6-40）等，部分支座抗震锚栓变形或被剪断（图 6-41~图 6-44），支座受损的具体情况见表 6-5。

图 6-39 0 号台上、下垫板错位

Figure 6-39 The displacement of the girder

图 6-40 0 号台支座横向限位破坏

Figure 6-40 The lateral stopper of the bearing on the abutment was damaged

图 6-41　1 号墩左支座锚固螺栓被剪断

Figure 6-41　The anchor fixing bolt of the left bearing on the 1st pier was broken by sheer force

图 6-42　2 号墩右支座整体移位达 16cm

Figure 6-42　The displacement of the right bearing on the 2nd pier was up to 16cm

图 6-43　2 号墩支座偏位严重

Figure 6-43　The bearing on the 2nd pier moved largely

图 6-44　3 号墩支座上、下预埋钢板错位

Figure 6-44　The pre-embedded steel plate on the top of the bearing on the 3rd pier moved

表 6-5　渔子溪 3 号大桥支座破坏统计表

Table 6-5　Damage to bearings of Yuzi Xi 3rd Bridge

位　置	受损情况
0 号台处	上、下预埋钢板错位 16cm，横向限位块损坏
1 号墩处	预埋螺栓剪断、支座整体偏位 16cm
2 号墩处	支座整体偏位 16cm
3 号墩处	限位块变形，上、下预埋钢板错位约 5cm
4 号台处	上、下预埋钢板错位 6cm

6.5.4　下部结构震害 Damage to substructure

该桥下部结构主要受地质灾害影响，导致两岸桥头和桥台被部分掩埋，第 1、3 号墩被部分掩埋（图 6-45），第 4 跨下可见巨石（图 6-46），3 号墩未受该巨石冲击已属万幸。从可检查的部位来看，桥墩情况尚好，未见墩柱有倾斜、开裂等震害，但两岸桥台挡块均损坏。

图 6-45 崩落物涌入 1 号墩被部分掩埋
Figure 6-45 The 1st pier was buried partly by stones and soil

图 6-46 崩落物涌入 4 号墩被部分掩埋
Figure 6-46 The 4th pier was buried partly by stones

6.6 渔子溪 4 号桥 Yuzixi No.4 Bridge

6.6.1 桥梁概况 Outline of the bridge

渔子溪 4 号桥与渔子溪河斜交 45°，中心桩号为 K21+743.4。上部结构为 4×20m 预应力混凝土空心板桥，在 0、4 号桥台处布置伸缩缝，其余为桥面连续。下部结构桥墩为双柱式桥墩，墩径为 130cm，各墩墩高依次为 6.3m、7.3m、6.8m；钻孔桩基础；映秀岸桥台采用重力式，卧龙岸桥台为桩柱式。桥宽 9.5m，每跨由 9 块空心板组成。

桥位地形为 U 形河谷，桥梁位于谷底，地处中央主断裂上盘，距断层垂直距离 13.1km。桥轴方向角为 N-NW51°。设计抗震设防烈度为Ⅶ度[1]，按《公路工程抗震设计规范》（JTJ 004—89）进行抗震设计，场地类别为Ⅲ类，实际地震烈度为Ⅹ度[3]。

6.6.2 桥梁震害概况 Outline of damage

震后的渔子溪 4 号桥见图 6-47。渔子溪 4 号大桥在地震中遭受破坏，但未丧失通行能力。震害等级为 B 级（中等破坏）。主要震害表现为主梁存在明显的横桥向、纵桥向位移，部分梁板开裂、下挠（图 6-48）。

在横桥向，主梁均向线路左侧移位，但各跨主梁横向移位量存在差异，整体则存在向路线左侧转动的趋势，卧龙岸桥台处位移量最大，达 13cm（图 6-49、图 6-50），1 号墩处位移量约 5cm。在纵桥向上，主梁向映秀岸移位，导致卧龙岸伸缩缝被拉开，映秀岸桥台处挤压受损，桥面铺装起拱开裂。现场调查还表明，第 1 跨第 5 块板板底在距离映秀岸桥台 2m 位置和 2.5m 的位置均有一横向受力贯穿裂缝，缝宽 0.15mm，梁板出现明显下挠现象。映秀岸桥台处护栏被落石砸坏。支座病害普遍，各跨支座均存在不同程度的剪切变形、局部脱空和移位现象，其中 4 号台处支座移位最为明显。

该桥下部结构情况较好，墩柱、台身基本未受损，但受主梁横向移位影响，挡块破坏较普遍（图 6–51、图 6–52），尤其是 3 号墩和 4 号台处，挡块几乎完全损坏，裂缝延伸至盖梁导致盖梁端部受损。

图 6–47　震后的渔子溪 4 号桥
Figure 6–47　The Yuzixi 4th Bridge after the earthquake

图 6–48　部分梁板开裂、下挠
Figure 6–48　Some girders cracked and deflected down

图 6–49　主梁纵移导致卧龙岸铺装被拉开
Figure 6–49　The surfacing on the Wolong side cracked due to the longitudinal displacement of girders

图 6–50　卧龙岸主梁移位
Figure 6–50　The girder near the abument of the Wolong side moved

图 6–51　1 号墩挡块开裂（挡块已修复）
Figure 6–51　The concrete restricted block on the 1st pier cracked（the block has been repaired）

图 6–52　2 号墩挡块开裂
Figure 6–52　The concrete restricted block on the 2st pier cracked

6.7 渔子溪 6 号桥 Yuzixi No.6 Bridge

6.7.1 桥梁概况 Outline of the Bridge

渔子溪 6 桥与鱼子溪河斜交 35°，采用斜交正做，桥梁平面线形成 S 形，采用两侧同时全加宽 0.75m 的方式适应曲线段加宽的需要，桥面全宽 11m，最大超高为 8%。纵面位于 3.8% 的单向纵坡上。桥位处山体坡度较陡，岩石节理、裂隙等较为发育。桥位处地形情况见图 6-53。

图 6-53 桥位处地形情况
Figure 6-53 The situation of the bridge location

上部结构为 4×25m 预应力混凝土连续梁，共 1 联，0、4 号台处布置橡胶伸缩缝；主梁为单箱双室断面，主要构造尺寸同渔子溪 3 号桥，但箱底宽为 7.5m。桥型布置及主要震害简图见图 6-54。主要设计参数如下：

- 上部结构：4×25m 连续梁。主要构造尺寸同渔子溪 3 号桥
- 支座：盆式橡胶支座
- 桥墩：1、3 号墩均为双柱式圆形墩，墩径为 130cm，2 号墩为独柱墩，墩径为 150cm，各墩墩高依次为 6.5m、7.5m、7.5m
- 基础：钻孔桩基础 · 桥台：重力式
- 主要材料：主梁 C40 混凝土；桥墩、系梁 C30 混凝土；桥台 C25 混凝土

桥位位于映秀至北川主断裂上盘，距断层垂直距离 17.5km。桥轴方向角为 S-SE58°。设计抗震设防烈度为Ⅶ度[1]，按《公路工程抗震设计规范》(JTJ 004—89) 进行抗震设防，Ⅲ类场地，实际地震烈度为Ⅸ度[3]。

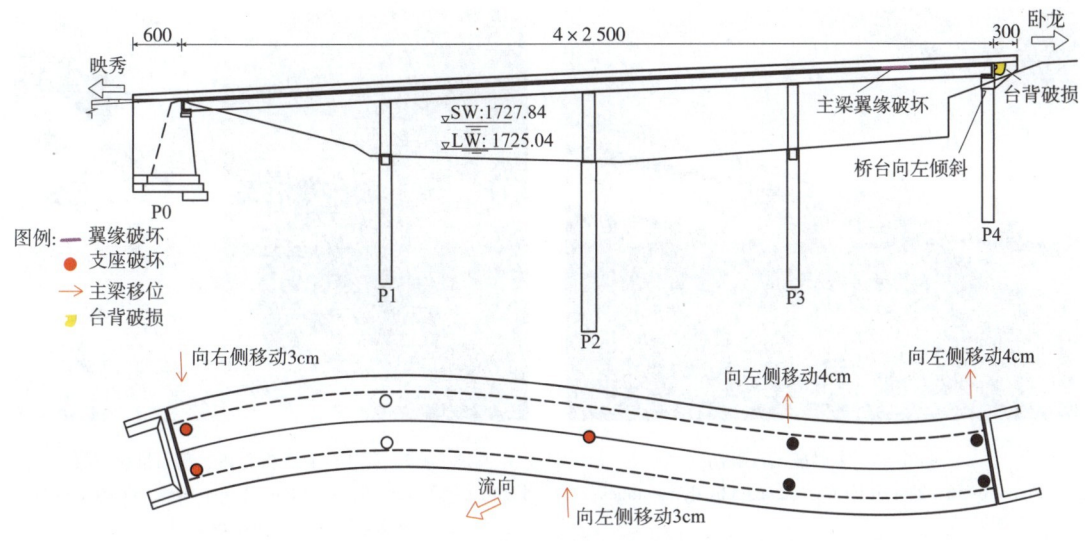

图 6-54 主要震害简图（尺寸单位：cm）
Figure 6-54 The main seismic damage (unit: cm)

6.7.2 桥梁震害概况 Outline of damage

震后的渔子溪 6 号桥见图 6-55。本桥主要受次生地质灾害影响。梁体多处被飞石砸伤，其中第 4 跨部分主梁翼缘板被落石砸损。多处防撞护栏被落石砸伤，扶手钢管缺失。受落石推动，主梁向路线左侧移位，桥台台身移位；背墙开裂，台后填土沉降。两岸桥台挡块开裂。

本桥在抢通阶段尚未完全丧失通行能力。震害等级为 C 级。

6.7.3 上部结构及支承震害 Damage to superstructure and support

渔子溪 6 号桥桥位处山势陡峻，节理、裂隙等地质软弱构造发育，边坡稳定性较差，受地震作用，山体崩塌，形成飞石和碎屑流。主梁多处被飞石砸伤，尤其是第 4 跨右侧靠近桥台处翼缘板被落石砸损，钢筋裸露，右侧梁体被撞伤（图 6-56、图 6-57）。受碎屑流的推挤，主梁整体发生横桥向移位，第 1 跨向路线右侧移，第 4 跨向路线左侧移位，移位量均 3~4cm，未见纵向移位（图 6-58、图 6-59）。受主梁移位影响，支座产生剪切变形、上下预埋钢板错位等（图 6-60）。护栏多处被落石砸伤，导致多处护栏破损、露筋、倾斜，部分扶手缺失，最大长度达 60m（图 6-61）。主梁未见纵向移位。主梁横向移位及支座震害统计见表 6-6。

图 6-55 震后的渔子溪 6 号桥
Figure 6-55 The Yuzixi 6th Bridge after the earthquake

图 6-56　主梁被飞石砸伤
Figure 6-56　The girder was damaged by flying stones

图 6-57　第 4 跨翼缘板破坏、落石推挤主梁
Figure 6-57　The flange of the 4th span was damaged and the falling stones pushed the girder

图 6-58　0 号台处主梁向右侧移位
Figure 6-58　The girder on the abutment moved rightward

图 6-59　4 号台处主梁向左侧移位
Figure 6-59　The girder on the 4th abutment moved leftward

图 6-60　2 号墩支座剪切变形
Figure 6-60　The shear deformation of the bearing on the 2nd pier occured

图 6-61　护栏被落石砸伤
Figure 6-61　The rail was damaged by falling stones

表 6-6　主梁移位及支座震害统计
Table 6-6　The displacement of girders and damage of bearings

位　置	主梁横向移位	支　座　震　害
0号台	向右3cm	上、下预埋钢板错位
1号墩	—	
2号墩	向左3cm	明显剪切变形
3号墩	向左4cm	上、下预埋钢板错位
4号台	向左4cm	上、下预埋钢板错位，基本失效

6.7.4　下部结构震害 Damage to substructure

卧龙岸桥台台身移位，台后桥面铺装被拉裂（图6-62），同时受右侧落石的挤压，该桥台还有向左侧移位的趋势，在背墙上还出现开裂、破损现象（图6-63）；映秀岸桥台台后填土下沉、移位。受主梁移位的影响，两岸桥台处挡块均出现开裂。其余各墩柱未见明显的剪切、压溃、开裂、偏位等情况。

图6-62　4号台后铺装因桥台前移被拉裂
Figure 6-62　The surfacing behind the 4th abutment cracked due to the displacement of the abutment

图6-63　4号台背墙开裂破损
Figure 6-63　The back wall of the 4th abutment cracked

6.8　龙潭电站中桥 Longtan Dianzhan Bridge

6.8.1　桥梁概况 Outline of the bridge

该桥跨越龙潭电站河湾，与渔子溪河基本平行。桥位平面位于$R=160.4623$m、$L_s=42.268$m 的右偏缓和曲线和 $R=197.6867$m、$L_s=40$m 的左偏缓和曲线和圆曲线内，但偏角较小，接近于直线桥，纵面基本为平坡。上部结构为 4×20m 预应力混凝土空心板桥，在0、4号桥台处布置伸缩缝，其余为桥面连续。下部结构桥墩为双柱式桥墩，墩径为130cm，各墩墩高依次为7.3m、7.3m、5.8m。钻孔桩基础，重力式桥台。桥型布置及震害简图见图6-64。桥宽10.0m，由10块1m宽空心板组成。

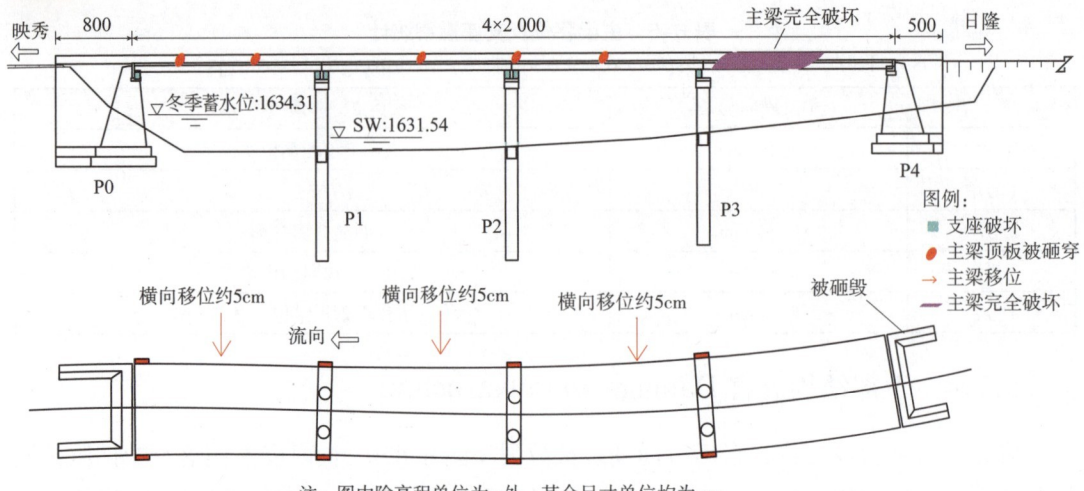

图 6-64　桥型布置及震害简图

Figure 6-64　The layout of the bridge and seismic damage to the bridge

桥梁傍山而建，路线左侧为陡峻的岩石山体，裂隙等不良地质构造发育，岩层较为破碎。桥位位于中央断裂带上盘，距断层垂直距离 15km。桥轴方向角为 N-NE91°，场地类别为Ⅱ类场地，设计抗震设防烈度为Ⅶ度[1]，按《公路工程抗震设计规范》（JTJ 004—89）进行抗震设防，实际地震烈度为Ⅹ度[3]。

6.8.2　震害概况 Outline of damage

地震中龙潭电站中桥主要受次生地质灾害影响。该桥为傍山桥，桥梁右侧山势陡峻，边坡不稳定，地震引发边坡垮塌，导致第 4 跨被完全砸毁（图 6-65）。剩余三跨梁板多处被落石冲击，导致顶板被落石砸穿形成空洞，混凝土碎裂，钢筋外露（图 6-66）。护栏多处被飞石冲击，多处破损，部分栏杆扶手缺失。受地震动影响，剩余三跨主梁普遍有横向位移，位移量约 5cm，使得主梁与挡块密贴。支座震害较为普遍，所剩三跨支座均出现了不同程度的剪切变形、移位、脱空等震害，个别支座甚至被甩出（图 6-67），支座震害详情见表 6-7。

图 6-65　被砸毁的第 4 跨梁板

Figure 6-65　The damaged girder of the 4th span

图 6-66　主梁顶板被砸穿

Figure 6-66　The deck slabs of girder were smashed

表 6-7 支座震害统计
Table 6-7 Seismic damage to bearings

孔跨编号		支座震害
第 1 跨	0 号台处	轻微变形、错动
	1 号墩处	—
第 2 跨	1 号墩处	—
	2 号墩处	普遍有移位和剪切变形
第 3 跨	2 号墩处	普遍有移位和剪切变形
	3 号墩处	剪切变形、局部脱空，个别支座被甩出

由于边坡塌落物的冲击，4 号桥台被落石砸毁，桥台处堆积大量塌落物。0 号桥台出现少量前移，导致台后铺装被拉裂。桥墩情况良好，未见墩柱开裂、倾斜等病害，但挡块普遍受损。

本桥在抢通阶段完全丧失通行能力，震害等级为 D 级。在应急抢通中，直接在第 4 跨原址上清理塌落物形成路面，交通基本恢复（图 6-68）。

图 6-67 支座剪切变形

Figure 6-67 The sheer deformation of the bearing

图 6-68 第 4 跨被砸毁，填土恢复交通

Figure 6-68 The 4th span was damaged

6.9 巴郎河中桥 Baranhe Mid-Bridge

6.9.1 桥梁概况 Outline of the bridge

巴朗河中桥里程桩号为 K70+102，上部结构为 2×25m 预应力混凝土简支空心板，桥面宽 9.5m，由 9 片 1m 宽空心板组成。桥梁平面位于直线段上。两岸地形极为陡峻。

6.9.2 桥梁震害概况 Outline of damage

地震中巴朗河中桥主要受次生地质灾害影响。其中一跨被落石砸毁，并被碎屑流掩埋，抢通后路侧仍可见大量碎石，桥头处路基也被落实砸损。由于下游山体垮塌形成堰塞湖，巴朗河水位升高，导致该桥被淹没（图 6-69）。

图 6-69　受堰塞湖影响巴朗河中桥被水淹没
Figure 6-69　The Baranhe Mid-Bridge was submerged due to the influence of barrier lake

本桥在抢通阶段完全丧失通行能力。震害等级为 D 级。堰塞湖疏通后，残余跨受水流、漂石冲击，桥墩受到损伤，对砸毁处进行了清理和压实，恢复临时通行。堰塞湖疏通后虽然水位有所降低，但过水断面仍不能满足要求。

6.9.3　震害简析 Analysis on damage mechanism

巴朗河中桥是较为典型的被堰塞湖淹没而通行丧失功能的桥梁。虽然该桥的一跨被落石砸毁并被掩埋，但并未导致全桥垮塌，事实上，在救灾抢通阶段，该桥经紧急处置，仍能勉强使用（图 6-70）。但由于堰塞湖疏通后，过水断面仍不能满足要求，且残余部分受到水流和漂石的冲击，承载力受损，该桥不得不废弃（图 6-71）。该桥的损毁体现了次生地质灾害的多样性和对桥梁的巨大危害。

图 6-70　损毁跨进行填埋后临时恢复交通
Figure 6-70　The damaged spans was covered temporarily

图 6-71　堰塞湖疏通后过水断面仍不满足要求
Figure 6-71　The wetted cross section wasn't satisfied even after dredging the barrier lake

第 7 章　省道 105 线彭州至沙洲段公路
Chapter 7　The 105 Provincial Road from Pengzhou to Shazhou

7.1　公路及桥梁概况 Outline of route and bridges

四川省省道 105 线成青公路自彭州市起，经什邡、绵竹、安县、北川、青川，至沙洲，全长 367.4km，公路等级为二、三级公路，穿越绵远河、石亭江等河流，是连接四川省与甘肃省的重要交通干线，也是由成都通往北川、青川、平武等极重灾区的重要交通要道。

本段公路地势北高南低，起于成都平原西北缘，向北过安昌镇后逐渐进入丘陵地区和山岭地区，至北川县城后部分区段与省道 302 线共用。彭州至北川段位于龙门山中央断裂带（发震断层）下盘，基本与该断裂带平行；而北川至沙洲段公路走向则平行并紧邻该断裂带，且多次跨越该断裂带。公路穿越"北川极震区"，设计抗震设防烈度为Ⅶ度[3]，在汶川地震中，实际地震烈度为Ⅶ~Ⅺ度[2]。本段公路区域位置如图 7-1 所示。

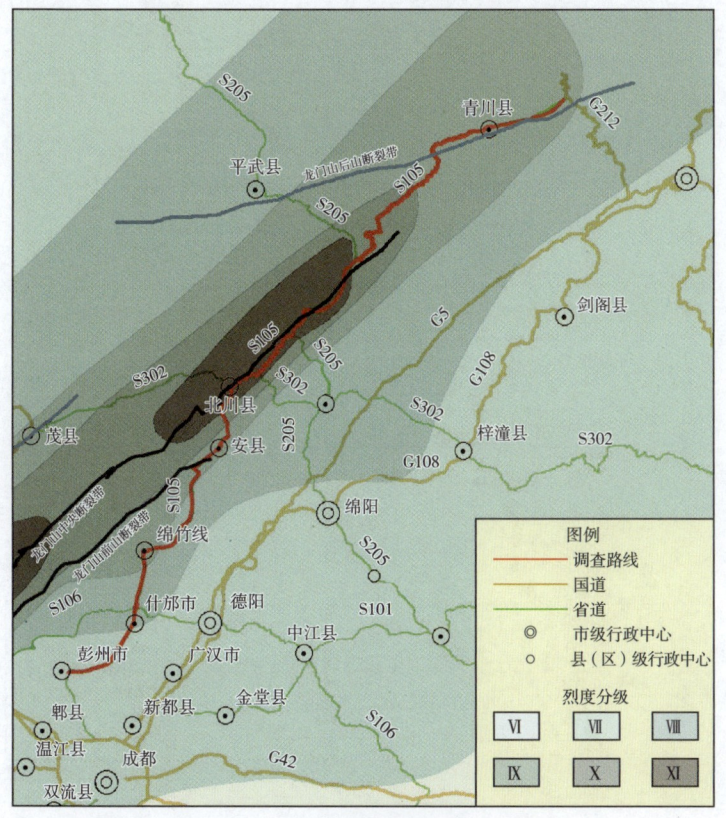

图 7-1　公路区域位置图

Figure 7-1　Location of road in seismic areas

本段公路以彭州市为起点，以彭州市至沙洲镇方向为正方向对各桥进行编号。

本段公路里程长，沿线地形地貌条件多变，桥梁数量较多，共有桥梁107座。其中简支梁桥56座，拱桥51座。56座简支梁桥均为中小跨径桥梁，下部结构均采用圆形排架墩，墩高均不超过30m，桥面连续。除部分单跨现浇板梁采用简易油毡支座外，其余均采用板式橡胶支座。51座拱桥中，除安州大桥为中承式钢筋混凝土肋拱桥外，其余均为上承式拱桥，且以单跨圬工板拱桥居多。此外单跨跨径大于60m的大跨圬工拱桥有陈家坝大桥、南坝旧桥等5座拱桥。本段公路中各类桥型数量及比例参见表7-1。本段公路的桥梁展布图及震害情况参见图7-2，桥梁基本信息及震害情况参见附表C-5、附表C-6。

表 7-1 省道 105 线彭州至沙洲段桥梁桥型及规模
Table 7-1 The types and size of the bridges on the 105 Provincial Highway from Penzhou to Shazhou

桥梁规模 桥梁类型	大桥（座）	中桥（座）	小桥（座）	合计（座）
简支体系桥梁	8	13	35	56
拱式体系桥梁	8	18	25	51
合计	16	31	60	107

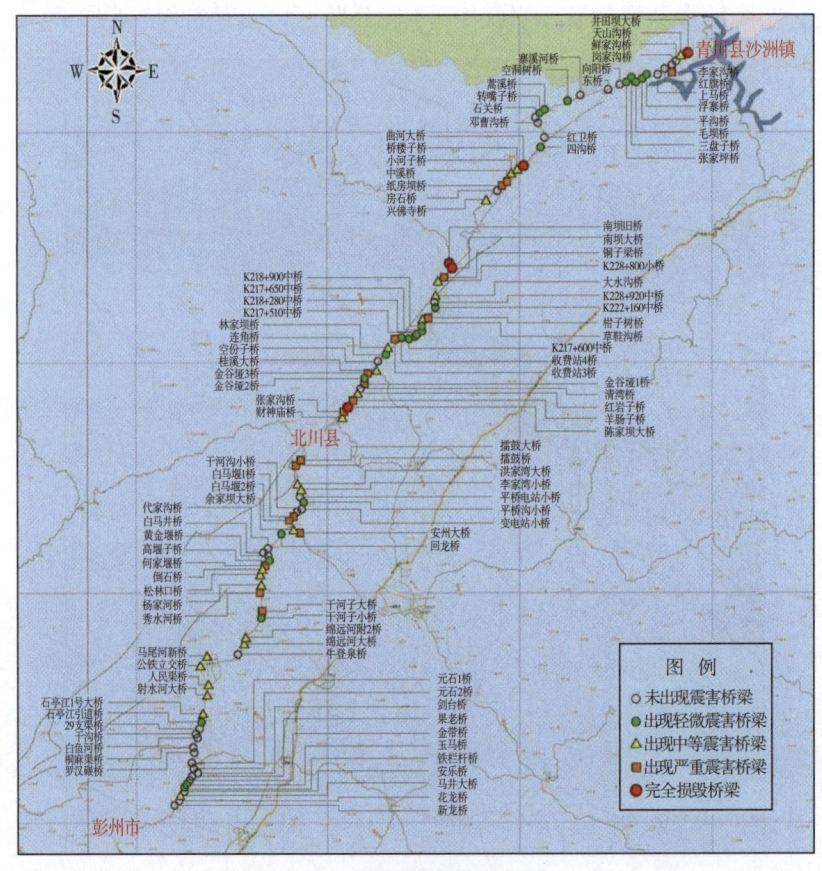

图 7-2 桥梁沿路线分布见震害

Figure 7-2 Location and seismic damage of the bridges along the highway

7.2 震害概要 Outline of the damage

本段公路从平原区由南至北逐渐过渡至山区，公路起点彭州市附近实际地震烈度为Ⅶ，由南至北穿越"北川Ⅺ度区"，后沿中央断裂带破裂方向地震烈度逐渐降低至Ⅸ度，区域内地形地貌、地震烈度变化较大，导致公路中桥梁的破坏特点及破坏程度在不同区域内存在较大差异。

位于平原区的彭州至安县段桥梁数量不多，仅有马井大桥、干河子大桥、安州大桥等5座大桥，其余均为中、小跨径桥梁，且大部分公路均位于实际烈度为Ⅷ度及以下区域内，桥梁破坏较为轻，未出现完全失效（D级震害）的桥梁；在安县至北川段公路逐渐进入山区，且进入"北川Ⅺ度区"，位于擂鼓镇附近的擂鼓桥与擂鼓大桥均受到次生地质灾害的破坏，其中擂鼓大桥桥面板因受落石冲击，多处被击穿，导致交通中断；北川至沙洲段未受到次生地质灾害的影响，但由于公路紧邻发震断裂带，区域内地震烈度较高，桥梁破坏严重，5座桥梁完全失效（D级震害），分别为陈家坝大桥（图7-3）、南坝新桥、南坝旧桥、曲河大桥、井田坝大桥。在5座D级震害的桥梁中，除南坝新桥为在建简支梁桥外，其余均于均为大规模拱桥。此外还有铜子梁桥、张家沟桥等10座中、小规模桥梁出现严重破坏（C级震害）。省道105线大量的桥梁出现严重破坏或损毁，导致地震发生后由安县至沙洲段交通完全中断。

图 7-3 全桥垮塌的陈家坝大桥
Figure 7-3 The Chenjiaba Bridge was destroyed in the earthquake

本段公路中震害情况较为典型的桥梁将在本节后中进行详细介绍。

7.2.1 桥梁整体震害情况 Information on seismic bridge damage from investigated area

四川省省道105线全线的107座桥梁中，完全失效（D级震害）的桥梁共计5座，除1座在建简支梁桥外，其余均4座为大跨拱桥，出现D级震害的桥梁占总数的4.7%；出现严重破坏（C级震害）的桥梁共计18座，占总数的16.8%；另外还有25座桥梁出现中等破坏（B级震害），34座出现轻微破坏，分别占总数的23.4%与31.8%。

桥梁破坏比例如图7-4所示。其中擂鼓桥与擂鼓大桥的主要致灾机理为次生地质灾害影响导致桥梁出现C级震害（严重破坏），故在本节后的统计中并不计入，统计只针对直接震害的105座桥梁。

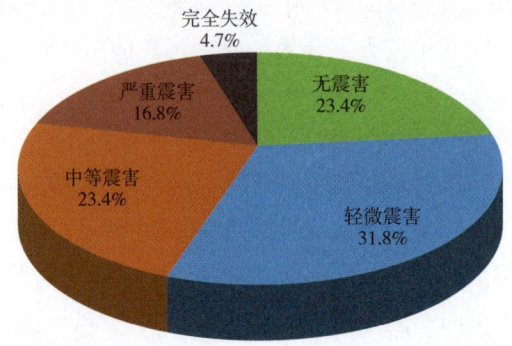

图7-4 桥梁破坏比例

Figure 7-4 The proportion of bridges' damage on the 105 Provincial Road

7.2.2 不同地形条件桥梁破坏情况 Seismic damage to bridges in different terrain condition

本段公路南起于成都平原，逐渐过渡至川东北山区，公路穿越平原区、丘陵区、中山区、高山区，区域内地形地貌差异较大。成都平原为冲积平原，区域内土质松软，地下水资源丰富，地震动衰减较为迅速，地震对桥梁的破坏程度也随着离断层距离的增加而迅速减轻；而位于山区的公路区段地质坚硬，且延断裂带破裂方向展布，烈度相对较高，对其区域内桥梁造成了较大破坏。

位于平原区的桥梁数量共计43座，仅有6座出现了严重破坏；而在位于山区的62座桥梁中，出现了10座严重破坏的桥梁与5座完全失效的桥梁。不同地形条件下桥梁破坏数量见表7-2。

表7-2 不同地形条件下桥梁震害情况统计表
Table 7-2 Seismic damage to bridges in different terrain condition

破坏程度 地形条件	A0-无破坏 （座）	A-轻微破坏 （座）	B-中等破坏 （座）	C-严重破坏 （座）	D-完全失效 （座）	合计 （座）
平原区	19	6	12	6	0	43
山区	15	19	13	10	5	62
合计	34	25	25	16	5	105

7.2.3 不同规模桥梁破坏情况 Seismic damage to bridges from different scales

在未受到明显次生地质灾害影响的105座桥梁中，有大桥15座，中桥31座，小桥

59 座，散布于各烈度区域内。公路中完全失效（D 级震害）的 5 座桥梁均为大桥，而中、小桥并未出现完全失效（D 级震害）的情况，出现 D 级震害的大桥占其总数的 33.3%。31 座中桥中，出现严重破坏（C 级震害）的桥梁共计 10 座，占所有中桥总数的 32.3%；59 座小桥中，也有 4 座桥梁出现严重破坏（C 级震害），占小桥总数的 6.8%，出现 C 级震害的小桥均为圬工拱桥。公路中不同规模桥梁破坏数量见表 7-3，破坏比例如图 7-5 所示。

表 7-3 不同规模桥梁震害情况统计表
Table 7-3　Seismic damage to bridges with different size

破坏程度 桥梁规模	A0- 无破坏 （座）	A- 轻微震害 （座）	B- 中等破坏 （座）	C- 严重破坏 （座）	D- 完全失效 （座）	合计 （座）
大桥	0	0	8	2	5	15
中桥	3	11	7	10	0	31
小桥	31	14	10	4	0	59
合计	34	25	25	16	5	105

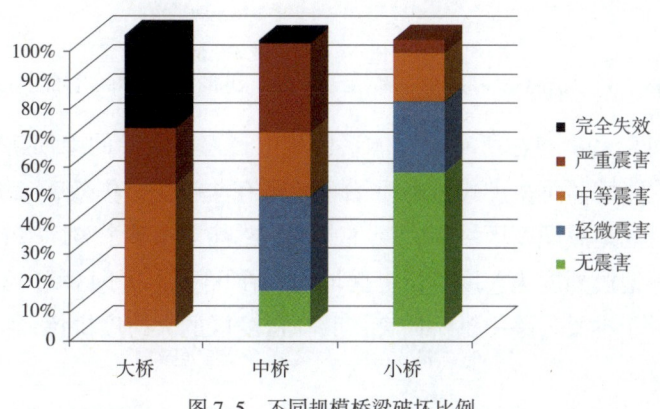

图 7-5　不同规模桥梁破坏比例
Figure 7-5　Proportion of bridges damage from different size

7.2.4 不同桥型桥梁破坏情况 Seismic damage to bridges from different types

本路段共有梁式体系桥梁 54 座，均为简支梁桥；拱式体系桥梁 51 座，以主拱圈材料和结构形式分为圬工拱桥 33 座，钢筋混凝土板拱 5 座，双曲拱桥 9 座，钢筋混凝土肋拱桥 4 座。在 4 座钢筋混凝土肋拱桥中，仅有安州大桥 1 座为中承式拱桥，其余均为上承式拱桥。在本路段中，不同结构形式桥梁的破坏情况见表 7-4。

因双曲拱桥、钢筋混凝土板拱桥主拱圈的纵筋配筋率远未达到受弯构件的最小配筋率，故就其截面受力特点来看也属于圬工拱桥范畴。公路中不同类型桥梁破坏情况如图 7-6 所示。

表 7-4　不同类型桥梁震害情况统计表
Table 7-4　Seismic damage to bridges according to different types

桥梁类型		破坏程度 A0-无破坏（座）	A-轻微破坏（座）	B-中等破坏（座）	C-严重破坏（座）	D-完全失效（座）	合计（座）
简支梁桥		22	15	12	4	1	54
拱式体系桥梁	圬工板拱	12	10	12	10	3	47
	钢筋混凝土肋拱	0	0	1	2	1	4
合　　计		34	25	25	16	5	105

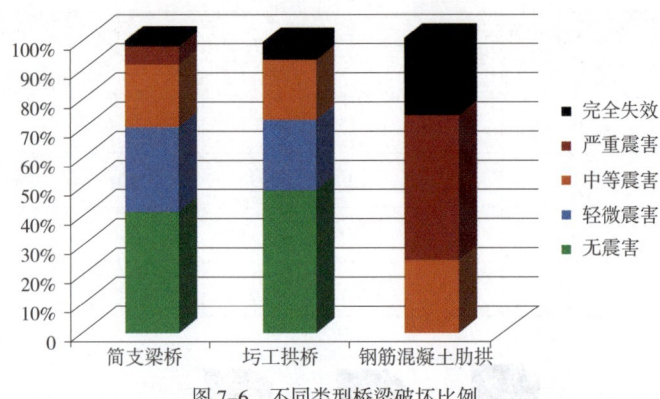

图 7-6　不同类型桥梁破坏比例
Figure 7-6　The propotion of different type of damage to bridges according to bridge types

从表 7-4 中可以看出，在所有梁式体系桥梁中，仅有在建的南坝新桥 1 座完全失效，4 座桥梁出现严重破坏；而在拱式体系桥梁中，则有 4 座完全失效，12 座出现严重破坏。且就破坏桥梁所处的地震烈度区域而言，在本段公路甚至于整个灾区来看，完全失效的简支梁桥多位于实际地震烈度为Ⅹ度及以上区域内，在Ⅸ度及以下区域内鲜有简支梁桥完全失效的情况；而对于本段公路中拱桥而言，其在Ⅸ度区的大跨度拱桥，特别是大跨度圬工拱桥几乎全部失效。

结合表 7-3 与表 7-4 可以看出，本段公路中大、中、小规模桥梁的严重破坏与完全失效率分别为 50.0%、31.3% 与 5.3%，中、小规模桥梁并未出现完全失效的情况，由此可知，大跨拱桥，特别是单跨跨度超过 60m 的拱桥，其抗震性能劣于中小跨径桥梁。

7.2.5　本段公路桥梁震害特点 The characteristics of bridge damages in the highway

1）震害分布明显呈现南轻、北重

由彭州至绵竹段路线长度为 56.4km，共有桥梁 22 座，其中 16 座无破坏或轻微破坏，6 座为中等破坏（B 级震害）。由绵竹至北川段路线长度为 77.5km，共有桥梁 27 座，7 座为严重破坏（C 级震害），9 座为中等破坏（B 级震害），11 座为轻微破坏或无破坏。这与公路位于中央断裂带下盘，且大部分区域为平原区，地震烈度衰减迅速有关。而北川至沙洲段则有 10 座桥梁出现严重破坏，5 座桥梁完全失效，这是因为该段公路沿断裂带破裂方向展布，地震动对桥梁的影响极为明显。

2）高烈度区域内大跨圬工拱桥破坏严重

调查的拱桥中共有 5 座大桥，均为上承式拱桥。除桂溪大桥为 3×40m 钢筋混凝土肋拱外，其余 4 座均为单跨跨径超过 60m 的拱桥。在汶川地震中，4 座大跨拱桥均全桥失效。同时，拱桥单跨跨径超过 20m 的中桥共有 14 座，有 50% 出现了严重破坏。这些桥梁均位于地震烈度为Ⅸ度及以上区域内，与地震烈度高有密切的关系。

除井田坝大桥外，其余发生失效（D级震害）的大跨径拱桥均为圬工拱桥。井田坝大桥虽主拱结构为钢筋混凝土肋拱，但其桥墩则为超过 30m 的圬工重力式桥墩，且从其破坏形态中明显可以看出墩底受弯开裂倾覆的现象；而桂溪大桥（钢筋混凝土肋拱桥）仅出现中等震害。这表明钢筋混凝土结构的抗震性能较圬工结构相对较好。主要原因是：①其自重较圬工要轻，地震时所产生的惯性力也较小；②钢筋混凝土结构的抗弯、抗剪能力要远高于圬工结构，从而可以有效抵御因地震产生的主拱地震效应，从而保证了其主拱的完整性。

3）公路中大跨圬工拱桥表现具有极端性

对比相同烈度区域下的其他大跨度圬工拱桥，如汶川附近的洱沟拱桥，位于Ⅸ度区，洱沟拱桥为石砌圬工板拱桥，该桥在地震中虽也出现较为严重的震害，但其主拱圈却保持完整。通过进一步调查，单坎梁子拱桥与洱沟拱桥桥址区内基岩裸露，场地土类别为Ⅰ类，而本段公路中垮塌的拱桥桥址区覆土层较厚，为Ⅱ、Ⅲ类场地。由此可见，对于拱桥而言，桥址区内的场地土类别对其抗震性能有至关重要的影响。

7.3　马井大桥 Majing Bridge

7.3.1　桥梁概况 Outline of the bridge

马井大桥跨越绵远河（图 7-7），桥位中心桩号为 K49+533，位于成都平原区域，大桥为 15×20m 空腹式拱桥，拱圈为钢筋混凝土板拱，腹拱和腹拱横墙也为钢筋混凝土结构，每跨 6 个腹拱，在桥墩顶也设一个腹拱。桥梁全长 338m，桥面总宽 9m，为正交直线桥，桥面在桥墩位置设暗埋缝，桥墩为重力式桥墩，扩大基础，桥台也为重力式桥台。

大桥位于断层下盘，距离断层约 35.2km，桥轴方向角为 N-NE 38°，设计时间为 1989 年以后，设防地震烈度为Ⅶ度[1]，按《公路工程抗震设计规范》（JTJ 004—89）进行抗震设防，场地类别为Ⅰ类，实际地震烈度为Ⅶ度[3]。

图 7-7　震后的马井大桥

Figure 7-7　The Majing Bridge after the earthquake

地震中马井大桥上部结构有明显的震害，抢通阶段限制通行。震害等级为 B 级（中等破坏）。

7.3.2 上部结构震害 Damage to superstructure

地震中马井大桥上部结构震害较为严重。从汶川地震主震 PGA 图可看出，桥位处水平向地震加速度峰值达 0.24g，竖向地震加速度峰值也达 0.18g，均超过规范规定的桥位处（设计烈度Ⅶ度）设计地震加速度峰值。强烈的地震动导致全桥各跨主拱圈拱底板存在多条横向贯通裂缝，裂缝宽度在 0.4~0.5mm 之间（图 7-8、图 7-9），分布于 $L/4$、$3L/4$、$L/2$ 部位，弯曲裂缝的特征较为明显，局部裂缝处渗水，这些现象表明，该桥主拱承载力已受影响。从桥面情况来看，桥面铺装横向贯通裂缝较多，间隔在 1~1.5m 之间，且部分伸缩缝被挤紧，这表明，地震中主拱出现了较为明显的振动位移，并有残留变形。值得注意的一个现象是，调查发现，在部分拱脚附近的拱圈侧面发现了斜向裂缝，且裂缝宽度较大，达到 2~4mm（图 7-10），形成机理有待于进一步研究。

图 7-8　拱顶底部横向裂缝
Figure 7-8　The soffit in the middle of the arch cracked transversely

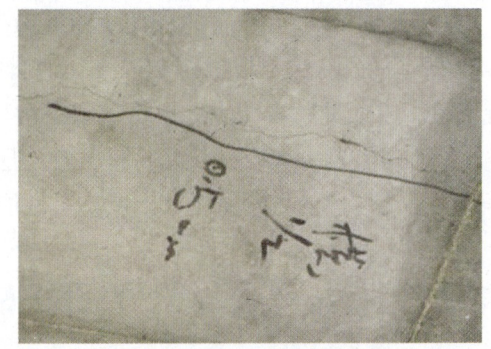

图 7-9　拱顶底部横向裂缝
Figure 7-9　The soffit in the middle of the arch cracked transversely

腹拱横墙与主拱结合位置也出现了较为明显的开裂现象，部分裂缝延伸至拱圈，裂缝较宽（图 7-11）。所有腹拱拱顶均存在细小裂缝，个别腹拱拱顶裂缝较宽，宽度达 0.8mm。这些特点与其他圬工拱桥腹拱易受损的情况相同。此外，在挑梁部位的桥面存在贯通纵向裂缝，挑梁下挠。上部结构震害一览表见表 7-5。

图 7-10　拱圈侧面裂缝
Figure 7-10　The web cracked

图 7-11　腹拱横墙根部开裂
Figure 7-11　The foot of the wall on the arch cracked

表 7-5 上部结构震害一览
Table 7-5 List of seismic damage to the superstructures

位置	震害现象	震害程度
拱圈	多条横向贯通裂缝，裂缝宽度在 0.4~0.5mm 之间	严重
横向连接系	—	—
拱上横墙	根部开裂，裂缝较宽	中等
腹拱	多数轻微开裂，个别开裂严重	严重
桥面	桥面破损	中等
支座	无	—
伸缩缝	部分伸缩缝被挤紧	中等
次生地质灾害	无	无

7.4 射水河大桥 Sheshuihe Bridge

7.4.1 桥梁概况 Outline of the bridge

射水河大桥位于省道 105 线 K74+578 处，该桥跨越射水河，桥位处地形较为平坦，河道呈宽浅型（图 7-12）。该桥跨径布置为 5×20m+5.2m，桥梁总长为 114.4m，桥面宽 9m，上部结构为钢筋混凝土简支 T 梁，每跨各 6 片 T 梁，为正交直线桥。全桥共 1 联，桥台处设伸缩缝，支座采用简支梁桥中常用的板式橡胶支座。桥墩为排架式墩，各墩均未设置挡块，桥台也为桩柱式桥台，设置有挡块。

图 7-12 震后射水河大桥
Figure 7-12 The Sheshuihe Bridge after the earthquake

大桥位于断层下盘，距离断层 22.3km，桥位走向大致与中央主断裂大致平行，桥轴方向角为 N-NE 10°，设计时间为 1989 年以后，设防地震烈度为Ⅶ度[1]，按《公路工程抗震设计规范》（JTJ 004—89）进行抗震设防，场地类别为Ⅱ类，实际地震烈度为Ⅷ度[3]。

射水河大桥震害主要为上部梁体移位，抢通阶段限制通行。震害等级为 B 级（中等破坏)。

7.4.2 上部结构及支承震害 Damage to superstructure and supports

与其他简支梁桥相似,该桥上部结构震害主要表现为支座震害和主梁移位。调查表明,该桥纵向位移较为明显,主梁接缝相互挤紧,无伸缩空间,主梁端部混凝土开裂、脱落,台背混凝土也有脱落的现象(图7-13、图7-14),这表明地震中各跨主梁发生了较为剧烈的纵向振动,导致各跨主梁间、主梁与桥台相互碰撞,地震停止后有较为明显的纵向残留位移,从主梁碰撞和各跨主梁相互挤紧的情况可知,主梁的纵向位移不仅有各跨的整体位移,也有各跨间的相对位移。由主梁接缝间距推断,主梁的纵向移位量约4~8cm。剧烈的纵向振动导致桥面连续混凝土破损较为严重,人行道栏杆受挤压破坏(图7-15、图7-16)。

图7-13 梁端撞击混凝土脱落、露筋

Figure 7-13　The girder concrete was damaged due to the collision of the girder and the steel bars exposed

图7-14 梁端撞击混凝土脱落

Figure 7-14　The concrete was damaged due to the collision of the girder

图7-15 桥面严重破损

Figure 7-15　The surfacing was destroyed seriously

图7-16 护栏震裂

Figure 7-16　The barrier cracked

在横桥向上,主梁也有移位现象,第2、3孔的移位现象较为明显,位移量2~3cm,栏杆因此外倾。对比纵、横桥向位移量可看出,纵向是该桥的主要振动方向。需补充说明的是，该桥未设置挡块，主梁的横桥向位移受到的约束较小。

与主梁移位相对应，该桥多数支座出现了剪切变形和脱空的现象（图 7-14）。上部结构震害一览见表 7-6。

表 7-6　上部结构震害一览
Table 7-6　List of seismic damage to the superstructures

受损位置	震害现象
主梁	纵向移位，移位量约 4~6cm
主梁	横向移位
主梁	部分梁端混凝土破损
支座	部分支座剪切变形、移位
桥面连续	破损严重
人行道护栏	压溃

7.4.3　下部结构震害 Damage to substructure

墩柱情况良好，所有墩柱均未出现明显的震害。但由于主梁纵向振动的冲击，台背开裂，混凝土脱落。同时，桥台耳墙受损，有明显的开裂、外倾现象，桥台锥坡也有开裂和沉降。下部结构震害汇总见表 7-7。

表 7-7　下部结构震害汇总
Table 7-7　List of seismic damage to the substructures

受损位置	震害现象
桥台	桥台耳墙开裂
桥台锥坡	锥坡开裂、下沉
桥墩	无
挡块	—

7.5　绵远河大桥 Mianyuanhe Bridge

7.5.1　桥梁概况 Outline of the Bridge

绵远河大桥为 14×30m 预应力混凝土 T 梁桥，桥梁总长为 428.8m，桥面宽 9m，为正交直线桥（图 7-17）。桥梁中心桩号 K95+644，跨越绵远河。下部结构为双柱式桥墩，盖梁上未设挡块，桥台为桩柱式桥台，设置有挡块。桥面铺装为水泥混凝土，伸缩缝采用毛勒式伸缩缝。桥位地处平原，地形较为平坦，各墩高差较小。

大桥位于龙门山中央断裂带下盘，距离断层 23.1km，桥位走向大致与中央主断裂大致平行，桥轴方向角为 N-NE 40°，设计时间为 1989 年以后，按《公路工程抗震设计规范》(JTJ 004—89)进行抗震设计,抗震设防烈度为Ⅶ度[1],场地类别为Ⅱ类,实际地震烈度为Ⅷ度[3]。

绵远河大桥震害主要为上部梁体移位,震后限制通行。震害等级为B级(中等破坏)。

图 7-17　震后的绵远河大桥

Figure 7-17　The Mianyuanhe Bridge after the earthquake

7.5.2　上部结构及支承震害 Damage to superstructure and supports

地震中,两岸桥台相向运动,桥头处桥面铺装被拉开,桥头沉陷,并导致主梁与桥台碰撞,震后主梁与桥台紧抵,伸缩缝被挤紧,完全丧失伸缩功能(图7-18)。同时主梁间的纵向碰撞也较为剧烈,导致部分梁端之间相互撞击,混凝土开裂并脱落、露筋,其中翼缘板的碰撞尤为明显(图7-19、图7-20)。全桥大部分支座均出现剪切变形和局部脱空现象(图7-21)。由于主梁的纵向碰撞和移位,导致护栏底座挤压破坏,这一现象在伸缩缝位置处尤为明显。横向地震动的作用导致部分主梁出现横向移位,导致桥台挡块破坏,最大横向位移量约5cm,横向地震动还导致栏杆普遍外倾,部分栏杆破坏。上部结构震害一览见表7-8。

图 7-18　桥台移动导致桥头铺装拉开

Figure 7-18　The surfacing cracked due to the displacement of the abutment

图 7-19　碰撞导致梁端开裂,翼板混凝土脱落

Figure 7-19　The end of girder cracked and was damaged due to collision of the girder

图 7-20　梁端抵紧
Figure 7-20　The gap between the girders closed

图 7-21　支座剪切变形，局部脱空
Figure 7-21　The shear deformation of the bearings occured and the support was not reliable

表 7-8　上部结构震害一览
Table 7-8　List of seismic damage to superstructures

受损位置	震害现象	程度
主梁	纵向移位，移位量约 4~8cm	一般
主梁	横向移位，最大约 5cm	一般
主梁	部分梁端混凝土破损	一般
支座	部分支座剪切变形、移位	一般
桥面连续	破损严重	严重
人行道护栏	压溃，外倾	严重

7.5.3　下部结构震害 Damage to substructure

地震中绵远河大桥桥墩表现良好，未见开裂、压溃等明显震害，但桥台耳墙震裂、外倾，挡块也因主梁横向移位而破坏。下部结构震害一览见表 7-9。

表 7-9　下部结构震害一览
Table 7-9　List of seismic damage to substructures

受损位置	震害现象	程度
桥台	桥台耳墙开裂	严重
桥台锥坡	锥坡开裂、下沉	一般
桥墩	无	无破坏
挡块	桥台挡块破坏	桥台挡块破坏

7.6 干河子大桥 Ganhezi Bridge

7.6.1 桥梁概况 Outline of the bridge

干河子大桥位于省道 105 绵竹至安县段，其中心桩号为 K103+680，桥面宽 6.8m，为钢筋混凝土双曲拱桥，拱圈由 4 片拱肋 +3 片拱波 +2 片悬半波组成。孔跨布置为 4×25m，桥梁全长为 130m，每跨设 2×2 个拱式腹孔，腹拱、横墙均为圬工结构（图 7-22）。桥墩、桥台均为重力式，基础为扩大基础，桥面铺装为水泥混凝土，护栏为钢筋混凝土防撞护栏。

图 7-22 震后的干河子大桥
Figure 7-22 The Ganhezi Bridge after the earthquake

大桥位于发震断层下盘，该桥距中央主断裂的垂直距离为 23.8km，桥梁走向大致与中央主断裂平行，桥轴方向角为 N-NE 12°，设计时间为 1979 年以前，未进行抗震设防，实际地震烈度为Ⅷ度[3]。

干河子大桥震害主要为主拱开裂、拱上建筑开裂，震后加固后通行。震害等级为 C 级（严重破坏）。

7.6.2 上部结构震害 Damage to superstructure

该桥上部结构震害相当严重。第 1、3、4 孔拱脚和拱顶附近均出现多条横向裂缝，在横向上裂缝平直发展，已贯穿整个拱背，形成横桥向通长裂缝（图 7-23）；在拱圈高度方向，裂缝向下延伸至拱波，已形成贯通型裂缝（图 7-24、图 7-25）。拱脚处的裂缝形态呈上宽下窄，即拱背处较宽，向下裂缝宽度逐渐减小，负弯矩裂缝的特征较为明显。这些裂缝不仅延伸长而且数量较多，宽度较大，第 1 孔就出现了 4 条裂缝，裂缝宽度达 5mm，第 3 孔的裂缝宽度也达 1mm。上述情况表明，主拱圈的承载力已明显受损。

该桥拱式腹孔受损也较为严重，所有腹拱圈在拱顶处均出现横桥向通长裂缝，裂缝宽度0.25~0.4mm，个别腹拱裂缝已贯通整个腹拱截面。大部分腹拱横墙也出现了环状裂缝（图7-26），裂缝沿横桥向已贯通整个横墙，最大裂缝宽度达0.5mm（图7-27，图7-28）。上部结构震害一览见表7-10。

图7-23 拱背裂缝横向贯通
Figure 7-23 transverse cracks on the top of the arch

图7-24 拱背裂缝向下延伸并贯穿拱波
Figure 7-24 Cracks appeared on the top of the arch and extended downward

图7-25 拱波横向通长贯穿型裂缝
Figure 7-25 The transverse crack appeared on the whole section of the arch

图7-26 横墙环状裂缝
Figure 7-26 The transverse crack occurred on the spandrel cross wall

图7-27 腹拱开裂
Figure 7-27 The spandrel arch cracked

图7-28 腹拱开裂
Figure 7-28 The spandrel arch cracked

表 7-10　上部结构震害一览
Table7-10　List of seismic damage to superstructures

位　　置	震害现象	震害程度
拱圈	第 1、3、4 孔拱脚、拱顶开裂	严重
拱上横墙	大部分横墙环状开裂	一般
拱上腹拱	所有腹拱拱顶开裂	一般
伸缩缝	无	无破坏
次生地质灾害	无	无破坏

7.6.3　下部结构震害 Damage to substructure

该桥下部结构的震害也较为严重。最严重的是 0 号台前墙出现剪切裂缝，裂缝沿斜向向上延伸至侧墙，向下已贯通横墙，该裂缝不仅延伸长，而且宽度达 15mm，这对于圬工结构是一个危险的信号（图 7-29、图 7-30）。此外，0、4 号台前墙在距顶部 2m 处出现 1 条横向通长裂缝，宽 0.5mm。

图 7-29　0 号台前墙开裂
Figure 7-29　The front wall of the abutment cracked

图 7-30　0 号台前墙、侧墙开裂
Figure 7-30　The front wall and wing wall of the abutment cracked

受横向地震影响，桥台侧墙破坏严重，0 号台侧墙向左侧外凸约 5~8mm（图 7-31），4 号台左侧侧墙在距前墙 0~8m 处出现 1 条裂缝，缝宽达 10mm，并向左侧凸出约 10mm（图 7-32）。下部结构震害汇总见表 7-11。

表 7-11　下部结构震害汇总
Table 7-11　List of seismic damage to substructures

受损位置	震害现象	程　　度
桥台前墙	剪切破坏	严重
桥台侧墙	开裂严重，基本破坏	严重
桥台锥坡	开裂、下沉	一般
桥墩	无	无

图 7-31　0 号台左侧侧墙外凸明显
Figure 7-31　The left side of the wall cracked seriousely and deformed obviously

图 7-32　4 号台左侧侧墙外凸明显
Figure 7-32　The left side of the wing wall of the 4th abutment was damaged

7.7　安州大桥 Anzhou Bridge

7.7.1　桥梁概况 Outline of the bridge

安州大桥位于省道 105 线安县至北川段 K131+623 处，为 2×80m 中承式钢筋混凝土肋拱桥，桥梁全长为 199.54m，桥面宽 21.5m，为直线桥。每跨 2 根拱肋，位于桥面两侧，在桥面以下部分设 1 道 K 撑和 1 道横梁作为拱肋的横向连接系，桥面以上采用无横撑形式。桥面由吊杆和拱上立柱支撑，每一条拱肋 12 根吊杆，全桥共 48 根吊杆，在靠近拱脚的拱肋上及中墩上布置了拱上立柱。吊杆横梁采用矩形截面梁，桥道梁为矮 T 梁，采用油毡简易支座。在中墩处、两岸桥台处各设 1 道毛勒式伸缩缝，桥面铺装为水泥混凝土铺装。桥台为重力式桥台，扩大基础；中墩为重力式墩，桩基础。桥型布置示意见图 7-33，拱肋横向连接系形式见图 7-34。

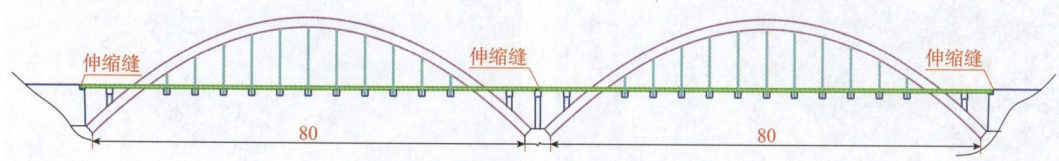

图 7-33　桥型布置示意图（尺寸单位：m）
Figure 7-33　The layout of the bridge (unit: m)

大桥位于断层下盘，该桥距中央主断裂的垂直距离为 12.1km。桥轴方向角为 N-NE130°，设计时间为 1989 年以后，按《公路工程抗震设计规范》（JTJ 004—89）进行抗震设防，设防地震烈度为Ⅶ度[1]，场地类别为Ⅰ类，实际地震烈度为Ⅸ度[3]。

安州大桥处置后限制通行，震害等级为 C 级（严重破坏）。震后的安州大桥见图 7-35。

图 7-34 拱肋横撑构造

Figure 7-34 The layout of the arch

图 7-35 震后的安州大桥

Figure 7-35 The Anzhou Bridge after the earthquake

7.7.2 主拱震害 Damage to main arches

本桥拱肋为钢筋混凝土箱形截面，第 2 孔上游拱肋在距拱脚 6.2~7.5m 处出现 1 条裂缝，裂缝在拱底基本贯穿拱肋，并向上发展贯穿了拱肋高度的 70% 左右，裂缝宽度达 0.5~0.8mm（图 7-36），另在第 2 孔下游拱肋处也发现斜向裂缝 1 条，裂缝宽度也达 0.5mm。

由于桥位距中央主断裂较近，水平地震动加速度峰值高达 0.3g 以上，在强大的横向地震动作用下，拱肋横向连接系受损严重。调查表明，两跨 4 个 K 撑的刚性节点附近均开裂严重（图 7-37）。K 形斜撑与拱肋结合处均出现竖向贯通型裂缝，其中大部分斜撑出现 2~3 条竖向贯通型开裂，出现位置均位于与拱肋联结处 0~0.3m 以及 K 形对角撑自身连接处，最大缝宽达 30mm 之多（图 7-38，图 7-39）；K 撑的横撑在与拱肋结合处和斜撑结合处均出现竖向贯通型开裂，缝宽 0.2~1mm（图 7-40，图 7-41）。由于横向连接系受损严重，拱圈的横桥向刚度遭到削弱。

拱肋横梁开裂同样严重，所有 4 根横梁均出现裂缝，出现裂缝的位置多在横梁与拱肋交界位置附近，裂缝基本贯通，裂缝宽度在 0.3~1.0mm 之间。

图 7-36 上游侧主拱裂缝

Figure 7-36 Cracks on the arch on the upstream side

图 7-37 安县侧 K 撑裂缝

Figure 7-37 Cracks on the K brace on the Anxian side

图 7-38　斜杆与主拱交界处裂缝
Figure 7-38　Cracks occurred on the brace's end near the main arch

图 7-39　斜杆与主拱交界处裂缝
Figure 7-39　Cracks occurred on the brace's end near the main arch

图 7-40　安县侧 K 撑水平撑裂缝
Figure 7-40　Horizontal crack on the K brace on the Anxian side

图 7-41　北川侧 K 撑水平撑裂缝
Figure 7-41　Cracks on the K brace on the Beichuan side

7.7.3　桥面系及拱上建筑震害 Damage to floor system and spandrel constructions

经仔细检查，拱上立柱及盖梁均未发现明显震害现象，但矮立柱的混凝土有脱落的痕迹（图 7-42）。从桥面检查的情况看，桥面与拱肋交汇处，桥面开裂较为严重（图 7-43），表明地震中桥道梁有运动的趋势，但其运动受到拱肋和吊杆的限制。上部结构震害一览见表 7-12。

图 7-42　矮立柱混凝土脱落
Figure 7-42　The concrete of the short column was damaged

图 7-43　吊杆处桥面开裂
Figure 7-43　The surfacing near the hanger cracked

表 7–12　上部结构震害一览
Table 7–12　List of seismic damage to superstructures

位　置	震害现象	震害程度
拱肋	第 2 跨拱肋开裂，缝宽 0.8mm	严重
拱肋横向连接系	结点处开裂，竖向通缝，最大缝宽 30mm	严重
吊杆	无	无破坏
拱上立柱	矮立柱顶混凝土脱落	轻微
拱上立柱盖梁	无	无破坏
桥道梁	桥面破损	轻微
支座	无	无破坏
伸缩缝	无	无破坏
次生地质灾害	无	无

7.7.4　下部结构震害 Damage to substructure

下部结构在地震中表现较好，除 0 号桥台台帽在中心处出现 1 条竖向通长裂缝（缝宽 0.25mm）外，桥台未见其他病害。桥墩及拱座现状较好，未出现明显震害。

7.7.5　震害简析 Analysis of damage mechanism

该桥的主要震害是拱肋、K 撑、拱肋横撑开裂，开裂的位置均位于构件交界的节点附近，其中以 K 撑破坏最为严重，拱肋横撑次之。根据国家强震台网中心的 PGA 等直线图，按主轴理论合成后，该桥顺桥向地震动加速度峰值为 0.489g，横桥向地震动加速度峰值为 0.497g，可见作用于该桥的顺桥向地震动和横桥向地震动均较为强烈。

横向地震是导致该桥损坏的重要因素。在 2000 年以前，我国对拱桥地震响应的研究多以纵向地震激励下的响应为主，对横向地震激励下的研究不多。2000 年以来，拱桥的横向地震响应日益受到重视。已有的研究表明，在平面上，拱肋与横向连接系形成了排架结构，对拱肋的横向振动尤其是弯曲振动产生约束，同时横向连接系将出现较大的内力响应，并可能导致横向连接系的失效。在横向连接系失效的过程中，共同工作的拱肋逐渐向独立工作的两条拱肋演化，同时导致拱肋因横向地震内力的快速增加而失效。

安州大桥在桥面以上无拱肋横撑，但在桥面以下布置了强大的 K 撑和拱肋横梁，对拱肋的横向振动形成了强劲的约束，同时也导致了 K 撑、拱肋横梁、拱肋的交界位置形成弯矩集中区域，从而导致了 K 撑、拱肋横梁和拱肋的开裂。同时，在顺桥向地震动的作用下，K 撑斜杆将参与拱肋共同受力，在纵、横向地震动的耦合作用下，K 撑破坏最为严重。

这里需讨论的一个问题是拱肋横撑布置。安州大桥横向连接系集中于桥面以下，虽然获得了较好的通透性，但桥面以下横向连接系十分强大。这一方面使得横向连接系对拱肋横向的约束过强，也导致了拱肋横向振动的无约束长度过长，还使拱肋弯矩的最大弯矩位置由拱脚上移至横撑附近，安州大桥拱肋裂缝出现在横梁附近证实了这一点。分散布置横向连接系,可使横向振动产生的弯矩分布得相对均匀,有利于拱桥承受横向地震荷载。事实上,震害调查表明,在汶川地震中,采用密布横撑的上承式肋拱桥均未出现 C 级震害,横向连接系也鲜见震害,但横向连接系集中于桥面以下的安州大桥和黄江大桥,其横向连接系的震害均较为严重。

安州大桥的震害启示是,集中而强大的横向连接系虽然可获得较好的通透性,但对抗震却是不利的。

7.8 擂鼓大桥 Leigu Bridge

7.8.1 桥梁概况 Outline of the bridge

擂鼓大桥位于省道 105 线安县至北川段,其中心桩号为 K153+500,大桥右侧为河流,左侧为陡峻的山体,山体覆盖层较薄,植被多为低矮灌木,岩层节理裂缝发育,路线边坡较陡。路线在山体侧顺河流走向布线,桥梁的平面线形为 S 形(图 7-44)。该桥采用预应力混凝土简支空心板,桥梁全长为 306m,孔跨布置为 14×20m,全桥共分 3 联,两岸桥台及 5、9 号墩布置简易伸缩缝。擂鼓大桥桥面宽 9m,根据地形情况,采用半边桥形式,横向布置了 6 块空心板。支座采用板式橡胶支座,桥墩为柱式墩,有双柱式和独柱式两种形式,0 号台、1~3 号墩右侧墩柱包裹于边坡挡墙内。桥台为桩柱式桥台,柱间以挡墙挡土,台后也采用挡墙。

图 7-44 震后的擂鼓大桥
Figure 7-44 The Leigu Bridge after the earthquake

大桥位于发震断层下盘,该桥距中央主断裂的垂直距离为 2.3km。本桥走向与中央主断裂基本平行。设计时间为 1989 年以后,按《公路工程抗震设计规范》(JTJ 004—89)进行抗震设防,设防地震烈度为Ⅶ度[1],场地类别为Ⅱ类,实际地震烈度为Ⅹ度[3]。

擂鼓大桥处置后限制通行,震害等级为 C 级(严重破坏)。

7.8.2 上部结构及支承震害 Damage to superstructure and supports

擂鼓大桥同时遭受了次生地质震害和地震动震害。该桥傍山，山体边坡较陡，地质条件较差，地震中大量边坡上的落石冲击桥面，导致空心板顶板被砸出65个大小不等的空洞，最大直径近2m，混凝土破碎，钢筋裸露（图7-45，图7-46）。震后大量雨水由空洞处进入空心板箱体内，造成箱体积水严重。更为严重的是第4、10、13、14孔多块空心板被巨石击中后，底板、腹板出现严重结构性裂缝，并有断板现象出现，承载性能严重受损（图7-47，图7-48）。受落石冲击，护栏多处被滚石冲击而破损，栏杆扶手大量缺失（图7-49）。

图7-45 受落石冲击主梁顶板受损严重

Figure 7-45 The deck slab was damaged seriously due to the collision of falling stones

图7-46 主梁顶板空洞

Figure 7-46 The deck slab of the girders was damaged

图7-47 落石冲击腹板开裂

Figure 7-47 The web cracked due to the collision of falling stones

图7-48 落石冲击底板放射状开裂

Figure 7-48 The soffit of the girders cracked due to the collision of falling stones

强大的地震动导致主梁横桥向移位，方向均向路线左侧，位移量约2cm，主梁与挡块密贴，并导致大量挡块开裂、外倾（图7-50），同时使得大量支座出现剪切、移位等震害。上部结构震害一览见表7-13。

图7-49 护栏受落石冲击受损
Figure 7-49 The barrier was damaged due to the collision of falling stones

图7-50 主梁移位与挡块密贴
Figure 7-50 The girders moved and the gap between the blocks and girders closer

表7-13 上部结构震害一览
Table 7-13 List of seismic damage to superstructures

受损位置	震害现象	程度
主梁	顶板受落石冲击出现65个空洞； 第4孔4、5、6号空心板被砸断，钢筋外露； 第10孔4、5、6号空心板被砸坏，出现纵向通长裂缝； 第13、14孔6号板腹板出现多条纵、斜向裂缝，最大缝宽达1mm	严重
主梁	主梁向左侧横向移位	一般
支座	部分支座均有剪切变形、移位等震害	严重
桥面	受落石冲击破损、露筋，出现大量空洞	严重
护栏	护栏受落石冲击破损，钢栏杆大量缺失	严重
伸缩缝	被落石砸坏	严重

7.8.3 下部结构震害 Damage to substructure

下部结构的震害主要是墩柱震害，这是本路段少见的震害形式。桥台砌体开裂（图7-51），0号台左侧立柱出现1条斜向裂缝，宽0.6mm（图7-52）；1号墩墩柱距顶部30~100cm处出现2条环向裂缝，裂缝宽0.4mm（图7-53）。0号台挡墙竖向开裂宽达2cm，两岸桥台处锥坡均不同程度出现塌陷破损。此外受主梁移位影响，墩台挡块开裂（图7-54）。

图7-51 桥台砌体开裂
Figure 7-51 The masonry of the abutment cracked

图7-52 桥台立柱出现斜向裂缝
Figure 7-52 The inclined cracks occurred on the abutment's column

图 7-53　墩柱环向裂缝
Figure 7-53　Circumferential cracks on the column

图 7-54　帽梁挡块开裂
Figure 7-54　The block on the pier head cracked

7.9　陈家坝大桥 Chenjiaba Bridge

7.9.1　桥梁概况 Outline of the bridge

陈家坝大桥位于省道 105 线北川县陈家坝乡，横跨都坝河。该桥中心桩号为 K183+499，为 1×60m 空腹式圬工拱桥，桥面宽 8m，桥梁全长 48m，每侧布置 2 个拱式腹拱。

大桥位于断层上盘，距断层 0.6km，桥址区场地土类别为 Ⅱ 类，但设计时间为 1979 年以前，未进行抗震设防，实际地震烈度为 Ⅺ 度[3]。

7.9.2　桥梁震害概况 Outline of damage

由于大桥邻近主断层。本桥震后全桥垮塌，如图 7-55、图 7-56 所示。震害等级为 D 级（完全失效）。

图 7-55　全桥垮塌
Figure 7-55　The whole bridge collapsed

图 7-56　全桥垮塌
Figure 7-56　The whole bridge collapsed

7.10 金谷垭 3 号桥 Jinguya No.3 Bridge

7.10.1 桥梁概况 Outline of the Bridge

该桥中心桩号为 K189+610，为 1×29m 空腹式圬工拱桥，桥面宽 8m，桥梁全长 44m，每侧布置 2 个拱式腹拱。主拱为现浇混凝土板拱，外侧镶嵌浆砌料石，拱上横墙为混凝土预制砌块，腹拱也为混凝土现浇结构，与主拱相同，在横墙和腹拱外侧也镶嵌浆砌料石。桥面铺装为沥青混凝土。0 号桥台为浆砌块石重力式桥台，1 号台为浆砌片石桥台，两桥台均采用扩大基础。桥型布置见图 7-57。腹拱及横墙编号如图 7-58 所示。

图 7-57 金谷垭 3 号桥
Figure 7-57 The Jinguya No.3 Bridge

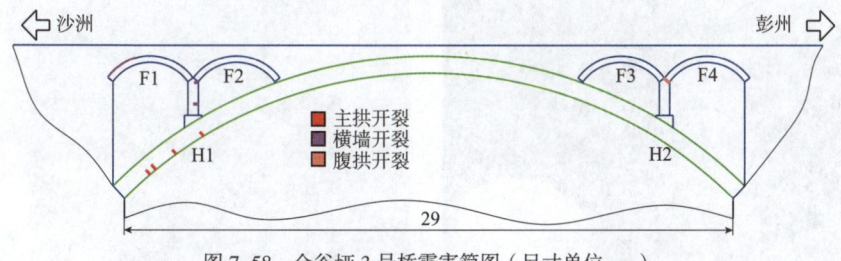

图 7-58 金谷垭 3 号桥震害简图（尺寸单位：m）
Figure 7-58 The seismic damage to the Jinguya No.3 Bridge（unit: m）

该桥中央断层下盘，距中央主断裂 0.3km。设计时间为 1983 年，按 1977 年颁《公路工程抗震设计规范》（试行）进行抗震设防，设防地震烈度为Ⅶ度[1]，场地类别为Ⅱ类，实际地震烈度为Ⅺ度[3]。

金谷垭3号桥震害严重，处置后限载通行，震害等级为C级（严重破坏）。

7.10.2 桥梁震害概况 Outline of damage

主要震害为主拱圈在距0号台拱座2~5m范围内，出现多条横向裂缝，裂缝横向贯穿整个主拱圈，裂缝宽度达2~10mm，主拱承载力受到影响（图7-59）。此外，拱上建筑也受损严重，H1立柱出现2条环状贯通型裂缝，1条距基座50cm处（图7-60）；另1条位于立柱与拱波交界处，裂缝宽度达10mm，F4腹拱拱脚也出现了横桥向裂缝，该裂缝沿拱圈高度方向已基本贯通（图7-61）。

0号桥台左侧开裂侧墙外倾，致使其前墙出现1条竖向开裂，裂缝宽达10cm，并延伸至腹拱，导致F1腹拱开裂（图7-62）。裂缝位于距0号台左侧墙约1m。1号台未见明显震害。地震还导致0号台附近栏杆外倾，部分破坏。主要震害一览见表7-14。

图 7-59 主拱圈拱腹横向裂缝
Figure 7-59 The transverse cracks on the soffit of the main arch

图 7-60 H1横墙环向裂缝
Figure 7-60 Transverse cracks on the H1 spadrel cross wall

图 7-61 F4腹拱拱脚开裂
Figure 7-61 The arch springing of spandrel arch cracked

图 7-62 侧墙外倾导致前墙开裂
Figure 7-62 The front wall cracked due to the deformation of the wing wall

表 7-14 主要震害一览
Table 7-14 List of seismic damage

受损位置	震害现象	程　度
主拱	0 号台拱脚多条横向裂缝，裂缝宽 10mm	严重
腹拱	F1 腹拱纵向开裂，F4 腹拱拱脚开裂	严重
腹孔横墙	H1 横墙环状开裂，裂缝宽 10mm	严重
人行道栏杆	0 号台附近护栏外，部分破坏	严重
桥台	0 号桥台左侧开裂，侧墙外倾，前墙开裂	严重

7.11 桂溪大桥 Guixi Bridge

7.11.1 桥梁概况 Outline of the bridge

桂溪大桥位于省道 105 线北川至青川段，中心桩号为 K198+024，该桥为钢筋混凝土肋拱桥，桥面宽 10m（净 7m + 2×1.5m 人行道），孔跨布置为 3×40m，桥梁全长为 142m。主拱为钢筋混凝土双肋拱，单跨布置 9 道 "一"形横撑。拱上建筑为梁式结构，采用在拱肋上布置由立柱和纵梁构成的纵向框架，横向铺设桥面板的方式，立柱在横向未设置系梁。桥面铺装为水泥混凝土铺装。桥墩为重力式墩，扩大基础。桥台为重力式桥台，扩大基础。桥型布置示意见图 7-63，震后情况见图 7-64。

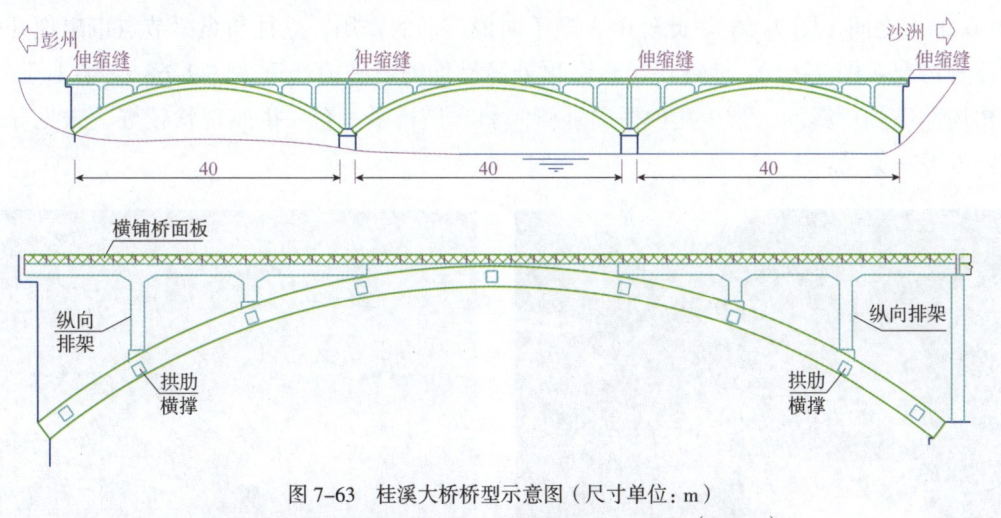

图 7-63 桂溪大桥桥型示意图（尺寸单位：m）
Figure 7-63 The layout of the bridge of the Guixi Bridge (unit: m)

该桥位于中央断裂带下盘，距中央主断裂 0.9km。设计时间为 1992 年，按《公路工程抗震设计规范》(JTJ 004—89) 进行抗震设防，抗震设防烈度为Ⅶ度[1]，场地类别为Ⅱ类，实际地震烈度为Ⅺ度[3]。

桂溪大桥，震后限载通行，震害等级为 B 级（中等破坏）。

图 7-64　震后的桂溪大桥
Figure 7-64　The Guixi Bridge after the earthquake

7.11.2　桥梁震害概况 Outline of damage

该桥 2 片主拱肋未见开裂（图 7-65），但拱上建筑出现震害。第 2、3 跨拱肋横撑均出现裂缝，开裂的位置多在横撑与主拱结合处，横撑中部也有裂缝，裂缝宽度不大，在 0.1~0.2mm 之间（图 7-66）。此外由于顺桥向地震动的作用，立柱与纵梁节点也出现开裂、压溃等情况（图 7-67）。地震还导致墩顶处简易伸缩缝破损严重（图 7-68），第 1 孔左侧护栏局部破损、露筋，第 3 孔护栏向外侧倾斜。该桥墩、台、拱座现状较好，未见异常。主要震害一览见表 7-15。

图 7-65　拱肋现状良好　　　　　　　　　　　图 7-66　拱肋横撑横向裂缝
Figure 7-65　The arch ribs are in good condition　　Figure 7-66　The brace on arch cracked transversely

图 7-67　立柱与纵梁结合处破损
Figure 7-67　The concrete of the column near the girder was damaged

图 7-68　墩顶处暗埋缝破损
Figure 7-68　The hide joint on the pier was damaged

表 7-15　主要震害一览
Table 7-15　List of seismic damage

受损位置	震害现象	程度
主拱拱肋	未见明显震害	无
拱肋横撑	第2、3跨横撑开裂	一般
拱上立柱	第2、3立柱与横墙结合处开裂、压溃	严重
桥面板	无	无
桥墩	无	无
桥台	无	无

7.12　铜子梁桥 Tongziliang Bridge

7.12.1　桥梁概况 Outline of the bridge

铜子梁桥为上承式空腹式拱桥，位于省道105线北川至青川段K233+101处，跨越山间冲沟，桥面宽8m，孔跨布置为1×30m，桥梁全长为52.5m，每侧设2个拱式腹拱。主拱为钢筋混凝土肋拱，横向由5片拱肋组成，拱肋形状类似"T"形，在拱脚附近拱肋线性加宽，纵向设置7片横系梁连接拱肋，整个拱圈类似双曲拱桥。拱上横墙和腹拱圈采用浆砌混凝土砌块。桥面铺装为水泥混凝土，桥台为浆砌混凝土砌块重力式桥台，扩大基础（图7-69）。

该桥位于发震断层上盘，距中央主断裂1.4km。设计时间为1992年，按《公路工程抗震设计规范》（JTJ 004—89）进行抗震设防，设防地震烈度为Ⅶ度[1]，场地类别为Ⅱ类，实际地震烈度为Ⅺ度[3]。

铜子梁桥拱肋严重开裂，震后抢通阶段处置后限载通行，震害等级为C级（严重破坏）。

图 7-69　震后的铜子梁桥
Figure 7-69　The Tongziliang Bridge after the earthquake

7.12.2　上部结构震害 Damage to superstructure

该桥震害十分严重，地震中5条拱肋均在距桥台80~100cm处出现环向断裂，最大裂缝宽度达到1cm（图7-70）；此外，每片拱肋在与拱座连接处出现开裂，裂缝宽度也达数毫米，角落处混凝土破损，钢筋外露（图7-71），可见拱圈的无铰拱体系已发生转换，若无钢筋相连，拱圈已垮塌。在地震作用下4跨腹拱在拱顶均出现裂缝，拱上横墙也出现环状裂缝（图7-72，图7-73）。

图 7-70　主拱圈现状
Figure 7-70　Present situation of the arch

图 7-71　拱肋在拱座处开裂
Figure 7-71　The arch cracked on the arch springing

图 7-72 腹拱拱顶横向通长裂缝
Figure 7-72 Transverse cracks appeared on the whole section of the arch

图 7-73 腹拱间立柱环向裂缝
Figure 7-73 Tansverse cracks occurred on the column near the archs

7.12.3 下部结构震害 Damage to substructure

该桥 0、1 号桥台均向左侧明显倾斜；1 号台右侧桥台与台背连接处混凝土挤压破损，面积达 200cm×50cm，深度达 20cm；0 号台右侧桥台与台背连接处开裂，缝宽 2~3cm，桥台向左侧外倾变形（图 7-74，图 7-75）。主要震害一览见表 7-16。

图 7-74 1 号台侧墙开裂
Figure 7-74 The wing wall of the 1st abutment cracked

图 7-75 0 号台外倾变形
Figure 7-75 The abutment deformed outward

表 7-16 主要震害一览
Table 7-16 List of seismic damage

受损位置	震害现象	程度
主拱拱肋	5 条拱肋全部断裂	损毁
拱上横墙	两拱上横墙均出现环状裂缝	一般
腹拱	所有腹拱拱顶开裂	严重
桥台	倾斜，严重开裂	严重

7.13 南坝大桥 Nanba Bridge

7.13.1 桥梁概况 Outline of the bridge

南坝大桥位于省道 105 线北川至青川段，中心桩号为 K237+307，孔跨布置为 1×25m+9×20m 的简支梁桥，桥梁全长为 226m。主梁为预应力混凝土空心板桥，采用先简支后桥面连续的结构形式，桥面宽 12m，横向布置 8 块 1.5m 宽空心板。该桥设计荷载为公路—Ⅰ级。桥墩为双柱式墩，桩基础，桥台为桩柱式桥台。地震时，该桥正处在施工中。下部结构已完工，所有主梁均已架设完毕，但除第 10 孔已浇筑铰缝混凝土和桥面铺装外，其余孔均未浇筑铰缝混凝土和桥面铺装。震后的南坝大桥见图 7–76 和图 7–77。

图 7–76 震后的南坝大桥（1）
Figure 7–76 The Nanba Bridge after the earthquake（1）

图 7–77 震后的南坝大桥（2）
Figure 7–77 The Nanba Bridge after the earthquake（2）

该桥位于发震断层上盘，与中央主断裂走向大致平行，距中央主断裂 2.9km。设计时间为 2007 年，按《公路工程抗震设计规范》（JTJ 004—89）进行抗震设防，抗震设防烈度为Ⅶ度[1]，场地类别为Ⅱ类，实际地震烈度为Ⅺ度[3]。

地震中南坝大桥全桥损毁，震害等级为 D 级（完全损毁）。

7.13.2 桥梁震害概况 Outline of damage

第 1、3~9 跨均出现落梁，第 2、10 跨主梁也存在较大的落梁风险（图 7-78）。1~7 号墩墩柱在根部和顶部均出现环向开裂，部分桥墩墩柱顶混凝土压溃，墩身歪斜，既有横向倾斜，也有纵向倾斜。全桥所有挡块均受损严重，其中左侧挡块完全破坏，所遗支座均有移位、脱空等震害。

图 7-78 震后落梁图片

Figure 7-78 The layout of the bridge after the earthquake

7.13.3 上部结构及支承震害 Damage to superstructure and supports

该桥 1~9 跨尚未施工铰缝，也未施工桥面连续，在地震动的作用下，出现了较大的墩梁相对位移，并出现了大面积落梁。其中第 3、4、6 孔全部落梁，落梁方向均向路线前进方向的左前方。第 5 孔 1~7 号空心板、第 7 孔 1~6 号板、第 8 孔 1~3 号空心板、第 9 孔 1~3、8 号空心板也坠入河中（图 7-79，图 7-80），第 1 跨 1、2 号板则出现了纵向落梁，

图 7-79 大部分空心板落梁（1）

Figure 7-79 Most girders fell (1)

图 7-80 大部分空心板落梁（2）

Figure 7-80 Most girders fell (2)

第 1 孔所遗梁板，由于梁端与 0 号台撞击，混凝土破损开裂（图 7-81，图 7-82）。第 10 跨未落梁，但在 10 号台处出现了多达 2m 横向位移，落梁风险极大（图 7-83）。第 5、7、8 孔所遗主梁也有较大的落梁风险（图 7-84）。

该桥设置板式橡胶支座，部分支座随落梁一起坠入河中，未坠入河中的部分均出现不同程度的平面移位、脱空和剪切破坏（图 7-85，图 7-86）。

图 7-81　第 1 孔空心板纵向落梁
Figure 7-81　The girders of the first span fell longitudinally

图 7-82　第 1 孔空心板板端撞击破损
Figure 7-82　The end of the girder was damaged because of collision

图 7-83　第 10 孔在 0 号台处横向位移量达 2m
Figure 7-83　The transverse displacement of the 10th span was up to 2m at the abutment

图 7-84　第 5 孔空心板存在落梁危险
Figure 7-84　The girder on the 5th span was risking falling

图 7-85　支座脱空移位
Figure 7-85　The girder lost the support of the bearing

图 7-86　支座完全失效
Figure 7-86　The girder lost the support of the bearing

7.13.4 下部结构震害 Damage to substructure

该桥 1~7 号墩墩柱在根部和顶部均出现环向开裂，墩身倾斜（图 7-87，图 7-88）。其中 1、2、5 号墩身向左侧倾斜 13~30cm，3、4 号墩墩身向左侧倾斜达 80~85cm，6、7 号墩向前进方向倾斜 15cm，向左侧倾斜 15~32cm；8 号墩墩柱裂缝较少，9 号墩柱基本正常。墩底裂缝多分布在距桩顶系梁上方 1m 内，每隔 15~20cm 一条，缝宽 0.6~0.8mm，部分墩柱底部已出现塑性铰（图 7-88）。墩顶裂缝多出现在距盖梁底 0.8m 左右，5 个墩柱顶部出现了混凝土压溃、钢筋屈曲外露的现象，墩顶的震害较墩底更加严重（图 7-89，图 7-90）。桥墩震害的具体情况见表 7-17。

图 7-87 墩柱根部环状裂缝
Figure 7-87 Circumferential cracks at the bottom of pier

图 7-88 墩柱倾斜明显
Figure 7-88 The piers inclined obviously

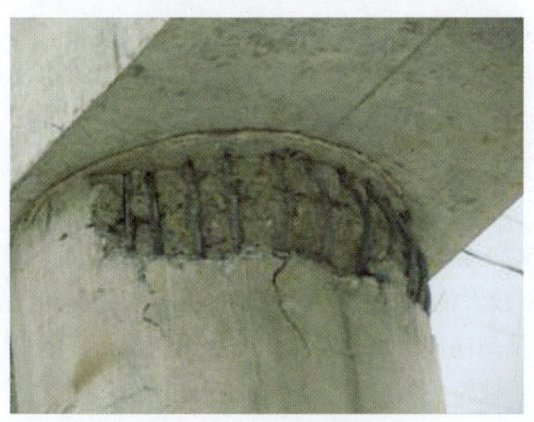

图 7-89 墩柱顶部局部压溃
Figure 7-89 Concrete on the top of the pier smashed partly

图 7-90 墩柱顶部局部压溃
Figure 7-90 Concrete on the top of the pier smashed partly

表 7-17 桥墩震害统计
Table 7-17 Statistics of seismic damage to bridge

震害现象	倾覆、断裂	墩底开裂	结点开裂	出现压溃	倾斜桥墩
震害桥墩数量（个）	0	8	8	5	8

注：出现不同震害桥墩重复计入。

0、10号台因主梁撞击,背墙侧墙均有不同程度损伤,其中10号桥台侧墙从台帽根部发展3条斜向45°裂缝,缝长1m,宽0.4~1.0mm;台前护坡也出现沉降破损和开裂。所有墩台桥墩挡块均有不同程度损伤,1~9号墩左侧挡块完全从盖梁上剥离,失去限制主梁位移的功能(图7-91,图7-92)。

图7-91 盖梁挡块被挤裂
Figure 7-91 Concrete on the top of the pier smashed partly

图7-92 盖梁挡块被撞掉
Figure 7-92 The block of the pier head was damaged because of the beams' collision

7.13.5 震害简析 Analysis on damage mechanism

地震中,南坝大桥因大面积落梁和桥墩破坏而全桥失效。由于1~9跨主梁的铰缝未施工,主梁无整体性可言,各块空心板是相互独立的,在振动中各块空心板间可能出现相互碰撞,碰撞力与地震力的叠加增大了主梁的位移量和对挡块的撞击力,强大的地震荷载和主梁间的相互碰撞是导致落梁的重要原因。反观第10跨,由于施工了铰缝,主梁整体性较好,且避免了主梁间的相互碰撞,虽然出现了较大的主梁移位但未出现落梁。

根据桥址区PGA并按主轴理论合成纵、横向地震动后可知,横桥向地震动的加速度峰值与顺桥向相差无几,该桥主梁同时承受了较大的纵、横向地震动,主梁在地震动作用下的运动方向为斜向,因此,主梁坠落后多呈斜向放置,而且第1跨为纵向落梁,而第10跨则出现了多达2m的横桥向位移。此外由于该桥为斜交桥,斜梁桥在地震动作用下往往纵、横向位移是耦合的,而且通常伴有绕竖轴的转动,因此主梁落梁的方向多向左前方,即主梁锐角方向,这与斜交桥主梁的转动方向是一致的,因此第1跨虽然出现了纵向落梁,但横向移位却明显小于第10跨。

另一个值得注意的问题是,南坝大桥的墩高均在10m以下,且各墩的高差并不大,各桥墩水平力的分布相差并不悬殊,但桥墩破坏却相当严重,而且在墩顶位置也出现了相当严重的震害。从挡块普遍破坏,且落梁跨左侧挡块完全破坏的情况来看,地震中主梁与桥墩间发生过剧烈的横桥向碰撞,剧烈的碰撞导致挡块破坏,使主梁失去约束而落梁,同时也使桥墩承受了强大的碰撞力,从而导致墩柱损坏,桥墩向左倾斜。由于盖梁对墩柱的约束较强,因此出现墩顶震害较墩底更严重的现象。

除结构因素外,该桥距中央主断裂仅 2.9km,是典型的近断层桥梁,近断层地震动的大速度脉冲也是导致该桥损毁的重要原因。

南坝大桥的震害启示是:①主梁整体性的加强对于减小横向落梁风险有重要作用;②墩、梁间的相互碰撞放大了主梁的惯性力,是导致桥墩震害的重要原因。

7.14 南坝拱桥 Nanba Arch Bridge

7.14.1 桥梁概况 Outline of the bridge

南坝拱桥位于省道 105 线平武县南坝镇上场口,与涪江正交,其为主跨 2×60m 钢筋混凝土双曲拱桥,震前南坝旧桥见图 7-93。

图 7-93 震前的南坝拱桥
Figure 7-93 The Nanba Arch Bridge before the earthquake

该桥位于中央断裂带上盘,与中央主断裂走向大致平行,距中央主断裂 3.6km。本桥建于 1972 年,未进行抗震设防,桥址区场地类别为 II 类,实际地震烈度为 XI 度[3]。

7.14.2 桥梁震害概况 Outline of damage

地震中南坝旧桥整体坍塌如图 7-94 所示,震害等级为 D 级(完全损毁)。

图 7-94 震后的南坝拱桥
Figure 7-94 The NanBa Arch Bridge after earthquake

7.15 纸房坝桥 Zhifangba Bridge

7.15.1 桥梁概况 Outline of the bridge

纸房坝桥为 1×24m 实腹式拱桥，位于 G105 线北川至青川段 K279+965 处，跨越山间小河，桥宽 8.0m，桥梁全长 32m。主拱为现浇混凝土板拱，拱圈厚 80cm，拱上侧墙为浆砌卵石，采用沥青混凝土桥面铺装，桥台为重力式桥台（图 7-95）。

图 7-95 震后的纸房坝桥
Figure 7-95 The Zhifangba Bridge after the earthquake

该桥位于发震断层上盘，距中央主断裂 0.9km。设计时间 1981 年，按 1977 年颁《公路工程抗震设计规范》（试行）进行抗震设防，抗震设防烈度为Ⅶ度[1]，场地类别为Ⅱ类，实际地震烈度为Ⅹ度[3]。

7.15.2　桥梁震害概况 Outline of damage

纸房坝桥在抢通阶段处置后限载通行，震害等级为 C 级（严重破坏）。

纸房坝桥在地震中主拱圈出现贯通性裂缝。主拱拱圈 1/4 跨附近处有多条横向裂缝，其中 1/4 跨拱圈处的裂缝为横向通长裂缝，最大缝宽 10mm，并已沿竖向贯通整个拱圈高度，表明拱圈已横向断裂，在其附近 1m 左右，也出现横向通长裂缝，宽 3mm（图 7-96、图 7-97）。在 1 号台端，左侧拱上侧墙产生水平裂缝，缝长 7.5m，宽 10mm（图 7-98）。地震还导致两侧部分栏杆损坏，钢筋外露，多数栏杆底座出现裂缝，缝宽达 3mm。此外 0 号台左侧侧墙开裂、外倾，拱座出现竖向裂缝。主要震害一览见表 7-18。

图 7-96　l/4 处拱圈横向贯通裂缝
Figure 7-96　Transverse cracks on the soffit of the l/4 of arch

图 7-97　l/4 处裂缝已贯通拱圈高度　　　　　图 7-98　拱上侧墙开裂
Figure 7-97　The crack at the l/4 arch appeared on　　Figure 7-98　The wing wall of arch cracked
　　　　　　the whole section of the arch

表 7-18　主要震害一览
Table 7-18　List of seismic damage

受损位置	震害现象	程度
主拱	l/4 跨附近多条裂缝，2 条通长，最大裂缝宽 10mm	严重
拱上侧墙	拱上侧墙产生水平裂缝，缝长 7.5m，宽 10mm	严重
人行道栏杆	两侧部分栏杆损坏，钢筋外露，多数栏杆底座出现裂缝	严重
桥台	0 号桥台左侧开裂侧墙外倾，前墙开裂	严重

7.16 曲河大桥 Quhe Bridge

7.16.1 桥梁概况 Outline of the bridge

曲河大桥为 1×75m 空腹式双曲拱桥，位于青川县曲河镇，跨越曲河，中心桩号为 K289+956，桥长 85m，桥面宽 9.2m，每侧设 5 个拱式腹拱（图 7-99）。主拱由 4 片钢筋混凝土拱肋和 3 组拱波、拱板构成，拱上横墙为浆砌混凝土预制块结构，腹拱圈均为现浇混凝土结构，桥面铺装为水泥混凝土。两岸桥台为浆砌混凝土预制块重力式桥台，鹅卵石砌侧墙，均为空腹式，各设有 1 孔小拱，桥台基础均为扩大基础。桥台小拱及腹拱按由 0 号台（北川侧）至 1 号台（青川侧）的顺序编为 F0~F11 号，横墙按相同的顺序编为 H0~H9（图 7-100）。

图 7-99 震后的曲河大桥
Figure 7-99 The Quhe Bridge after the earthquake

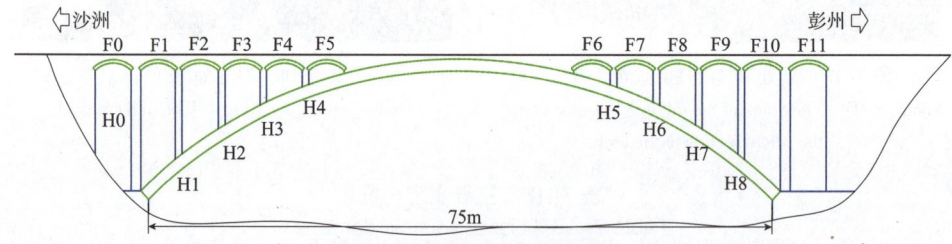

图 7-100 桥型布置示意图
Figure 7-100 The layout of the bridge

该桥位于中央断层上盘，距中央主断裂 0.5km。设计时间 1980 年，按 1977 年颁《公路工程抗震设计规范》（试行）进行抗震设防，抗震设防烈度为Ⅶ度[1]，场地类别为Ⅰ类，实际地震烈度为Ⅸ度[3]。

7.16.2 桥梁震害概况 Outline of damage

曲河大桥虽未垮塌，但主拱、拱上建筑多处严重受损，在抢通保通阶段另设便桥满足应急交通需要。震害等级为 D 级（完全失效）。主要震害简图见图 7-101。

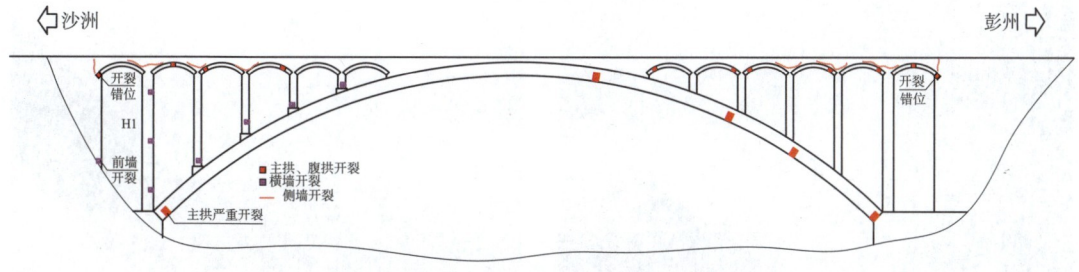

图 7-101 主要震害简图
Figure 7-101 The indiction of main seismic damage

大桥主拱 4 条拱肋全部严重开裂，所有腹拱均有不同程度震害，其中 F11、F10 腹拱基本失效，所有横墙底部开裂，最大裂缝宽 8mm。0 号台前墙开裂，前墙后倾。主要震害一览见表 7-19。

表 7-19 主要震害一览
Table 7-19 Main seismic damage

受损位置	震害现象	程度
主拱拱肋	4 条拱肋在 0 号台拱脚处全部开裂，最大缝宽 2mm	严重
拱上横墙	所有横墙底部均出现环状裂缝，最大缝宽 8mm	严重
腹拱	所有腹拱均有震害，F1、F2、F6~F10 号腹拱圈开裂严重，F10 腹拱拱顶出现横向贯穿裂缝，F0、F11 拱脚破坏	部分损毁
桥台	0 号台前墙开裂、倾斜，1 号侧墙开裂	严重
受损位置	震害现象	程度

7.16.3 上部结构震害 Damage to superstructure

上部结构的震害相当严重。在 1 号台侧，距拱脚 1m 处全部 4 片拱肋均出现两处严重开裂的情况，裂缝沿横向贯穿拱肋全宽，沿高度方向裂缝已贯通整个拱肋，4 条拱肋的裂缝宽度均在 2.0~3.0mm，拱圈的有效工作截面大为减小，承载能力大为削弱（图 7-102~图 7-104）。在 0 号台侧，起拱线至 1/2 跨处，4 片拱肋也均出现了多条裂缝。

与主拱圈相比，腹拱的情况更加危险。F0 小拱、F11 腹拱拱脚与桥台的连接完全破坏，并出现了拱脚与桥台的相对位移，拱脚与桥台明显错位，F0 小拱的水平位移达 60mm 之多，几近垮塌，几近断裂，情况十分危险（图 7-105）；拱上横墙受损也十分严重（图 7-106、图 7-107）。受拱脚与桥台相对位移的影响，腹拱侧墙严重开裂，混凝土脱落严重（图 7-108）。其他腹拱也出现了不同程度的震害，F1、F2、F6~F10 号腹拱圈开裂严重，F10 腹拱拱顶出现横向贯穿裂缝，几近断裂（图 7-109）；F6~F9 腹拱在距拱脚 0.5m 处还出现横向通长裂缝，缝宽 1mm。所有腹孔横墙与垫梁连接处均开裂，其中 H1 横墙出现 3 处断裂，缝宽 8mm，分别位于该横墙中部和距横墙底、顶各 2m 处。

图 7-102　1 号拱肋开裂，裂缝贯穿拱肋全高
Figure 7-102　The 1st arch cracked and the crack appeared on the whole section of the arch

图 7-103　2 号拱肋开裂，裂缝贯穿拱肋全高
Figure 7-103　The 2nd arch cracked and the crack appeared on the whole section of the arch

图 7-104　4 号拱肋开裂，裂缝贯穿拱肋全高
Figure 7-104　The 4th arch cracked and the crack appeared on the whole section of the arch

图 7-105　F0 拱脚与桥台错位
Figure 7-105　The arch moved and cracked near the F0 abutment

图 7-106　H0 横墙开裂严重
Figure 7-106　The H0 wall cracked seriously

图 7-107　H7 横墙开裂
Figure 7-107　The H7 wall cracked

地震还导致栏杆大量破损，部分栏杆已缺失（图 7-110）。图 7-111 为交通关闭，另设便桥通行（图 7-111）。

图 7-108　腹拱侧墙开裂
Figure 7-108　The wing wall of the arch cracked

图 7-109　F10 腹拱拱顶开裂严重
Figure 7-109　The top section of the arch cracked seriouly

图 7-110　栏杆破损
Figure 7-110　The barrier was damaged

图 7-111　交通关闭，另设便桥通行
Figure 7-111　Another temporary bridge was built to take place of the bridge

7.16.4　下部结构震害 Damage to substructure

曲河大桥下部结构震害也很严重。0 号台前墙距地面 80cm 处水平断裂，裂缝宽度达 24mm，裂缝以上前墙明显后倾（图 7-112，图 7-113），1 号台情况稍好，仅桥台右侧侧墙斜向开裂。

图 7-112　0 号台前墙严重开裂
Figure 7-112　The front wall of the abutment cracked seriously

图 7-113　0 号台前墙裂缝细部
Figure 7-113　The front wall of the abutment cracked

7.17 井田坝大桥 Jingtianba Bridge

井田坝大桥位于青川县白龙湖水库，为主跨 2×75m 钢筋混凝土肋拱，在河道中央设有 1 个高墩，桥宽 8.0m。设计时间 1980 年，按 1977 年颁《公路工程抗震设计规划》（试行）进行抗震设防，抗震设防烈度为Ⅶ度[1]，场地类别为Ⅱ类，实际地震烈度为Ⅸ度[3]。

地震中两主拱垮塌，墩柱被剪断，仅存两岸空腹式桥台小拱，如图 7-114~图 7-116 所示。震害等级为 D 级。

图 7-114　全桥垮塌立面
Figure 7-114　Elevation of the collapsed bridge

图 7-115　全桥垮塌平面
Figure 7-115　The plane of the collapsed bridge

图 7-116　倒塌的墩柱
Figure 7-116　The collapsed column

第 8 章 省道 302 线江油经北川至茂县段公路
Chapter 8 The 302 Provincial Road from Beichuan to Maoxian

8.1 公路及桥梁概况 Outline of route and bridges

省道 302 线江油至北川段公路全长 134km，起于成绵高速公路江油北互通，在黄坝镇接省道 105 线、省道 302 线共用段到达北川，再经北川县城，沿湔江逆流而上至茂县。其中，江油至黄坝镇段全长 33km，北川至茂县段长 94km，省道 105 线、省道 302 线共用段长 7km（无桥梁），该段处于四川盆地北部山区，公路等级为三级。该段公路的位置如图 8-1 所示。

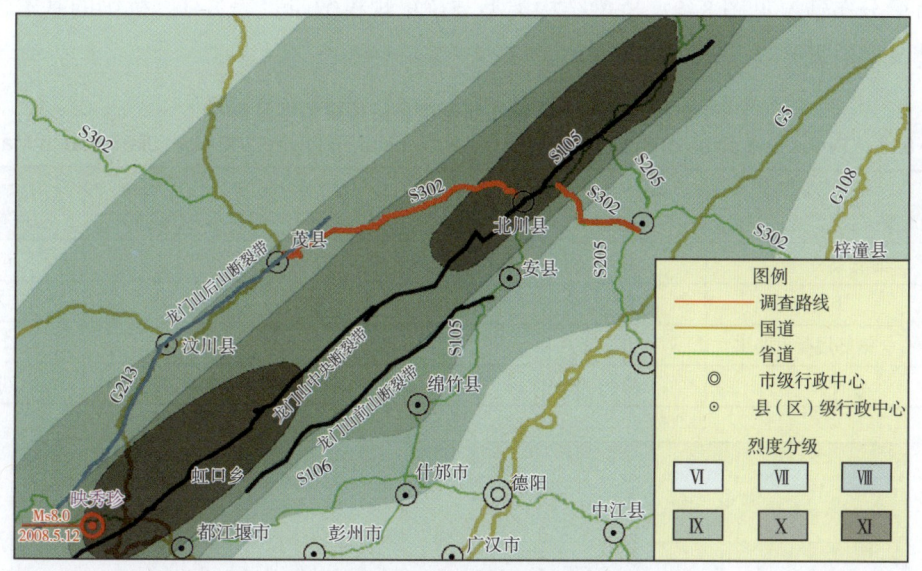

图 8-1 线路区域位置图

Figure 8-1 Location of roads in seismic areas

江油至黄坝镇段位于中央主断裂带下盘，在黄江大桥以东路线走向大致为东西向，该段地形相对平坦，桥隧比不高；跨越黄江后路线走向大致为北偏西方向，与中央主断层方向大致垂直，路线基本处于山岭地区，虽然长度仅约 19km，但江油至黄坝镇段的桥梁大多位于此段。该段公路抗震设防烈度为Ⅶ度[1]，而在地震中，实际烈度为Ⅸ~Ⅺ度[3]。

北川至茂县段位于茂汶断裂（龙门山后山断裂）和龙门山中央主断裂之间，龙门山主中央断裂穿过北川县城，全路段均位于中央主断裂上盘，路线走向大致与中央主断裂呈 30°交角。该段公路抗震设防烈度为Ⅶ度[1]，而在地震中，实际烈度为Ⅷ~Ⅺ度[3]。

江油含增台测定，南北方向地震加速度峰值为 0.35g，东西方向地震加速度峰值为

0.52g，竖向地震加速度峰值高达为 0.44g，茂县地震办台测定，南北方向地震加速度峰值为 0.30g，东西方向地震加速度峰值为 0.31g，竖向地震加速度峰值为 0.27g。

本段公路以江油市为起点，以江油市至茂县方向为正方向对各桥进行编号。

省道 S302 线江油至茂县段共有桥梁 70 座，其中，位于中央断裂带上盘的北川至茂县段共有桥梁 48 座，位于中央断裂带下盘的江油至北川段共有桥梁 22 座。在 70 座桥梁中，以拱桥为主，共 64 座，其余 6 座均为简支梁桥。拱桥中，上承式圬工板拱桥或双曲拱桥共 62 座，另有钢筋混凝土肋拱桥 2 座（中承式 1 座、上承式 1 座）。圬工拱桥以中小跨度为主，多为 8~20m 的实腹式拱桥，最大跨度仅 32m，建设时间较早。钢筋混凝土肋拱桥跨度较大，其中，黄江大桥为中承式肋拱桥，净跨径 85m，是该段公路跨度最大的桥梁，笼子口大桥为上承式钢筋混凝土肋拱桥，净跨径也达 60m。

简支梁桥中，4 座为简支预应力混凝土空心板桥，分别为北川城内的石蓑衣大桥、湔江河大桥以及江油附近的让水大桥、龙潭桥，均采用桥面连续、板式橡胶支座，桥墩均为双柱式排架墩。另 2 座为单跨小桥，为现浇钢筋混凝土实心板，支座为油毡支座。

桥梁分布情况见图 8-2，桥梁结构类型与桥梁规模数量见表 8-1，桥梁的基本情况和受灾情况如附表 C-7、附表 C-8 所示。

表 8-1　省道 302 线江油至茂县段桥梁桥型及规模
Table 8-1　Types and sizes of the bridges on the Provincial Highway 302 from Jiangyou to Maoxian

桥梁类型	桥梁规模	特大桥（座）	大桥（座）	中桥（座）	小桥（座）	合计（座）
简支梁桥		0	3	1	2	6
拱桥	圬工板拱	0	0	17	45	62
	钢筋混凝土肋拱	0	2	0	0	2
合计		0	5	18	47	70

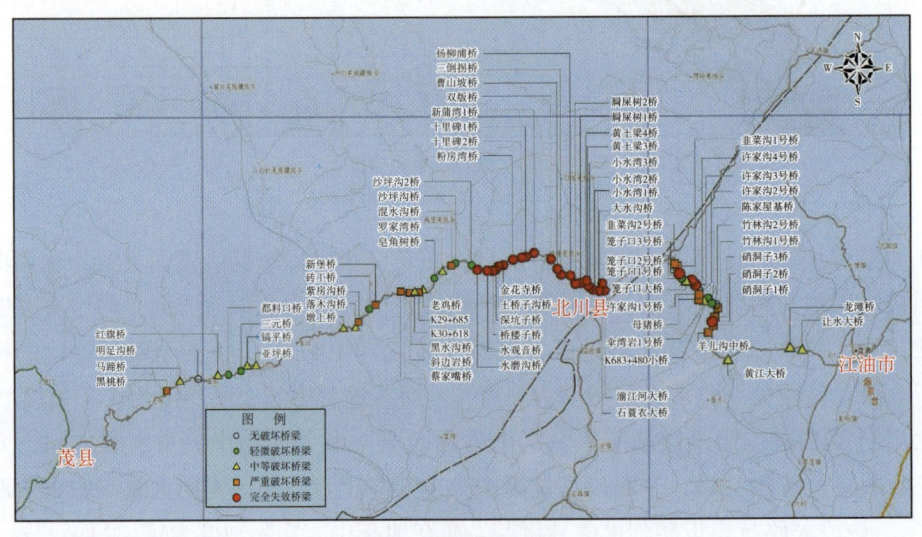

图 8-2　线路桥梁展布
Figure 8-2　Location and seismic damage of the bridges along the highway

8.2 震害概要 Outline of damage

该段公路靠近发震断裂带，且所有桥梁均位于实际烈度Ⅸ~Ⅺ度区内，在地震中桥梁损毁严重。省道302线江油经北川至茂县段公路桥梁位于上盘的破坏严重，其中次生地质灾害及直接震害均造成了桥梁的严重破坏。小水湾1号桥、土子沟桥等22座桥被垮塌山体掩埋或被唐家山堰塞湖淹没。此外，北川县城的湔江河大桥和石蓑衣大桥（图8-3）因地震动而完全失效（D级震害）。道路中震害情况较为典型的桥梁将在本节后进行详细介绍。

图8-3 湔江河大桥和石蓑衣大桥全桥损毁
Figure 8-3 The Jianjianghe Bridge and the Shisuoyi Bridge were damaged

8.2.1 桥梁整体震害情况 Information on seismic bridge damage from investigated area

本段公路的70座桥梁中，出现D级震害（完全失效）的桥梁28座，占桥梁总数的40.0%；出现C级震害（严重破坏）的17座，占桥梁总数的24.3%；另有14座桥梁出现B级震害（中等破坏）；8座桥梁发生A级震害（轻微破坏）；3座桥梁未发生震害。各级震害比例如图8-4所示。

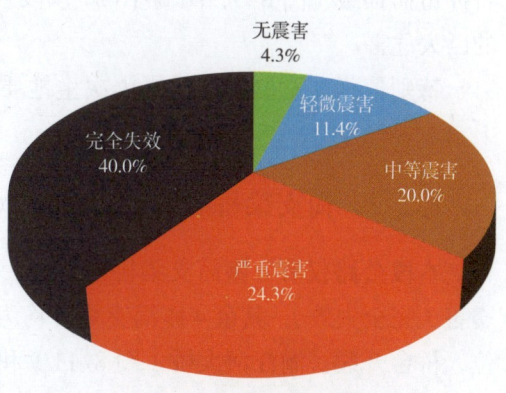

图8-4 桥梁震害情况统计
Figure 8-4 Proportional extent of bridge damage

8.2.2 次生地质灾害对桥梁的破坏 Seismic bridge damage caused by secondary geological disasters

该段公路桥梁震害的一个显著特点是次生地质灾害造成了桥梁的巨大破坏。70 座桥梁中，25 座桥梁受次生地质灾害的影响。地震后唐家山山体发生严重垮塌，壅塞湔江，使其水位提升，形成了唐家山堰塞湖（图 8-5）。受堰塞湖的影响，北川至禹里段公路或被湖水淹没，或被唐家山壅塞体掩埋，使得该区段内道路完全中断，直至震后近 3 个月才基本打通。唐家山堰塞湖影响区域内共有 22 座桥梁被淹没或掩埋（图 8-6）。其中，靠近北川的大水沟桥、小水湾 1 桥等 3 座桥梁被垮塌山体掩埋或受落石冲击（图 8-7），其余 18 座被淹没桥梁虽在泄洪后露出水面，由于湖水浸泡、泄洪冲刷等原因，这些桥梁已基本上无继续利用的价值（图 8-8）。

图 8-5　泄洪时的唐家山堰塞湖
Figure 8-5　The Tangjiashan Barrier Lake when flood discharges

在江油至北川段，由于线路地处山区，许家沟 1 桥、许家沟 3 桥与硝洞子 2 桥也因落石冲击而损毁（图 8-9，图 8-10）。该段公路的桥梁震害再次证明了次生地质灾害对桥梁的巨大危害。

特别值得注意的一点是：因次生地质灾害产生震害的桥梁均位于龙门山中央断裂带上盘。

8.2.3 简支梁桥震害 Damage to simply supported girder bridge

本段公路仅有 6 座简支梁桥，其中，北川县城的湔江河大桥和石蓑衣大桥发生 D 级震害（完全失效），其余 4 座简支梁桥均为中等破坏（B 级震害），主要震害表现为主梁移位，桥台开裂。湔江河大桥（图 8-11）和石蓑衣大桥（图 8-12）距龙门山中央断裂带的地表破裂带约 1.0km，出现了主梁落梁、墩柱压溃等震害，桥梁完全损毁，表现出明显的近断层地震破坏特点，是汶川地震中震害最为典型的简支梁桥。

图 8-6 唐家山堰塞湖影响区域内桥梁淹没情况
Figure 8-6 The bridge in the Tangjiashan Barrier Lake

图 8-7 被落石砸毁的小水湾 1 桥
Figure 8-7 The Xiaoshuiwan No.1 Bridge destroyed by falling stones

图 8-8 退水后的土桥子沟
Figure 8-8 The Tuqiaozi groove after flood

图 8-9 许家沟 1 桥被巨石砸损
Figure 8-9 The Xujiagou No.1 Bridge was destroyed by huge stones

图 8-10 许家沟 3 桥侧墙被巨石砸塌
Figure 8-10 The wing wall of Xujiagou No.3 Bridge was damaged because of collision of huge stones

8.2.4 拱桥震害 Damage to arch bridge

未遭受次生地质灾害影响的 45 座桥梁中，共有拱桥 39 座，简支梁桥 6 座。在 39 座拱桥中，圬工拱桥 37 座，钢筋混凝土拱桥 2 座（均为钢筋混凝土肋拱桥）。

图 8-11 湔江河大桥桥墩压溃
Figure 8-11 The Columns of the Jianjianghe Bridge crushed

图 8-12 石蓑衣大桥全桥失效
Figure 8-12 The Shisuoyi Bridge was destroyed completely due to the main girders moved longitudinally

在39座圬工拱桥中，震害等级为C级震害（严重破坏）及D级震害（完全失效）的拱桥共计18座，占拱桥的46.1%。该段公路拱桥主拱震害较为明显，全部40跨主拱中，1跨损毁，11跨震害严重。主拱裂缝多出现在拱脚附近和拱顶位置。由于圬工材料抗拉性能较差，裂缝宽度一般较大，多数裂缝的宽度在数毫米乃至数厘米间，例如许家沟4号桥就出现了宽达3cm的裂缝（图8-13）。值得一提的是，钢筋混凝土肋拱桥在地震中表现良好，仅有的两座肋拱桥均为中等破坏，尤其是钢筋混凝土肋拱桥的笼子口大桥与圬工拱桥的笼子口2桥相距不到1km（图8-2），前者仅为中等破坏，后者则完全损毁（图8-14）。

图8-13 许家沟4桥主拱严重开裂　　　　　图8-14 笼子口2桥主拱拱顶压碎
Figure 8-13　The arch of Xujiagou No.4 Bridge cracked seriously　Figure 8-14　Concrete of the arch of Longzikou No.2 Bridge crushed

拱桥拱上建筑的震害也较为严重，实腹拱出现了侧墙垮塌、外移等震害（图8-15），空腹拱出现了横墙断裂、腹拱开裂等震害（图8-16），两座钢筋混凝土肋拱桥的立柱也出现了不同程度的开裂现象。

图8-15 硝洞子2号侧墙、填料垮塌　　　　　图8-16 母猪桥横墙断裂
Figure 8-15　The wing wall of the Xiaodongzi No.2 Bridge collapsed and filler went out　Figure 8-16　The wall of the Muzhu Bridge was damaged

1）主拱

圬工拱桥主拱的震害形式主要是拱板开裂，出现主拱震害的桥跨共18跨，占拱跨总数的48.6%，可见，主拱震害是该段公路圬工拱桥震害的主要形式。钢筋混凝土拱肋的表现较好，2座钢筋混凝土肋拱桥的拱肋自身均未出现裂缝，但黄江桥拱肋的横向联结系在

刚性结点附近均出现了贯通裂缝。

2）拱上建筑

S302 线江油至茂县段共有实腹式圬工拱桥 29 座，其中，16 座的拱上建筑出现了不同程度的震害，占实腹实拱桥的 55.2%（其中 5 个横墙垮塌）。空腹式拱桥共 8 座，其中，4 座桥梁的拱上建筑出现震害。可见拱上建筑是该段公路圬工拱桥的易损结构之一。

钢筋混凝土肋拱桥拱上建筑表现尚可，2 座桥的部分拱上立柱均出现裂缝，裂缝多出现在立柱与拱肋联结处，其中，黄江大桥在盖梁与拱肋联结位置也出现了裂缝。桥道梁表现较好，未出现裂缝、移位等震害。

3）桥台及拱座

该段公路有 40 座拱桥，共 80 个桥台，其中 18 个桥台出现震害，涉及 13 座桥梁，震害现象较多，规律性不明显，主要有：前墙横裂、前墙或拱座竖裂、侧墙开裂或垮塌、侧墙外倾等。其中，前墙或拱座竖裂和侧墙震害是出现最多的震害（表 8-2）。

表 8-2　拱桥桥台震害统计
Table 8-2　Seismic damage to the abutments of arch bridges

震 害 现 象	桥台数量（个）	震 害 桥 梁
前墙横裂	1	母猪桥
前墙或拱座竖裂	8	硝洞子 1 号桥，许家沟 4 号桥，笼子口 3 号桥，混水沟桥，K731+200 拱桥，烂柴湾桥
侧墙开裂或垮塌	7	硝洞子 2 号桥，竹林沟 1 号桥，笼子口大桥，笼子口 3 号桥，都料口桥
侧墙外倾	2	笼子口 1 号桥，老鸡桥
基础沉降	2	硝洞子 3 号桥

注：同时出现不同形态震害者，重复计入。

8.2.5　本段公路桥梁震害特点 The characteristics of bridge damage in the highway

本段公路桥梁震害较为普遍，破坏程度以严重破坏和全桥损毁或失效为主，桥梁受损相当严重。该段公路的桥梁震害呈现出以下特点：

（1）地质灾害引发的堰塞湖对桥梁破坏严重。由于唐家山山体垮塌、壅塞河道导致水位上升，掩埋并淹没公路。线路中，由于堰塞湖引起的失效桥梁有 22 座。由于塌方量巨大，震后清方难度极大，使得该线路在震后 5 个多月才勉强打通。类似的情况也出现在省道 303 线映秀至卧龙段公路与国道 213 线映秀至汶川公路上。可见在高烈度山区公路震害中，由于山体塌方等次生地质灾害对桥梁造成的破坏程度远严重于由地震动直接致灾所造成的破坏。

（2）近断层地震对桥梁的影响十分显著。石裹衣大桥与湔江河大桥距离龙门山中央断裂带的地表破裂不足 1km，两座桥梁均受到毁灭性的破坏，其震害的严重程度在简支梁桥中仅次于都江堰至映秀高速公路上穿过断层的映秀顺河桥。两座桥梁均表现出明显的近断层地震的特征，特别是湔江河大桥，该桥与断层基本垂直，在地震发生后，出现了明显的沿断层走滑方向的主梁移位与桥墩压溃；同时，主梁还出现了垂直于断层方向的严重的往复移位，对两岸桥台造成了严重的冲击破坏。

（3）圬工拱桥的震害表现具有一定的极端性。圬工拱桥的破坏比例从中等破坏到完全失效分别为5%、43.2%与24.3%，表明圬工拱桥震害表现具有一定的极端性，要么基本完好，要么震害严重，这一特点与拱桥较多的省道105线彭州至青川段一致，其原因值得深究。

（4）圬工拱桥材料抗裂性能差的缺点得到体现。该段公路2座钢筋混凝土大跨度肋拱桥的震害情况并不严重，而中、小跨径的圬工拱桥出现严重破坏与完全失效的比例却高达48.6%，笼子口大桥震害中等，而相距不到1km的笼子口2桥却完全失效，圬工拱桥抗裂性能差，抗震性能不如钢筋混凝土拱桥的缺点得到体现，这一特点与省道105线彭州至青川段、省道212线姚渡至广元段一致。

（5）再次证实了拱上建筑是圬工拱桥的易损结构。

8.3　湔江河大桥 Jianjianghe Bridge

8.3.1　桥梁概况 Outline of the bridge

湔江河大桥位于老北川县城西北方向的新城区中心地带，西接龙尾隧道，并通过隧道与石蓑衣大桥相连（图8-17）。大桥跨越湔江，大桥东岸（茂县岸）属冲洪积漫滩台地，西岸（北川岸）属高山深切割河槽，河槽宽约190m。大桥的地理位置见图8-18。桥梁的主要设计参数如下：

图8-17　震前的湔江河大桥（图片来自互联网）
Figure 8-17　The Jianjianghe Bridge before the earthquake (from internet)

- 上部结构：11×20m简支空心板，桥面连续。共两联桥，0号台、5号墩、11号台布置伸缩缝
  - 支座：板式橡胶支座
  - 桥墩：双柱式圆形墩

- 基础：钻孔桩基础　　　　　　・桥台：重力式桥台
- 主要材料：主梁采用 C40 混凝土，墩柱采用 C30 混凝土，重力式桥台、侧墙、前墙采用 C15 片石混凝土，台帽采用 C25 混凝土

图 8-18　湔江河大桥、石篢衣大桥地理位置
Figure 8-18　The location of the Jianjianghe Bridge and the Shisuoyi Bridge

大桥位于前龙门山褶皱带，距离本次地震的发震断层中央主断裂带 1.1km，属于典型的近断层桥位。桥轴方向角为 N-NW 330°，与中央主断裂的走向基本垂直，按《公路工程抗震设计规范》(JTJ 004—89) 进行抗震设计，抗震设防烈度为Ⅶ度[1]，场地类别为Ⅱ类，实际地震烈度为Ⅺ度[3]。湔江河大桥以东仅 15.4km 的江油含增台记录到南北向加速度峰值高达 519.5Gal（1Gal=0.01m/s²），东西向加速度峰值高达 350.1Gal，竖向加速度峰值高达 444.3Gal。

8.3.2　桥梁震害概况 Outline of damage

湔江河大桥在地震中破坏严重，桥梁虽未完全垮塌，但已丧失交通功能，震害等级为 D 级（完全失效）(图 8-19~ 图 8-22)。湔江河大桥曾经遭受两次严重破坏：第一次破坏是 5·12 地震的直接震害，第二次破坏是唐家山堰塞湖泄洪时造成的。

图 8-19　泄洪时的湔江河大桥（图片来自互联网）
Figure 8-19　The Jianjianghe Bridge during flood discharged (from internet)

图 8-20 泄洪前的湔江河大桥（7号墩仍在）
Figure 8-20 The Jianjianghe Bridge before flood discharged

图 8-21 泄洪时垮塌的第 7、8 跨
Figure 8-21 The seventh and eighth span collapsed during flood discharge

图 8-22 泄洪后的湔江河大桥
Figure 8-22 The Jianjianghe Bridge after flood discharged

第一次严重破坏为主震时大桥 7 号桥墩左右柱顶、底均出现严重压溃，桥墩向右侧倾斜，多个桥墩墩顶压溃；第 5 跨梁体右侧 5 块空心板从盖梁上滑落，其余梁体均出现极为严重的墩梁横、纵向相对移位，并从支座、垫石上滑落，所有桥面连续与伸缩缝均破坏严重，桥面呈波浪状起伏，主梁最大横向移位量约 2 800mm，最大纵向移位量约 1 200mm，是整个灾区桥梁中主梁残余移位量最大的桥梁。另外，大桥多个盖梁上出现八字形开裂，全桥各桥墩、台上左右侧挡块均完全失效，这在震区简支体系桥梁中是较为少见的。两岸桥台相向移动，主梁纵移导致第 1、11 跨梁体撞坏桥台。湔江河大桥距中央主断裂的最小距离仅 1.1km，强烈的近断层地震动是导致本桥完全失效的直接原因。

大桥受到的第二次严重破坏是在唐家山堰塞湖泄洪时造成的（图 8-19，图 8-22）。湔江河大桥位于唐家山堰塞湖下游，在堰塞湖泄洪时桥梁受到水流与砾石冲击，导致大桥受到二次破坏。在泄洪后，地震中严重倾斜的 7 号墩倒塌，导致大桥第 7、8 跨完全垮塌，桥面上均有大量的砾石堆积（图 8-21，图 8-22），同时，大桥第 2 跨右侧 5 片梁落梁。

8.3.3 垮塌桥跨 Collapsed span

在地震发生后，大桥第 5 跨桥下游侧 5 块板从盖梁上滑落，7 号墩墩顶、底压溃并向下游侧严重倾斜（图8-23，图8-24）。从第5跨落梁部分掉落位置可以看出，该跨为纵向落梁，梁体从盖梁上滑落后对4号墩造成明显的冲击；后在唐家山堰塞湖泄洪后大桥第2跨下游侧半副5块板也从盖梁上滑落，第7、8跨桥跨完全垮塌，同时，洪水夹带的砾石将坠落梁体掩埋，见图8-25、图8-26。

图8-23 压溃并严重倾斜的7号墩
Figure 8-23　The 7th pier crushed and inclined seriousely

图8-24 半幅落梁的第5跨
Figure 8-24　The girders of the 5th span fell

图8-25 泄洪后垮塌的第7、8跨
Figure 8-25　The 7th and 8th span collapsed after flood discharged

图8-26 泄洪后半幅落梁的第2跨
Figure 8-26　The beams of the 2nd span fell after flood discharged

8.3.4　上部结构及支承震害 Damage to superstructure and supports

大桥上部结构破坏情况极为严重。调查结果表明，渭江河大桥11跨主梁中有4跨部分或完全失效，其余7跨主梁也发生了严重破坏，而大桥所有的22组支座、3道伸缩缝与9处桥面连续均完全失效。

1）主梁

除发生落梁的桥跨外，其余主梁梁体基本保持完整，主梁梁体未出现明显的开裂等影响结构承载能力的损伤。主梁的主要震害表现为严重的纵、横向墩梁相对位移,并以两岸桥台为中心,以5号墩上伸缩缝位置为分界点发生明显的平面转动。梁体纵移并从垫石上滑落,导致主梁间出现高差,呈现阶梯状,如图8-27所示。

据泄洪后的桥梁现场调查表明,除发生落梁与部分落梁的第2、5、7、8跨外,主梁最大横向残余位移发生在第6跨。该跨在6号墩附近最大横向墩梁相对位移达2800mm,而在0号台附近,墩台横向相对位移也达到700mm;第1跨梁体向0号桥台纵移约1 200mm,甚至冲到0号台桥头搭板以下,使得绝大多数桥跨部分边板端部已露出盖梁,存在极大的落梁风险,第11跨也与11号台碰撞挤压,如图8-28~图8-30所示。

图8-27　大桥梁体移位

Figure 8-27　The girders moved

图8-28　第6跨梁体最大横向移位2.8m

Figure 8-28　The maximal transverse displacement of the 6th span was up to 2.8m

图8-29　主梁成阶梯状

Figure 8-29　The differential settlement of the bridge

图8-30　梁体纵移移位,多块梁板悬空

Figure 8-30　The girders moved longitudinally and some of girders lost reliable supports

该桥梁体位移表现出明显的方向性,所有梁体横桥向均向右侧(下游侧)移位,顺桥向向北川岸移位。由于两岸桥台的约束作用,使得大桥主梁以5号墩伸缩缝处为分界点,

1~5 跨以 0 号台为转动中心顺时针转动 1.5°~2.5°，第 6~11 跨以 11 号台为转动中心逆时针旋转 2°~3°。同时，所有梁体均向北川岸发生严重的纵向移位，几欲落梁。大桥主梁破坏情况参见图 8-31、图 8-32。

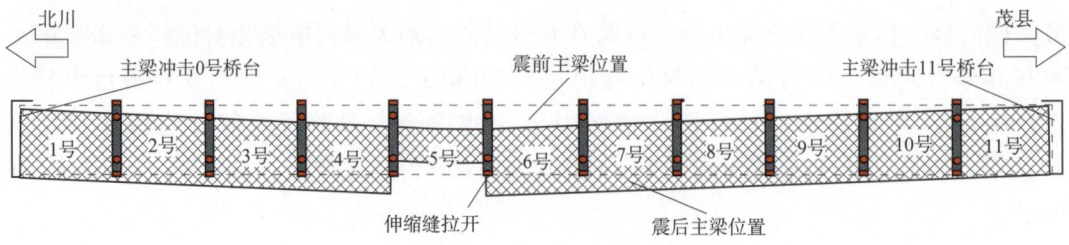

图 8-31　震后（泄洪前）主梁破坏情况简图

Figure 8-31　The damage to the girders after the the earthquake (before flood discharged)

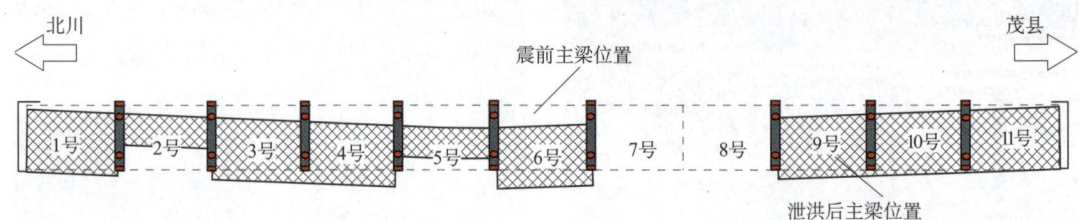

图 8-32　泄洪后主梁破坏情况简图

Figure 8-32　The damage to the beams after flood discharged

2）桥面连续与伸缩缝

由于主梁或发生落梁，或发生了严重移位，未发生落梁的梁段也从支座与垫石上滑落，导致该桥 5 号墩处伸缩缝拉裂，两岸桥台处伸缩缝挤压破坏。受主梁纵向移位的影响，所有桥面连续均错位或隆起，挤压破坏的迹象十分明显。伸缩缝与桥面连续破坏情况参见图 8-33~图 8-36。

图 8-33　桥面连续挤压破坏

Figure 8-33　The surfacing was damaged

图 8-34　5 号墩处伸缩缝破坏，桥面形成高差

Figure 8-34　The expansion joint on the 5th pier was destroyed and there was differential settlement

图 8-35　11 号台伸缩缝挤压破坏
Figure 8-35　The expansion joint on the 11th abutment damaged

图 8-36　桥面铺装挤压、隆起
Figure 8-36　The surfacing damaged

3）支座

因墩、梁间大幅的相对位移，导致全部支座严重破坏，有的被剪坏，有的从梁底完全滑脱，小部分甚至已落于桥下，如图 8-37、图 8-38 所示。

图 8-37　4 号墩处所有支座失效
Figure 8-37　All of the bearings on the 4th pier moved out of plinths

图 8-38　6 号墩上支座破坏情况
Figure 8-38　Damage to the bearings on the 6th pier

8.3.5　下部结构 Substructure

1）桥墩

湔江河大桥共有 10 个桥墩，均为圆形排架墩，除在河堤上的 9、10 号墩略矮外，其余桥墩墩高均在 12m 左右。地震中，湔江河大桥 3~9 号墩出现了较为少见的墩柱横桥向破坏，3~9 号墩墩顶均出现了混凝土压溃现象，部分箍筋被剪断，纵筋屈曲外鼓，下游侧的压溃情况较上游侧严重。从桥墩震害的分布情况来看，3~7 号墩的震害较其他墩严重，与主梁横向位移的分布情况是相同的。其中，以 7 号墩破坏最为严重，墩顶、底混凝土均完全压溃，桥墩向下游倾斜，墩顶位移达 1m 以上（图 8-39~图 8-43）。值得注意的是，墩柱压溃的方向与主梁移位方向是不一致的，若主梁向下游侧移动，则其惯性力也应是向下游侧的，这样应导致墩柱上游侧压溃严重，但震害表现却与此相反。

图 8-39　7 号墩顶、底压溃，桥墩倾斜

Figure 8-39　Concrete on the top and bottom of the 7th pier damaged and the piers inclined

图 8-40　9 号墩墩顶局部压溃，盖梁开裂

Figure 8-40　Concrete on the top of the 9th pier crushed and the pier head cracked

图 8-41　6 号墩盖梁开裂及左柱顶纵筋屈曲

Figure 8-41　The pier head of the 6th pier cracked and the longitudinal reinforcement in the left column buckled on the top

图 8-42　6 号墩盖梁开裂及右柱顶纵筋屈曲

Figure 8-42　The pier head of the 6th pier cracked and the longitudinal reinforcement on the top of right column buckled

图 8-43　4 号墩墩柱压溃，桥墩开裂

Figure 8-43　The columns of the 4th pier crushed and the pier head cracked

2）盖梁

该桥桥墩震害的另一个显著特点是出现了大量的盖梁震害，全桥 10 个盖梁中，1~7 号墩、9 号墩共 8 个桥墩盖梁出现了斜裂缝，其中，2~7 号墩在上下游侧均出现裂缝，呈"八"字形，下游侧裂缝较上游侧要宽，4、6、7 号墩斜向裂缝基本贯穿了整个盖梁截面。

此外，该桥不仅下游侧（主梁移位方向）出现了严重的挡块破坏，而且上游侧挡块也破坏严重（图 8-44，图 8-45），几乎所有桥墩的两侧挡块均完全断裂，失去了约束主梁位移的作用。虽然上游侧挡块完全破坏，但主梁永久移位方向却均向下游侧。

图 8-44　上游侧挡块破坏
Figure 8-44　The blocks destroyed on the upstream side

图 8-45　下游侧挡块破坏
Figure 8-45　The blocks destroyed on the downstream side

3）桥台

地震中，两岸桥台相向移动，导致第 1 跨主梁撞垮桥台背墙，主梁冲入桥台内，1 号台的移动导致第 1 跨跨度减少达数十厘米之多，主梁甚至冲入搭板之下，11 号桥台受主梁挤压导致伸缩缝破坏，如图 8-46、图 8-47 所示。

8.3.6　震害简析 Analysis on damage mechanism

调查结果表明，近断层地震动是导致该桥破坏的重要因素。近断层地震动有集中性、地面永久变形、破裂的方向性效应、近断层速度大脉冲、上盘效应等特征。

图 8-46 第 1 跨跨度改变，主梁伸入桥台
Figure 8-46 The length of the first span changed and the girders moved onto the abutment

图 8-47 第 1 跨主梁伸入桥台
Figure 8-47 The girders of the first span moved onto the abutment

近断层地震的速度大脉冲是导致桥梁震害的重要因素。速度脉冲包括两方面：其一为由于破裂传播的多普勒效应引起的方向性速度脉冲，这个速度脉冲为一个双向速度脉冲，主要表现在垂直于断层面的方向上；其二为由地面永久位移引起的速度脉冲，这个脉冲与永久位移的大小和产生永久位移的时间有关，主要表现在平行于断层滑动方向的分量上，而且呈单向脉冲。此外，由于近断层地震地面永久位移衰减很快，靠近断层和远离断层的桥梁两端永久位移有较大的不同，引起桥梁两端的变形差。地面永久变形是导致桥梁破坏的原因之一。

湔江河大桥距中央主断裂仅约 1km，是典型的近断层桥梁，桥梁走向与断层走向大致垂直，因此地表永久位移引起的速度脉冲与桥梁走向是基本垂直的。在该速度脉冲的作用下，下部结构快速向下游侧移动，由于板式橡胶支座剪切刚度较小，主梁的水平向振动频率低于桥墩，主梁的运动滞后于桥墩，两者存在速度差，加之主梁与挡块间距离较小，主梁与上游猛烈碰撞挡块，导致上游侧挡块破坏。同时，挡块将撞击力传至盖梁，导致盖梁开裂和墩柱下游侧压溃。受地表永久位移速度脉冲单向性和墩、梁振动不同步的影响，当桥墩运动速度减小或停止后，主梁则快速向下游运动，撞击下游挡块，导致挡块的破坏和主梁的永久移位，同时还使得盖梁裂缝快速发展和墩柱压溃。由于第一次撞击时墩梁的相对速度较第二次大，因此，墩柱下游侧压溃的程度较上游侧严重。受速度脉冲单向性的影响，第一次撞击后主梁的运动方向是向下游侧的，因此主梁的永久位移为向下游侧，出现了桥墩压溃方向与主梁移位方向不一致的现象。

由于桥台处主梁的横桥向位移受到桥台的约束，而伸缩缝处两联主梁只受到挡块的约束，桥墩挡块失效后，主梁绕桥台转动，从图 8-31 可以看出，震后主梁横桥向位移最大点在 5 号墩墩顶位置，从而导致了 3~7 号墩的震害较其他桥墩严重。

一般认为，横桥向为桥墩抗力较强的方向，但由于墩、梁的碰撞却导致了该桥桥墩均沿横桥向破坏，由此可以看出，碰撞是桥墩抗震设计中不可忽略的因素。此外，从该桥的墩柱震害多出现在墩柱顶还可看出，虽然在顺桥向地震动作用下墩顶弯矩较小，但在横向地震动作用下，柱顶仍是塑性铰区，其钢筋构造应做特殊处理。

主梁纵向移位主要因方向性速度脉冲和桥台的推挤所致。方向性速度脉冲的振动方向与桥轴线方向大致平行，在顺桥向大速度脉冲的作用下，主梁大幅纵移。此外，由于地表永久变形的影响，导致两岸桥台相向移动，改变了桥梁长度，从而使得桥台与主梁碰撞，并推挤主梁，这一点从第1跨跨度改变达数十厘米之多、第11跨与桥台挤压可看出。上述两个因素的综合作用，一方面使得临近桥台的主梁撞毁背墙，伸入桥台中，另一方面也加剧了主梁的纵向移位，使得部分主梁从支座、垫石滑落，并导致第5跨落梁。

该桥的震害启示是：①近断层桥梁的震害机理与远场桥梁有较大不同，近断层桥梁抗震设计应与远场桥梁区别对待；②碰撞对桥墩危害极大，是桥墩抗震设计中不可忽略的因素；③挡块是约束主梁位移的重要构造，但同时也是传递主梁碰撞力的构件，挡块的刚度和强度应兼顾约束主梁横向移动和减轻桥墩震害；④对于墩底、墩顶等潜在塑性铰区，应严格按规范进行箍筋加密处理，并重视箍筋构造。

8.4　石蓑衣大桥 Shisuoyi Bridge

8.4.1　桥梁概况 Outline of the bridge

石蓑衣大桥（又名北川夏禹大桥）位于老北川县城西北方向的新城区中心地带，跨越湔江，距离唐家山壅塞体下游约1km。大桥西接北川县新城区，东接龙尾隧道，并通过龙尾隧道与湔江河大桥相接。桥址区西岸（茂县岸）属冲洪积漫滩台地，东岸（北川岸）属高山深切割河槽。大桥位于前龙门山中央断裂带上盘，距离本次地震的发震断层——北川至映秀断裂带（龙门山中央断裂带）1.3km。按《公路工程抗震设计规范》（JTJ 004—89）进行抗震设计，抗震设防烈度为Ⅶ度[1]，场地类别为Ⅱ类，实际地震烈度为Ⅺ度[3]。石蓑衣大桥的主要设计参数如下：

- 上部结构：10m简支实心板 +5×20m简支空心板，桥面连续，共一联桥，0号台、6号台布置伸缩缝
- 支座：板式橡胶支座
- 桥墩：双柱式圆形墩
- 基础：钻孔桩基础
- 桥台：重力式桥台
- 主要材料：主梁采用C40混凝土，墩柱采用C30混凝土

大桥靠近发震断层的地表破裂带，在汶川地震中三跨完全垮塌，全桥失效，后在唐家山堰塞湖泄洪时其余未垮塌桥跨被冲毁，桥址区被洪水带下的砾石掩埋。石蓑衣大桥震前、震后图见图8-48、图8-3。

图 8-48　震前的石蓑衣大桥

Figure 8-48　The Shisuoyi Bridge before the earthquake (from internet)

8.4.2 桥梁震害概况 Outline of damage

石蓑衣大桥在地震中完全损毁。大桥第3、4、5跨垮塌，3、4号墩倒塌，第3跨落梁后已折断，一端支于河床，另一端斜支于2号墩。同时，大桥第6跨梁体严重冲击6号桥台，导致6号桥台搭板翘起，侧墙严重开裂。主梁向下游侧出现横桥向移位，导致1号墩挡块完全破坏，2号墩挡块受损。除3、4号墩倒塌外，2号墩墩底混凝土局部在顺桥向被压溃，墩身向6号台侧倾斜（图8-49），倾斜方向与第2跨主梁垮塌后的推挤方向不一致，显然该墩的损坏和倾斜并非第2跨落梁过程中的撞击所致。大桥桥型布置示意与震害情况示意见图8-50，桥梁震害照片参见图8-51~图8-54。

图8-49 震后垮塌的石蓑衣大桥，可见2号墩向6号台侧倾斜
Figure 8-49 The Shisuoyi Bridge collapsed after the earthquake and the 2nd pier inclined

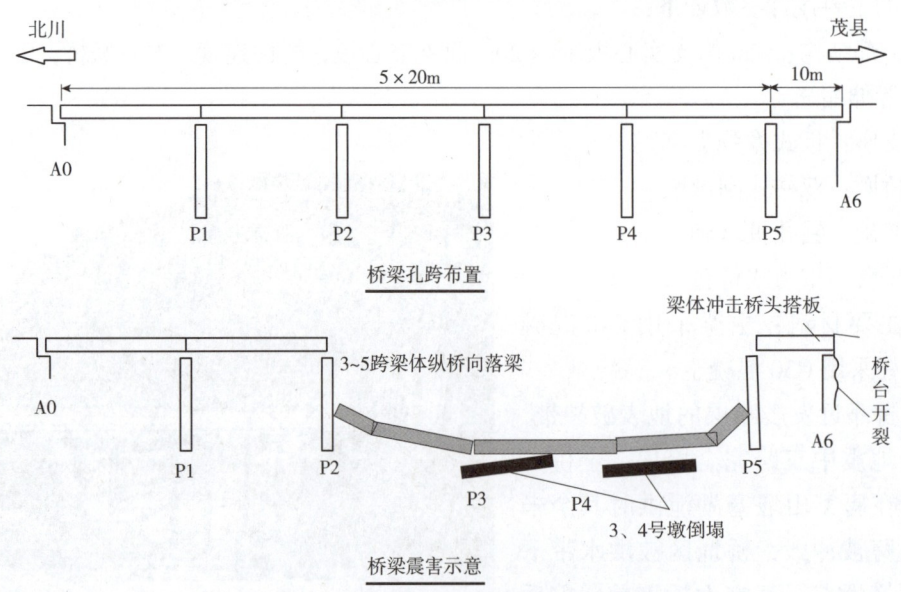

图8-50 石蓑衣大桥桥型布置图与震害示意图
Figure 8-50 The layout and seismic damage of the Shisuoyi Bridge

图 8-51　震后的石蓑衣大桥
Figure 8-51　The Shisuoyi Bridge after the earthquake

图 8-52　石蓑衣大桥倒塌的桥跨（图片来自互联网）
Figure 8-52　Several spans of the Shisuoyi Bridge collapsed
（from internet）

图 8-53　震后的 0 号桥台与龙尾隧道（图片来自互联网）
Figure 8-53　The abutment and the Tail Tunnel after the earthquake（from internet）

图 8-54　被完全冲毁的石蓑衣大桥
Figure 8-54　The Shisuoyi Bridge was destroyed completely

8.4.3　震害简析 Analysis on damage mechanism

因无法第一时间进入现场对石蓑衣大桥进行调查，后调查时该桥遗址已被水毁并掩埋，故在对大桥震害调查时，图片资料大多来自互联网。

大桥桥址处于地震烈度Ⅺ度区域内，桥址附近有断层通过，地震中桥梁的运动很大程度上受到了该断层的影响，根据距离桥东仅 15km 的江油含增强震台所记录的地震动参数来看，其东西向、南北向及竖向的地震动峰值加速度分别高达 350Gal、519Gal 与 444Gal，强烈的地震动使得桥梁受损极为严重。

通过桥梁的破坏形态可以看出，其震害具有很明显的方向性。从图 8-52 可以看出，桥梁 6 号桥台受梁体冲击损伤严重，主梁垮塌的方向主要沿顺桥向，横桥向移位不如湔江河大桥明显，从垮塌形态还可看出，3~5 跨主梁均压于 3、4 号墩上，3、4 号墩沿顺桥向破坏导致主梁垮塌的可能性较大，结合 2 号桥墩上挡块未完全破坏的情况，可以看出石蓑衣大桥主要表现为顺桥向的震害，横桥向震害较湔江河大桥要轻得多。其原因在于，石蓑衣大桥为单联桥，桥面连续将6跨主梁联为整体，基本消除了主梁绕桥台的转动，也使得各桥墩受到的横桥向地震力相对均匀。由此可以看出，桥面连续不仅有协调各跨纵向位移的作用，对协调各跨横向相对位移也有较大作用。

8.5　让水大桥 Rangshui Bridge

8.5.1　桥梁概况 Outline of the bridge

让水大桥为 $9\times20m$ 简支空心板桥，桥梁全长200m，桥面总宽13.0m，为正交直线桥，主梁横向由 $8\times1.5m$ 宽空心板构成。全桥在0、9号台，5号墩处各设1道伸缩缝，其余墩顶处采用桥面连续，支座均为圆形板式橡胶支座。桥墩为双柱式圆形墩，重力式桥台。

大桥位于断层下盘，距离断层17.6km，桥轴方向角为 N-NW 42°，桥位走向与中央主断裂大致垂直。抗震设防烈度为Ⅶ度[1]，按《公路工程抗震设计规范》(JTJ 004—89)进行抗震设计，场地类别为Ⅱ类，实际地震烈度为Ⅹ度[3]。

让水大桥震害主要为上部梁体移位（图8-55），震后限制通行，震害等级为B级（中等破坏）。

图 8-55　震后的让水大桥
Figure 8-55　The Rangshui Bridge after the earthquake

8.5.2　上部结构及支承震害 Damage to superstructure and supports

让水大桥上部结构的主要震害是主梁移位和支座震害。主梁出现了较为明显的纵向振动，并有明显的残留位移，导致0号台处伸缩缝被挤紧，多道桥面连续被拉裂，人行道板挤压破裂，人行道栏杆压溃。由于主梁与桥台的碰撞，导致部分梁端混凝土出现破损，但不影响承载，也未发现有其他影响承载的震害。此外主梁在地震中还出现了横向振动。与主梁移位相对应，部分支座出现了不同程度的剪切变形和移位（图8-56~图8-59）。

图 8-56 主梁纵移导致 0 号台伸缩缝挤紧

Figure 8-56 The expansion joint on the abutment closed due to longitudinal displacement of the girders

图 8-57 主梁纵移导致桥面连续拉裂

Figure 8-57 The surfacing near the continuity cracked due to longitudinal displacement of the girders

图 8-58 主梁纵移导致人行道栏杆压溃

Figure 8-58 The barrier damaged due to longitudinal displacement of the girders

图 8-59 人行道板破裂

Figure 8-59 The verge slabs cracked

表 8-3 为上部结构震害汇总。

表 8-3 上部结构震害汇总

Table 8-3 List of seismic damage to the superstructures

受损位置	震害现象	程度
主梁	纵向移位，方向向江油侧，移位量 4~5cm	一般
	横向移位，方向向路线左侧	轻微
	部分梁端混凝土破损	轻微
支座	部分支座剪切变形、移位	一般
桥面连续	出现 8 道裂缝，缝宽 2~3mm	轻微
人行道板	挤压破裂	严重
人行道护栏	压溃	严重

8.5.3 下部结构震害 Damage to substructure

0 号台左右侧侧墙严重开裂（图 8-60 和图 8-61），裂缝宽度达 2cm，延伸长度达

3~4m。同时受主梁横向振动的影响，部分挡块开裂，其中 0 号台右侧挡块开裂较严重。受地震影响，0 号台锥坡还出现了开裂和下沉现象。桥墩在地震中表现良好，未出现影响承载力的震害。

图 8-60　0 号台左侧侧墙开裂

Figure 8-60　The left wing wall of the abutment cracked

图 8-61　0 号台右侧侧墙开裂

Figure 8-61　The right wing wall on the abutment cracked

表 8-4 为下部结构震害汇总。

表 8-4　下部结构震害汇总

Table 8-4　List of seismic damage to the substructures

受损位置	震害现象	程度
桥台	0 号台左右侧墙开裂	严重
桥台锥坡	0 号台锥坡开裂、下沉	一般
桥墩	无	无震害
挡块	部分挡块开裂	一般

8.6　黄江大桥 Huangjiang Bridge

8.6.1　桥梁概况 Outline of the bridge

黄江大桥为净跨 85m 中承式钢筋混凝土肋拱桥，跨越黄江，桥梁全长 120m，桥面总宽 11.5m（图 8-62）。全桥共 2 根拱肋，在桥面以下的拱肋间，设 2 道 X 形撑和 3 道横系梁（图 8-63、图 8-64），桥面以上拱肋无横撑。桥面由吊杆、横梁和拱上立柱支承，全桥

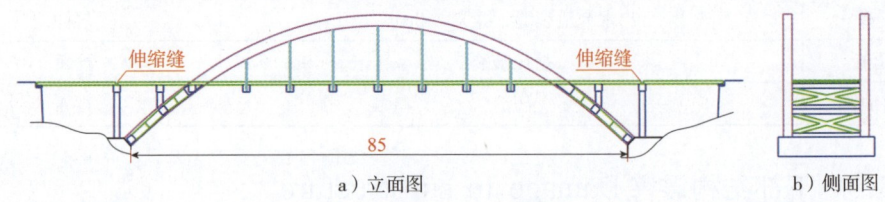

a）立面图　　　　　　　　　　　　　　b）侧面图

图 8-62　桥型布置示意（尺寸单位：m）

Figure 8-62　The bridge's layout（unit：m）

共 2×7 根吊杆（每一拱肋 7 根吊杆）。桥道梁为简支 T 梁，简易垫层支座，在桥道梁两端各设一道毛肋式伸缩缝，混凝土铺装。

图 8-63　拱肋横向连接系构造
Figure 8-63　The details of the transverse collection of the arches

图 8-64　拱肋横向连接系细部
Figure 8-64　The details of the transverse collection of the arches

大桥位于断层下盘，距离断层 12.7km，桥轴方向角为 N-NE 50°。设计时间为 1989 年以后，按《公路工程抗震设计规范》（JTJ 004—89）进行抗震设计，抗震设防烈度为Ⅶ度[1]，场地类别为Ⅰ类，实际地震烈度为Ⅹ度[3]。

震后黄江大桥限制通行，震害等级为 B 级（中等破坏）（图 8-65）。

图 8-65　震后的黄江大桥
Figure 8-65　The Huangjiang Bridge after the earthquake

8.6.2　上部结构震害 Damage to superstructure

地震中，黄江大桥拱肋表现较好，经仔细检查未发现开裂、破损等影响承载能力的震害现象，但拱肋横向连接系受损。由于桥位离中央断裂距离较近，且桥梁与断层大致平行，在横桥向地震动作用下，X 形对角撑、横系梁与拱肋连接部位均出现开裂和破损。裂缝大多为竖向贯通型，最大缝宽已达 1mm，最小缝宽也达 0.4mm。由于横向连接系受损，拱圈的横桥向刚度遭到削弱。同时，拱肋两端的立柱与盖梁、立柱与拱肋连接处均出现横向或环向裂缝，缝宽 0.2~0.4mm。从桥面检查的情况看，桥面在吊杆处出现混凝土破损现象，表明地震中桥道梁与吊杆发生过碰撞。

表 8-5 为上部结构震害汇总。

表 8-5 上部结构震害汇总
Table 8-5 List of seismic damage to superstructures

位　　置	震害现象	震害程度
拱肋	无	无震害
拱肋横向连接系	结点处开裂，竖向通缝，最大缝宽 1.0mm	严重
吊杆	无	无震害
拱上立柱	结点处开裂，最大缝宽 0.4mm	中等
拱上立柱盖梁	无	无震害
桥道梁	桥面破损	轻微
支座	无	无震害
伸缩缝	无	无震害
次生地质灾害	无	无

8.6.3 下部结构震害 Damage to substructure

下部结构情况良好，拱座及基础均未出现开裂、沉降、移位等震害，桥台也未见前倾、开裂等病害。

8.6.4 震害简析 Analysis on damage mechanism

在 20 世纪 90 年代以前，对拱桥地震响应的研究多以纵向地震激励下的响应为主，对横向地震激励下的研究不多。2000 年以来，拱桥的横向地震响应日益受到重视，已有的研究表明，肋拱桥在横向地震作用下的失效多始于横向连接系的失效，在横向连接系失效的过程中，共同工作的两拱肋逐渐向独立工作的拱肋演化，同时导致拱肋横向地震内力快速增加，从而使得拱肋失效。这些研究成果均是根据理论计算获得的，尚未得到证实，黄江大桥的震害在一定程度上为上述研究提供了实际震害佐证。从震害现象来看，黄江大桥的拱肋尚未受损，但横向连接系在刚性节点处已形成环状通缝，刚度已受损，证实了主拱的失效始于横向连接系失效的结论。由于连接系刚度已受损，因此两拱肋的整体遭到了削弱，证实了在横向连接系失效过程中，两拱肋逐渐向独立工作演化的研究结果。黄江大桥的震害表明，虽然横向连接系在承受恒载、活载、温度荷载等常遇荷载时并无明显作用，但对于抵御横向地震却是非常重要的。

8.7　硝洞子 2 号桥 Xiaodongzi No.2 Bridge

8.7.1　桥梁概况 Outline of the bridge

硝洞子 2 号桥为单孔实腹式圬工拱桥，净跨 16m，桥梁全长为 24m，桥面宽度 7.0m，跨越山间冲沟。路线右侧为陡峻山体，左侧为深谷。主拱圈为浆砌料石，拱上侧墙为浆砌块石，拱上填料为沙、石。重力式桥台，扩大基础，基础置于完整基岩上，较为稳定。

大桥位于断层下盘，距离断层 8.3km，桥轴方向角为 N-NW 30°。未进行抗震设防，桥址区场地类别为Ⅱ类，实际地震烈度为Ⅹ度[3]。

该桥受地质次生灾害的影响，丧失交通功能，震后关闭，震害等级为 D 级（完全失效）（图 8-66）。

8.7.2　桥梁震害概况 Outline of damage

该桥 1 号台左侧与路基连接处被落石砸毁（图 8-67），挡墙、路基填料、路面均被严重损坏，无法通行，引道处山体落石现象突出。同时，受地震动作用，右侧拱上侧墙倒塌，拱上填料松散并垮塌（图 8-68）。1 号台侧主拱圈竖向开裂（图 8-69），裂缝与拱座裂缝连通，延伸长度达 3m，已基本形成通缝。1 号台出现 2 条竖向裂缝，与主拱圈裂缝连接，缝宽 0.6mm；0 号台出现 1 条竖向裂缝，裂缝长 1.5m，宽 0.3~0.6mm，整个主体结构情况较为危险。此外，0 号台左侧侧墙也出现斜向裂缝。震害汇总见表 8-6。

图 8-66　震后的硝洞子 2 号桥　　图 8-67　1 号台左侧与路基连接处被砸毁

Figure 8-66　The Xiaodongzi No.2 Bridge after the earthquake　　Figure 8-67　The left wing wall of the No. 1 abutment was destroyed

表 8-6　震害汇总
Table 8-6　List of seismic damage

位　置	震害现象	震害程度
拱板	开裂，承载力受损严重	严重
拱上建筑	侧墙垮塌	损毁、失效
伸缩缝	无	无
次生地质灾害	砸毁桥头	损毁、失效

图 8-68 侧墙倒塌
Figure 8-68 The wing wall collapsed

图 8-69 拱圈开裂
Figure 8-69 The arch cracked

8.8 母猪桥 Muzhu Bridge

8.8.1 桥梁概况 Outline of the bridge

母猪桥为单孔净跨 30m 空腹式圬工拱桥，桥面宽 7.5m，桥梁全长为 52m，重力式桥台，扩大基础，桥面铺装为沥青表处。该桥平面位于曲线段上，弯桥直做，采用加宽拱圈，以路缘石设置曲线。大桥位于断层下盘，距离断层 6.1km，桥轴方向角为 N-NE 137°。大桥按 1977 年颁布的《公路工程抗震设计规范》(试行)[6] 进行抗震设计，抗震设防烈度为Ⅶ度[1]，场地类别为Ⅱ类，实际地震烈度为Ⅹ度[3]。

母猪桥经处置后限制通行，震害等级 C 级（严重破坏）(图 8-70)。

图 8-70 震后的母猪桥
Figure 8-70 The Muzhu Bridge after the earthquake

8.8.2 上部结构震害 Damage to superstructure

该桥上部结构震害相当严重。地震中 0 号台基础发生不均匀沉降，在基础不均匀沉降和地震动的共同作用下，拱脚处和拱顶处均出现横向裂缝，其中主拱圈距 1 号台拱脚 1~2m 处已形成横向通长裂缝，缝宽 0.4~1cm，自路线右侧向左侧，裂缝有逐渐向上弯起的趋势。此外，拱顶距左边缘 1m 范围内也出现 1 条横向裂缝，宽 0.2mm。腹拱的情况较危险，4 个横墙均严重开裂，有倒塌的危险，其中，2、4 号横墙的裂缝在横桥向已完全贯通，在顺桥向也已开展较长，最大裂缝宽度达 1cm，截面被严重削弱；同时，各腹拱与横墙连接处均出现严重的开裂，有断裂的危险，2 腹拱拱顶还出现了沿砌缝横向通长裂缝（图 8-71~ 图 8-77）。上部结构震害汇总见表 8-7。

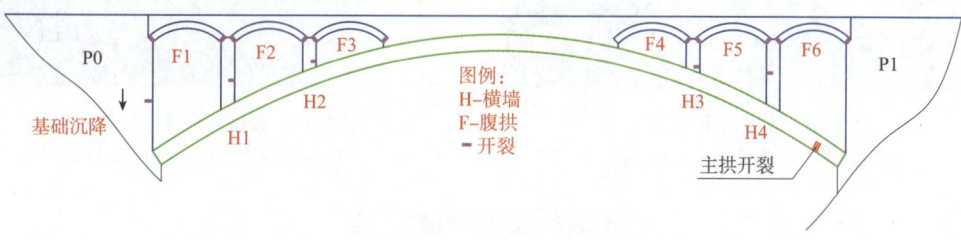

图 8-71　主要震害示意

Figure 8-71　The location of main seismic damage

图 8-72　主拱圈横向裂缝

Figure 8-72　The arch cracked transversely

图 8-73　主拱圈横向裂缝

Figure 8-73　The arch cracked transversely

图 8-74　横墙断裂

Figure 8-74　The wall cracked

图 8-75　横墙断裂

Figure 8-75　The wall was damaged

图 8-76　腹拱拱顶开裂
Figure 8-76　The arch cracked

图 8-77　腹拱与横墙连接处开裂
Figure 8-77　The wall cracked

表 8-7　上部结构震害汇总
Table 8-7　List of seismic damage to superstructures

位　置	震害现象	震害程度
拱圈	拱脚、拱顶开裂	严重
拱上横墙	4 个横墙全部开裂	严重
拱上腹拱	拱脚处均开裂	严重
伸缩缝	无	—
次生地质灾害	无	—

8.8.3　下部结构震害 Damage to substructure

该桥下部结构的震害也较为严重。最严重的是 0 号台基础出现不均匀沉降，这对继续承载十分不利。此外，0 号台前墙还出现了横向断裂，自路线右侧向左侧，裂缝有向上弯起的趋势，走向与主拱裂缝相似，最大缝宽达 2cm（图 8-78，图 8-79）。

图 8-78　0 号台前墙开裂
Figure 8-78　The front wall of the abutment cracked

图 8-79　0 号台现状
Figure 8-79　The present situation of the abutment

8.9 笼子口 2 号桥 Longzikou No.2 Bridge

8.9.1 桥梁概况 Outline of the bridge

笼子口 2 号桥为一座实腹式圬工拱桥，孔跨布置为 1×18m，中心桩号为 K689+341，桥梁全宽 8m，全长为 26m，直线桥，跨越山间小沟。该桥左侧为高山，右侧为深谷，是较为典型的傍山桥梁。拱圈、侧墙均为浆砌片石，表层有薄层混凝土做装饰，拱上填料为沙、石，基础置于基岩，较为稳定。

笼子口 2 号桥位于断层下盘，且距中央主断层较近，离断层 2.8km，桥轴方向角为 N-NE 25°。大桥按 1977 年频《公路工程抗震设计规范》（试行）进行抗震设计，抗震设防烈度为Ⅶ度[1]，场地类别为Ⅰ类，实际地震烈度为Ⅹ度[3]。

该桥主拱圈破坏非常严重，近乎垮塌。震后关闭交通，丧失通行能力，震害等级为 D 级（失效）（图 8-80）。

图 8-80 震后的笼子沟 2 号桥
Figure 8-80 The Longzigou No.2 Bridge after the earthquake

8.9.2 桥梁震害概况 Outline of damage

由于桥梁距中央主断层较近，与断层交角约 50°，在强大的纵、横向地震动作用下，在距两岸拱座 1~3m 范围内，拱圈均出现严重的开裂现象，两岸拱圈的裂缝形态差异较大，1 号台侧为斜向裂缝，该裂缝沿横桥向已完全贯通，裂缝左宽右窄，缝宽 1~5cm，侧倾振动的影响较为明显，也充分体现了圬工材料抗拉性能差，一旦开裂材料间就无连接，裂缝易发展的特点。0 号台侧裂缝为大面积网状裂缝，有被压溃的趋势。此外，拱顶的情况也很严重，受竖向地震动的作用，拱顶受到顺桥向挤压和弯曲，拱顶下缘被压碎，路面出现横向裂缝，缝宽达2cm（图8-81~图8-84）。上述情况表明，该桥拱圈的有效截面已大为削弱，从结构体系来说，已不完全是无铰拱，承载能力受到较大影响，这是十分危险的。该桥下部结构情况较好，拱座未见开裂、变形等明显震害，基础也未见明显下沉、移位。

图 8-81　1号台侧主拱圈横向裂缝
Figure 8-81　The arch on the side of the 1st abutment cracked transversely

图 8-82　主拱圈拱顶被压碎
Figure 8-82　The arch crushed

图 8-83　拱顶处桥面横向开裂
Figure 8-83　The surfacing near the middle part of the arch cracked transversely

图 8-84　桥面开裂、上拱
Figure 8-84　The surfacing cracked and deformed

此外该桥还受到地质次生灾害的影响，桥头处堆积有落石，交通受到一定影响，但主体结构未受地质次生灾害的影响。震害汇总见表8-8。

表 8-8　震 害 一 览
Table 8-8　List of seismic damage

位　置	震 害 现 象	震害程度
拱圈	拱脚、拱顶开裂，承载力受损严重	严重
拱上建筑	无	无
伸缩缝	无	无
次生地质灾害	桥头被落石堵塞	轻微

8.10 笼子口大桥 Longzikou Bridge

8.10.1 桥梁概况 Outline of the bridge

笼子口大桥为钢筋混凝土上承式肋拱桥，孔跨布置为 1×60m，本桥全宽 7.5m，桥梁全长为 82m，重力式桥台，扩大基础。主拱由 2 片拱肋组成，箱形截面，桥面纵梁与立柱刚接为刚架，桥面板横铺，每个立柱下均设由肋间横系梁。桥面铺装为混凝土，桥台处设置 2 道伸缩缝。

大桥位于断层下盘，距中央主断层 3.5km，桥轴方向角为 N-NW87°。大桥建于 20 世纪 90 年代，按《公路工程抗震设计规范》（JTJ 004—89）进行抗震设防，抗震设防烈度为 Ⅶ度[1]，场地类别为 Ⅰ类，实际地震烈度为 Ⅹ度[3]。

该桥部分拱上立柱开裂，桥台侧墙出现横向开裂，震后未经处置限载通行，害等级为 B 级（中等破坏）（图 8-85）。

图 8-85　震后的笼子口大桥
Figure 8-85　The Longzikou Bridge after the earthquake

8.10.2 桥梁震害概况 Outline of damage

本桥主拱圈拱肋现状较好，未见开裂、变形等明显破坏。近桥台侧立柱根部出现环状裂缝，裂缝宽 1mm，2 道伸缩缝均被挤紧。

两岸桥台小拱均出现横向裂缝。江油侧 1 号小拱拱顶距拱脚 1.5m 处出现 1 条横桥向裂缝，宽 1mm；北川侧小拱拱顶出现 1 条横向裂缝，宽 2mm。江油侧桥台侧墙出现横向开裂。其中，0 号桥台左侧墙横向开裂，裂缝宽度 4mm；北川侧桥台右侧墙横向裂缝宽 2mm。拱座现状较好，未见开裂、变形等明显破坏（图 8-86~图 8-89）。

图 8-86　主拱圈现状正常
Figure 8-86　The present situation of the arch

图 8-87　主拱圈现状正常
Figure 8-87　The present situation of the arch

图 8-88　桥台小拱拱顶开裂
Figure 8-88　The arch by the abutment cracked

图 8-89　伸缩缝被挤紧
Figure 8-89　The expansion joint closed

第9章　省道205线平武白马至江油段公路
Chapter 9　The 205 Provincial Road from Pingwu Baima to Jiangyou

9.1　公路及桥梁概况 Outline of route and bridges

　　四川省省道205线平武白马至江油段公路，起自平武县白马藏族乡，经木座藏族乡、木皮藏族乡、平武县城、古城镇、南坝镇、北川县桂溪镇、江油县大康镇，终点与江油市境内的省道302线相接，道路全长197km，公路等级为山岭重丘区三级公路（图9-1）。其中，南坝镇至桂溪镇段与省道105线共线，共线长39.4km，该段在前面第8章已述及，本章不再赘述。

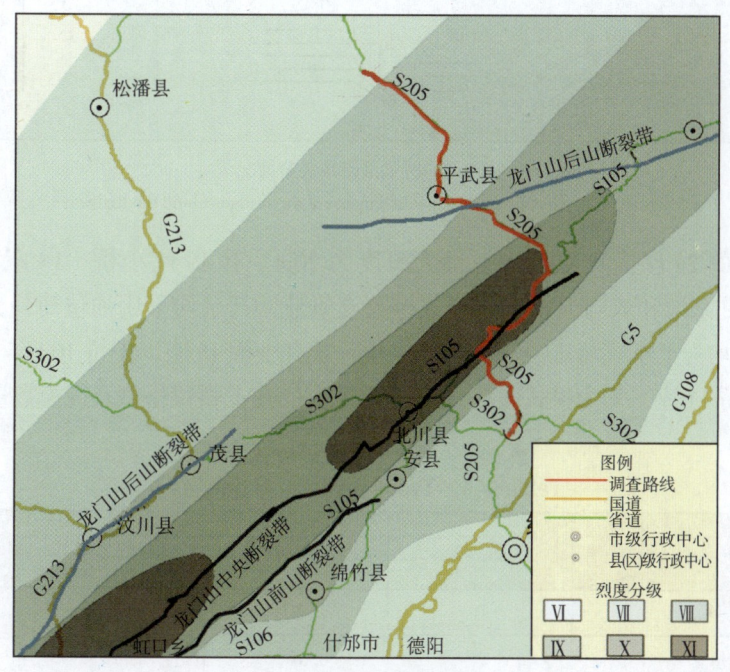

图9-1　线路区域位置图
Figure 9-1　Location of the highway in seismic areas

　　本段公路以省道105线为界分为2段，即位于中央断裂带上盘的平武县白马镇至南坝镇段与位于中央断裂带下盘的北川桂溪至江油段，线路基本为西北至东南走向。本段公路抗震设防烈度为Ⅶ度[1]，而在汶川地震中，该段路实际烈度为Ⅸ～Ⅺ度[3]。江油含增台测定地震加速度峰值：EW 为 -519.49Gal，NS 为 -350.148Gal，UD 为 -444.33Gal。江油地震台站测得的地震加速度峰值：EW 为 -511.33Gal，NS 为 458.68Gal，UD 为 -198.278Gal。

本段公路以白马镇为起点，以白马镇至江油市方向为正方向对各桥进行编号。

本段公路共有桥梁49座，桥型有简支梁桥和拱桥2种，简支梁桥共21座，拱桥共28座。49座桥梁中，除河口大桥1号桥、2号桥于20世纪80年代建成，托洛加桥和8号桥于2005年建成外，其余桥梁均在1996年建成。桥梁分布情况见图9-2，桥梁的基本情况和受灾情况如附表C-9所示。

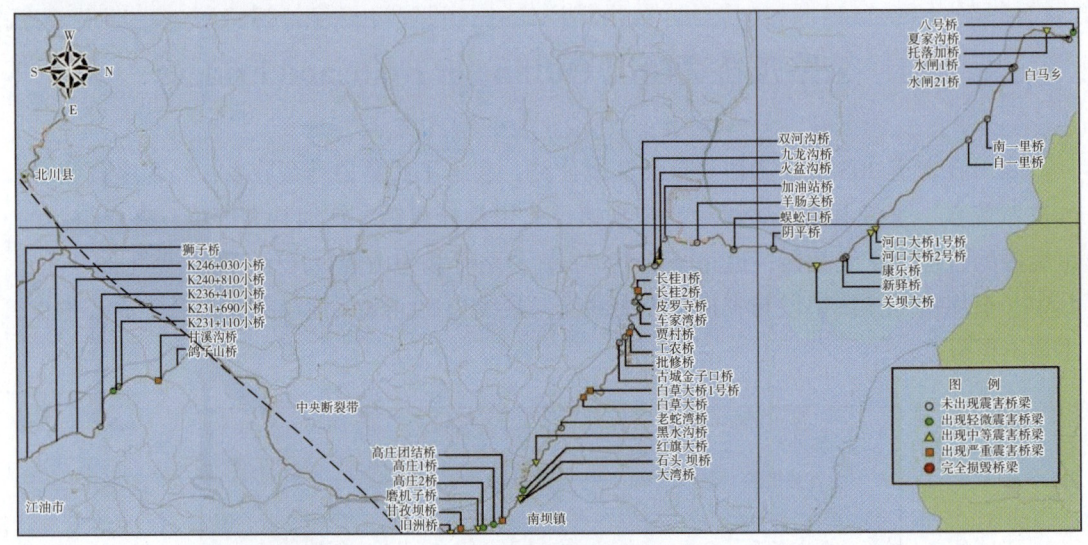

图9-2 桥梁沿路线展布情况

Figure 9-2　Location and seismic damage of the bridges along the highway

本段公路的21座简支梁桥中，最大跨度为20m。有19座小桥（18座为单跨小桥），2座中桥。除夏家沟和双沟河桥采用板式橡胶支座外，其余均采用油毡简易支座。

28座拱桥均为上承式圬工或混凝土板拱桥，共有小桥15座、中桥10座、大桥3座。其中，空腹实拱桥11座，均为拱式腹孔；实腹式拱桥17座。桥梁桥型及规模数量见表9-1。

表9-1 桥梁桥型及规模数量表

Table 9-1　Types and size of bridges

桥梁类型 \ 桥梁规模	大桥（座）	中桥（座）	小桥（座）	合计（座）
简支梁桥	0	2	19	21
拱桥	3	10	15	28
合计	3	12	34	49

9.2　震害概要 Outline of damage

本段公路未受地质灾害的影响，实际地震烈度为Ⅷ～Ⅺ度[3]，桥梁震害相对较轻。有白草大桥1号桥、白草大桥2号桥等7座桥梁出现严重破坏（C级震害），震害情况较为典型的桥梁将在本节后进行详细介绍。

9.2.1 桥梁整体震害概要 Information on seismic bridge damage from investigated area

本段公路的49座桥梁中，出现C级震害（严重破坏）的有7座，占桥梁总数的14.3%；B级震害（中等破坏）的有10座，占总数的20.4%。本段公路桥梁各级震害比例如图9-3所示。

在C级震害（严重破坏）的桥梁中，除甘溪桥位于下盘外，其余6座桥梁均位于断裂带上盘。

49座桥梁中，共有大桥3座，中桥10座，小桥36座，不同规模桥梁在不同烈度区的震害情况如表9-2所示。从表中可以看出，该段公路小桥的震害明显较大，中桥低，大、中、小桥的B、C级破坏比例分别为33.3%、30%和8.3%，该段公路桥梁破坏较轻，与小桥居多关系密切。不同规模桥梁震害情况见表9-2，震害比例如图9-4所示。

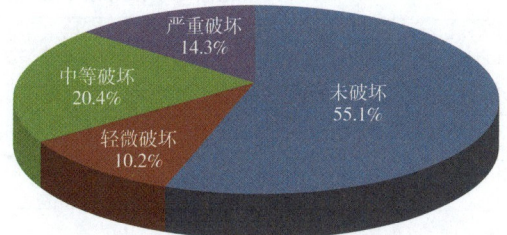

图9-3 线路中桥梁震损比例
Figure 9-3 Propotion extent of the bridges damage

表9-2 不同规模桥梁震损情况统计
Table 9-2 Table of bridge damage according to the sizes

震害等级 桥梁规模	A0-无破坏（座）	A-轻微破坏（座）	B-中等破坏（座）	C-严重破坏（座）	D-完全失效（座）	合计（座）
大桥	0	1	1	1	0	3
中桥	5	1	3	3	0	12
小桥	22	3	6	3	0	34
合计	27	5	10	7	0	49

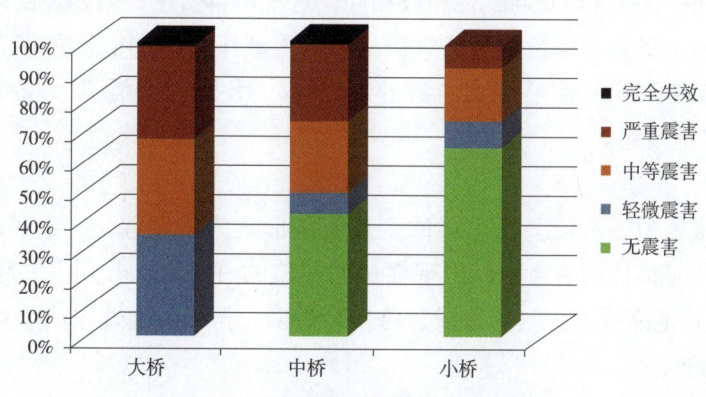

图9-4 不同规模桥梁破坏比例示意图
Figure 9-4 Proportion of bridge damage according to the sizes

统计还表明，拱桥的严重破坏率明显比简支梁桥要高。21座简支梁桥仅2座出现严重破坏，占简支梁桥总数的9.5%；28座拱桥中5座出现严重破坏，占拱桥总数的17.8%，其中，10座空腹式拱桥中有4座出现C级震害。各桥型的震害情况见表9-3，震害比例如图9-5所示。

表9-3 不同桥型桥梁震害程度统计
Table 9-3 Seismic damage to bridges from different types

震害等级 桥梁类型	A_0- 无破坏（座）	A- 轻微破坏（座）	B- 中等破坏（座）	C- 严重破坏（座）	D- 完全失效（座）	合计（座）
简支梁桥	12	2	5	2	0	21
圬工拱桥	15	3	5	5	0	28
合计	27	5	10	7	0	49

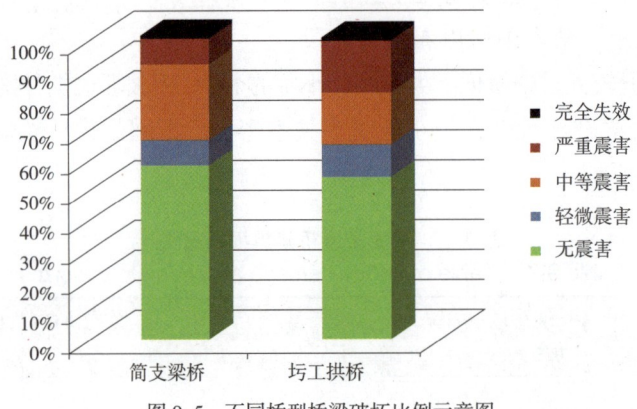

图9-5 不同桥型桥梁破坏比例示意图
Figure 9-5 Proportion of seismic damage to bridges from different types

9.2.2 简支梁桥震害 Damage to simply supported girder bridge

简支梁桥的主要震害形式与其他路段相同，这里不再赘述，但震害较其他路段要轻得多，21座桥梁中，只有2座桥梁为C级震害（严重破坏），而14座桥梁震害等级为A级震害（震害轻微或无破坏），占桥梁总数的66.7%。无论是主梁震害、支座震害、挡块震害，均远低于其他线路。

1）主梁

与其他道路相似，本段公路主梁的主要震害形式为梁体移位。在该路段共26跨简支桥跨，出现纵向移位的有4跨，出现横桥向移位的有3跨，分别占总跨数的15.4%和11.5%，明显较其他路段少，这与该段公路单跨桥多、桥梁跨度普遍较小且部分桥梁离中央主断裂较远有关。

2）支座、挡块

省道205线平武白马至江油段共有支座52组，其中油毡简易支座46组，板式橡胶支座6组。线路中所有支座在地震中均未见有明显的损坏。挡块震害也较少，该段公路共20组挡块，仅2组出现震害。

3）桥墩、桥台

该段公路简支梁桥共有5个桥墩，4个为重力式，1个为钢筋混凝土圆形柱式墩。其中，仅甘溪桥的1号墩（重力式桥墩）出现了震害，震害现象是桥墩出现横向裂缝。值得注意的是，不仅在易出现问题的墩底发现了裂缝，在距墩顶1.2m处也发现了裂缝。

9.2.3 拱桥震害 Damage to arch bridges

该段公路的28座拱桥中，5座为C级震害（严重破坏），占拱桥总数的17.8%；5座B级震害（中等破坏），占拱桥总数的17.8%；其余18座均为轻微破坏和无破坏，占拱桥总数的64.2%。其中，10座空腹式拱桥中有7座出现B、C级震害，18座实腹式拱桥中仅3座出现B、C级震害。

拱桥出现震害的部位主要是主拱圈和拱上建筑。主拱圈震害主要表现形式是主拱横向贯通开裂。相对而言，空腹式拱桥拱上建筑的震害较多，形式也较复杂，主要为腹拱横向裂缝和横墙开裂。值得一提的是，白草大桥出现了因台后填土过高，动土压力导致桥台前墙严重开裂，并连带该桥腹拱及横墙沿顺桥向开裂的现象（图9-6）。

图9-6　白草大桥2号桥腹拱开裂
Figure 9-6　The arch of the No. 2 Baicao Bridge cracked

1）主拱

该段公路的拱桥中，主拱震害较少。28座拱桥中，仅3圬工拱桥座出现主拱震害，占拱桥总数的10.7%。

2）拱上建筑

18座实腹式拱桥中，仅长桂桥侧墙出现震害，该桥路线两侧的拱上侧墙均出现明显的开裂外凸现象，外凸量达数厘米。空腹式拱桥的拱上建筑震害较多，全线10座空腹式拱桥共7座出现了拱上建筑震害，占其总数的70%。

9.2.4 本段公路桥梁震害特点 The characteristics of bridge damage

通过震害统计分析及典型震害的调查，本段公路桥梁震害情况有如下特点：

（1）相对于映秀、北川附近的公路桥梁而言，本段公路桥梁震害相对较轻，这与该段公路多为小桥尤其是单跨小桥关系密切。

（2）位于上盘公路的桥梁震害高于位于下盘公路的桥梁，"上盘效应"较为明显。道路的下盘区段较上盘区段更靠近"北川极震区"，但破坏较上盘的路段轻。

（3）圬工拱桥的拱上建筑在地震中易于受损伤，特别是拱式腹拱桥，其拱上横墙、侧墙、腹拱等易于在地震中受损伤。

9.3 关坝大桥 Guanba Bridge

9.3.1 桥梁概况 Outline of the bridge

关坝大桥桥面宽7.5m，为空腹式板拱桥，两侧各有3个腹拱，孔跨布置为1×40m，桥梁全长为58m。主拱圈、腹拱横墙为料石浆砌而成，砌缝饱满，腹拱为混凝土浇筑，由九寨沟向平武顺序遍号为1~6号腹拱。桥面铺装为水泥混凝土，在两端桥台处设置了暗埋伸缩缝。桥台为浆砌片石重力式桥台，扩大基础。

大桥位于中央断层上盘，与中央主断裂垂距约53km。桥轴方位角为N-NE172°。设计时间为1996年，按《公路工程抗震设计规范》（JTJ 004—89）进行抗震设计，抗震设防烈度为Ⅶ度[1]，场地类别为Ⅱ类，实际地震烈度为Ⅷ度[3]。

9.3.2 桥梁震害概况 Outline of damage

关坝大桥震后未经处置后限制通行，震害等级B级（中等破坏）（图9-7）。

图9-7 震后的关坝大桥
Figure 9-7 The Guanba Bridge after the earthquake

地震对主拱影响不大，经仔细检查未发现明显震害，地震中较易遭受震害的腹拱横墙也保持完好，但九寨沟侧（0号台侧）1、2号腹拱圈顶部均出现了横向通长裂缝，最大裂缝宽度0.75mm。此外，在1号腹拱拱顶还出现了2条斜向裂缝。受横桥向地震动的影响，局部栏杆损坏（图9-8~图9-11）。

图9-8　腹拱横墙完好

Figure 9-8　The springring cross wall on the arch was intact

图9-9　1号腹拱拱顶横向通长裂缝

Figure 9-9　Transverse crack on the 1st spandrel arch

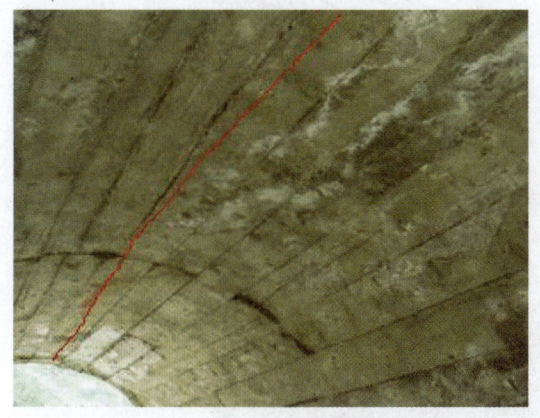

图9-10　2号腹拱拱顶横向通长裂缝

Figure 9-10　Transverse cracks on the 2nd spandrel arch

图9-11　栏杆损坏

Figure 9-11　The barrier was destroyed

9.4　白草大桥1号桥 Baicao No.1 Bridge

9.4.1　桥梁概况 Outline of the bridge

白草大桥1号桥桥面宽7.5m，为2孔空腹式板拱桥，主桥为跨度60m空腹式板拱，跨越高村河，引桥为跨度25m空腹式板拱，桥梁全长为113.3m。桥型布置及腹拱编号见图9-12。桥面铺装为水泥混凝土，采用暗埋式伸缩缝。主桥主、腹拱圈，腹拱横墙均为小石子混凝土砌料石，引桥主拱圈为C15混凝土砌片块石，腹拱、横墙为C15混凝土砌预制砖，浆砌混凝土砌块重力式桥台，扩大基础。

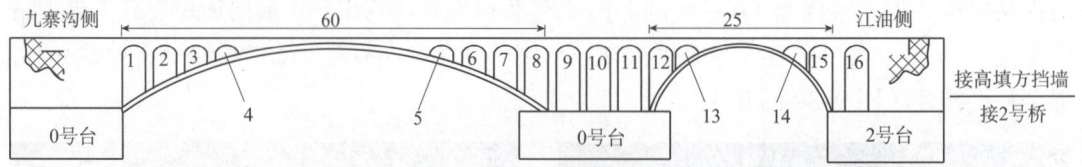

图9-12　白草大桥1号桥桥型布置示意（尺寸单位：m）
Figure 9-12　The layout of the Baicao No.1 Bridge（unit: m）

大桥位于中央断层上盘桥，距中央主断裂垂距约23km。设计时间为1996年，按《公路工程抗震设计规范》（JTJ 004—89）进行抗震设计，抗震设防烈度为Ⅶ度[1]，场地类别为Ⅱ类，实际地震烈度为Ⅸ度[3]。

9.4.2　桥梁震害概况 Outline of damage

白草大桥1号桥虽未垮塌，但破坏严重，震后已封闭禁止通行，震害等级为C级（严重破坏）（图9-13~图9-19）。

图9-13　震后的白草大桥1号桥
Figure 9-13　The Baicao No.1 Bridge after the earthquake

大桥主要震害为：腹拱开裂，16号腹拱裂缝宽度达15cm，横墙有垮塌的危险，致使该桥产生很大的安全隐患。

由于2号台台后填土及其后引道路堤填土的高度较大，在恒载土压力和横向地震动导致的动土压力作用下，路堤挡墙外倾，也导致2号台侧墙开裂外凸。更为严重的是，由于侧墙面积较大，动土压力较大，作用于侧墙的土压力导致桥台前墙严重开裂，并连带15、16号腹拱及横墙沿顺桥向开裂。16号腹拱左、右侧腹拱圈在距边缘80cm处开裂至桥台前墙底部，缝宽达150mm，裂缝在靠桥台前墙处较宽，向九寨沟侧宽度逐渐减小，但仍导致了15号腹拱及横墙的开裂，开裂情况较16号腹拱稍好，右侧腹拱圈距边缘80cm

第 9 章　省道 205 线平武白马至江油段公路

图 9-14　16 号腹拱右侧开裂
Figure 9-14　The right side of the 16th spandrel arch cracked

图 9-15　16 号腹拱左侧开裂
Figure 9-15　The left side of the 16th spandrel arch cracked

图 9-16　15 号腹拱右侧开裂
Figure 9-16　The right side of the 15th spandrel arch cracked

图 9-17　栏杆及基座向外倾斜
Figure 9-17　The barrier and its plinth inclined outward

图 9-18　高填土路堤沉降
Figure 9-18　The high fill embankment sunk

图 9-19　2 号桥台侧墙严重开裂
Figure 9-19　The wing wall of the 2nd abutment cracked seriously

处开裂至横墙，缝宽10mm，见图9-16。在0号台侧，1、2号腹拱也有类似裂缝，但裂缝宽度要小得多，仅0.4mm。经检查，主拱未见有开裂等明显震害现象。同时，由于横向地震动的作用，护栏及其底座均已向外倾斜，部分护栏已被地震折断，高填方路堤也出现了明显沉降。上部结构震害汇总见表9-4。

表9-4 上部结构震害汇总
Table 9-4 List of seismic damage to superstructures

受损位置	震害现象	程 度
主拱	情况基本正常	无
腹拱	15、16号腹拱及横墙沿纵向严重开裂 1、2号腹拱及横墙沿纵向严重开裂	严重
人行道栏杆	栏杆、基座向外倾斜，部分已震折	严重
桥台	侧墙、前墙严重开裂	严重

9.5 白草大桥2号桥 Baicao No.2 Bridge

9.5.1 桥梁概况 Outline of the bridge

白草大桥2号桥桥面宽7.5m，为空腹式圬工板拱桥，孔跨布置为1×25m，桥梁全长为40m。主拱圈为C15混凝土砌片块石，腹拱、横墙为C15混凝土砌预制块，桥面铺装为水泥混凝土，采用暗埋式伸缩缝。重力式桥台，采用浆砌混凝土砌块，在0号台侧通过长度为37m高填方挡墙与1号桥2号台相连，基础采用扩大基础。腹拱与桥台小拱编号见图9-20。

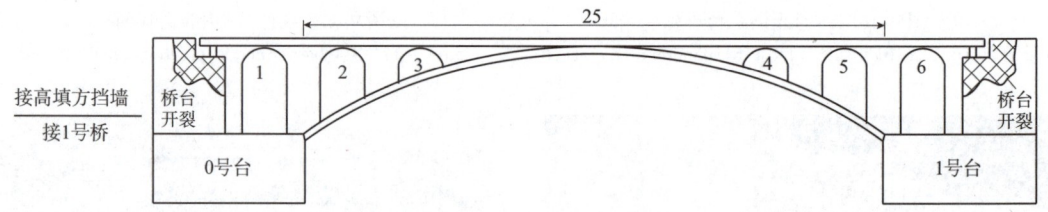

图9-20 白草大桥2号桥桥型布置示意（尺寸单位：m）
Figure 9-20 The layout of the Baicao No.2 Bridge (unit: m)

该桥位于中央断层下盘，距中央主断裂的垂直距离为23km，桥梁走向大致与中央主断裂成45°。设计时间为1996年，按《公路工程抗震设计规范》（JTJ 004—89）进行抗震设计，抗震设防烈度为Ⅶ度[1]，场地类别为Ⅰ类，实际地震烈度为Ⅸ度[3]。

9.5.2 桥梁震害概况 Outline of damage

白草大桥2号桥破坏严重，震后已封闭禁止通行，震害等级为C级（严重破坏）（图9-21）。

第9章 省道205线平武白马至江油段公路

该桥主要震害为：由于1号腹拱裂缝宽度很大，腹拱和横墙外侧有垮塌的危险。

在0号台侧通过长度为37m高填方挡墙与1号桥2号台相连，也呈现出与1号桥2号台侧相似的震害现象。横桥向土压力的作用导致0号台前墙距左、右边缘50cm处竖向开裂，向上延伸至1号腹拱顶，向下延伸至横墙根部，最大缝宽6cm。在与腹拱裂缝相对应的位置，桥面铺装也出现了较为严重的纵向开裂现象，最大裂缝宽度达5cm。护栏及其底座均已向外倾斜，部分护栏已被地震折断。主拱未见有开裂等明显震害现象（图9-22~图9-26）。

图9-21　震后的白草大桥2号桥
Figure 9-21　The Baicao No.2 Bridge after the earthquake

图9-22　主桥主拱圈基本正常
Figure 9-22　The intact arch

图9-23　1号腹拱左边缘开裂
Figure 9-23　The left side of the 1st spandrel arch cracked

图9-24　1号腹拱右边缘开裂
Figure 9-24　The right side of the 1st spandrel arch cracked

图9-25　1号腹拱右边缘开裂宽度
Figure 9-25　The crack width on the right side of the 1st spandrel arch

图9-26　0号桥台开裂严重
Figure 9-26　The abutment cracked seriously

9.6 石头坝桥 Shitouba Bridge

9.6.1 桥梁概况 Outline of the Bridge

石头坝桥为1×8m简支板梁桥,由老桥和加宽部分组成。老桥8m宽,为预制板桥,在右侧拓宽3m现浇板,桥面总宽11m,桥梁全长17.7m。重力式桥台,老桥桥台和拼宽部分均采用浆砌片石,基础采用扩大基础。桥台与主梁交角15°,桥面铺装为水泥混凝土铺装,伸缩缝采用暗埋缝,支座为油毡简易垫层支座。

该桥位于中央断层上盘,距中央主断裂11.2km。桥轴方位角为N-NE113°。设计时间为1996年,按《公路工程抗震设计规范》(JTJ 004—89)进行抗震设计,抗震设防烈度为Ⅶ度[1],场地类别为Ⅱ类,实际地震烈度为Ⅹ度[3]。

9.6.2 桥梁震害概况 Outline of damage

石头坝桥震后未加固但限载通行,震害等级为B级(中等破坏)(图9-27)。

图9-27 震后的石头坝桥
Figure 9-27 The Shitouba Bridge after the earthquake

地震中,老桥主梁和加宽主梁接缝处开裂,同时两个部分均出现了向顺、横桥向移位,并伴有转动,致使1号台处右侧桥面拱起,混凝土局部压碎,而0号台右侧暗埋缝处开裂,最大2.5cm。此外,该桥右侧混凝土栏杆全部垮塌。

下部结构情况尚好,桥台前墙、侧墙基本完好,但两岸桥台的右侧锥坡开裂(图9-28~图9-31)。

图 9-28 右侧栏杆全部垮塌

Figure 9-28 The right barrier collapsed completely

图 9-29 1号台处右侧桥面拱起破损

Figure 9-29 The surfacing on the right side of the 1st abutment moved upward and were damaged

图 9-30 0号台处右侧暗埋缝开裂

Figure 9-30 The hide joint in the right of abutment cracked

图 9-31 暗埋缝开裂达25mm

Figure 9-31 The hide joint's width up to 25mm

9.7　高庄团结桥 Gaozhuang Tuanjie Bridge

9.7.1　桥梁概况 Outline of the bridge

高庄团结桥为空腹式板拱桥，孔跨布置为 1×35m，两侧各有 3 个腹拱，平武至江油依次编号为 F1~F6 号，主拱圈上横墙依次编号为 H1~H4 号（图 9-32），桥梁全长为 46.6m，桥面宽 7.5m，跨越党家沟。主拱圈、腹拱横墙和腹拱均采用混凝土砌块砌筑而成，重力式桥台，扩大基础。水泥混凝土桥面铺装，暗埋式伸缩缝。

该桥位于中央断层上盘桥，距中央主断裂 8.2 km。桥轴方位角为 N-NE 137°。设计时间为 1996 年，按《公路工程抗震设计规范》（JTJ 004—89）进行抗震设计，抗震设防烈度为Ⅶ度[1]，场地类别为Ⅱ类，实际地震烈度为Ⅹ度[3]。

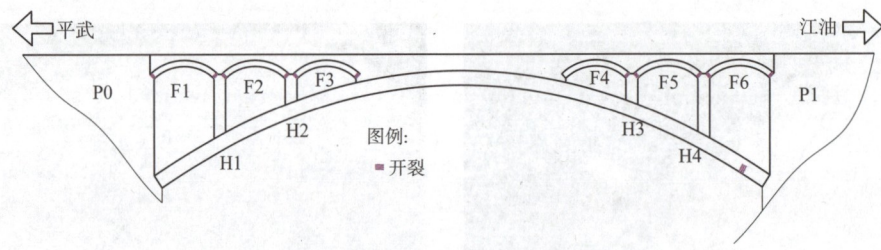

图 9-32 高庄团结桥桥型布置示意
Figure 9-32 The layout of the Gaozhuang Tuanjie bridge

高庄团结桥震后禁止通行,震害等级为 C 级(严重破坏)(图 9-33)。主要的震害为:拱上横墙和拱上腹拱开裂,影响承载力。

图 9-33 震后的高庄团结桥
Figure 9-33 The Gaozhuang Tuanjie Bridge after the earthquake

9.7.2 上部结构震害 Damage to superstructure

0 号台侧主拱圈拱脚截面右侧出现竖向裂缝,裂缝向上延伸至桥台,但裂缝宽度不大,仅 0.5mm,拱脚左侧由于老路挡墙坍塌,坍塌的挡墙和土体挤压在拱圈上。相比而言,拱上建筑的震害更为严重,3 号横墙靠平武侧横向贯通开裂,裂缝宽度达 10~20cm,横墙有效截面大为削弱。同时,5 号腹拱顶附近也出现横向贯通裂缝,该裂缝两侧向上延伸到桥面,已形成贯穿整个腹拱高度的裂缝,裂缝宽度达 10~30mm,腹拱侧墙也出现裂缝。此外,由于 0 号桥台前墙竖向开裂,导致 1 号腹拱右侧出现顺桥向裂缝,裂缝自桥台前墙一致延伸至腹拱拱顶。

桥面系的震害也较为明显。0 号台处桥头与路基连接处混凝土铺装破损严重,暗埋缝破坏。混凝土栏杆基座与桥面分离,栏杆均向外倾斜,局部断裂坍塌(图 9-34~图 9-37)。上部结构震害汇总见表 9-5。

图 9-34　0 号台侧拱脚左侧受坍塌挡墙挤压

Figure 9-34　The left side of the arch springing was buried by the retaining wall collapsed

图 9-35　0 号台侧拱脚右侧拱脚开裂

Figure 9-35　The right side of the arch springing cracked

图 9-36　3 号横墙严重开裂

Figure 9-36　The 3rd wall cracked seriously

图 9-37　5 号腹拱拱顶开裂严重

Figure 9-37　The vault of the 5th spandrel arch cracked seriously

表 9-5　上部结构震害汇总

Table 9-5　List of seismic damage to superstructures

受损位置	震害现象	程　度
主拱	0 号台右侧拱脚开裂，左侧受到坍塌挡墙的挤压	一般
拱上横墙	3 号横墙开裂，裂缝宽达 10~20mm	严重
腹拱	5 号腹拱拱顶附近横向开裂，裂缝宽 10~30mm	严重
人行道护栏	栏杆整体外倾，基座与路面分离，局部破坏	严重
腹拱侧墙	5 号腹拱处竖向裂缝	一般

9.7.3　下部结构震害 Damage to substructure

受 0 号台台后填土的作用，右侧翼墙出现斜向开裂，裂缝自右侧拱脚斜向上发展至桥面，裂缝宽度为 20~30mm，有整体向外侧移动的趋势。受此影响，0 号台前墙开裂 2 处，一处距右边缘 50cm 处竖向开裂，开裂处向上延伸至 1 号腹拱顶部，向下延伸至拱背；另一处自右侧拱脚处斜向延伸至左侧拱顶处，宽度达 10~20mm。0 号台右侧锥坡也出现了局部坍塌。该桥两岸桥台基础稳定，未见异常（图 9-38 和图 9-39）。下部结构震害汇总见表 9-6。

图 9-38 0 号台台身开裂
Figure 9-38 The abutment cracked

图 9-39 0 号台右侧翼墙斜向开裂
Figure 9-39 The right wing wall of the abutment cracked obliquely

表 9-6 下部结构震害汇总
Table 9-6 List of seismic damage to substructures

受损位置	震害现象	程度
桥台前墙	0 号台前墙开裂，裂缝宽度 10~20mm	严重
桥台侧墙	0 号台侧墙斜向开裂，裂缝宽 20~30mm	严重
锥坡护坡	0 号台右侧锥坡局部坍塌	一般

9.8　甘孜坝桥 Ganziba Bridge

9.8.1　桥梁概况 Outline of the bridge

甘孜坝桥为 1×14m 简支板桥，桥宽 8m。主梁为现浇混凝土空心板，油毡简易垫层支座，水泥混凝土铺装，采用暗埋式伸缩缝。桥台为重力式桥台，为混凝土现浇而成，扩大基础。

该桥位于中央断层上盘，距中央主断裂 4.7km，桥梁走向与中央主断裂走向约成 45°。桥轴方位角为 N-NE 13°。设计时间为 1996 年，按《公路工程抗震设计规范》（JTJ 004—89）进行抗震设计，抗震设防烈度为Ⅶ度[1]，场地类别为Ⅱ类，实际地震烈度为Ⅺ度[3]。

甘孜坝桥震后处置后限制通行，震害等级为 C 级（严重破坏）（图 9-40）。主要震害为：主梁移位，下部桥台开裂。

第 9 章 省道 205 线平武白马至江油段公路

图 9-40 震后的甘孜坝桥
Figure 9-40 The Ganziba Bridge after the earthquake

9.8.2 上部结构震害 Damage to superstructure

地震中该桥出现了较为明显的主梁移位，主梁出现了整体逆时针转动，并伴有横桥向移位和顺桥向移位。主梁转动导致 0 号台处左侧桥面铺装混凝土被压碎，右侧铺装开裂 2~3cm，暗埋式伸缩缝全部破坏，与之相应，在 1 号台侧，右侧桥面铺装挤压破碎严重。主梁顺、横桥向移位也较为明显，主梁顺桥向向平武侧、横桥向向路线前进方向左侧移动了 5~8cm，虽暂时无落梁风险，但如此大的移动量在单跨小桥中是较为少见的。此外，受地震动作用，该混凝土栏杆，均向外倾斜，局部破碎严重，桥头与路基连接处混凝土完全破坏（图 9-41~图 9-43）。上部结构震害汇总见表 9-7。

图 9-41 0 号台左侧桥面压碎
Figure 9-41 The surfacing on the left side of the abutment crushed

图 9-42 1 号台右侧桥面被挤碎
Figure 9-42 The surfacing on the right side of the 1st abutment crushed

图 9-43　栏杆向外倾斜

Figure 9-43　The barrier inclined outward

表 9-7　上部结构震害汇总

Table 9-7　List of seismic damage to superstructures

受损位置	震害现象	程度
主梁	顺、横桥向移位，方向向平武侧和路线左侧，移位量 5~8cm	严重
主梁	整体逆时针旋转	严重
支座	基本正常	无
伸缩缝	全部破坏	严重
人行道护栏	整体外倾，局部破碎严重	严重

9.8.3　下部结构震害 Damage to substructure

该桥下部结构震害更为严重，0 号台前墙出现交叉形斜向裂缝，剪切裂缝的特征十分明显，裂缝最大跨度达 50mm，据此可以判断，0 号台前墙已基本剪坏。此外，1 号台台身也竖向开裂，缝宽 8mm。但两岸桥台翼墙及锥坡基本正常。另外，调查发现，桥台基础有向外移位的趋势（图 9-44 和图 9-45）。下部结构震害汇总见表 9-8。

图 9-44　0 号台台身竖向裂缝

Figure 9-44　Vertical crack on the abutment

图 9-45　1 号台台身竖向裂缝

Figure 9-45　Vertical crack on the 1st abutment

表 9-8 下部结构震害汇总
Table 9-8 List of seismic damage to substructures

受损位置	震害现象	程 度
桥台前墙、背墙	0号台剪坏，1号台严重开裂	严重
桥台侧墙	基本正常	无
锥坡、护坡	基本正常	无
基础	有移动趋势	严重

9.9 甘溪沟桥 Ganxigou Bridge

9.9.1 桥梁概况 Outline of the bridge

甘溪桥为 4×11m 简支梁（板）桥，与甘溪沟斜交 30°，桥宽 11m，桥梁全长为 56m。原桥为 3×11m 简支梁（板），后在 3 号台后增加 1 孔，3 号台成为 3 号墩。主梁为 11m 现浇钢筋混凝土板，桥墩为浆砌块石重力式墩，重力式桥台，墩台均为扩大基础。水泥混凝土铺装，暗埋式伸缩缝。

该桥位于中央主断裂下盘，距离中央主断裂约 5km，桥梁走向与中央主断裂走向约成 45°夹角。桥轴方位角为 N-NE 8°。设计时间为 1996 年，按《公路工程抗震设计规范》（JTJ 004—89）进行抗震设计，抗震设防烈度为Ⅶ度[1]，场地类别为Ⅱ类，实际地震烈度为Ⅺ度[3]。

甘溪桥桥处置后限制通行，震害等级为 C 级（严重破坏）（图 9-46）。

图 9-46 震后的甘溪沟桥
Figure 9-46 The Ganxigou Bridge after the earthquake

9.9.2 桥梁震害概况 Outline of damage

甘溪沟桥主要震害为：圬工实体桥墩出现水平的贯通裂缝，影响承载力。

地震中甘溪沟桥主梁基本保持完好，但0号台侧台后路面下沉达7cm，同时，4号台处路面上拱，上拱量3cm，导致跳车严重，设置的6道暗埋缝均已失效。从桥台来看，0号台情况基本正常，4号台台身两侧均被挤裂，前墙底部还出现3条横向裂缝。此外，在1号墩前侧面距帽梁底1m处出现一条横向通长裂缝，宽0.1~0.4cm，距墩底1.2m处也出现1条横向通长裂缝（图9-47~图9-52）。

图9-47　0号台台后路面下沉

Figure 9-47　The surfacing of the abutment sunk

图9-48　1号台台后路面上拱

Figure 9-48　The surfacing of the abutment raised

图9-49　4号台台身两侧均被挤裂

Figure 9-49　The both side of the 4th abutment was buried

图9-50　4号台台身横向裂缝

Figure 9-50　Transverse crack on the 4th abutment

图9-51　1号墩墩身横向裂缝

Figure 9-51　Transverse crack on the 1st abutment

图9-52　6道暗埋缝均已失效

Figure 9-52　Six hide joints failed

第 10 章 国道 212 线姚渡至广元段公路
Chapter 10 The 212 National Highway from Yaodu to Guangyuan

10.1 公路及桥梁概况 Outline of route and bridges

国道 212 线姚渡至广元段公路位于四川盆地北部边缘龙门山区，即龙门山北东~南西向构造带与摩天岭东西向构造带的交汇接合部，区域地势北高南低。该段公路全长 105.2km，路线大致成西北~东南走向，其中，宝轮至三堆段为二级公路，其他路段为三、四级及等外公路。

该段公路抗震设防烈度为Ⅵ度[1]，而在汶川地震中，该段路实际烈度为Ⅶ~Ⅸ度[3]。广元曾家地震台测定，地震加速度峰值：EW 为 424.48Gal，NS 为 –410.481Gal，UD 为 –183.338Gal。广元石井地震台测定地震加速度峰值：EW 为 320.485Gal，NS 为 273.971Gal，UD 为 –143.7Gal。

本段公路以姚渡镇为起点，以姚渡镇至广元市方向为正方向对各桥进行编号（图 10-1）。

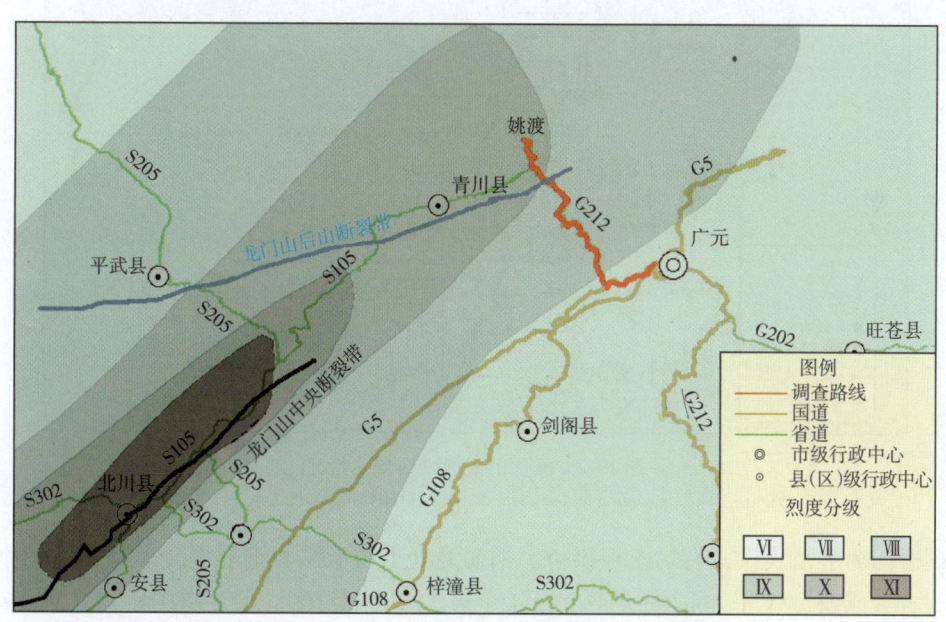

图 10-1 线路区域位置图
Figure 10-1 Location of the highway in seismic areas

国道 212 线姚渡至广元段公路共有桥梁 30 座，涉及简支梁桥、连续梁桥和拱桥等三种桥型。以拱桥为主，共 23 座 38 跨，另有 6 座简支梁桥，1 座连续梁桥。各类桥型数量见表10-1。线路中桥梁沿公路分布及震害情况见图10-2，桥梁基本情况及震害情况参见附表C-10。

表 10-1　国道 212 线姚渡至广元段桥梁桥型及规模统计表
Table 10-1　Types and size of the bridges on National Highway 212 from Yaodu to Guangyuan

桥梁规模 桥梁类型	大桥（座）	中桥（座）	小桥（座）	合计（座）
简支梁桥	2	2	2	6
拱桥	6	14	3	23
连续梁桥	0	1	0	1
合计	8	17	5	30

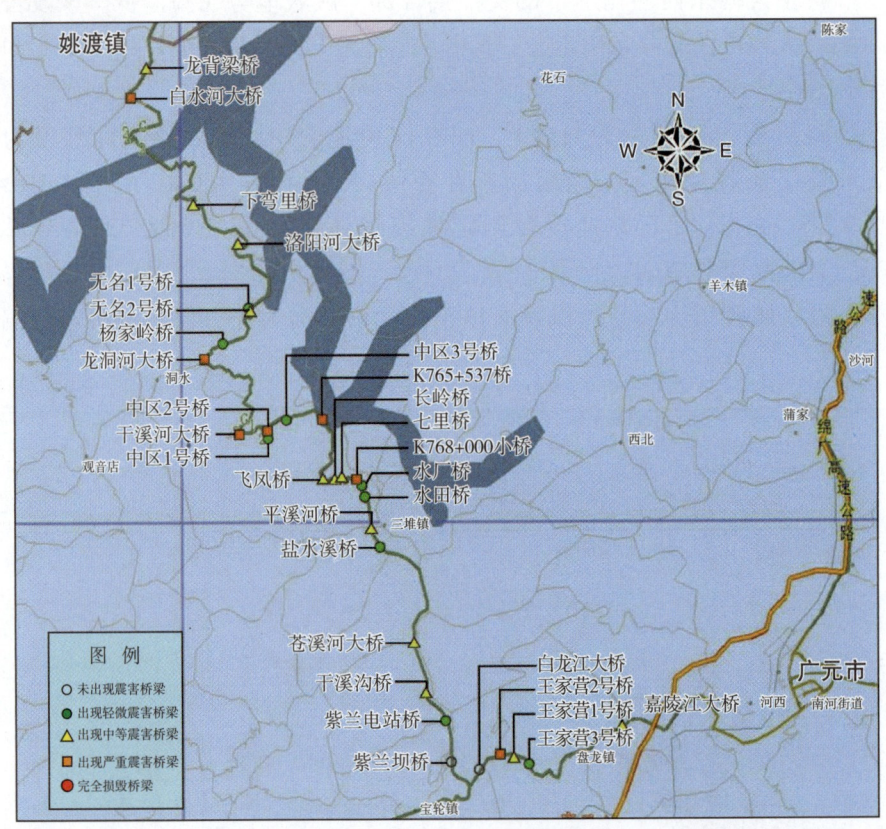

图 10-2　桥梁沿路线分布及震害情况
Figure 10-2　Location and seismic damage of the bridges along the highway

拱桥均为上承式拱，有圬工板拱桥、钢筋混凝土箱形拱和钢筋混凝土肋拱桥3种主拱形式，有6座跨度大于60m的大跨度拱桥（最大跨度达100m），2座中桥，其余15座均为单跨小桥。

简支梁桥主梁形式有预应力混凝土空心板、钢筋混凝土矩形梁、钢筋混凝土现浇板3种，大、中桥桥墩均为桩柱式桥墩，支座均采用板式橡胶支座；连续梁桥仅1座，为王家营3号桥。

10.2 震害概要 Outline of damage

国道212线姚渡至广元段桥梁位于实际地震烈度为Ⅶ～Ⅸ度区内，远离映秀及北川两个极震区，未受地质灾害的影响，震害相对较轻。无完全失效（D级震害）的桥梁，而白水河大桥、龙洞河大桥、甘溪河大桥等3座桥梁出现严重震害（C级震害），震害较为典型的桥梁将在本节后进行详细介绍。

10.2.1 桥梁整体震害情况 Information on seismic bridge damage from investigated area

本段公路的30座桥梁中，仅有1座小桥未出现震害，其余29座桥梁均出现不同程度的震害，但无D级震害（完全失效）的桥梁；出现严重破坏（C级）的桥梁共3座，占桥梁总数的10.0%；14座出现中等破坏，占桥梁总数的46.7%。本段公路桥梁各级震害比例如图10-3所示。

本段公路有简支梁桥、连续梁桥共7座，数量较少，震害也较轻，震害表现与其他公路的简支梁桥、连续梁桥震害相似，故本章不再进行震害的描述分析。

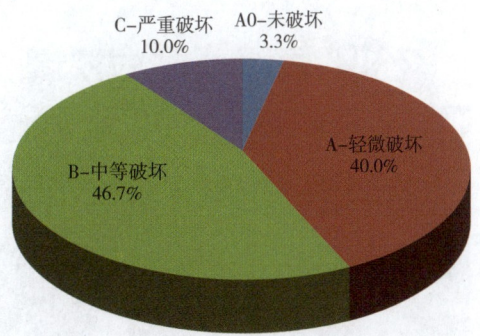

图10-3 桥梁震害情况统计
Figure 10-3 Proportional extent of bridge damage

10.2.2 拱桥震害 Damage to arch bridge

1）主要震害表现

本段公路拱桥的主要震害是拱圈开裂，裂缝形态主要有横向斜裂缝和斜向裂缝，横向裂缝一般出现在拱顶或拱脚附近，如白水河大桥（图10-4）、龙洞河大桥（图10-5），而在中区2号桥中则出现了主拱圈斜向开裂，从拱顶向下斜向延伸至拱脚。

图10-4 白水河大桥拱脚开裂
Figure 10-4 The Baishuihe Bridge's springing cracked

图10-5 龙洞河大桥拱脚开裂
Figure 10-5 The Longdonghe Bridge's springing cracked

空腹式拱桥拱上建筑震害的形式较多，主要有横墙开裂、腹拱开裂、侧墙开裂，侧墙裂缝往往由腹拱裂缝发展而来。横墙开裂形态一般为横桥向裂缝，裂缝宽度可达 10mm 左右，个别横墙基本断裂，拱形挖空式横墙的拱顶处也是易出现裂缝的位置。腹拱裂缝多出现在拱顶，少量腹拱在拱脚附近也有裂缝，由于腹拱高度不大，横桥向裂缝易发展为贯通拱圈高度的通缝，白水河大桥第 1 跨和最后 1 跨腹拱震害相当严重，几近垮塌（图 10-6）。而实腹式圬工拱桥拱上建筑震害的主要形式是侧墙开裂和侧墙整体移位的情况。梁式腹拱的主要震害现象是拱上立柱出现裂缝，位置通常在纵梁与立柱连接处（图 10-7）。

图 10-6　白水河大桥 1 号腹拱几近破坏

Figure 10-6　The 1st spandrel arch of the Baishuihe Bridge was destroyed almostly

图 10-7　嘉陵江大桥立柱与纵梁结合处开裂

Figure 10-7　The top of the column of the Jialingjiang Bridge cracked

2）震害统计

23 座拱桥中，出现严重破坏（C 级震害）的拱桥共 3 座，占拱桥总数的 13.0%；出现中等破坏（B 级震害）拱桥共 10 座，占拱桥总数的 43.5%；其余 10 座拱桥中，9 座出现轻微破坏（A 级震害），另外 1 座无破坏（A0 级震害）。拱桥震害比例如图 10-8 所示。

23 座拱桥中有 6 座跨度大于 60m 的大跨度拱桥（最大跨度达 100m），3 座中桥，其余 14 座均为单跨小桥。在 6 座大跨度（跨度 ≥ 60m）拱桥中，3 座出现严重破坏（C 级震害），分别为白水河大桥、龙洞河大桥、干溪河大桥，占大跨度拱桥的 50%。而 17 座中小跨度拱桥中未出现严重破坏（C 级震害），表现出大跨径拱桥在高烈度地区易发生破坏；其中，龙洞河大桥、干溪河大桥为位于Ⅷ度区的圬工拱桥，而附近的洛阳河大桥（钢筋混凝土拱桥，单跨跨径为 100m）仅出现中等破坏（B 级震害），圬工结构的抗震性能则要逊色于钢筋混凝土结构的拱桥。拱桥中不同震害等级桥梁数量见表 10-2。

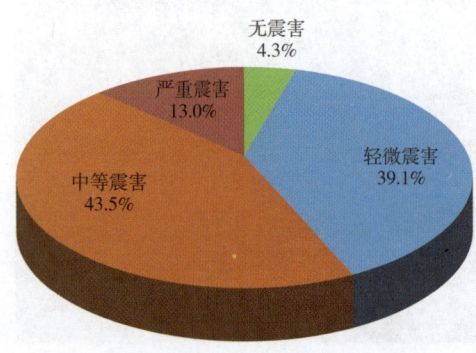

图 10-8　拱桥各级震害比例示意图

Figure 10-8　Proportion extent of arch bridges damage

表 10-2 拱桥震害情况统计表
Table 10-2 Table of arch bridge seismic damage

拱桥类型	震害等级	A0- 无破坏（座）	A- 轻微破坏（座）	B- 中等破坏（座）	C- 严重破坏（座）	D- 完全失效（座）	合计（座）
钢筋混凝土拱桥	Ⅶ度区	0	0	1	0	0	1
	Ⅷ度区	0	0	1	0	0	1
	Ⅸ度区	0	0	0	1	0	1
圬工拱桥	Ⅶ度区	1	2	0	0	0	3
	Ⅷ度区	0	7	6	2	0	15
	Ⅸ度区	0	0	2	0	0	2
合计		1	9	10	3	0	23

23 座拱桥，共有主拱 38 跨，没有出现垮塌或失效的主拱圈，其中 10 跨主拱圈破坏。在这 23 座拱桥中，7 座空腹式拱桥均为拱式腹拱圈，其中 6 座桥拱上建筑破坏；道路中 7 座空腹式拱桥共有 115 跨腹拱及 96 道拱上横墙，其中 36 跨腹拱圈及 30 道横墙破坏，均占其总数的 31.3%。

10.2.3 本路段桥梁震害特点 The characteristics of bridge damage

该路段的桥梁震害呈现出以下特点：

（1）钢筋混凝土拱桥抗震性能优于圬工拱桥。

（2）该段公路的大跨度拱桥破坏严重，表现出大跨度拱桥较中、小跨度拱桥更易遭受严重破坏。

（3）拱上建筑易受到地震的破坏，特别是对于圬工结构的拱式腹拱桥，拱上建筑在地震中易于受到损伤。

10.3 白水河大桥 Baishuihe Bridge

10.3.1 桥梁概况 Outline of the bridge

白水河大桥为 3×90m 空腹式钢筋混凝土板拱桥，桥梁全长为 355m。桥面宽 9m，其中行车道宽 7m，两侧人行道各宽 1m。主拱为钢筋混凝土悬链线无铰拱，拱圈截面为箱形，净矢跨比为 1/6，拱轴系数 $m=2.514$，拱圈厚度 1.50m，宽度 7.5m。拱上横墙为混凝土砌块和现浇混凝土，腹拱圈为钢筋混凝土结构，在每跨的两端腹拱设置了变形缝。重力式墩，重力式桥台。桥轴方位角为 N-NE132°。设计时间 1996 年，按《公路工程抗震设计规范》（JTJ 004—89）进行抗震设计，抗震设防烈度为Ⅵ度[1]，场地类别为Ⅰ类，实际地震烈度为Ⅸ度[3]。

为叙述方便，桥梁自姚渡至广元方向顺序编为第 1~3 跨，0 号台小拱编为 F0-1~F0-3，横墙编为 H0-1~H0-3，第 1 跨腹拱按顺序编为 F1-1~F-10，横墙编为 H1-1~H1-10，第 2

跨则按相同顺序编为 F2-1~F2-10 和 H2-1~H2-10，第 3 跨亦然，墩顶横墙根据墩号顺序编为 PH1、PH2。桥型布置见图 10-9。拱上建筑构造见图 10-10。

地震中，白水河大桥主拱圈出现贯通性裂缝，处置后限制通行，震害等级为 C 级（严重破坏）（图 10-11）。

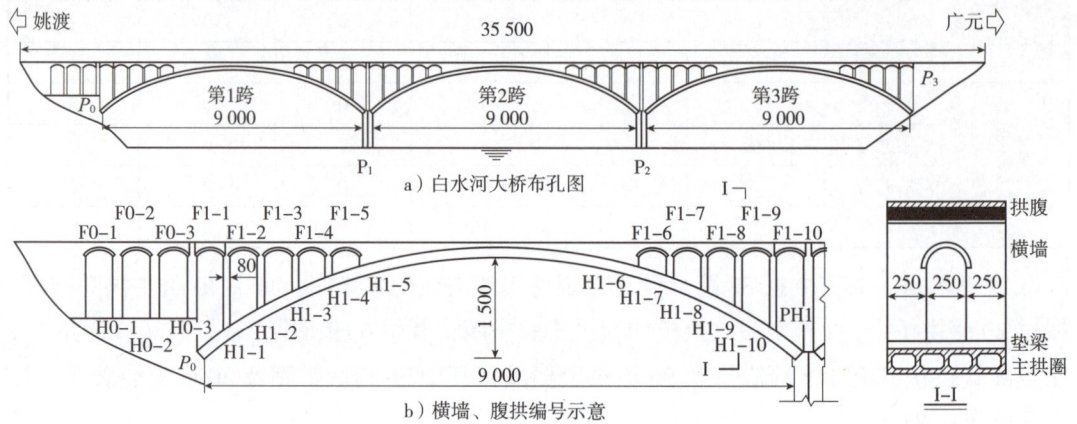

图 10-9 白水河大桥桥型布置示意（尺寸单位：cm）
Figure 10-9 The layout of the Baishuihe Bridge (unit: cm)

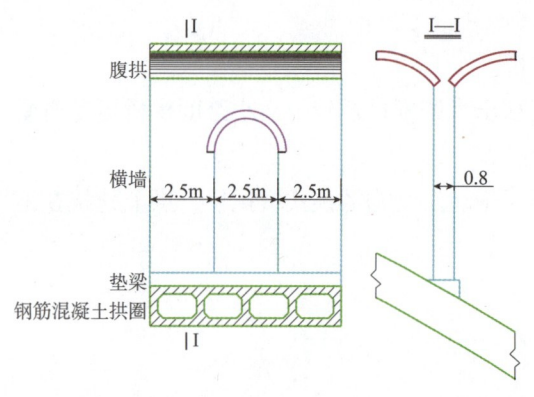

图 10-10 拱上建筑构造示意
Figure 10-10 The indication of the structure on the arch

图 10-11 震后的白水河大桥
Figure 10-11 The Baishuihe Bridge after the earthquake

10.3.2 上部结构震害 Damage to superstructure

地震中该桥主拱和拱上建筑均遭受破坏。第 1、3 跨主拱均出现裂缝（图 10-12，图 10-13），第 1 跨姚渡侧拱脚底面横向开裂，且已横向贯通，同时拱座混凝土压裂破损；拱脚左右侧面与拱座接缝均开裂，裂缝向上延伸至拱背，并继续在拱背沿横向延伸，其中左侧延伸了 1.00m，右侧延伸约 0.50m，裂缝最大宽度 0.2mm（图 10-14）。第 3 跨广元侧拱脚底面横向开裂，已横向贯通，裂缝宽度达 1.00mm，且局部有露筋现象，情况较第 1 跨更为严重。测量结果表明，各跨拱腹线与理论拱腹线均存在偏差，3 跨总体上均呈现姚渡侧偏高，广元侧偏低的趋势（图 10-15），是否因地震所致需进一步研究。

图 10-12　第 1 跨拱脚开裂

Figure 10-12　The springing of the first span cracked

图 10-13　第 3 跨拱圈右侧开裂

Figure 10-13　The right side of the 3rd span's arch cracked

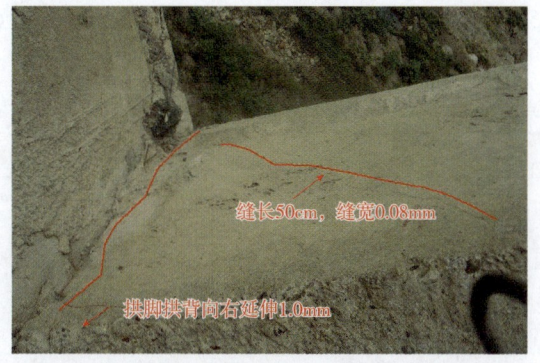

图 10-14　拱底裂缝延伸至拱背

Figure 10-14　The cracks spreading from the soffit to the top of the arch

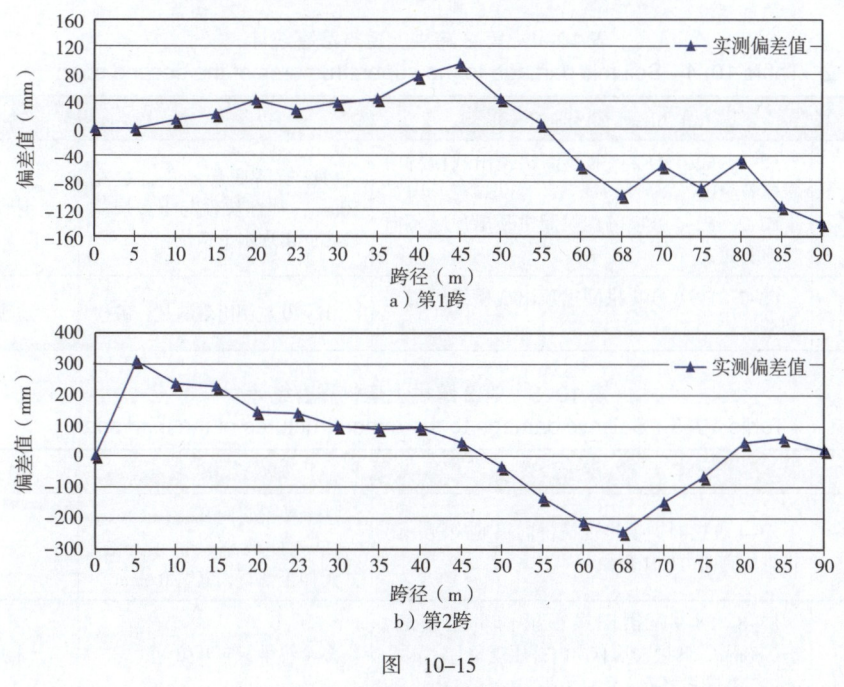

a）第1跨

b）第2跨

图　10-15

Figure　10-15

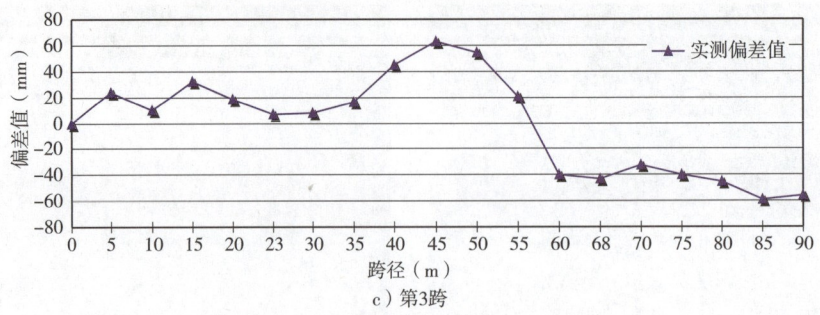

c）第3跨

图 10-15 拱腹线与设计拱腹线的误差

Figure 10-15 The deviation between the actual elevation of the arch and the design one

与主拱相比，拱上建筑震害的情况更为严重（表10-3~表10-5）。F1-1 和 F3-10 腹拱因变形严重，已丧失承载能力，调查时已进行应急加固（图10-16）。

表 10-3 第 1 跨拱上建筑震害统计
Table 10-3 Seismic damage to the superstructures of the first span

震害部位	腹 拱 圈	腹 拱 横 墙	侧 墙
姚渡侧 F1-1~F1-5	F1-1 破损严重，承载力受损；F1-2~F1-4 号腹拱两拱脚均有向内挤压现象；F1-3、F1-4 号腹拱圈顶部 1 条横向贯通裂缝	H1-2、H1-3、H1-4 横墙底部均有环向贯通裂缝；H1-2 预制块间勾缝开裂，部分脱落	H1-3 横墙顶拱上侧墙水平开裂，并有外移现象
广元侧 F1-6~F1-10	F1-6~F1-8 号腹拱两拱脚均有向内挤压现象；F1-7、F1-8 拱顶横向贯通裂缝；F1-9、F1-10 拱圈块件之间砂浆完全脱落，腹拱整体性削弱	H1-6、H1-7、H1-8 横墙底均有环向贯通裂缝	H1-6、H1-8 腹拱圈右侧拱上侧墙竖向开裂

表 10-4 第 2 跨拱上建筑震害统计
Table 10-4 Seismic damage to the superstructures of the second span

震害部位	腹 拱 圈	腹 拱 横 墙	侧 墙
姚渡侧 F2-1~F2-5	F2-2、F2-4、F2-5 腹拱圈拱顶出现横桥向贯通裂缝；F2-2、F2-4 号横墙内拱圈拱顶出现顺桥向贯通裂缝	PH2 横墙底部断裂，缝宽10mm，顶部块件与下一层块件之间出现水平错位	未见震害
广元侧 F2-6~F2-10	F2-7、F2-8 号腹拱圈拱顶出现横桥向贯通裂缝	H2-10 左侧出现斜裂、破损	未见震害

表 10-5 第 3 跨拱上建筑震害统计
Table 10-5 Seismic damage to the superstructures of the third span

震害部位	腹 拱 圈	腹 拱 横 墙	侧 墙
姚渡侧 F3-1~F3-5	F3-4 腹拱圈拱顶出现横桥向贯通裂缝，两拱脚均有向内挤压现象	多个垫梁斜向开裂；H3-1 横墙小拱顶开裂，并延伸至帽石，缝宽 0.6mm	未见震害
广元侧 F3-6~F3-10	F3-8、F3-9 腹拱圈拱顶横向贯通裂缝，$b=0.30mm$，两拱脚均有向内挤压现象；F3-10 破损严重，承载力受损	多个垫梁斜向开裂	未见震害

第 1 跨 10 个腹拱中有 8 个出现震害，多数拱上横墙底部出现环状裂缝（图 10-17），最大裂缝宽度约 0.6mm，部分侧墙也出现开裂现象，裂缝宽度 0.4~0.5mm。第 2 跨情况较第 1 跨稍好，10 个腹拱中有 6 个出现震害，震害的主要形式是腹拱拱顶、拱脚横向开裂（图 10-18），横墙震害没有第 1 跨多，但 PH2 横墙底部完全断裂，缝宽达 10mm，情况十分危险（图 10-19）。第 3 跨有 5 个腹拱出现震害，震害现象仍以腹拱拱顶、拱脚横向开裂为主，裂缝宽度 0.3mm，此外，多个腹拱横墙出现了与垫梁错位的现象，且垫梁斜向开裂（10-20）。

图 10-16　F1-1、F3-10 腹拱临时加固

Figure 10-16　The F1-1 and F3-10 spandrel arch were strengthened temporarily

图 10-17　横墙小拱开裂

Figure 10-17　The wall and spandrel cracked

图 10-18　腹拱拱脚开裂

Figure 10-18　The arch springing of spandrel arch cracked

图 10-19　PH2 横墙断裂

Figure 10-19　The PH2 wall was broken

图 10-20　横墙垫梁开裂

Figure 10-20　The pad beam of spandrel cross wall cracked

受地震动的作用，人行道板普遍沉降、外移，破损严重；栏杆外倾明显（图 10-21），部分已破坏并缺失（图 10-22）；桥面铺装多处出现横桥向贯通裂缝，0 号台处桥面铺装沉降严重。

图 10-21　栏杆明显外倾

Figure 10-21　The barrier inclined outward obviusly

图 10-22　部分栏杆缺失

Figure 10-22　Part of barrier collapsed

10.3.3　下部结构震害 Damage to substructure

桥墩水下部分限于条件未做检查，水上部分基本完好。但 3 号台由于填土较高，在地震中受损严重，侧墙、背墙出现横向及斜向贯通裂缝，缝宽达 2.00mm。此外，0 桥台 F0-1~F0-3 小拱两拱脚均有向内挤压现象，砂浆勾缝挤压外移，部分脱落，F0-3 腹拱圈 $L/4$ 处有横向贯通裂缝，缝宽 0.70mm。H0-1~H0-3 横墙底部均有环向贯通裂缝。0 号台拱座右侧护坡大面积下沉开裂（图 10-23 和图 10-24）。

图 10-23　3 号台侧墙开裂

Figure 10-23　The wing wall of the 3rd abutment cracked

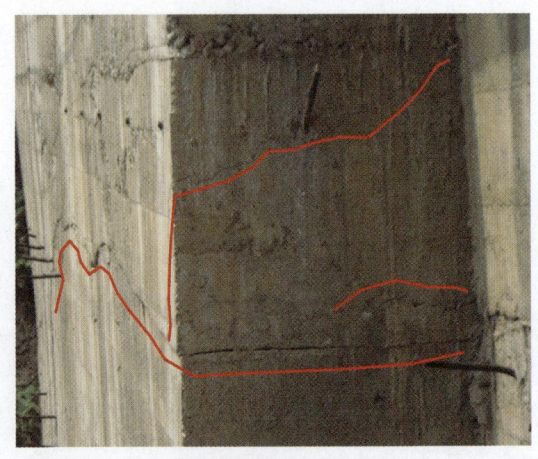

图 10-24　3 号台背墙开裂

Figure 10-24　The back wall of the 3rd abutment cracked

10.4 龙洞河大桥 Longdonghe Bridge

10.4.1 桥梁概况 Outline of the bridge

龙洞河大桥中心桩号为 K749+280，桥面宽 7.5m（净 –7+2×0.25 安全带），为 1×60m 空腹式拱，跨越龙洞河，桥梁全长为 95m。主拱为悬链线圬工板拱，采用浆砌预制混凝土块，矢跨比 1/4，净矢高 15m，拱轴系数 m=2.814。拱上横墙为混凝土预制块砌筑，腹拱为拱形预制板沿横桥向拼接而成。两端桥台均采用重力式桥台，扩大基础。腹拱依路线方向依次编为 F1~F9，横墙编为 H1~H9。桥型布置见图 10-25。

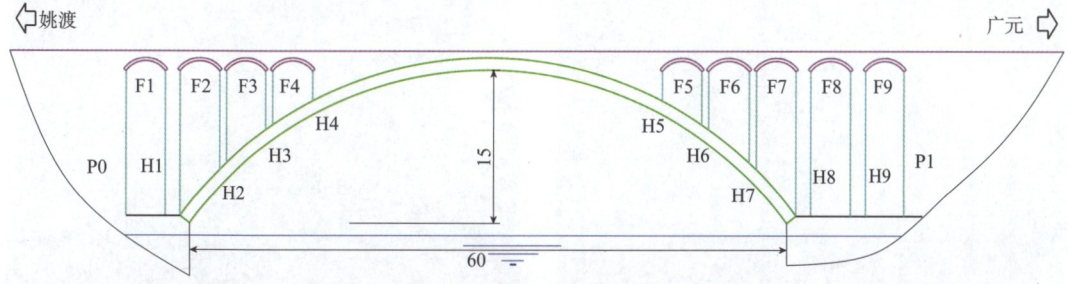

图 10-25　龙洞河大桥桥型布置示意（尺寸单位：m）
Figure 10-25　The bridge's layout of the Longdonghe Bridge（unit: m）

桥轴方位角为 N-NE178°，设计时间 1984 年，按 1977 年颁《公路工程抗震设计规范》（试行）进行抗震设计，抗震设防烈度为Ⅵ度[1]，场地类别为Ⅰ类，实际地震烈度为Ⅷ度[3]。

龙洞河大桥主拱拱脚出现贯通性裂缝，处置后限制通行，震害等级为 C 级（严重破坏）（图 10-26）。

图 10-26　检测中的龙洞河大桥
Figure 10-26　The Longdonghe Bridge inspecting

10.4.2 桥梁震害概况 Outline of damage

龙洞河大桥主拱出现震害，两岸拱脚均出现了裂缝。0号台侧拱脚砌缝横向开裂，勾缝剥落，缝宽1~2mm（图10-27）。1号台拱底不仅出现了宽度2mm的横向贯通裂缝，而且在左侧还出现了宽度0.3mm的斜向裂缝，拱背有一条横桥向裂缝，裂缝附近混凝土有松动、剥落现象（图10-28）。此外，$L/4$~$L/2$之间块件勾缝有剥落现象（图10-29），$L/4$附近预制块件中部断裂（图10-30）。震后测量结果表明，拱腹线与理论拱腹线存在偏差，0号台侧和1号台侧的偏差不对称，但偏差的趋势并不明显，总体上呈拱顶下挠、0号台侧略上拱、1号台侧下挠的趋势（表10-6）。

图10-27 0号拱脚横向裂缝

Figure 10-27 The springing cracked transversely

图10-28 1号桥台拱脚拱背横向裂缝，混凝土剥落

Figure 10-28 The arcspringing near the 1st abutment cracked transversely and concrete was damaged

图10-29 $L/4$~$L/2$间勾缝剥离

Figure 10-29 The joints cracked from $L/4$ arch to $L/2$

图10-30 预制块件中部断裂

Figure 10-30 The precast blocks crackd

表 10-6　主拱拱腹线形实测值与理论值比较表
Table 10-6　Comparison between the actual elevation of the arch and the design

序号	实测值（m）		理论值（m）	偏差值（mm）	备注
	x	z	z	Δz	
1	0	0	0	0	拱脚
2	5.000	5.353	5.291	62	
3	10.000	9.170	9.138	32	
4	15.000	11.839	11.850	−11	$L/4$
5	20.000	13.606	13.645	−39	
6	25.000	14.594	14.668	−74	
7	30.000	14.883	15.000	−117	拱顶
8	35.000	14.582	14.668	−86	
9	40.000	13.552	13.645	−93	
10	45.000	11.736	11.850	−114	$3L/4$
11	50.000	9.056	9.138	−82	
12	55.000	5.243	5.291	−48	
13	59.971	0	0.013	−13	拱脚

注：x 为顺桥向坐标，z 为竖向坐标，坐标原点位于 0 号台拱脚。

拱上建筑在地震中遭受损伤。F1、F6 腹拱侧面均出现竖向裂缝，并贯通腹拱圈（图 10-31），F1 腹拱在拱脚也出现了裂缝，裂缝宽度 0.25mm，F9 拱顶出现横向贯通裂缝，宽度 0.2mm。H6、H7 横墙中间小拱开裂，并向侧面延伸（图 10-32），最大缝宽达 2mm。桥面栏杆存在混凝土剥落、露筋、缺失等现象。下部结构情况较好，桥台前墙、侧墙无开裂现象，也未发现台身存在受地震力引起外倾变形情况。桥梁震害一览见表 10-7。

图 10-31　F6 腹拱拱圈开裂
Figure 10-31　The 6th spandrel arch cracked

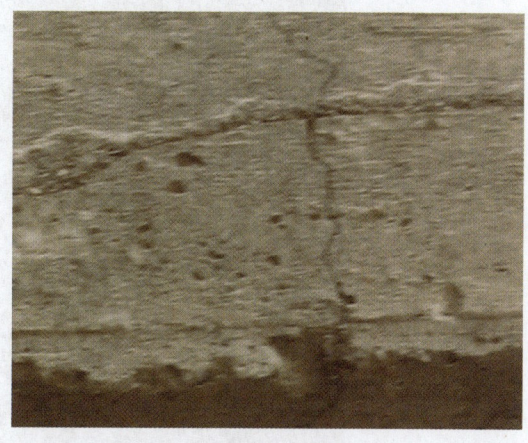

图 10-32　6 号横墙间小拱拱顶开裂
Figure 10-32　The concrete cracked in the middle of the 6th spandrel arch

表 10–7　桥梁震害一览表
Table 10–7　List of seismic damage to the bridge

受 损 位 置	震 害 现 象	程 度
主拱	拱脚开裂，$L/4$~$L/2$ 之间块件勾缝有剥落	严重
腹拱	F1、F6、F9 腹拱开裂	中等
腹孔横墙	H6、H7 横墙小拱开裂	中等
人行道栏杆	混凝土剥落、露筋、缺失等现象	严重
桥台	未见明显震害	无

10.5　中区 2 号桥 Zhongqu No.2 Bridge

10.5.1　桥梁概况 Outline of the bridge

中区 2 号桥为净跨 16m 的实腹式钢筋混凝土板拱桥，桥宽 7.5m，拱圈厚 0.55m，桥长 50m。拱上侧墙采用浆砌片石结构，桥面铺装为水泥混凝土，桥台为浆砌片石重力式桥台，采用扩大基础。桥轴方位角为 N–NW22°，设计时间 1992 年，按《公路工程抗震设计规范》（JTJ 004—89）进行抗震设计，抗震设防烈度为Ⅵ度[1]，场地类别为Ⅰ类，实际地震烈度为Ⅷ度[3]。

中区 2 号桥地震导致拱圈斜向开裂，未经处置，但限载通行，震害等级为 B 级（中等破坏）（图 10–33）。

图 10–33　震后的中区 2 号桥
Figure 10–33　The No.2 Zhongqu Bridge after the earthquake

10.5.2 桥梁震害概况 Outline of damage

由于拱上填料质量较大，在地震动作用下拱上侧墙受到填料挤压，侧墙在水平推力的作用下，引起1号台侧拱圈斜向开裂，最大缝宽达20mm，且部分混凝土破损脱落，该裂缝向下一直延伸至拱脚和桥台，并导致拱脚处混凝土开裂破损（约1.3m×0.15m）。同时，0号台侧拱脚至1/4跨拱圈右侧与侧墙接缝也开裂严重，最大缝宽3mm，尤其严重的是，侧墙已向外侧移动了约7mm，这表明侧墙与主拱的黏结已遭到破坏，目前侧墙的抗滑移主要靠摩擦力维持。受拱圈裂缝影响，1号台身距左侧1~1.6m有1条斜向裂缝。

水平地震力的作用还导致0号台侧墙出现斜向裂缝，裂缝延伸长度5.5m，从护栏向下延伸至拱脚，最大缝宽5mm，1号台侧墙也有整体外移趋势（图10-34~图10-37）。震害汇总见表10-8。

图10-34 1号台侧主拱圈斜向开裂并破损

Figure 10-34　The arch near the 1st abutment cracked obliquely and was damaged

图10-35 0号台侧墙外移

Figure 10-35　The wing wall near the abutment moved outward

图10-36 0号台侧墙开裂

Figure 10-36　The wing wall of the abutment cracked

图10-37 1号台侧墙外倾已采取措施加固

Figure 10-37　The inclined wing wall of the 1st abutment was repaired

表 10-8 震 害 一 览
Table 10-8 List of seismic damage to the bridge

受损位置	震害现象	程度
主拱	拱圈出现较大斜向裂缝，并伴有横向裂缝	严重
拱上侧墙	侧墙外移、开裂	严重
人行道栏杆	局部开裂	轻微
桥台	0号台侧墙开裂，1号台有外移趋势	严重

10.6　K768+000 小桥 Bridge in K768+000

10.6.1　桥梁概况 Outline of the bridge

该桥为 1×5m 的混凝土板拱桥，主拱圈为钢筋混凝土板拱结构，矢跨比 1/2，拱圈厚 0.4m，在横桥分为 2 片拱板，桥宽 11m，桥梁全长 16m，斜交角度 40°。拱上侧墙为浆砌块石，桥面铺装为水泥混凝土铺装。桥台为浆砌块石重力式桥台，扩大基础。桥轴方位角为 N-NE86°，设计时间 1991 年，按《公路工程抗震设计规范》（JTJ 004—89）进行抗震设计，抗震设防烈度为Ⅵ度[1]，场地类别为Ⅰ类，实际地震烈度为Ⅷ度[3]。

该桥震后未经处置，但限制通行，震害等级为 B 级（中等破坏）。

10.6.2　桥梁震害概况 Outline of damage

该桥虽然跨度不大，却是地震区较为少见的斜交拱桥。地震中，该桥拱顶竖向开裂，裂缝贯通整个拱圈高度，在横向延伸 3.8m 长，裂缝上宽下窄，拱圈上缘与侧墙接缝处弧形开裂。同时，在 1 号台侧拱脚与拱座接缝也出现裂缝，缝长 3.5m，且有轻微内移错台，表明拱脚已有错动，其无铰拱体系已发生转换。此外，由于地震作用，拱圈中间施工缝张开，拱顶处缝宽达 20mm，该缝沿竖向延伸至两岸桥台台身底部，导致桥台台身开裂。更为严重的是，拱圈右侧 1/4 跨附近出现一条横向裂缝，缝宽 3.5mm，沿横向贯通了整个拱圈，并与纵向裂缝交叉。3/4 跨也出现一条横向裂缝，最大缝宽 0.25mm。

桥台除主拱施工缝处的裂缝外，在 1 号台身在距拱脚约 1.0m 处，还出现一条横向裂缝，最大缝宽 0.2mm（图 10-38~图 10-40）。

图 10-38　震后的 K768+000 小桥
Figure 10-38 The K768+000 Bridge after the earthquake

图 10-39 拱顶裂缝
Figure 10-39 The vault cracked

图 10-40 桥台前墙开裂
Figure 10-40 The front wall of the abutment cracked

10.7 干溪河大桥 Ganxihe Bridge

10.7.1 桥梁概况 Outline of the bridge

干溪河大桥为 1×80m 空腹式钢筋混凝土板拱桥，矢跨比 1/3，桥梁全长 132.96m，桥梁全宽 7.5m。主拱为悬链线钢筋混凝土箱板拱，拱轴系数 2.814，拱圈宽 7.0m。横墙采用浆砌混凝土预制块，腹拱沿横桥向分为多片，通过纵向接缝连接各片腹拱。桥台采用重力式桥台，扩大基础。桥型布置见图 10-41。拱上建筑构造见图 10-42。

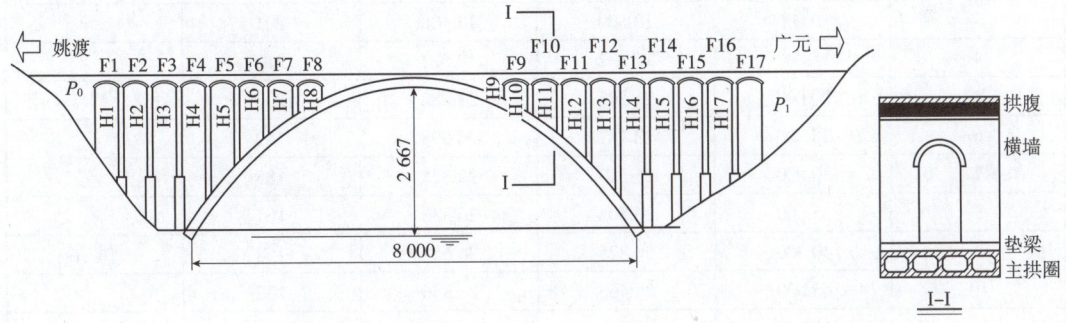

图 10-41 干溪河大桥桥型布置示意（尺寸单位：cm）
Figure 10-41 The bridge's layout of the Ganxihe Bridge (unit: cm)

干溪河大桥桥轴方位角为 N-NE177°，设计时间 1983 年，按 1977 年颁《公路工程抗震设计规范》（试行）进行抗震设计，抗震设防烈度为Ⅵ度[1]，场地类别为Ⅰ类，实际地震烈度为Ⅷ度[3]。地震及主拱拱轴线严重偏移理论值，导致腹拱拱顶处横向开裂，处置后限制通行，震害等级为 C 级（严重破坏）（图 10-43）。

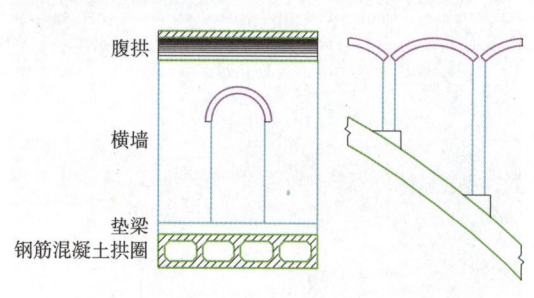

图 10-42 拱上建筑构造示意
Figure 10-42 The layout of the structure on the arch

图 10-43 震后的干溪河大桥
Figure 10-43 The Ganxihe Bridge after the earthquake

10.7.2 上部结构震害 Damage to superstructure

该桥是上承式拱桥中矢跨比较大的拱桥。震后对拱腹线的测量表明，拱腹线与理论拱腹线存在偏差（表 10-9），总体上呈 0 号台侧偏高，1 号台侧偏低的趋势。腹拱震害较多，但程度并不严重，F5、F6 腹拱拱顶处横向开裂，已贯通整个横桥向，但裂缝宽度不大，缝宽约 0.25mm，F1 腹拱拱脚与桥台接缝处开裂。此外，多个腹拱拱圈纵向接缝处有渗水现象，这表明，腹拱片间纵向接缝已有松动。横墙间小拱在拱顶处普遍有开裂现象。

表 10-9 主拱拱腹线形实测值与理论值比较表
Table 10-9 Comparison between the actual elevation of the arch and the design's

序号	实测值（m）		理论值（m）	偏差值（mm）	备注
	x	z	z	Δz	
1	0	0	0	0	拱脚
2	5.000	7.515	7.320	195	
3	10.000	13.309	13.108	201	
4	15.000	17.832	17.622	210	
5	20.000	21.505	21.282	223	$L/4$
6	25.000	23.787	23.598	189	
7	30.000	25.513	25.328	185	
8	35.000	26.503	26.336	167	
9	40.000	26.825	26.667	158	拱顶
10	45.000	26.463	26.336	127	
11	50.000	25.417	25.328	89	
12	55.000	23.672	23.598	74	
13	60.000	21.098	21.067	31	
14	65.000	17.626	17.622	4	$3L/4$
15	70.000	13.088	13.108	−20	
16	75.000	7.281	7.320	−39	
17	79.972	0.178	0.203	−25	拱脚

注：x 为顺桥向坐标，z 为竖向坐标，坐标原点位于 0 号台拱脚。

该桥桥面系震害较为明显，桥面栏杆存在混凝土剥落、露筋等现象，部分栏杆已缺失（图10-44~图10-47）。此外，由于桥面铺装开裂较为严重，调查时正在准备重新铺筑。上部结构震害汇总见表10-10。

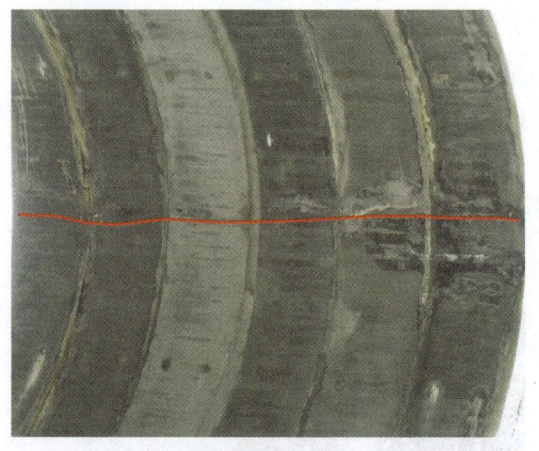

图10-44　5号腹拱拱顶横向贯通裂缝

Figure 10-44　The vault of the 5th spandrel arch cracked transversely

图10-45　多个腹拱横墙开裂

Figure 10-45　The walls of several spandrel archs cracked

图10-46　栏杆损伤严重

Figure 10-46　The rail damaged seriously

图10-47　F1腹拱拱脚开裂

Figure 10-47　The springin of the F1 spandrel arch cracked

表10-10　上部结构震害汇总

Table 10-10　List of seismic damage to the superstructures

受损位置	震害现象	程　度
主拱	无明显震害现象	无
拱上横墙	横墙小拱拱顶普遍开裂	一般
腹拱	F5、F6号腹拱拱顶横向开裂，F1腹拱拱脚开裂	一般
人行道护栏	破损露筋，局部缺失	严重

10.7.3 下部结构震害 Damage to substructure

受横向地震力作用，0号桥台右侧墙产生斜向裂缝，该裂缝向广元方向延伸至F1腹拱起拱线处，发展成水平向剪切裂缝，向姚渡方向一直延伸至台尾，为45°斜向裂缝，该裂缝与台后挡墙裂缝基本接通，并一直延伸至挡墙第2道沉降缝，这表明挡墙裂缝和桥台侧墙裂缝是同一原因导致的，桥台裂缝以上填料也受到扰动。左侧墙上，在F1腹拱起拱线附近（位置与右侧基本对应）出现了水平剪切裂缝，与右侧不同的是，该裂缝基本成水平线向后延伸，贯穿整个桥台，左侧台尾处侧墙还出现了竖向通长裂缝（图10-48~图10-51）。下部结构震害汇总见表10-11。

图10-48 0号台右侧裂缝
Figure 10-48 The right side of the abutment cracked

图10-49 0号台右侧侧墙斜向开裂
Figure 10-49 The right wing wall of the abutment cracked obliquely

图10-50 0号台右侧裂缝与挡墙裂缝接通
Figure 10-50 The right wing wall of the abutment cracked and the cracks extended to the retaining wall behind the abutmentl

图10-51 0号台左侧竖向通常裂缝
Figure 10-51 The left wing wall of the abutment cracked vertically and the cracks extended to the top of the rail

表 10–11 下部结构震害汇总
Table 10–11　Seismic damage to the substructures

受损位置	震害现象	程度
桥台前墙	未见明显震害现象	无
桥台侧墙	左右侧墙开裂，裂缝沿顺桥向贯通	严重
锥坡护坡	无锥坡	无

10.8　苍溪河大桥 Cangxihe Bridge

10.8.1　桥梁概况 Outline of the bridge

苍溪河大桥为 4×25m 简支梁桥，桥宽 12m，桥梁全长 110m。主梁为预应力混凝土空心板桥，支座为板式橡胶支座，采用沥青混凝土桥面铺装，桥墩采用双柱式墩，桥台为肋板式桥台，墩、台均采用桩基础。

苍溪河大桥桥轴方位角为 N-NE179°，设计时间 2005 年，采用《公路工程抗震设计规范》（JTJ 004—89）设计规范，场地类别为Ⅱ类，设计地震烈度为Ⅵ，实际地震烈度为Ⅶ。

主要震害：主梁移位、支座变形、挡块开裂。震害等级为 B 级（中等破坏）（图 10-52）。

图 10-52　震后的苍溪河大桥
Figure 10-52　The Cangxihe Bridge after the earthquake

10.8.2　桥梁震害概况 Outline of damage

地震中该桥主梁出现平面移动，横向移动导致 0、4 号台及 2、3 墩所有挡块开裂，部分挡块甚至被剪断。纵向移动导致主梁护栏撞击 0 号桥台护栏，使得该桥台护栏与桥台分离，同时使得 1 号桥台伸缩缝处护栏开裂，由此判断，主梁纵向移位方向为姚渡侧。由于主梁移位还使得支座大面积出现剪切变形、局部脱空、支座移位等震害，少数支座已滑出支座垫石。1、3 号墩还出现了较为少见的垫石破损。

桥墩和台身表现较好，未发现开裂、压溃等明显震害现象，但 0 号桥台耳墙出现开裂现象，两岸桥台锥坡、护坡均明显下沉并局部坍塌（图 10-53~图 10-58）。主要震害汇总见表 10-12。

图 10-53　0 号台侧护栏相互撞击
Figure 10-53　The joint between the rails on the abutment closed

图 10-54　1 号台伸缩缝处护栏拉断
Figure 10-54　The rail near the expansion joint of the 1st abutment cracked

图 10-55　主梁横移导致主梁与挡块抵紧
Figure 10-55　The gap between the beam and the block closed due to reansverse displacement of the beams

图 10-56　支座移位几乎从垫石滑落
Figure 10-56　The bearing moved nearly out of the bearing plinths

图 10-57　0 号台护坡开裂下沉
Figure 10-57　The slope in front of the abutment cracked and sunk

图 10-58　4 号台护坡开裂下沉
Figure 10-58　The cone slope of the 4th abutment cracked and sunk

表 10-12 主要震害一览
Table 10-12 List of the main seismic damage to the bridge

受损位置	震害现象	程 度
主梁	顺、横桥向移位,顺桥向移位方向向姚渡侧	一般
支座	所有墩台的支座均有不同程度的剪切变形、局部脱空、移位等震害	严重
防撞护栏	0号台侧受挤压,1号台侧拉开	严重
墩柱	未见明显震害	无
台身	未见明显震害	无
耳墙	0号台耳墙开裂	一般
锥坡、护坡	两岸桥台锥坡护坡均下沉、局部坍塌	严重

10.9　王家营1号桥 Wangjiaying No.1 Bridge

10.9.1　桥梁概况 Outline of the Bridge

王家营1号桥为5×20m简支梁桥,桥宽12m,桥梁全长为110m。主梁采用钢筋混凝土矩形截面梁加现浇桥面板结构,横向设7片主梁,单跨5道横隔板。主梁截面高115cm、腹板宽18.5cm,主梁间距为142cm。横隔板宽20cm,高86.5cm。支座采用板式橡胶支座,桥墩、桥台均为桩柱式结构。该桥设计时间2002年,按《公路工程抗震设计规范》(JTJ 004—89)进行抗震设计,抗震设防烈度为Ⅵ度[1],场地类别为Ⅱ类,实际地震烈度为Ⅷ度[3]。

地震导致主梁横桥向和顺桥向移位。震后限制通行,震害等级为B级(中等破坏)(图10-59)。

图 10-59　检测中的王家营1号桥
Figure 10-59　The No.1 Wangjiayin Bridge was inspected

10.9.2 桥梁震害概况 Outline of damage

地震中王家营 1 号桥主梁出现了较为剧烈横桥向和顺桥向振动并有残留位移。横桥向残留位移方向向路线左侧，移位量约 2.5cm，横向移位导致主梁栏杆与桥台栏杆错开。顺桥向残留位移方向向姚渡侧，主梁的纵向振动导致 0 号台伸缩缝处栏杆被挤压破损，同时，由于各跨的相互碰撞，还导致第 3、4、5 跨主梁梁端混凝土破损、剥落。一个值得注意的震害现象是第 2~5 跨部分支座完全从梁底滑出，导致部分主梁直接支承与盖梁上，例如 2 号墩顶处的第 2 跨 4~7 号梁和第 3 跨 3~6 号梁，虽然主梁仍有可靠支承，但由于缺少支座，桥墩水平力的分配与设计情况会有差别。

该桥桥墩情况良好，未见开裂、压溃等震害，桥台震害仅出现在 0 号台。0 号台左侧墙上部，出现 1 条横向阶梯状贯通裂缝，缝宽 1.00mm；右侧墙上部，1 条横向贯通裂缝，缝宽 1.00mm（图 10-60~图 10-63）。主要震害汇总见表 10-13。

图 10-60　主梁横向移位导致栏杆错位

Figure 10-60　The guardrail dislocation due to the girders moved

图 10-61　主梁纵向移位导致栏杆碰撞

Figure 10-61　The rails damaged due to the longitudinal displacement of the girder

图 10-62　主梁纵向碰撞导致梁端混凝土破损

Figure 10-62　The end of the beams was destroyed due to the longitudinal displacement of the girder

图 10-63　主梁直接支承在主梁上

Figure 10-63　The girder supported directly on the pier head

表 10-13 主要震害汇总
Table 10-13　List of the main seismic damage to the bridge

受 损 位 置	震 害 现 象	程　　度
主梁	顺、横桥向移位，顺桥向移位方向向姚渡侧	一般
支座	部分支座从梁底滑出，质量直接支承与盖梁	严重
防撞护栏	0号台侧受挤压	严重
墩柱	未见明显震害	无
桥台	0号台侧墙开裂	无
锥坡、护坡	两岸桥台锥坡护坡均下沉、局部坍塌	严重

第 11 章 甘肃、陕西境内桥梁
Chapter 11　The Highway in Gansu Province and Shaanxi Province

11.1　震害概要 Outline of damage

11.1.1　道路及桥梁概况 Outline of route and bridges

汶川地震除对四川境内造成了极大的破坏外，对其邻近省份也造成了一定的破坏。特别是沿断裂带走向的陕西省与甘肃省境内的公路桥梁，也表现出较为明显的震损。地震对甘肃省公路影响的区域主要是甘、川、陕三省交界的陇南地区。陇南地区地处西秦岭东西向褶皱带发育的陇南山地，位于我国阶梯地形的过渡带。东与陕西秦岭和汉中盆地连接，南部向四川盆地过渡，处于亚热带向暖温带过渡地带；对陕西省的影响区域主要是陕、川、甘三省交界的汉中地区。汉中地区地处秦岭南坡山地，位于我国阶梯地形的过渡带。南部向四川盆地过渡，处于亚热带向暖温带过渡地带。

在震害调查中，甘肃省公路管理局与陕西省公路局分别对各自管辖区域内受地震影响较大的国省干线公路桥梁震害情况进行调查。甘肃省调查国省干线桥梁共计 113 座，散布于国道 212 线武都至关头坝桥段、国道 212 线碧口至罐子沟段、省道 205 线江洛至武都段等线路中；陕西省调查国省干线桥梁共计 152 座，散布于国道 108 线城固至宁强段、省道 309 勉县至略阳段、省道 211 线汉中至南郑段等线路中。陕西、甘肃省调查桥梁地理位置图见图 11-1。

图 11-1　甘肃、陕西境内调查国省干线公路地理位置图

Figure 11-1　Location of the highways in Gansu Province and Shaanxi Province

11.1.2 桥梁震害情况 Outline of bridge damage

甘肃、陕西两省地震实际烈度跨越Ⅵ~Ⅸ度区，在地震中，受灾情况相对较轻，区域内仅有罗旋沟桥1座桥完全失效（D级震害），该桥在地震中主拱拱脚处严重开裂错位，后在余震中全桥垮塌；出现严重破坏（C级震害）的桥梁也仅有1座，此外还有15座桥梁出现中等破坏（B级震害），其余桥梁则仅出现轻微破坏或未破坏（A级震害）。道路中震害情况较为典型的桥梁将在本节后进行详细介绍。

11.2 罗旋沟桥 Luoxuangou Bridge

11.2.1 桥梁概况 Outline of the bridge

地处甘肃省境内的罗旋沟桥位于国道212线碧口至罐子沟段，桥位地形为U形沟壑。中心桩号为K700+643，为1×40m混凝土无铰板拱桥，在两岸桥台处设置沥青麻絮简易伸缩缝，桥宽7.5m，重力式桥台，明挖扩大基础。桥梁抗震设防烈度为Ⅶ度，桥址处实际烈度为Ⅸ度，场地类别为Ⅱ类场地。该桥在"5·12地震"主震中严重受损，后在2008年8月5日发生的6.1级姚渡余震中完全垮塌，桥梁震损评级为D级（完全失效）。罗旋沟桥震前桥梁照片见图11-2，垮塌后照片见图11-3。桥梁的主要设计参数如下：

- 上部结构：1×40m 圬工板拱
- 下部结构：重力式桥台
- 基础：扩大式基础
- 抗震设防烈度：Ⅶ
- 采用抗震规范：《公路工程抗震设计规范》（JTJ 004—89）
- 实际地震烈度：Ⅶ
- 场地类别：Ⅱ类场地

图 11-2 震前的罗旋沟桥

Figure 11-2 The Luoxuangou Bridge before the earthquake

图 11-3 罗旋沟桥在余震中完全坍塌

Figure 11-3 The Luoxuangou bridge collapsed during the aftershock

11.2.2 桥梁震害概况 Outline of damage

罗旋沟桥主要震害表现为：在主震后兰州岸主拱拱脚处有错动痕迹，混凝土少许脱落，兰州岸1号腹拱右侧顶铰处半幅下沉错动2cm，重庆岸桥台侧墙距顶面90cm、120cm处各有一处水平裂缝，混凝土预制块砌体勾缝脱落；兰州岸1号腹拱右侧顶铰处错动约2cm。桥面铺装破坏严重，桥台背填土下沉。罗旋沟桥震害简图如图11-4所示，主震后的桥梁破坏情况参见图11-5~图11-7。

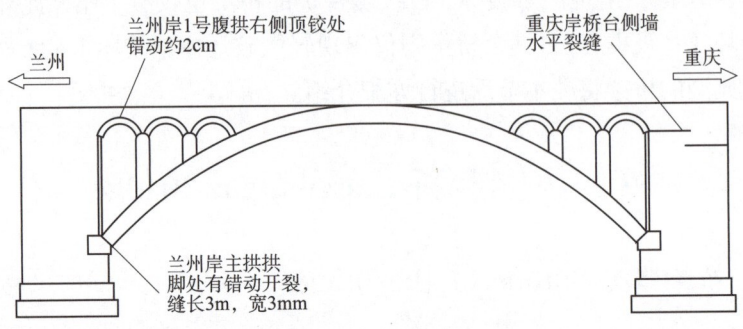

图 11-4 震害简图

Figure 11-4　The seismic damage to the bridge

图 11-5 重庆岸桥台侧墙水平裂缝

Figure 11-5　The horizontal cracks occurred on the wing wall of the Chongqing side's abutment

图 11-6 拱脚处错动

Figure 11-6　The concrete of the springing cracked

图 11-7 腹拱顶铰处下沉

Figure 11-7　The top hinge of the spandrel arch sunk and cracked

汶川地震主震与随后的余震使缺乏延性的主拱圈导致圬工咬合砌缝产生了一定的松动，随后在2008年8月5日发生的6.1级姚渡余震中完全坍塌，如图11-8所示。本次余震震中位于四川省与甘肃省交界的姚渡附近，虽震级远小于主震，但其震源地距离罗旋沟桥更近，余震导致该桥位处数公里范围内路基严重变形、开裂、错台、沉陷（图11-9），对本桥所造成的破坏较主震更为严重，从而导致该桥主拱圈坍塌。

第 11 章　甘肃、陕西境内桥梁

图 11-8　桥梁完全坍塌
Figure 11-8　The bridge collapsed completely

图 11-9　桥头引道路基开裂变形
Figure11-9　The surfacing of the road near the bridge deformed and cracked

11.3　甘家沟桥 Ganjiagou Bridge

11.3.1　桥梁概况 Outline of the bridge

甘家沟桥位于甘肃省境内国道 212 线武都至关头坝段，桥梁中心桩号为 K461+050，为 1×30m 双曲拱桥，设计荷载为汽车—20 级、挂车—100 级，建成于 1991 年。桥位地形为 U 形沟壑。"5·12 地震"前桥梁情况见图 11-10。桥梁的主要设计参数如下：

- 上部结构：1×30m 双曲拱桥
- 下部结构：重力式 U 型桥台
- 基础：扩大式基础
- 竣工时间：1991 年
- 采用抗震规范：《公路工程抗震设计规范》（JTJ 004—89）
- 抗震设防烈度：Ⅶ
- 实际地震烈度：Ⅸ
- 场地类别：Ⅱ类场地

图 11-10　震前的甘家沟桥
Fig 11-10　The Ganjiagou Bridge before the earthquake

11.3.2　桥梁震害概况 Outline of damage

甘家沟桥地震中发生轻微破坏，震害等级为 B 级（中等破坏）。该桥主要震害表现为：腹拱、拱波、拱上侧墙等部位既有的裂缝变宽，最大宽度达 8mm；兰州岸 2 号腹拱下游顶铰处下沉、错动，对桥梁结构安全有较大影响。甘家沟桥震害简图见图 11-11，地震破坏情况如图 11-12 和图 11-13 所示。

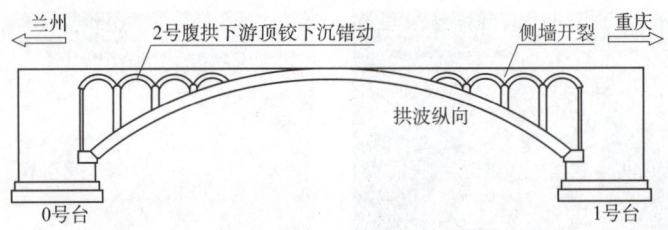

图 11-11　甘家沟桥主要震害简图
Figure 11-11　The seismic damage to the Ganjiagou Bridge

甘家沟桥拱波既有的纵向裂缝，缝宽在规范限制内，"5·12 地震"后，裂缝宽度扩张，兰州岸 2 号腹拱下游顶铰处下沉、错动（图 11-12），拱上侧墙裂缝继续扩张，缝宽达 8mm（图 11-13）。

图 11-12　腹拱顶铰下沉错动
Figure 11-12　The top hinge of the spandrel arch sunk and cracked

图 11-13　侧墙裂缝
Figure 11-13　The wing wall cracked

11.4　关头坝大桥 Guantouba Bridge

11.4.1　桥梁概况 Outline of the bridge

位于甘肃省境内的国道 212 线关头坝大桥为区域内唯一出现震害的悬索桥，该桥桥梁宽 7.5m，跨径组合为 $1\times8m+1\times180m+1\times16m$。主跨为 $1\times180m$ 钢桁架加劲梁双链式悬索桥，桥梁中心桩号为 K658+700。大桥震前桥梁照片见图 11-14，桥梁的主要设计参数如下：

- 上部结构：$1\times8m+1\times180m+1\times16m$　　・支座：油毛毡
- 桥塔构造：门式桥塔　　・基础：扩大式基础
- 竣工时间：1988 年　　・抗震设防烈度：Ⅶ
- 采用抗震规范：1977 年颁《公路工程抗震设计规范》（试行）
- 实际地震烈度：Ⅸ　　・场地类别：Ⅱ类场地

11.4.2　桥梁震害概况 Outline of damage

关头坝大桥在地震中出现吊杆外斜、桥面开裂等破坏，震损等级为 B 级（中等破坏）。

震害简图见图11-15。据桥管所人员和桥上车辆汽车驾驶员的回忆描述，地震时桥梁上部结构振动、摆动厉害，由于主要承重结构为柔性体系，所以桥梁振幅较大，部分吊杆出现歪斜、偏移等病害；此外，该桥兰州岸右侧索塔外侧面距桥面以上20cm处、重庆岸右侧索塔距桥面30cm处分别有一条水平表面裂缝（图11-16），以上裂缝处钢筋保护层厚度在0.5~2cm之间，钢筋锈蚀严重，腐蚀反应后导致混凝土膨胀、松散（捶击可敲落），地震后已经松散的混凝土出现裂缝；包裹吊索的黄油部分脱落，兰州岸锚室(锚索活动端)第二、第三排钢索锚固端塑料纸包裹的黄油震落（图11-17）。

图 11-14　震前的关头坝桥

Figure 11-14　The Guantouba Bridge before the earthquake

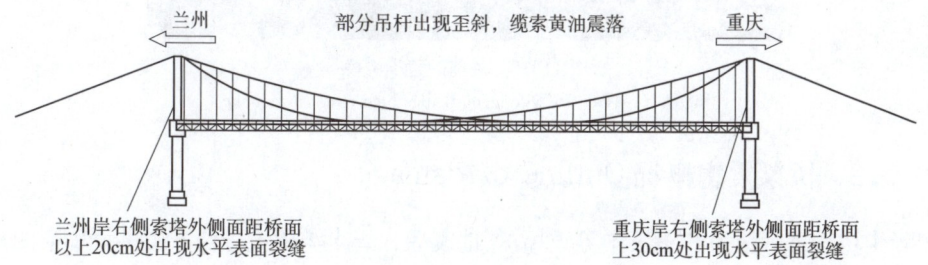

图 11-15　主要震害简图

Figure 11-15　The seismic damage to the bridge

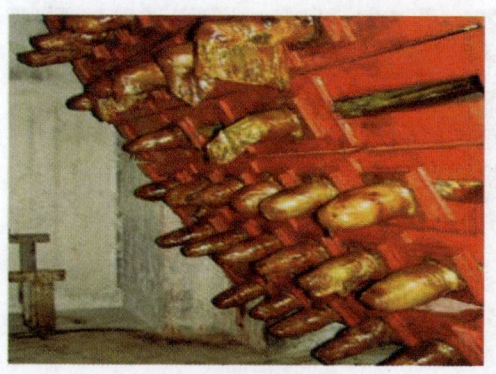

图 11-16　索塔水平裂缝　　　　　图 11-17　黄油震落

Figure 11-16　The horizontal cracks on the tower　　Figure 11-17　Oil dropped

11.5 碧峰沟桥 Bifenggou Bridge

11.5.1 桥梁概况 Outline of the bridge

碧峰沟桥位于甘肃省境内，为国道 212 线碧口至罐子沟段的刚架拱桥。桥梁中心桩号为 K676+424，桥面宽度 8m，该桥震前桥梁照片见图 11-18。桥梁的主要设计参数如下：

- 上部结构：1×30m 刚架拱
- 下部结构：重力式桥台
- 竣工时间：1987 年
- 抗震设防烈度：Ⅶ
- 采用抗震规范：1977 年颁《公路工程抗震设计规范》（试行）
- 实际地震烈度：Ⅷ
- 场地类别：Ⅲ类

图 11-18　震前的碧丰沟桥
Figure 11-18　The Bifenggou Bridge before the earthquake

11.5.2 桥梁震害概况 Outline of damage

碧峰沟桥震害等级为 B 级（中等破坏）。地震后，碧丰沟桥 1 号台下游拱片（第四片）湿接缝出现裂缝，缝长 0.4m，缝宽 2mm。碧丰沟桥下部结构无明显影响结构安全的震害，地震导致两岸桥台产生纵向位移，伸缩缝处桥面隆起，桥梁震后情况参见图 11-19~图 11-21。

图 11-19　护岸坍塌
Figure 11-19　The retaining wall collapsed

图 11-20　拱片开裂
Figure 11-20　The arch cracked

图 11-21 桥面隆起

Figure 11-21 The surfacing raised

11.6 毛沟坪 2 号桥 Maogouping No.2 Bridge

11.6.1 桥梁概况 Outline of the Bridge

毛坪沟 2 号桥位于甘肃省境内国道 212 线文县境内，桥位地形为 U 形沟壑。桥梁中心桩号为 K691+425，为斜交钢筋混凝土空心板桥。在两岸桥台设置沥青麻絮简易伸缩，地震前桥梁照片见图 11-22。其主要设计参数如下：

- 上部结构：2×10m 斜交现浇板梁
- 桥墩：双柱式排架墩
- 桥台：重力式 U 型桥台
- 竣工时间：1998 年
- 采用抗震规范：《公路工程抗震设计规范》（JTJ 004—89）
- 抗震设防烈度：Ⅶ
- 支座：板式橡胶
- 桥墩高度：10.5m
- 基础：扩大式基础
- 实际地震烈度：Ⅷ

11.6.2 桥梁震害概况 Outline of damage

毛沟坪 2 号桥震害主要表现为：重庆岸桥台下游(钝角)侧墙开裂，外倾约 15cm；自支座处斜向下产生斜向裂缝，桥台上游支座处梁体挤裂，裂缝长 30cm，宽 30cm；兰州岸 0 号桥台下游锥坡下沉；重庆岸桥台侧墙斜向开裂、外倾，存在较大安全隐患，需对桥台进行应急加固，以保障车辆安全通行。震害评定等级为 C 级（严重破坏）。

图 11-22 震前的毛沟坪 2 号桥

Figure 11-22 The No.2 Maogouping Bridge before the earthquake

图 11-23　支座处梁体挤裂

Figure 11-23　The beam cracked near the bearings

毛沟坪 2 号桥主梁为现浇板，无明显的开裂等影响主梁承载力的结构性震害，仅 2 号桥台（重庆岸）下游支座处梁体被挤裂，裂缝长 30cm，宽 30cm（图 11-23）；下部结构震害较为严重，震害主要表现为，重庆岸桥台下游(钝角)侧墙开裂，自支座处斜向下沿混凝土预制块砌缝产生斜向裂缝，外倾约 15cm，台身纵移外倾存在较大安全隐患，严重影响桥梁安全使用（图 11-24 和图 11-25）。

图 11-24　2 号桥台下游（钝角）侧墙开裂

Figure 11-24　The wing wall of the No.2 abutment cracked on the downstream side

图 11-25　侧墙外倾

Figure 11-25　The wing wall inclined outward

11.7　东河桥 Donghe Bridge

11.7.1　桥梁概况 Outline of the bridge

位于甘肃省省道 205 线江洛至武都段的东河桥建成于 2001 年，上部为 13×20m 钢筋混凝土 T 形梁，下部结构为双柱式排架墩。桥梁中心桩号为 K21+860。地震前桥梁照片见图 11-26。其主要设计参数如下：

- 上部结构：13×20m 预应力 T 梁
- 支座：板式橡胶
- 桥墩：双柱式排架墩

图 11-26　震前的东河桥

Figure 11-26　The Donghe Bridge before the earthquake

- 最高/矮桥墩高度：8.4m/6.6m
- 桥台：重力桥台
- 基础：桩基础
- 竣工时间：1998 年
- 采用抗震规范：《公路工程抗震设计规范》（JTJ 004—89）
- 抗震设防烈度：Ⅶ
- 实际地震烈度：Ⅷ
- 场地类别：Ⅱ类

11.7.2 桥梁震害概况 Outline of damage

东河桥震害主要表现为，3~9 跨桥墩与地系梁结点处开裂，缝宽 1~3mm 不等（图 11-27），第 1、5、14 道伸缩缝后浇带混凝土开裂（图 11-28）。该桥震害评定等级为 B 级（中等破坏）。

图 11-27 墩柱环向开裂
Figure 11-27 The pier cracked circumferentially

图 11-28 伸缩缝处混凝土破损
Figure 11-28 The concrete near the expansion joint was destroyed

11.8 毛坝大桥 Maoba Bridge

11.8.1 桥梁概况 Outline of the bridge

位于甘肃省省道 205 线江洛至武都段的毛坝大桥建成于 1967 年，上部为 5×22.2m 钢筋混凝土 T 形梁，双柱式排架墩，0 号台、3 号墩、5 号台设仿毛勒伸缩缝。桥梁中心桩号为 K65+735。震前桥梁照片见图 11-29。主要设计参数如下：

- 上部结构：5×22.2m
- 支座：板式橡胶
- 桥墩：双柱式排架墩

图 11-29 震前的毛坝大桥
Figure 11-29 The Maoba Bridge before the earthquake

- 最高/矮桥墩高度：8.2m/6.6m
- 基础：桥墩沉井基础，桥台扩大基础
- 采用抗震规范：未采用抗震规范
- 实际地震烈度：Ⅷ
- 桥台：重力式U型桥台
- 竣工时间：1967年
- 抗震设防烈度：Ⅶ

11.8.2 桥梁震害概况 Outline of damage

毛坝桥原设计荷载等级低，2007年对上部实施了提载加固。在0号桥台第一跨T梁产生位移，导致0号台上下游挡块开裂（图11-30）。3号墩顶伸缩缝处混凝土开裂（图11-31）。毛坝大桥下部结构震害较为严重，震害主要表现为，1~4号双柱式墩柱与系梁连接处产生起层拉裂病害（图11-32、图11-33）。

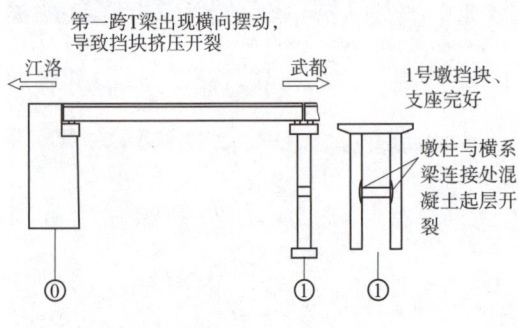

图11-30 毛坝桥第一跨主要震害图

Figure 11-30 The main seismic damage of the first span of the Maoba Bridge

图11-31 伸缩缝处混凝土拉裂

Figure 11-31 The concrete near the expansion joint cracked

图11-32 3号墩柱和横系梁连接处拉裂

Figure 11-32 The conctrete of the 3rd column near the tie beam was damaged

图11-33 2号墩柱和横系梁连接处拉裂

Figure 11-33 The conctrete of the 2nd column near the tie beam was damaged

11.9 酉水河大桥 Youshuihe Bridge

11.9.1 桥梁概况 Outline of the bridge

陕西省境内的酉水河大桥位于国道 108 线城固至宁强段，桥梁中心桩号为 K1564+230，桥梁跨越酉水河，为双曲拱桥，1973 年建成，桥梁孔跨组合 1×20m+2×45m，全长 132m。震前桥梁照片见图 11-34，桥梁基本设计参数如下：

- 上部结构：1×20m+2×45m 双曲拱
- 桥墩：圬工重力墩
- 桥台：重力桥台
- 基础：扩大基础
- 竣工时间：1973 年
- 采用抗震规范：未进行抗震设防
- 场地类别：Ⅱ类
- 实际地震烈度：Ⅵ

图 11-34 震前的酉水河桥
Figure 11-34 The Youshuihe Bridge before the earthquake

11.9.2 桥梁震害概况 Outline of damage

地震中酉水河桥震害轻微，震害等级为 A 级。其主要震害为主拱拱波处原有裂缝在地震中有所加剧，见图 11-35。

a)

b)

图 11-35 震后的拱部裂缝
Figure 11-35 The cracks of the arch after the earthquake

11.10 嘉陵江大桥 Jialingjiang Bridge

11.10.1 桥梁概况 Outline of the bridge

位于陕西省省道309线勉县至略阳段的嘉陵江大桥中心桩号为K1024+800，跨越嘉陵江，桥位地形为对称的U形河谷，高程830.1m。本桥为下承式无推力系杆拱桥，桥宽10m，孔跨组合4×55m。实际地震烈度为Ⅷ度，震后图片见图11-36。

图11-36 震后嘉陵江大桥
Figure 11-36 The Jialingjiang Bridge after the earthquake

11.10.2 桥梁震害概况 Outline of damage

嘉陵江大桥主体结构在地震中并未出现明显震害，但其护栏、人行道板等附属结构出现一定的破坏，该桥震害等级为A级（轻微破坏）。嘉陵江大桥的震害表现为：上部结构人行道开裂，系杆柱混凝土开裂，桥梁桁架出现混凝土剥落、开裂，如图11-37、图11-38所示。

图11-37 人行道裂缝　　　　　　　图11-38 系杆柱混凝土开裂
Figure 11-37 The verge slabs cracked　　Figure 11-38 The concrete of the column cracked

第 12 章　城市桥梁及县乡级道路桥梁
Chapter 12　Urban Bridge and Country Road Bridge

12.1　调查情况说明 Investigation showed

除对重灾区的国省干线公路桥梁进行调查外，还对重灾区部分县乡道路上的桥梁和市政桥梁进行了调查，共计 53 座。8 座桥梁发生 D 级震害（完全失效），2 座桥梁发生 C 级震害（严重震害），8 座桥梁发生 B 级震害（中等震害），35 座桥梁发生 A 级震害（轻微震害或无震害）。调查的县乡级道路桥梁概况表参见附录 D。

由于这些桥梁桥型各异，桥址区域分散，桥位区地震动特性差异较大，故不对其进行统计分析，仅对震害情况较为典型的小渔洞大桥、金花大桥、绵竹回澜立交桥等破坏较为严重与典型的桥梁进行详细介绍。

12.2　小渔洞大桥 Xiaoyudong Bridge

12.2.1　桥梁概况 Outline of the bridge

小渔洞大桥位于进出四川省著名旅游景区——银厂沟的必经之路彭白路。该桥为上承式刚架拱桥，主拱由 5 片拱组成，拱圈两侧各布置 5 组斜撑，拱片之间通过横隔梁连接，顶部设微弯板。采用现浇混凝土桥面铺装，桥墩采用排架墩，其中 2 号墩为群桩制动墩，桥台为组合式桥台。小渔洞大桥桥型布置见图 12-1，震后情况如图 12-2 所示。主要设计参数如下：

- 上部结构：4×40m
- 桥宽：12m
- 计算矢高：5m
- 矢跨比：1/8
- 桥墩构造：1、3 号墩为圆形排架墩，2 号墩为群桩制动墩
- 桥台：组合式桥台
- 基础：桩基础
- 桥轴方向角：北偏西 10°
- 竣工时间：1998 年
- 采用抗震规范：《公路工程抗震设计规范》（JTJ 004—89）
- 设计设防烈度：Ⅶ
- 实际地震烈度：Ⅺ
- 场地类别：Ⅱ类

12.2.2　桥梁震害概况 Outline of damage

小渔洞大桥主要震害为第 3、4 跨完全垮塌；第 1 跨主拱圈彭州侧拱脚完全断裂，主

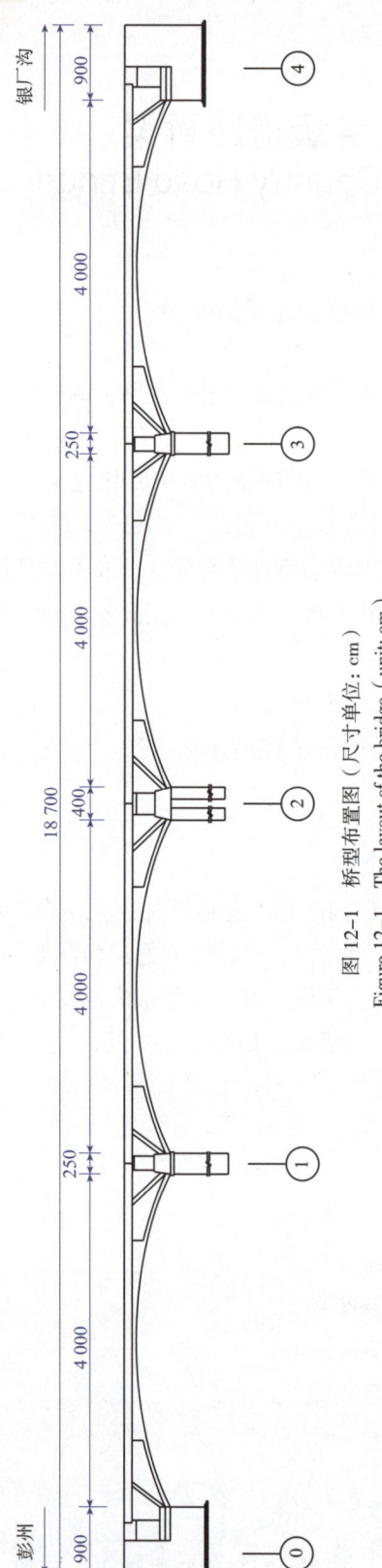

图 12-1　桥型布置图（尺寸单位：cm）
Figure 12-1　The layout of the bridge (unit: cm)

图 12-2　震后小渔洞大桥
Figure 12-2　The Xiaoyudong Bridge after the earthquake

拱圈滑落于堤坝上；3号墩向彭州侧倾斜，墩底出现塑性铰并有上移趋势；4号台帽梁后移，侧墙发生严重剪切破坏。

该桥处于从彭州小鱼洞镇发育的一条次级断裂带上，该断裂带 NW 走向，表现为 SW 向 NE 逆冲现象，并带有左旋特征。小鱼洞大桥桥位走向与小断裂带走向几乎垂直，相距不到200m，调查结构表明，该桥主体结构表现出明显的纵向移位。小鱼洞大桥桥位如图12-3 所示。

由于该桥在地震中完全失效，震害等级为 D 级，已作为地震遗址永久保留。

图 12-3　桥位与断层

Figure 12-3　Location of the bridge and the fault

12.2.3　主拱及拱上建筑震害 Damage to main arches and spandrel constructions

小鱼洞大桥主拱结构整体受损严重，主要震害为第3、4跨主拱完全垮塌，如图12-4和图12-5 所示；第1跨主拱0号桥台侧拱脚、斜撑折断，残余结构搭于河岸堤坝上，主拱圈严重变形，如图12-6 和图12-7 所示；第2跨主拱相对完整，但在2号墩侧5号斜撑底部结点压溃，5号横隔板附近主拱压溃，如图12-8 和图12-9 所示。

小鱼洞大桥破坏的孔跨主拱圈拱脚、斜撑等构件破坏严重，第1跨0号台附近5片主拱圈拱脚、斜撑结点完全破坏（图12-10、图12-11），1号墩侧主拱圈变截面处严重开裂（图12-12）；第3、4跨主拱圈两侧拱脚、斜撑均完全断裂，第4跨主拱圈在4号桥台侧拱脚钢筋拉断，两跨主拱完全垮塌（图12-13~图12-15）。

主拱结构的严重破坏导致小鱼洞大桥桥面系也出现极为严重的震害现象。该桥第1、2跨桥面板有明显的相对纵横向移位，第1跨拱顶明显下挠，导致桥面成波浪形（图12-16）；0号桥台引桥搭板受第一跨桥面系冲击，搭板严重开裂（图12-17）。第3、4跨桥面板完全断裂，掉入河中（图12-18 和图12-19）。

图 12-4 垮塌的第 3 跨
Figure 12-4　The 3rd span was destroyed

图 12-5 垮塌的第 4 跨
Figure 12-5　The 4th span was destroyed

图 12-6 第 1 跨主拱搭在堤坝上
Figure 12-6　The 1st arch was fell on the river bank

图 12-7 第 1 跨主拱圈斜撑折断，主拱严重变形
Figure 12-7　The 1st arch was broken off

图 12-8 相对完整的第 2 跨
Figure 12-8　The 2nd span

图 12-9 第 2 跨横隔板处主拱局部压溃
Figure 12-9　Concrete of the arch near the second diaphragm was crushed locally

第 12 章　城市桥梁及县乡级道路桥梁

图 12-10　第 1 跨主拱圈拱脚结点处破坏

Figure 12-10　The springing of the 1st span was destroyed near the abument

图 12-11　第 1 跨 1 号斜撑顶部结点剪断

Figure 12-11　The top of the 1st diagonal brace of the 1st span was damaged because of sheer force

图 12-12　第 1 跨主拱圈变截面处破坏

Figure 12-12　The arch was out of shape in the 1st span

图 12-13　2 号墩处第 3 跨拱脚破坏

Figure 12-13　The arch springing destoyed in the 3rd span near the 2nd pier

图 12-14　3 号墩处拱脚、斜撑完全破坏

Figure 12-14　The arch spinging destroyed near the 3rd pier

图 12-15　4 号台处拱脚破坏，钢筋拉断

Figure 12-15　The arch spinging destoyed near the abument

421

图 12-16　第 1、2 跨桥面

Figure 12-16　The surfacing of the 1st and 2nd span

图 12-17　0 号台桥头搭板冲击破坏

Figure 12-17　The run-on slab of the 1st abutment collapsed

图 12-18　第 3 跨桥面破坏

Figure 12-18　The 3rd span collapsed

图 12-19　第 4 跨桥面破坏

Figure 12-19　The 4th span collapsed

图 12-20　2 号右墩顶彭州侧环向开裂

Figure 12-20　The top of the column on the Pengzhou side of the 2nd pier cracked circumferentally

12.2.4　桥墩震害 Damage to piers

小鱼洞大桥桥墩为桩基础，墩桩同径。1、3 号墩为双柱式墩，3 号墩墩身在震前的维修中采用钢护筒加固，如图 12-14 所示；2 号墩为制动墩，拱座承台下设 4 根群桩基础。

该桥桥墩主要震害为墩柱倾斜、开裂，并出现塑性铰。具体为 2 号右墩顶彭州侧环向开裂（图 12-20），3 号墩向彭州方向倾斜（图 12-21），墩底压溃出现塑性铰并有上移趋势（图 12-22）。

12.2.5　桥台震害 Damage to abutments

桥台主要震害为桥台开裂，挡块破坏，台帽后移。具体为 0 号台左侧挡块破损（图

12-23），右侧锥坡破坏（图12-24），且前墙侧墙开裂（图12-25）；4号台左侧帽梁与台身接缝被完全剪坏，台帽后移，侧墙剪切破坏（图12-26）。

图12-21　3号墩向彭州侧倾斜、墩底塑性铰

Figure 12-21　The 3rd pier inclined to Pengzhou side, the plastic hinge occurred on the bottom of the 3rd pier

图12-22　3号左墩塑性铰区域

Figure 12-22　The plastic hinge occured on the left column of the 3rd pier

图12-23　0号台左侧挡块破损

Figure 12-23　The left concrete restricted block of the abutment was destroyed

图12-24　0号台右侧锥坡破坏

Figure 12-24　The right conical slope of the abutment was damaged

图12-25　0号台侧墙开裂

Figure 12-25　The wing wall of the abutment cracked

图12-26　4号台左侧帽梁后移、侧墙剪切破坏

Figure 12-26　The front wall on the left of the 4th abutment moved backward, the wing wall was damaged because of sheer force

12.3 金花大桥 Jinhua Bridge

12.3.1 桥梁概况 Outline of the bridge

金花大桥为主跨 150m 的钢筋混凝土肋拱桥,桥梁全长 228m,桥面总宽 10m。主拱采用双肋、单箱双室截面,肋间间距 6.4m,拱轴系数 m=2.111,矢跨比 f/L=1/6。拱上建筑为梁式结构,纵梁支承在立柱上,桥面板横铺于纵梁上。

拱肋箱宽 3.0m,箱高 2.3m,顶板厚 0.23m+0.05 m(预制板),底板厚 0.25m,顶、底板在拱脚长 18m 段,按线性分别加厚至 0.48m 和 0.45m,腹板厚 0.25m。对应立柱位置两肋间设置横系梁,实腹段按 9.2m 间距设置肋间横系梁。

拱上立柱和引桥墩柱为 C30 钢筋混凝土结构,采用 0.9m×1.0m 矩形截面,柱间设 0.4m×0.8m 的横撑,每 6~9m 设置 1 道。5、16 号立柱截面为 90cm×150cm,柱间横撑截面为 0.7m×1.0m,每 8m 设置 1 道。重力式桥台、桩柱式桥墩。

纵梁与立柱间设板式橡胶支座,伸缩缝处设四氟乙烯滑板支座,支座尺寸 300mm×700mm×42mm。全桥设置了 5 道伸缩缝(图 12-27),伸缩缝全部采用 TST 弹塑体与碎石填充,槽口宽 44cm,槽口深 11cm。桥面铺装为 C30 防水钢筋混凝土。

桥型布置如图 12-27 所示,拱上建筑布置如图 12-28 所示。震后的金花大桥如图 12-29 和图 12-30 所示。主要设计参数如下:

- 上部结构:1×150m
- 桥宽:10m
- 拱轴系数:m=2.111
- 矢跨比:f/L=1/6
- 桥墩构造:排架圆形墩
- 桥台:重力式桥台
- 基础:桩基础
- 桥轴方向角:北偏东 25°
- 竣工时间:1997 年
- 设计设防烈度:Ⅶ
- 采用抗震规范:《公路工程抗震设计规范》(JTJ 004—89)
- 实际地震烈度:Ⅺ
- 场地类别:Ⅱ类

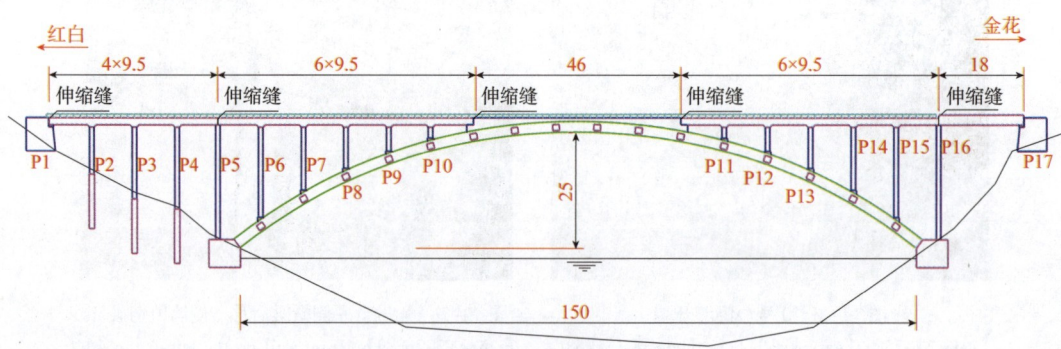

图 12-27 桥型布置示意图(尺寸单位:m)
Figure 12-27 The layout of the bridge (unit: m)

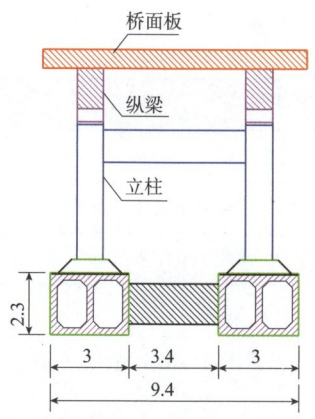

图 12-28 拱上建筑布置示意（尺寸单位：m）
Figure 12-28 The indication of the structure on the arch（unit: m）

图 12-29 金花大桥震后平面图
Figure 12-29 The plane of Jinhua Bridge after the earthquake

图 12-30 金花大桥震后立面图
Figure 12-30 The plane of Jinhua Bridge after the earthquake

12.3.2 桥梁震害概况 Outline of damage

本桥震害比较严重，地震后交通管理部门采取了限制通行的措施，震害表现为桥台侧墙出现严重的开裂，伸缩缝挤压变形，纵梁出现不同程度的纵、横向移位，主要震害如下：主拱开裂，拱肋系梁破损；纵梁梁体出现纵、横向的错位；两侧桥台侧墙出现剪切大裂缝，裂缝贯穿上下游两侧；桥墩、系梁及桥台挡块开裂；桥面板破坏、隆起；防撞护栏混凝土破损，桥面板、桥台搭板错位。

12.3.3 主拱及拱上建筑震害 Damage to main arches and spandrel constructions

主拱圈及拱上建筑的主要震害有：主拱圈实腹段开裂 3 处，梁体开裂、错位 1 处，详细震害见表 12-1。

表 12-1 主拱圈及拱上建筑震害一览表
Table 12-1 Seismic damage to the arch and the superstructures

破坏情况	部位	病害描述
混凝土开裂	主拱实腹段	主拱实腹段（下游侧）竖向裂缝，长度 $L=0.6$m，宽度 $\delta=0.25\sim0.33$mm
混凝土破损	主拱圈	主拱圈（上游侧）绵竹岸起第 2 道系梁附近混凝土破坏，面积 $S=2\text{m}\times 0.8\text{m}$
梁体开裂错位	纵梁	红白方向引跨处排架与纵梁开裂、错位，如图 12-31 所示
梁体错位	纵梁	主梁在金花侧横向侧移 10cm，如图 12-32 所示
混凝土开裂	主拱圈	主拱圈（上游侧）从绵竹岸起第 3 道系梁附近混凝土破坏，裂缝长 $L=2.3$m，宽 $\delta=0.3\sim0.5$mm。 从绵竹岸起第 4 道系梁附近主拱圈混凝土（上游侧）破坏，裂缝长 $L=3$m，宽 $\delta=0.2\sim0.4$mm

图 12-31 纵梁与排架错位

Figure 12-31 The differential displacement between the girders and columns

图 12-32 金花侧纵梁横向错位

Figure 12-32 The transverse displacement of the girder toward the Jinhua side

12.3.4 下部结构震害 Damage to substructure

下部结构的主要震害：桥墩开裂 1 处，系梁开裂 2 处，桥台挡块开裂 2 处。下部结构详细震害见表 12-2。

表 12-2 下部结构震害一览表
Table 12-2 List of seismic damage to substructures

病害类型	部位	病害描述
开裂	桥墩	下横系梁墩梁交接处开裂、裂缝长 1.1m，宽 1~2mm
	系梁	3 号墩上横系梁，4 号墩上中下横系梁和墩梁交接处均有裂缝贯穿
	桥台挡块	防震挡块被梁体剪裂
	桥台	什邡（下游侧）桥台侧墙斜裂缝长 $L=3.2$m，宽 $\delta=10\sim41$mm，如图 12-33 所示；上游侧墙裂缝长 $L=3.5$m，宽 $\delta=13\sim39$mm；绵竹桥台侧墙严重开裂，前墙有水平裂缝，如图 12-34 所示

图 12-33　什邡侧桥台开裂

Figure 12-33　The abutment on the Shifang side cracked

图 12-34　绵竹侧桥台开裂

Figure 12-34　The abutment on the Mianzhu side cracked

12.3.5　附属结构震害 Damage to accessory structure

桥面系及附属设施存在的主要震害：桥面板破坏、隆起多处，防撞护栏混凝土破损，桥面板、桥台搭板错位。桥梁附属构造详细震害见表 12-3。

表 12-3　附属结构检测结果表

Table 12-3　The inspection results of accessory structure

病害类型	部位	震害描述
混凝土破损	伸缩缝	第 1 道伸缩缝严重破坏，桥面隆起
错位	桥面板	第 2 道桥面板错位 5cm
混凝土破损、露筋	防撞护栏	第 3 道伸缩缝（上游）防撞护栏混凝土破损、露筋，如图 12-35 所示
混凝土破损、错位	桥头搭接处	桥头搭接处混凝土破损严重，并出现竖向错位，如图 12-36 所示
桥面混凝土破损	桥面	路面严重破损，如图 12-37 所示

图 12-35　桥面栏杆混凝土破损

Figure 12-35　The concrete of the rail was destroyed

图 12-36　桥头搭板混凝土破损

Figure 12-36　The concrete of the run-on slab was damaged

图 12-37　桥头搭板混凝土破损
Figure 12-37　The concrete of the run-on slab was damaged

12.4　绵竹回澜立交桥 [7] Mianzhu Huilan Overpass[7]

12.4.1　桥梁概况 Outline of the bridge

绵竹市回澜立交桥跨越绵竹货运火车站，包括主桥及4个螺旋形匝道桥，主桥长316m，桥面总宽38m。工程主体于2004年9月完工，2005年春节正式通车。回澜立交桥布置见图12-38。

自绵竹一侧开始，主桥依次为6跨连续梁+5跨简支梁+4跨连续梁，其中连续梁主梁为箱梁，简支梁主梁为预应力空心板。主桥采用"花瓶"墩，连续梁部分每个墩顶安装2个橡胶支座。

匝道桥上部为连续箱梁，曲线半径约20m，箱梁梁顶宽约4m，梁底宽约2.2m，梁高1.4m。沿圆周均匀布置8个圆形独柱墩，墩顶与箱梁连接方式为墩梁固结和盆式橡胶支座支撑两种，并交替采用。从1号墩开始（桥台为0号），沿匝道桥走向墩高逐渐增大，墩高在2.0~7.0m之间（表12-4）。实测桥墩直径为0.8m，沿桥墩圆周均匀布置20根ϕ25主筋；箍筋为Ⅱ级螺纹钢筋，直径12mm，箍筋间距不等，在10~20cm之间，圆形箍筋接头处搭接长度为25~37cm，焊接长度为15~25cm，混凝土保护层厚度为5~6.5cm。此外，对于墩梁固结的桥墩沿圆周均匀分布有4根预应力波纹管，波纹管直径约5cm，每根管中有2根钢绞线。调查发现混凝土材料中卵石被作为粗集料大量应用。

匝道桥桥台处为矩形板式橡胶滑动支座，无抗拉螺栓，支座平面尺寸为250mm×300mm，支座厚度60mm；桥墩处采用盆式橡胶支座，竖向承载力1 500kN。图12-39为4个匝道桥和桥墩布置及震害示意图，图中标明了严重破坏桥墩的编号和位置。A、D匝道桥如图12-40和图12-41所示。

表 12-4　匝道桥桥墩高度
Table 12-4　List of the height of piers

桥 墩 编 号	高度（m）	桥 墩 编 号	高度（m）	桥 墩 编 号	高度（m）
1	2.00	5	4.86	9	7.00
2	2.71	6	5.57	10	7.00
3	3.43	7	6.29		
4	4.14	8	7.00		

图 12-38　回澜立交桥效果图（网络图片）
Figure 12-38　The Huilan overpass（from internet）

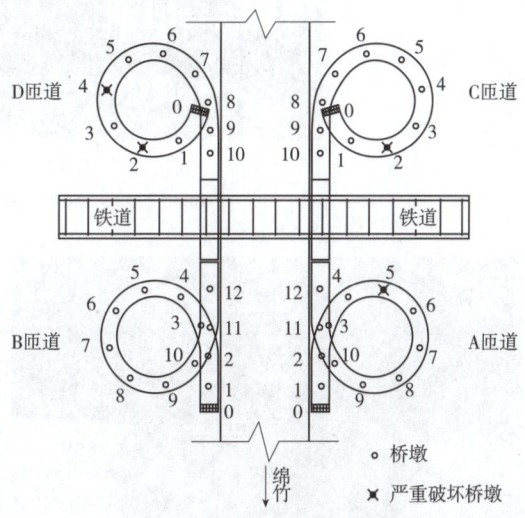

图 12-39　匝道桥和桥墩布置及震害示意
Figure 12-39　The layout of the bridge and seismic damage

图 12-40　A 匝道桥
Figure 12-40　The A ramp

图 12-41　D 匝道桥
Figure 12-41　The D ramp

12.4.2　桥梁震害概况 Outline of damage

地震中，回澜立交桥震害等级为 D 级，4 个曲线匝道桥破坏严重（图 12-42），固定墩压溃（图 12-43），箱梁在支点强迫位移作用下横向折断（图 12-44），桥梁丧失承载力。

图 12-42　震后的回澜立交桥
Figure 12-42　The Huilan overpass after the earthquake

图 12-43　桥墩压溃
Figure 12-43　The column crushed

图 12-44　主梁底板开裂
Figure 12-44　The soffit of the beam cracked

12.4.3　匝道桥桥墩震害 Damage to the ramp bridge's piers

1）总体破坏情况

4 条匝道桥所有的墩梁固结桥墩均有程度不同的震害，其中 A 匝道桥 5 号墩（以下简称"A5 墩"）、C 匝道桥 2 号墩（以下简称"C2 墩"，余类推）、D2、D4 墩墩顶压溃，另 A10、B3、B5 桥墩开裂较为严重，其余墩梁固结桥墩（以下简称"固结墩"）的保护层也有不同程度剥落等震害。墩梁采用盆式支座连接的桥墩震害要轻得多，仅 D7 桥墩出现裂缝，其余桥墩基本完好。

为便于进一步研究，根据现场调查，将桥墩、墩顶支座详细破坏情况、墩梁连接方式、桥墩剪跨比，以及桥墩及支座的主要破坏（受力）方向按不同匝道编号列出，见表 12-5~ 表 12-8。

表 12-5 A 匝道桥破坏情况
Table 12-5 The seismic damage to the A ramp

桥墩编号	墩梁连接方式	破坏情况描述	破坏（受力）方向
0 号台	—	基本完好	—
1 号墩	盆式支座	桥墩基本完好，支座上垫板螺栓剪断，支座损坏	—
2 号墩	盆式支座	桥墩基本完好，支座垫板螺栓剪断	—
3 号墩	固结	桥墩基本完好，底部填土隆起	—
4 号墩	盆式支座	桥墩基本完好	—
5 号墩	固结	桥墩发生严重破坏，箱梁底部开裂	切向
6 号墩	盆式支座	桥墩基本完好，支座移位	—
7 号墩	固结	墩顶保护层脱落	与切向呈 45°角
8 号墩	盆式支座	桥墩基本完好	—
9 号墩	固结	墩顶保护层脱落	切向
10 号墩	盆式支座	桥墩下部出现弯曲裂缝，高度可达墩高一半	切向
11 号墩	固结	桥墩基本完好	—

表 12-6 B 匝道桥破坏情况
Table 12-6 The seismic damage to the B ramp

桥墩编号	墩顶固定方式	破坏情况描述	破坏（受力）方向
0 号台	—	基本完好	—
1 号墩	盆式支座	基本完好	—
2 号墩	盆式支座	支座略有移位	法向
3 号墩	固结	桥墩剪切裂缝密集，顶部混凝土轻微脱落，底部填土隆起	—
4 号墩	盆式支座	基本完好	—
5 号墩	固结	桥墩剪切斜裂缝明显，宽度可达 0.5mm，顶部混凝土脱落	切向
6 号墩	盆式支座	基本完好	—
7 号墩	固结	墩顶及墩底 200mm 范围内保护层脱落	法向
8 号墩	盆式支座	基本完好	—
9 号墩	固结	墩顶混凝土轻微脱落	切向
10 号墩	盆式支座	基本完好	—
11 号墩	固结	基本完好	—

表 12-7 C 匝道桥破坏情况
Table 12-7 The seismic damage to the C ramp

桥墩编号	墩顶固定方式	破坏情况描述	破坏（受力）方向
0 号台	—	桥台破坏严重，箱梁翘起，支座分离	—
1 号墩	盆式支座	桥墩基本完好，支座滑移	切向
2 号墩	固结	桥墩发生严重弯剪破坏，箱梁底部开裂	切向

续上表

桥墩编号	墩顶固定方式	破坏情况描述	破坏（受力）方向
3号墩	盆式支座	桥墩基本完好，支座滑移	法向
4号墩	固结	墩顶保护层脱落	法向
5号墩	盆式支座	桥墩基本完好，支座滑移	法向
6号墩	固结	墩顶混凝土轻微脱落	切向
7号墩	盆式支座	基本完好	—
8号墩	固结	桥墩基本完好，地面隆起	—
9号墩	盆式支座	桥墩基本完好，支座滑移严重	与切向呈30°角
10号墩	盆式支座	桥墩基本完好，支座滑移严重	与切向呈30°角

表12-8 D匝道桥破坏情况
Table 12-8 The seismic damage to the D ramp

桥墩编号	墩顶固定方式	破坏情况描述	破坏（受力）方向
0号台	—	基本完好	—
1号墩	盆式支座	基本完好	—
2号墩	固结	桥墩严重破坏	切向
3号墩	盆式支座	桥墩基本完好，支座滑移	切向
4号墩	固结	桥墩严重破坏，箱梁底部断裂	与切向呈30°角
5号墩	盆式支座	墩底弯曲裂缝，开裂高度达墩高一半，墩顶支座滑移	与切向呈30°角
6号墩	固结	墩底部250mm范围内混凝土压碎脱落，墩顶混凝土轻微脱落	切向
7号墩	盆式支座	墩底一侧混凝土压碎脱落，高约500mm，另一侧弯曲裂缝高度达墩高一半，墩顶支座滑移	底部破坏沿切向，支座产生法向滑移
8号墩	固结	墩顶混凝土轻微脱落	与切向呈30°角
9号墩	盆式支座	桥墩基本完好，墩顶支座滑移	法向
10号墩	盆式支座	桥墩基本完好，墩顶支座滑移	法向

2）严重破坏桥墩

A5桥墩墩顶发生了严重的弯剪破坏（图12-45），核心混凝土压溃，纵筋屈曲，箍筋拉断，桥墩底部混凝土保护层轻微脱落，桥墩受力（剪切破坏面）主要沿曲线桥切向。同时，由于桥墩破坏导致竖向承载力锐减，导致上部箱梁横向断裂（图12-46）。

C2桥墩顶部发生严重弯剪破坏（图12-47），核心混凝土压溃，纵筋屈曲，箍筋拉断，桥墩剪切破坏仍沿曲线桥切向，上部箱梁横向断裂（图12-48）。

D2桥墩中上部混凝土保护层严重脱落，核心混凝土产生明显沿桥切向的剪切斜裂缝，呈弯剪破坏形态，但未发现箍筋拉断及纵筋的屈曲破坏，且上部箱梁并未折断（图12-49）。

D4桥墩上部发生明显弯剪破坏，纵筋屈曲，箍筋拉断，核心混凝土压溃，桥墩破坏方向基本与桥切向呈30°夹角，如图12-50所示，同时上部箱梁发生横向断裂。

第12章　城市桥梁及县乡级道路桥梁

图 12-45　A5 墩破坏
Figure 12-45　The 5th pier of the A ramp was destroyed

图 12-46　A5 墩上部箱梁横向断裂
Figure 12-46　The box girder's soffit on the 5th pier of the A ramp bridge ruptured transversely

图 12-47　C2 墩破坏
Figure 12-47　The 2nd pier of the C ramp was destroyed

图 12-48　C2 墩上部梁的横向裂缝
Figure 12-48　The girder on the 2nd pier of the C ramp cracked transversely

图 12-49　D2 墩破坏
Figure 12-49　The 2nd pier of the D ramp was destroyed

图 12-50　D4 墩破坏
Figure 12-50　The 4th pier of the D ramp was destroyed

3) 其余桥墩破坏情况

匝道桥其余桥墩破坏相对轻得多，主要破坏形态包括墩顶或墩底混凝土保护层脱落、桥墩出现水平弯曲裂缝或剪切斜裂缝，以及墩顶橡胶支座滑移等，如图 12-51~图 12-54 所示。

图 12-51 混凝土保护层脱落（C4 墩）
Figure 12-51 The concrete cover damaged (the 4th pier of the C ramp)

图 12-52 墩柱水平弯曲开裂（D5 墩）
Figure 12-52 The column cracked horizontally (the 5th pier of the D ramp)

图 12-53 剪切斜裂缝（B3 墩）
Figure 12-53 The column craked diagonally due to shear force (the 3rd pier of the B ramp)

图 12-54 橡胶支座滑移（C10 墩）
Figure 12-54 The rubber bearing moved outward (the 10th pier of the C ramp)

12.4.4 匝道桥上部结构震害 Damage to ramp bridge's superstructure

主梁除在固结墩底部开裂外，C0 桥台处还出现了较为少见的主梁上翘现象。由于 C2 桥墩的破坏导致主梁在该墩处不能获得有效支承，这相当于在 C2 墩处对主梁施加了强迫位移，在导致主梁在 C2 墩处断裂的同时，也使主梁以 C1 墩为支点发生转动，从而导致了主梁在 C0 桥台处的上翘（图 12-55）。主梁的上翘使得下部板式橡胶支座分离、匝道桥与桥台断开等（图 12-56）。此外，所有匝道主梁均有向曲线外侧移位的现象。

由于匝道桥与主桥、匝道桥与桥墩台的碰撞，导致挡块破坏，栏杆受损（图 12-57）。

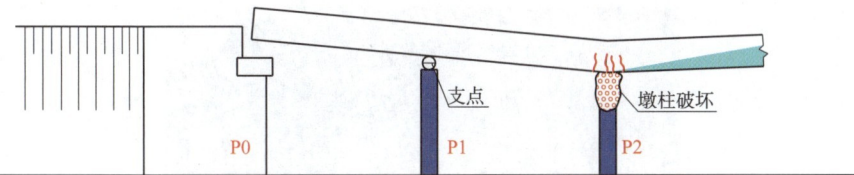

图 12-55　主梁上翘示意图

Figure 12-55　The indication of damage to the girder

a）梁体上翘

b）橡胶支座分离

c）桥台断开

图 12-56　C0 号台破坏情况

Figure 12-56　The seismic damage to the abutment of the C ramp

a）A 匝道主桥与匝道桥横向碰撞

b）A 匝道梁与挡块的碰撞破坏

图 12-57

Figure 12-57

c) B 匝道主桥与匝道桥纵向碰撞

图 12-57　桥梁上部结构典型破坏

Figure 12-57　The typical damage to the superstructures of the bridge

12.4.5　匝道支座破坏情况 Damage to ramp bridge's bearings

地震中，桥梁支座破坏严重，主要表现为盆式支座上、下钢盆错动，移位。支座破坏情况见图 12-58 和图 12-59，支座具体破坏情况见表 12-9。

a)　　　　　　　　　　　　　　　　　b)

图 12-58　支座错位、变形

Figure 12-58　The bearing moved and deformed

a)　　　　　　　　　　　　　　　　　b)

图 12-59　支座错位

Figure 12-59　The bearing moved

表 12-9　支座破坏情况
Table 12-9　The damage to bearings

桥墩编号	破坏描述	桥墩编号	破坏描述
C1 墩支座	错位、变形	D3 墩支座	错位
C2 墩支座	错位、变形	D7 墩支座	错位
C3 墩支座	错位	D10 墩支座	错位
C4 墩支座	错位		

12.4.6　主桥震害 Damage to main bridge

现场调查发现主桥下部除部分支座有滑移破坏外，其余主体结构基本完好，主桥桥墩混凝土未发现明显裂缝，如图 12-60 和图 12-61 所示。

图 12-60　主桥下部结构基本完好
Figure 12-60　The substructure was intact

图 12-61　主桥支座滑移
Figure 12-61　The bearings moved

12.4.7　震害简析 Analysis on damage mechanism

回澜立交桥固结墩破坏的一个显著特征是：每条匝道均仅有 1~2 个桥墩破坏严重。进一步观察可以看出，各匝道桥严重破坏的桥墩所处位置相似，基本都是抗弯刚度大的低矮桥墩，为典型的短柱。

该桥采用墩梁固结和盆式支座两种墩梁连接方式，由于固结墩与主梁的连接刚度远大于设置盆式支座的桥墩，因此大部分水平地震力由固结墩承受。加之匝道为螺旋形，桥梁纵坡较大，墩高差异明显，因此即使是固结墩的线刚度也相差较大，导致了线刚度较大的矮墩受力过大。这是导致该桥低矮固结墩破坏的主要原因。

桥墩破坏方向多沿曲线切向。由表 12-5~表 12-8 可以看出，遭受严重破坏的 4 个桥墩基本均沿切向，其余桥墩的破坏及墩顶支座的滑移也呈现出切向的特征。此外，由于曲线桥梁自身体型不规则，重力偏心及空间地震力等各种因素，使得固结墩处于压、弯、剪、扭的复杂应力状态下，也造成了桥墩破坏模式的复杂性。

布置盆式支座的桥墩，因主梁滑动释放了水平地震力，因此震害较轻。

12.5 都江堰高原大桥 [8] Dujiangyan Gaoyuan Bridge[8]

12.5.1 桥梁概况 Outline of the bridge

高原大桥位于都江堰市至虹口乡高原村的道路上，于2005年5月建成通车。桥长115m，桥面净宽8m，为4跨预应力混凝土空心板梁桥，简支结构，支座采用板式橡胶支座，下部结构为钢筋混凝土双柱式圆形桥墩，桩基础，重力式桥台。桥轴线走向为SE165°。桥梁立面如图12-62所示。

桥址处于烈度Ⅹ度区内，与宏观震中牛圈沟距离为22km，与中央主断裂在高原村形成地表破裂带的最近距离不足700m，地震对大桥造成了严重的破坏。

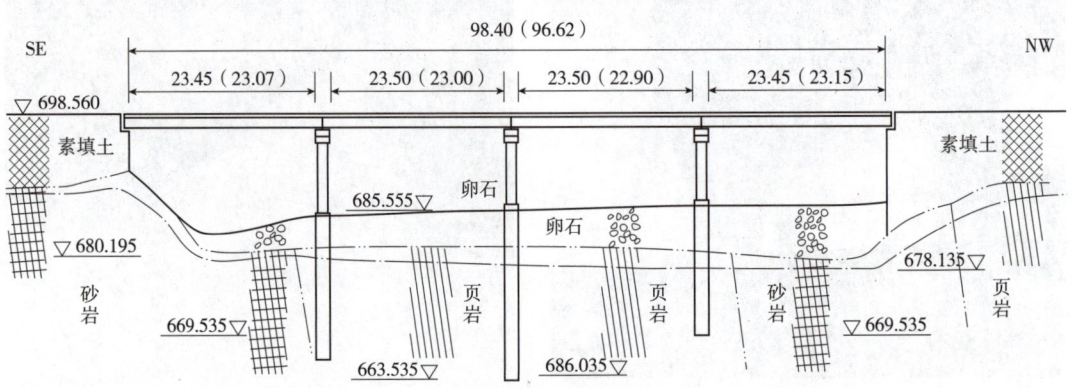

图 12-62 高原大桥地震前后跨径变化和基础的地质剖面简图（尺寸单位：m）

Figure 12-62 Difference of the length of Gaoyuan Bridge's spans between before the earthquake and after and the geological profile (unit: m)

12.5.2 桥梁震害概况 Outline of damage

地震中高原大桥主梁整体沿纵桥向向高原村一侧移位，第3跨落梁（图12-63）。高原村一侧桥台背墙被主梁撞碎并被顶入路基50cm以上，路面隆起，桥台翼墙倒塌；虹口侧桥台基础有滑动迹象，桥台前墙严重破坏并向高原村一侧倾斜，位移在15cm左右（图12-64和图12-65）。横桥向挡块撞碎。未落梁跨桥墩也倾斜向高原侧倾斜。

高原侧桥台上游侧墙出现张开宽度为30cm的拉裂缝，台帽以下的前墙混凝土开裂脱落，下游侧墙和挡墙上形成约10m、张开宽度5~10cm的裂缝。第1跨和第2跨主梁沿顺桥向向高原侧移位，第2跨主梁虹口梁端尚支承于1号桥墩的盖梁上，其下方的橡胶支座上钢板则裸露于盖梁外，而高原梁端则基本与2号桥墩的盖梁边缘平齐。第3跨主梁落梁，高原侧梁端搭靠于3号桥墩上，3号桥墩的桥柱歪斜，同时底部环向开裂严重，在离桩基承台2.0m的范围内出现多条裂缝。第4跨主梁左端支承于3号桥墩的盖梁上，右端将高原侧桥台背墙撞坏，并推入桥台 1.8m，导致了桥台侧墙的破坏。

图 12-63　高原大桥第 2 孔发生落梁（殷何提供图片）
Figure 12-63　The girder of the 2nd span of the Gaoyuan Bridge fell (provided by Yinhe)

图 12-64　高原侧桥台破坏　　　　　　　图 12-65　虹口侧桥台破坏
Figure 12-64　The abutment on the side of Gaoyuan was destroyed　　Figure 12-65　The abutment on the side of Hongkou was destroyed

用全站仪对墩柱进行偏移测量，表明所有桥墩均向右岸（NW）倾斜，1~3 号桥墩角度分别为 0.62°、0.66° 和 2.88°。同时对桥桥梁跨径进行测量（表 12-10），大桥的净跨径之和减少 1.78 m。

表 12-10　高原大桥跨径变化
Table 12-10　The deviation of the Gaoyuan Bridge's span after the earthquake

位　置	震　前		震　后	地震前后净跨径差值（m）
	计算跨径（m）	净跨径（m）	净跨径（m）	
A1~P1	24.34	23.45	23.07	0.38
P1~P2	24.34	23.50	23.00	0.50
P2~P3	24.34	23.50	22.90	0.60
P3~A2	24.34	23.45	23.15	0.30
净跨径合计差值				1.78

12.5.3 震害简析 Analysis on damage mechanism

高原大桥在地震发生了落梁、桥墩倾斜、桥长减少、高原岸桥台错断等震害，原因简析如下：

桥址所处地基为砂岩夹页岩地层，高原大桥约 1/2 桥长的地基均为软岩—泥岩，3 个桥墩的桩基都嵌于其中，右岸桥台 A1 的地基为砂岩，属硬质岩，左岸桥台 A2 的地基则由砂岩和泥岩共同组成（图 12-62）。

高原大桥桥址紧邻北川—映秀断裂，并且桥轴线的走向与地震主应力的方向基本一致。在上盘的挤压作用下，地基产生压缩变形，使两岸桥台之间的距离缩短，变形在软岩段更为明显，即地震前后 1~3 号桥墩之间各跨净跨径变化值的大小也反映出软岩段变形较大；同时，上部结构为预应力空心板梁，相对于地基的软岩可以认为是整体性较好的刚体，其顺桥向的移位主要由桥台背墙限制，当桥台间的距离缩短时，上部结构必然会对背墙施加巨大的推挤力，从而导致桥台背墙的破坏。在上部结构的移位过程中，第 3 跨主梁在 2 号桥墩上的搁置长度与第 2 跨主梁在桥墩上的累积位移相当，造成第 3 跨主梁出现落梁，并对 P3 桥墩施加猛烈的撞击力使墩柱严重破坏并歪斜。

12.6　绵竹汉旺绝缘桥 Hanwang Jueyuan Bridge

绝缘桥在绵竹汉旺镇跨越绵远河，该桥位于 X101 德茂公路复线上，桥长 160m，桥面净宽 5.0m，上部结构为 7×22m 的 T 形梁，下部结构为重力式墩台，扩大基础，建于 20 世纪 60 年代。

在地震作用下 3 个桥墩发生剪断（图 12-66），但未垮塌，后在上游堰塞湖泄洪中，被激流冲垮 4 孔桥（图 12-67）。

图 12-66　桥墩墩底剪断
Figure 12-66　The bottom of the pier was broken because of horizontal shear force

图 12-67　堰塞湖泄洪将受损严重的 4 跨桥梁冲毁
Figure 12-67　The four spans which was damaged seriously in the earthquake collapsed during the barrier lake discharged

12.7 辕门坝桥 Yuanmenba Bridge

辕门坝桥位于北川擂鼓镇附近，为乡村公路桥梁，为 1×60m 圬工拱桥。在地震中，全桥坍塌（图12-68~图12-70）。

图12-68　辕门坝桥全桥坍塌　　　图12-69　残存桥头副拱　　　图12-70　残存桥头立面
Figure 12-68　The Yuanmenba Bridge collapsed　　Figure 12-69　The remaining arch　　Figure 12-70　The remaining abutment

12.8 彻底关拱桥 Chediguan Arch Bridge

彻底关拱桥位于废弃的国道213线映秀至汶川段，靠近新建彻底关大桥。该桥跨越岷江，为 1×60m 圬工拱桥，在地震中，整体垮塌（图12-71）。

a)　　　　　　　　　　　　　　　　b)

图12-71　垮塌彻底关拱桥
Figure 12-71　The arch bridge in Chediguan collapsed

12.9 其他桥梁 Other bridge

地震还造成一些桥梁破坏倒塌，共有4座桥梁：绵阳机场航站楼桥（图12-72和图12-73）、什邡迎新桥（图12-74）、银杏乡人行吊桥（图12-75）、红白镇红东大桥（图12-76）。

地震中引发泥石流，对乡村的梁桥也造成破坏，如理县普头乡普头村桥（图12-77）和茂县东兴乡竹包桥（图12-78）。

图 12-72　绵阳机场航站楼桥全貌

Figure 12-72　The picture of the terminal bridge at the Mianyang Airport

图 12-73　绵阳机场航站楼较矮的桥墩破坏

Figure 12-73　The lower column of the terminal bridge at the Mianyang Airport was destroyed

a）

b）

图 12-74　什邡迎新桥全桥垮塌

Figure 12-74　The Yingxin Bridge at Shifang collapsed

图 12-75　抢险人员通过受损的人行吊桥

Figure 12-75　The rescue passed the suspension pedestrian bridge destroyed

图 12-76　红白镇红东大桥

Figure 12-76　The Hongdong Bridge at Hongbai town

第 12 章 城市桥梁及县乡级道路桥梁

图 12-77 泥石流冲毁普头村桥桥跨
Figure 12-77 The Putoucun Bridge was destroyed by the debris flow

a) b)

图 12-78 泥石流冲毁竹包桥桥跨
Figure 12-78 The Zhubao Bridge was destroyed by the debris flow

附 录
Appendix

附录 A 汶川地震灾区桥梁震害调查线路桥梁统计表
Appendix A Table of the bridge in investigated expressway and highway in Wenchuan earthquake area

序号	线路名称	设计年代[①]	桥梁数量（座）	各规模桥梁数量（座）[②]				各桥型桥梁数量（座）			
				大桥	中桥	小桥	简支[③]	连续梁桥	拱桥	其他
	高速公路										
1	京昆高速成都至绵阳段	1989年以后	192	15	93	84	189	0	3	0
2	京昆高速绵阳至广元段	1989年以后	121	66	54	1	101	9	10	1
3	沪蓉高速成都市绕城高速（东段）	1989年以后	101	39	43	19	64	36	1	0
4	沪蓉高速成都市绕城高速（西段）	1989年以后	63	16	39	8	56	7	0	0
5	沪蓉高速成都至南充段	1989年以后	86	32	47	7	71	13	2	0
6	厦蓉高速成都至重庆段	1989年以后	185	35	85	65	167	0	18	0
7	成渝环线高速遂宁至回马段	1989年以后	9	2	7	0	9	0	0	0
8	成渝环线高速遂宁至重庆段	1989年以后	1	1	0	0	1	0	0	0
9	成都至彭州高速公路	1989年以后	36	7	25	4	36	0	0	0
10	成都至都江堰高速公路	1989年以后	24	5	9	10	20	4	0	0
11	都江堰至映秀高速公路	1989年以后	37	11	11	15	33	3	0	1
12	成都经温江至邛崃高速公路	1989年以后	9	6	3	0	8	1	0	0
	国省干线公路										
13	国道108线广元至棋盘关段	1989年以后	22	1	6	15	13	0	9	0

续上表

序号	线路名称	设计年代①	桥梁数量（座）	各规模桥梁数量（座）②				各桥型桥梁数量（座）			
				大桥	中桥	小桥	简支③	连续梁桥	拱桥	其他	
14	国道108线雅安至荥萨岗段	1989年以后	101	14	32	55	36	0	64	1	
15	国道212线广元至姚渡段	1989年以后	30	8	7	15	6	1	23	0	
16	国道213线郎木寺至尕力台段	1989年以后	49	0	8	41	49	0	0	0	
17	国道213线尕力台至川主寺段	1989年以后	31	12	18	1	31	0	0	0	
18	国道213线川主寺至汶川段	1989年以后	39	7	9	23	13	0	26	0	
19	国道213线汶川至映秀段	1989年以后	55	38	12	5	53	2	0	0	
20	国道213线映秀至都江堰段	1989年以后	35	7	22	6	28	7	0	0	
21	国道317线汶川至马尔康	1989年以后	46	8	20	18	21	4	20	1	
22	国道318线雅安至二郎山段	1989年以后	87	16	27	28	16	0	71	0	
23	国道318线二郎山至康定段	1989年以后	27	6	18	3	22	0	5	0	
24	省道105线彭州至北川段	1989年以后	49	9	9	31	37	0	12	0	
25	省道105线北川至青川段	1979~1989年	58	7	22	29	19	0	39	0	
26	省道106线崇州怀远至德阳段	1989年以后	40	3	14	23	37	0	3	0	
27	省道106线德阳至中江段	1989年以后	7	0	1	6	7	0	0	0	
28	省道205线平武白马至江油段	1979~1989年	49	3	12	34	21	0	28	0	
29	省道205线阿坝境内段	1989年以后	21	0	1	20	9	0	12	0	
30	省道209线刷马路口至红原段	1979~1989年	10	0	3	7	2	0	8	0	
31	省道210线飞仙关至马尔康段	1989年以后	49	9	16	24	14	0	34	1	
32	省道210线宝兴界至草科基段	1979~1989年	29	0	6	23	17	0	12	0	
33	省道211线泸定丹巴至马尔康段	1979~1989年	31	3	5	23	9	0	22	0	
34	省道301线九寨沟至甘肃界段	1989年以后	29	5	7	17	15	0	14	0	

续上表

序号	线路名称	设计年代①	桥梁数量（座）	各规模桥梁数量（座）②				各桥型桥梁数量（座）			
				大桥	中桥	小桥	简支③	连续梁	连续桥	拱桥	其他
35	省道302线中襄口至两河口段	1979年以前	11	0	1	10	2	0		9	0
36	省道302线北川至茂县段	1979年以前	48	2	11	35	4	0		44	0
37	省道302线江油至北川段	1989年以后	22	3	7	12	2	0		20	0
38	省道303线映秀至卧龙段	1989年以后	19	7	6	6	15	4		0	0
39	省道303线日隆至丹巴段	1979年以前	15	1	3	11	3	0		12	0
40	省道306线汉源县城至白熊沟段	1979年以前	16	3	7	6	10	1		4	1
41	省道205线江洛至武都段	1989年以后	55	4	15	36	32	0		23	0
42	国道212线碧口至罐子沟段	1989年以后	10	1	4	5	7	0		3	0
43	国道212线武都至关头坝桥段	1989年以后	48	2	7	39	33	0		14	1
44	国道108线固宁至宁强段	1979~1989年	75	8	13	54	44	5		26	0
45	省道210线汉中段	1989年以后	23	8	4	11	10	9		4	0
46	省道211线汉中至南郑段	1989年以后	12	0	1	11	12	0		0	0
47	省道309线勉县至略阳段	1989年以后	42	3	9	30	28	2		12	0
	县乡级道路及其他										
48	县乡级道路	—	51	13	13	25	14	0		35	2
49	市政桥梁	—	2	2	0	0	1	1		0	0

注：① 设计年代参照《公路工程抗震设计规范》发布年代进行统计，其中《公路工程抗震设计规范》（试行）正式使用时间为1978年年底，故以1979年作为设计年代划分。部分线路中存在新、老桥梁并存时，以线路中新、老桥梁中的绝对多数标注设计年代，对老线翻新的桥梁，以翻新年代计。
② 根据《公路桥涵设计通用规范》（JTG D60—2004）中第1.0.11节规定：单孔跨径长度大于1 000m为特大桥；单孔跨径大于40m小于150m，多孔跨径长度大于100m小于1 000m为大桥；单孔跨径大于20m小于40m，多孔跨径大于30m小于100m为中桥；单孔跨径大于5m小于20m，多孔跨径长度大于8m小于30m为小桥。
③ 简支梁桥各简支空心板、简支T/I形梁、简支小箱梁，简支实心板；先简支后连续结构则归入连续梁桥。

附录 B　汶川地震灾区桥梁震害情况统计表
Appendix B　Statstics of the seismic damage bridge in Wenchuan earthquake area

序号	线路名称	线路等级	桥梁数量（座）	震害桥梁数量与比例									
				A0-无明显震害		A-轻微震害		B-中等震害		C-严重震害		D-完全失效	
				震害数量（座）	震害比例（%）	震害数量（座）	震害比例（%）	震害数量（座）	震害比例（%）	震害数量（座）	震害比例（%）	震害数量（座）	震害比例（%）
1	京昆高速成都至绵阳段	高速	192	71	37.0	118	61.5	3	1.6	0	0.0	0	0.0
2	京昆高速绵阳至广元段	高速	121	10	8.3	103	85.1	8	6.6	0	0.0	0	0.0
3	沪蓉高速成都市绕城高速（东段）	高速	101	8	7.9	91	90.1	2	2.0	0	0.0	0	0.0
4	沪蓉高速成都市绕城高速（西段）	高速	63	12	19.0	49	77.8	2	3.2	0	0.0	0	0.0
5	沪蓉高速成都至南充段	高速	86	10	11.6	76	88.4	0	0.0	0	0.0	0	0.0
6	厦蓉高速成都至重庆段	高速	185	16	8.6	163	88.1	6	3.2	0	0.0	0	0.0
7	成渝环线高速遂宁至回马段	高速	9	5	55.6	4	44.4	0	0.0	0	0.0	0	0.0
8	成渝环线高速遂宁至重庆段	高速	1	0	0.0	1	100.0	0	0.0	0	0.0	0	0.0
9	成都至彭州高速公路	高速	36	14	38.9	22	61.1	0	0.0	0	0.0	0	0.0
10	成都至都江堰高速公路	高速	24	6	25.0	14	58.3	4	16.7	0	0.0	0	0.0
11	都江堰至映秀高速公路	高速	37	1	2.7	5	13.5	25	67.6	4	10.8	2	5.4
12	成都经温江至邛崃高速公路	高速	9	2	22.2	5	55.6	2	22.2	0	0.0	0	0.0
13	国道108线广元至棋盘关段	国道	22	21	95.5	1	4.5	0	0.0	0	0.0	0	0.0
14	国道108线雅安至萨岗段	国道	101	56	55.4	24	23.8	21	20.8	0	0.0	0	0.0
15	国道212线广元至姚渡段	国道	30	1	3.3	12	40.0	14	46.7	3	10.0	0	0.0

续上表

序号	线 路 名 称	线路等级	桥梁数量（座）	震害桥梁数量与比例									
				A0-无明显震害		A-轻微震害		B-中等震害		C-严重震害		D-完全失效	
				震害数量（座）	震害比例（%）	震害数量（座）	震害比例（%）	震害数量（座）	震害比例（%）	震害数量（座）	震害比例（%）	震害数量（座）	震害比例（%）
16	国道213线郎木寺至尕力台段	国道	49	40	81.6	8	16.3	1	2.0	0	0.0	0	0.0
17	国道213线尕力台至汶川主寺段	国道	31	15	48.4	14	45.2	2	6.5	0	0.0	0	0.0
18	国道213线汶川主寺至汶川段	国道	39	19	48.7	13	33.3	7	17.9	0	0.0	0	0.0
19	国道213线汶川至映秀段	国道	55	0	0.0	6	10.9	28	50.9	12	21.8	9	16.4
20	国道213线映秀至都江堰段	国道	35	2	5.7	5	14.3	21	60.0	6	17.1	1	2.9
21	国道317线汶川至马尔康段	国道	46	40	87.0	2	4.3	4	8.7	0	0.0	0	0.0
22	国道318线雅安至二郎山段	国道	87	31	35.6	47	54.0	9	10.3	0	0.0	0	0.0
23	国道318线二郎山至康定段	国道	27	17	63.0	10	37.0	0	0.0	0	0.0	0	0.0
24	省道105线彭州至北川段	省道	49	20	40.8	7	14.3	14	28.6	8	16.3	0	0.0
25	省道105线北川至青川段	省道	58	14	24.1	18	31.0	11	19.0	10	17.2	5	8.6
26	省道106线崇州桥远至德阳段	省道	40	19	47.5	2	5.0	19	47.5	0	0.0	0	0.0
27	省道106线德阳至中江段	省道	7	6	85.7	1	14.3	0	0.0	0	0.0	0	0.0
28	省道205线平武白马至江油段	省道	49	27	55.1	5	10.2	10	20.4	7	14.3	0	0.0
29	省道205线阿坝境内段	省道	21	12	57.1	9	42.9	0	0.0	0	0.0	0	0.0
30	省道209线副马路口至红原段	省道	10	0	0.0	6	60.0	4	40.0	0	0.0	0	0.0
31	省道210线飞仙关至马尔康段	省道	49	14	28.6	24	49.0	11	22.4	0	0.0	0	0.0
32	省道210线宝兴界至卓克基段	省道	29	27	93.1	2	6.9	0	0.0	0	0.0	0	0.0

续上表

序号	线 路 名 称	线路等级	桥梁数量（座）	震害桥梁数量与比例									
				A0-无明显震害		A-轻微震害		B-中等震害		C-严重震害		D-完全失效	
				震害数量（座）	震害比例（%）	震害数量（座）	震害比例（%）	震害数量（座）	震害比例（%）	震害数量（座）	震害比例（%）	震害数量（座）	震害比例（%）
33	省道211线泸定丹巴至马尔康段	省道	31	24	77.4	5	16.1	2	6.5	0	0.0	0	0.0
34	省道301线九寨沟至甘肃界段	省道	29	25	86.2	3	10.3	1	3.4	0	0.0	0	0.0
35	省道302线中襄口至两河口段	省道	11	2	18.2	1	9.1	8	72.7	0	0.0	0	0.0
36	省道302线北川至茂县段	省道	48	1	2.1	6	12.5	9	18.8	8	16.7	24	50.0
37	省道302线江油北川段	省道	22	2	9.1	2	9.1	5	22.7	9	40.9	4	18.2
38	省道303线映秀至卧龙段	省道	19	3	15.8	4	21.1	4	21.1	2	10.5	6	31.6
39	省道303线日隆至丹巴段	省道	15	7	46.7	3	20.0	5	33.3	0	0.0	0	0.0
40	省道306线汶源县城至白熊沟段	省道	16	7	43.8	7	43.8	2	12.5	0	0.0	0	0.0
41	省道205线江洛至武都段	国道	55	28	50.9	22	40.0	5	9.1	0	0.0	0	0.0
42	国道212线碧口至罐子沟段	国道	10	0	0.0	6	60.0	2	20.0	1	10.0	1	10.0
43	国道212线武都关头坝桥段	省道	48	21	43.8	19	39.6	8	16.7	0	0.0	0	0.0
44	国道108线固宁至宁强段	国道	75	33	44.0	42	56.0	0	0.0	0	0.0	0	0.0
45	省道210线汉中段	省道	23	18	78.3	5	21.7	0	0.0	0	0.0	0	0.0
46	省道211线汉中至南郑段	省道	12	12	100.0	0	0.0	0	0.0	0	0.0	0	0.0
47	省道309线勉县至略阳段	省道	42	25	59.5	17	40.5	0	0.0	0	0.0	0	0.0
	合计		2 154	744	34.5	1 009	46.8	279	13.0	70	3.2	52	2.4

附录 C 调查道路桥梁信息表
Appendix C Information of the bridges in investigated expressway and highway

附表 C-1 国道 213 线映秀镇至都江堰段桥梁概况表

Appendix table C-1 Information of the bridges in the 213 National Highway from Yingxiu to Dujiangyan

序号	桥名	桥位信息			桥梁结构					几何形式		震害等级[④]
		里程桩号	方向角(°)	桥长(m)	孔跨组合(m)	结构类型	桥墩类型[①]	基础类型	支座类型[②]	平面线形[③]	交角(°)	
1	渔子溪桥	—	85	78.2	3×22.2	简支	P_{IV}	扩大基础	B_{III}	直线	0	C
2	百花大桥	—	106	495.6	4×25+5×25+50+3×25+5×20-2×20	连续	P_I	桩基础	B_I+B_{II}	曲线	0	D
3	蒙子沟中桥	K1015+819	183	85.5	4×20	简支	P_I	桩基础	B_I	直线	0	C
4	小黄沟中桥	K1016+228	150	85.5	4×20	连续	P_{III}	桩基础	B_I	曲线	0	C
5	水打沟中桥	K1017+932	246	57	4×13	连续	P_I	桩基础	B_I	曲线	0	B
6	蒙子杠中桥	K1018+647	199	65.5	3×20	简支	P_I	桩基础	B_I	直线	0	B
7	小麻溪中桥	K1021+144	277	65.5	3×20	简支	P_I	桩基础	B_I	直线	0	B
8	古溪沟中桥	K1022+480	163	97	3×30	简支	P_I	桩基础	B_I	直线	0	C
9	何家沟中桥	K1023+163	98	81	3×25	简支	P_I	桩基础	B_I	直线	0	B
10	K1023+700 小桥	K1023+700	255	—	—	简支	N/A	扩大基础	B_I	直线	0	A
11	寿江大桥	K1024+800	169	253	3×30+3×50+13	简支	P_I+P_{III}	桩基础	B_I	直线	0	C
12	爬岩沟中桥	K1025+100	53	65.5	3×20	简支	P_{III}	桩基础	B_I	直线	0	B
13	千金沟大桥	K1025+650	17	230	25+3×40+3×25	简支	N/A	桩基础	B_I	直线	0	B
14	K1026+993 小桥	K1026+468	68	31	1×13	简支	P_I	扩大基础	B_{I}	直线	0	A
15	张家沟中桥	K1027+65	47	85.5	4×20	简支	P_I	桩基础	B_I	直线	0	A
16	曾家沟大桥	K1027+837	15	192.2	25+3×40+25	简支	P_{III}	桩基础	B_I	直线	0	B
17	K1028+832 小桥	K1028+832	52	18	1×10	简支	N/A	扩大基础	B_I	直线	0	A0

续上表

序号	桥名	桥位信息		桥梁结构						几何形式		震害等级④
		里程桩号	方向角(°)	桥长(m)	孔跨组合(m)	结构类型	桥墩类型①	基础类型	支座类型②	平面线形③	交角(°)	
18	硝水沟中桥	K1029+495	103	44	3×13	连续	P_I	桩基础	B_I	曲线	0	B
19	磨子沟小桥	K1030+509	89	23	1×13	简支	N/A	扩大基础	B_I	直线	0	A0
20	岳石大沟小桥	K1031+361	56	24	1×13	简支	N/A	扩大基础	B_I	直线	0	B
21	筑水沟中桥	K1033+530	52	51	3×13	连续	P_I	桩基础	B_I	直线	0	B
22	K1033+908小桥	K1033+908	91	23	1×13	简支	N/A	扩大基础	B_I	直线	0	B
23	蒲家沟大桥	K1034+497	155	163.48	8×20	简支	P_I	桩基础	B_I	直线	0	B
24	蒲家沟中桥	K1034+647	110	70.56	5×13	连续	P_I	桩基础	B_I	曲线	0	B
25	团结沟中桥	K1034+982	8	85.5	4×20	简支	P_I	桩基础	B_I	直线	0	B
26	王家林中桥	K1035+497	84	67	3×20	简支	P_I	桩基础	B_I	直线	0	B
27	白水溪大桥	K1035+947	40	150.4	25.3×40	简支	P_{III}	桩基础	B_I	直线	0	C
28	都汶高速路跨线桥	K1036+300	41	71	13+40+13	简支	P_I	桩基础	B_I	直线	0	B
29	K1037+415中桥	K1036+954	35	—	3×20	简支	P_I	桩基础	B_I	直线	0	B
30	斑竹林中桥	K1037+321	26	—	3×20	简支	P_I	桩基础	B_I	直线	0	B
31	大沟中桥	K1037+597	30	68.39	5×13	连续	P_I	桩基础	B_I	曲线	0	B
32	青云中桥	K954+80	88	34	1×20	简支	N/A	扩大基础	B_I	直线	0	A
33	水西关中桥	K954+706	128	34.5	1×20	简支	N/A	扩大基础	B_I	直线	0	A
34	水井湾大桥	K955+970	149	113	5×20	简支	P_I	桩基础	B_I	直线	0	B
35	扁柏沟中桥	K955+996	144	50.7	3×13	简支	P_I	桩基础	B_I	直线	0	B

注：①桥墩类型中，P_I为排架墩，P_{II}为独柱墩，P_{III}为矩形薄壁墩，P_{IV}为工字形体墩，P_V为组合式桥墩，P_{VI}为其他类型桥墩；N/A为单跨桥梁，未设置桥墩。
②支座类型中，B_I为板式橡胶支座，B_{II}为盆式橡胶支座，B_{III}为其他支座。
③平面线形中，直线包含合直线与曲线半径$R \geq 300$m的缓和曲线桥。
④震害等级中，A0为无震害，A为轻微震害，B为中等震害，C为严重震害，D为完全失效。如无特殊说明，下同。

附表 C-2　都汶高速都映段桥梁概况表

Appendix table C-2　Information of the bridges in the Expressway from Dujiangyan to Wenchuan

序号	桥　名	桥位信息				桥 结 构				几 何 形 式		震害等级
		中心桩号	方向角(°)	桥长(m)	孔跨组合(m)	结构类型	桥墩类型	基础类型	支座类型	平面线形	交角(°)	
1	成灌高速公路跨路跨线桥（左线）	LK0+181	273	53.8	3×16	简支梁	P_I	桩基础	B_I	直线	30	B
2	成灌高速公路跨线桥	K0+931	244	237.7	6×20+2×27+3×20	连续梁	$P_{II}+P_{VI}$	桩基础	$B_{II}+B_I$	曲线	0	B
3	成灌高速公路跨路跨线桥（右线）	RK1+163	250	53.8	3×16	简支梁	P_I	桩基础	B_I	直线	27	B
4	K1+611.5 小桥*	K1+662	49	25	1×13	简支梁	P_I	扩大基础	B_I	直线	45	B
5	走马河中桥*	K1+944	255	86	13+2×25+13	简支梁	P_I	桩基础+扩大基础	B_I	直线	15	B
6	K2+368 小桥*	K2+368	265	26	1×16	简支梁	N/A	扩大基础	B_I	直线	45	A0
7	K2+787 小桥*	K2+787	259	31	1×20	简支梁	N/A	扩大基础	B_I	直线	30	B
8	天府大道跨线桥*	K3+212	259	80.1	22+30+22	连续梁	$P_{II}+P_{VI}$	扩大基础	B_I	直线	0	B
9	双合桥*	K3+552	258	27	1×13	简支梁	N/A	扩大基础	B_I	直线	15	A
10	江安大桥*	K4+078	255	138	5×25	简支梁	P_I	桩基础	B_I	直线	0	B
11	温灌公路跨线桥*	K4+286	252	66	3×20	简支梁	P_I	桩基础+扩大基础	B_I	直线	15	B
12	金马河大桥*	K4+610	248	466	23×20	简支梁	P_{II}	桩基础	B_I	直线	0	B

续上表

序号	桥名	桥位信息		桥梁结构					几何形式		震害等级
		中心桩号	方向角(°)	桥长(m)	孔跨组合(m)	结构类型	桥墩类型	基础类型	支座类型	平面线形	交角(°)	
13	翠月湖公路跨线桥*	K4+934	250	54	3×16	简支梁	P_1	桩基础+扩大基础	B_1	直线	10	B
14	机耕路大水汤桥*	K5+212	257	30	1×16	简支梁	N/A	扩大基础	B_1	直线	15	B
15	黑石河中桥*	K5+386	271	87	3×25	简支梁	P_1	桩基础+扩大基础	B_1	直线	12	B
16	K6+003小桥*	K6+003	293	30	1×16	简支梁	N/A	扩大基础	B_1	直线	30	B
17	青城山公路跨线桥*	K6+419	293	66	3×20	简支梁	P_1	桩基础+扩大基础	B_1	直线	30	B
18	K6+968小桥*	K6+968	307	34	1×20	简支梁	N/A	扩大基础	B_1	直线	45	A
19	K7+129.8小桥*	K7+130	308	45	1×10	简支梁	N/A	扩大基础	B_1	直线	0	A
20	沙沟河大桥*	K7+885	300	131.9	5×25	简支梁	P_1	扩大基础	B_1	直线	25	B
21	K8+110小桥*	K8+110	295	34	1×20	简支梁	N/A	扩大基础	B_1	直线	45	A
22	汤家沟桥*	K8+475	308	44.4	3×13	简支梁	P_1	桩基础	B_1	直线	10	B
23	马家沟桥*	K9+081	350	37.8	2×16	简支梁	P_1	桩基础	B_1	直线	15	B
24	王家沟桥*	K9+306	353	53.8	3×16	简支梁	P_1	扩大基础	B_1	直线	15	B
25	玉堂互通跨线*	K9+790	353	37	1×25	简支梁	N/A	扩大基础	B_1	直线	0	B

续上表

序号	桥名	桥位信息		桥长(m)	桥梁结构						几何形式		震害等级
		中心桩号	方向角(°)		孔跨组合(m)	结构类型	桥墩类型	基础类型	支座类型		平面线形	交角(°)	
26	环山旅游公路跨线桥*	K10+457	10	64	13+18.8+13	简支梁	P_I	扩大基础	B_I		直线	0	B
27	螃蟹河大桥(左线)	LK10+766	15	131.05	3×20+3×20	简支梁	P_I	桩基础	B_I		曲线	0	B
28	螃蟹河大桥(右线)	RK10+766	15	139.1	4×20+2×16	简支梁	P_I	桩基础	B_I		曲线	0	B
29	庙子坪大桥	K17+487	310	1440.2	2×50+125+220+125+17×50	连续刚构+简支梁	P_{III}	桩基础	B_I		直线	0	D
30	龙池互通立交跨线桥*	K19+190	334	31.4	1×20	简支梁	N/A	扩大基础	B_I		直线	0	B
31	新房子大桥左线	LK21+008	13	263.3	5×40	简支梁	P_{III}	桩基础+扩大基础	B_I		直线	0	C
32	新房子大桥右线	RK20+926	13	364	6×25+5×40	连续梁+简支梁	$P_{III}+P_{II}$	桩基础+扩大基础	$B_{II}+B_I$		曲线	0	C
33	LK25+165跨线桥*	K25+165	300	29.5	1×13	简支梁	N/A	扩大基础	B_I		直线	0	B
34	映秀变电站小桥*	K25+450	—	25	1×13	简支梁	N/A	扩大基础	B_I		直线	0	C
35	映秀顺河桥	K25+283	—	247.5	5.5+6×13+13+7×16+3×13	简支梁	P_I	桩基础	B_I		直线	0	D
36	CA0+375映秀小桥	CA0+35	—	20	1×13	简支梁	N/A	扩大基础	B_I		直线	0	A
37	映秀岷江大桥	WLK0+85	—	143	4×25+27	简支梁	P_I	桩基础+扩大基础	B_I		直线	15	C*

注：在本段线路中，K1+611.5小桥、走马河中桥等桥名后加"*"的桥梁为孔跨组合相同、主梁并排、共用桥台且震害程度相似的复线桥。在本段线路中，两座桥墩形式为"$P_{II}+P_{VI}$"的连续梁桥均采用圆形独柱墩与Y形墩。

附表 C-3 国道 213 线映秀至汶川段桥梁概况表

Appendix table C-3 Information of the bridges in the 213 National Highway from Yingxiu to Wenchuan

序号	桥名	桥位信息			桥梁结构						几何形式		震害等级
		里程桩号	方向角(°)	桥长(m)	孔跨组合(m)	结构类型	桥墩类型	基础类型	支座类型	平面线形	交角	
1	映秀顺河桥	K26+773	325	185	8×20	简支	P_I	桩基础	B_I	直线	正交	D^*
2	K27+332 小桥	K27+332	15	17.24	1×8	简支	—	扩大基础	B_I	直线	正交	A
3	K27+610 小桥	K27+610	5	20.26	1×8	简支	—	扩大基础	B_I	直线	正交	A
4	K27+900 大桥	K27+900	—	156	7×20	简支	P_I	桩基础	B_I	直线	正交	D^*
5	K28+020 桥	K28+020	—	36	1×20	简支	—	扩大基础	B_I	直线	正交	C^*
6	K28+636.75 大桥	K28+637	—	174.5	8×20	简支	P_I	扩大基础	B_I	直线	斜交	D^*
7	独秀峰大桥	K31+846	350	188.06	6×30	简支	P_I	桩基础	B_I	直线	斜交	C
8	兴文坪大桥	K33+956	5	165.06	5×30	简支	P_I	扩大基础	B_I	直线	斜交	C
9	K36+436 桥	K36+436	30	18.74	1×8	简支	—	扩大基础	B_I	直线	正交	A
10	一碗水中桥	K37+080	350	92.8	8+3×20+16	简支	P_I	桩基础	B_I	直线	正交	D^*
11	K38+020 中桥	K38+020	50	36	1×20	简支	P_I	桩基础	B_I	直线	正交	B
12	K39+350 中桥	K39+350	10	46	1×30	简支	P_I	扩大基础	B_I	直线	正交	B
13	罗圈湾桥	K42+430	330	50.01	1×30	简支	P_I	桩基础	B_I	直线	斜交	B
14	变电站中桥	K43+690	0	28	1×20	简支	P_I	扩大基础	B_I	直线	正交	D^*
15	彻底关大桥	K44+235	320	375.92	11×30+2×20	简支	P_I	桩基础	B_I	直线	斜交	D^*
16	彻底关中桥	K44+863	353	37	1×30	简支	P_I	桩基础	B_I	直线	正交	B
17	福堂坝中桥	K47+315	45	49.03	2×20	简支	P_I	桩基础	B_I	直线	斜交	D^*
18	福堂坝大桥	K47+708	320	131.86	4×30	简支	P_I	桩基础	B_I	直线	斜交	C
19	桃关沟大桥	K48+317	—	156	30+50+2×30	简支	P_{III}	扩大基础	B_I	直线	斜交	B

续上表

序号	桥名	桥位信息		桥梁结构						几何形式		震害等级
		里程桩号	方向角（°）	桥长（m）	孔跨组合（m）	结构类型	桥墩类型	基础类型	支座类型	平面线形	交角	
20	K48+503 小桥	K48+503	—	22.38	1×8	简支	—	扩大基础	B_1	直线	斜交	C
21	桃关大桥	K49+282	280	157.23	5×30	简支	P_1	桩基础	B_1	直线	斜交	D*
22	水文站大桥	K51+625	350	133.47	4×30	简支	P_1	桩基础	B_1	曲线	斜交	C*
23	草坡吊桥大桥	K52+405	305	166	5×30	简支	P_1	桩基础	B_1	直线	斜交	D*
24	草坡1号大桥	K53+361	0	169.46	5×30	简支	P_1	桩基础	B_1	直线	正交	B
25	草坡2号大桥	K54+605	5	196.49	6×30	简支	P_1	桩基础	B_1	直线	斜交	B
26	草坡3号大桥	K55+004	15	225.06	7×30	简支	P_1	桩基础	B_1	直线	斜交	C
27	草坡4号大桥	K55+465	10	194	6×30	简支	P_1	桩基础	B_1	直线	斜交	C
28	羊店1号大桥	K55+944	60	196	6×30	简支	P_1	桩基础	B_1	直线	斜交	B
29	羊店2号大桥	K56+689	10	252	8×30	简支	P_1	桩基础	B_1	直线	斜交	B
30	飞沙关1号大桥	K57+540	10	250	8×30	简支	P_1	桩基础	B_1	直线	正交	B
31	飞沙关2号大桥	K58+059	5	188	6×30	简支	P_1	桩基础	B_1	直线	斜交	B
32	新店大桥	K58+470	45	198.45	6×30	简支	P_1	桩基础	B_1	直线	斜交	B
33	高店大桥	K60+170	5	218.8	7×30	简支	P_1	桩基础	B_1	直线	斜交	C
34	绵虒大桥	K62+190	15	158.8	5×30	简支	P_1	桩基础	B_1	直线	斜交	B
35	三官庙大桥	K63+005	40	218.8	7×30	简支	P_1	桩基础	B_1	直线	斜交	B
36	登基沟中桥	K64+610	8	75.12	2×30	简支	P_1	桩基础	B_1	直线	斜交	A
37	玉龙大桥	K66+365	18	246.5	8×30	简支	P_1	桩基础	B_1	直线	斜交	B
38	则桑大桥	K67+020	30	336.68	20+10×30	简支	P_1	桩基础	B_1	直线	斜交	C

续上表

序号	桥名	桥位信息		桥长(m)	桥梁结构					几何形式		震害等级
		里程桩号	方向角(°)		孔跨组合(m)	结构类型	桥墩类型	基础类型	支座类型	平面线形	交角	
39	中坝大桥	K67+575	10	158.8	5×30	简支	P_I	桩基础	B_I	直线	斜交	B
40	玉龙电冶厂大桥	K68+598	65	158.8	5×30	简支	P_I	桩基础	B_I	直线	斜交	B*
41	板子沟大桥	K69+220	240	116	3×30	简支	P_{III}	扩大基础	B_I	直线	正交	B
42	板桥村大桥	K69+670	200	196	6×30	简支	P_I	桩基础	B_I	直线	斜交	B
43	大坝大桥	K70+614	210	224	7×30	简支	P_I	桩基础	B_I	直线	斜交	B
44	K71+100顺河大桥	K71+100	—	212.49	10×20	简支	P_I	桩基础	B_I	直线	正交	C*
45	七盘沟1号大桥	K71+700	165	222	7×30	简支	P_I	桩基础	B_I	直线	斜交	B
46	七盘沟2号大桥	K72+583	180	170.06	5×30	简支	P_I	桩基础	B_I	直线	斜交	C
47	铁矿厂大桥	K73+967	180	168.05	8×20	简支	P_I	桩基础	B_I	直线	正交	B
48	K73+965小桥	K74+725	200	18	1×8	简支	—	扩大基础	B_I	直线	正交	A
49	K74+715中桥	K74+980	320	40.04	2×16	简支	P_I	桩基础	B_I	直线	斜交	B
50	K74+850大桥	K78+500	240	140.57	4×30	简支	P_I	桩基础	B_I	曲线	正交	B
51	K78+500大桥	K79+035	—	145.13	5×25	简支	P_I	桩基础	B_I	直线	正交	B*
52	K79+586大桥	K79+586	—	372	17×20	连续	P_{II}	桩基础	B_I	直线	正交	B
53	K79+999大桥	K79+999	—	220.16	10×20	简支	P_I	桩基础	B_I	曲线	正交	B
54	K80+183.6桥	K80+184	—	96	3×25	简支	P_I	桩基础	B_I	曲线	正交	A
55	姜射坝大桥	K80+920	—	120.52	7×20	连续	P_{II}	桩基础	B_{II}	曲线	正交	B

注：表中震害等级后"*"表示该桥主要致灾机理为次生地质灾害。如无特殊说明，下同。

附表 C-4 省道 303 线映秀至卧龙段桥梁概况表

Appendix table C-4 Information of the bridges in the 303 Provincial Road from Yingxiu to Wolong

序号	桥名	桥位信息				桥梁结构				震害等级	备注
		中心桩号	方向角（°）	桥长（m）	孔跨组合（m）	结构类型	桥墩类型	基础类型	支座类型		
1	肖家沟小桥	—	N-NW92	25	1×13	简支梁	N/A	扩大基础	B_I	A^*	—
2	海子沟小桥	—	N-NW133	16	1×10	简支梁	N/A	扩大基础	B_I	A^*	—
3	向家沟小桥	—	N-NW92	19	1×13	简支梁	N/A	扩大基础	B_I	A^*	—
4	渔子溪 1 号大桥	—	N-NE60	146.4	7×20	简支梁	P_I	桩基础+扩大基础	B_I	D^*	在建桥梁
5	渔子溪 2 号大桥	—	N-NW121	113	4×25	连续梁	P_{II}	桩基础+扩大基础	B_{II}	D^*	砸毁
6	大阴沟中桥	—	N-NW132	28	1×20	简支梁	N/A	扩大基础	B_I	D^*	淹没
7	渔子溪 3 号大桥	—	N-NW129	104	20+2×25+20	连续梁	P_{II}	桩基础+扩大基础	B_{II}	C^*	落石砸损
8	七层楼沟中桥	—	N-NW86	30	1×20	简支梁	N/A	扩大基础	B_I	D^*	淹没
9	渔子溪 4 号大桥	—	N-NW51	90.8	4×20	简支梁	P_I	扩大基础	B_I	B	—
10	幸福沟中桥	—	N-NW53	30	1×20	简支梁	N/A	扩大基础	B_I	B	—
11	龙潭沟中桥	—	N-NW70	51	2×20	简支梁	P_I	桩基础+扩大基础	B_I	B	砸损
12	龙潭电站中桥	—	N-NE 91	93	4×20	简支梁	N/A	桩基础+扩大基础	B_I	D^*	—
13	渔子溪 5 号大桥	—	S-SW21	133	5×25	连续梁	P_{II}	桩基础+扩大基础	B_{II}	B	—
14	K32+906.3 小桥	—	N-NW68	22	1×10	简支梁	N/A	扩大基础	B_I	A	—
15	渔子溪 6 号大桥	—	S-SE 58	109	4×25	连续梁	P_{II}	桩基础+扩大基础	B_{II}	C^*	砸损
16	K38+624.5 小桥	—	—	16	1×10	简支梁	N/A	扩大基础	B_I	A0	—
17	九米中桥	—	—	30	1×20	简支梁	N/A	扩大基础	B_I	A0	—
18	黄数沟小桥	—	—	16	1×10	简支梁	N/A	扩大基础	B_I	A0	—
19	巴朗河中桥	—	N-NW61	60	2×25	简支梁	P_I	桩基础+扩大基础	B_I	D^*	淹没

附表 C-5 省道 105 线彭州至北川段公路桥梁概况表

Appendix table C-5 Information of the bridges in the 105 Provincial Road from Pengzhou to Beichuan

序号	桥 名	桥位信息		桥长（m）	孔跨组合（m）	桥梁结构				几何形式		震害等级
		中心桩号	方向角（°）			结构类型	桥墩类型	基础类型	支座类型	平面线形	交角（°）	
1	新龙桥	K47+563	—	5.8	1×5	简支梁	N/A	扩大基础	B_{III}	直线	0	A0
2	花龙桥	K49+250	—	5.8	1×5	简支梁	N/A	扩大基础	B_{III}	直线	0	A0
3	马井大桥	K49+533	N-NE38	338	15×20	拱桥	P_{IV}	扩大基础	N/A	直线	0	B
4	安乐桥	K50+704	—	9	1×7	简支梁	N/A	扩大基础	B_{III}	直线	0	A0
5	铁栏杆桥	K52+243	—	6.2	1×5.4	拱桥	N/A	扩大基础	N/A	直线	0	A
6	玉马桥	K52+714	—	7.7	1×6.7	简支梁	N/A	扩大基础	B_{III}	直线	0	A
7	金带桥	K53+781	—	5.8	1×5.2	简支梁	N/A	扩大基础	B_{III}	直线	0	A0
8	果老桥	K54+406	—	9.4	1×8.6	简支梁	N/A	扩大基础	B_{III}	直线	0	A0
9	箭台桥	K55+128	—	6.2	1×5.4	简支梁	N/A	扩大基础	B_{III}	直线	0	A0
10	元石 2 号桥	K56+041	—	7	1×6.2	简支梁	N/A	扩大基础	B_{III}	直线	0	A0
11	元石 1 号桥	K56+378	—	5.9	1×5.0	简支梁	N/A	扩大基础	B_{III}	直线	0	A0
12	罗汉碾桥	K61+223	—	14.8	2×7	简支梁	P_{IV}	扩大基础	B_{III}	直线	0	A0
13	桐麻渠桥	K62+912	—	5.8	1×5	简支梁	N/A	扩大基础	B_{III}	直线	0	A0
14	白鱼河桥	K64+966	—	20.3	2×6.7	简支梁	P_{IV}	扩大基础	B_{III}	直线	0	A0
15	29 支渠桥	K66+136	—	6.9	1×6.2	简支梁	N/A	扩大基础	B_{III}	直线	0	A0
16	干沟桥	K67+166	—	10	1×9.2	简支梁	N/A	扩大基础	B_{III}	直线	0	A0
17	石亭江引道桥	K67+353	—	50.2	4×10	简支梁	P_{IV}	扩大基础	B_{III}	直线	0	A

续上表

序号	桥 名	桥位信息			桥梁结构						几何形式		震害等级
		中心桩号	方向角(°)	桥长(m)	孔跨组合(m)	结构类型	桥墩类型	基础类型	支座类型	平面线形	交角(°)	
18	绵竹石亭江1号桥	K67+774	—	368.5	18×20	简支梁	P_I	桩基础	B_I	直线	0	B
19	射水河大桥	K74+578	N-NE10	114.4	5×20+5.2	简支梁	P_I	桩基础	B_I	直线	0	B
20	人民渠桥	K75+593	—	64.2	3×20	简支梁	P_I	桩基础	B_I	直线	0	B
21	马尾河新桥	K80+935	—	68	3×20	简支梁	P_I	桩基础	B_I	直线	0	B
22	公铁立交桥	K84+857	—	42.4	20+15	简支梁	P_I	扩大基础	B_{III}	直线	0	B
23	牛登泉桥	K92+806	—	8.4	1×8.4	简支梁	N/A	扩大基础	B_I	直线	15	A0
24	绵远河大桥	K95+644	N-NE40	428.8	14×30	简支梁	P_I	桩基础	B_I	直线	15	B
25	绵远河附2桥	K96+112	—	64	3×20	简支梁	P_{IV}	桩基础	B_{III}	直线	30	B
26	干河子小桥	K103+385	—	25	3×6	拱桥	P_{IV}	扩大基础	N/A	直线	0	A
27	干河子大桥	K103+680	N-NE12	130	4×25	拱桥	P_I	扩大基础	B_I	直线	0	C
28	秀水河桥	K109+684	N-NE5	71	3×16	简支梁	N/A	桩基础	N/A	曲线	0	C
29	杨家河桥	K110+009	—	36	1×20	简支梁	N/A	扩大基础	B_{III}	曲线	0	B
30	代家沟桥	K114+187	—	32.8	1×8	拱桥	N/A	扩大基础	N/A	直线	0	B
31	白马井桥	K115+207	—	30.2	1×10	拱桥	N/A	扩大基础	N/A	直线	0	B
32	黄金堰桥	K116+510	N-NE38	33.7	1×10	拱桥	N/A	扩大基础	N/A	直线	0	C
33	高堰子桥	K118+165	—	32.4	1×16	简支梁	N/A	扩大基础	B_I	直线	0	A
34	何家堰桥	K118+455	—	16	1×8	简支梁	N/A	扩大基础	B_{III}	直线	30	A0

续上表

序号	桥 名	桥位信息			桥梁结构						几何形式		震害等级
		中心桩号	方向角（°）	桥长（m）	孔跨组合（m）	结构类型	桥墩类型	基础类型	支座类型	平面线形	交角（°）	
35	倒石桥	K118+779	—	32.4	1×6	拱桥	N/A	扩大基础	B_{III}	直线	0	A0
36	松林口桥	K118+999	—	33.27	1×6	拱桥	N/A	扩大基础	B_{III}	直线	30	A0
37	回龙桥	K125+687	—	17	2×6	简支梁	P_{IV}	扩大基础	B_{III}	曲线	0	A
38	安州大桥	K131+623	N–NE130	199.54	2×80	拱桥	P_{IV}	扩大基础	N/A	直线	0	C
39	余家坝大桥	K132+760	N–NE138	259.1	5×47.5	拱桥	P_{I}	扩大基础	N/A	直线	0	B
40	白马堰大桥1号桥	K137+447	N–NW12	132	6×20	简支梁	P_{I}	桩基础	B_{I}	直线	0	C
41	白马堰大桥2号桥	K137+521	N–NE5	52	2×20	简支梁	N/A	桩基础	B_{III}	直线	0	C
42	变电站小桥	K137+769	—	16	1×6	简支梁	N/A	扩大基础	B_{III}	直线	0	A0
43	千河沟小桥	K139+573	—	16	1×6	简支梁	N/A	扩大基础	B_{III}	直线	0	A0
44	平桥沟小桥	K142+498	—	16	1×6	拱桥	N/A	扩大基础	N/A	直线	0	A
45	平桥电站小桥	K143+584	—	15.9	1×6	简支梁	N/A	扩大基础	B_{III}	直线	0	A0
46	李家湾小桥	K143+889	—	16	1×6	简支梁	N/A	扩大基础	B_{I}	直线	0	B
47	洪家湾大桥	K146+179	—	112	5×20	简支梁	P_{I}	桩基础	B_{I}	直线	0	B
48	擂鼓桥	K152+174	—	15	1×13	简支梁	N/A	扩大基础	B_{I}	直线	0	C*
49	擂鼓大桥	K153+500	—	306	14×20	简支梁	P_{I}	桩基础	B_{I}	直线	0	C*

注：桥墩类型中的"N/A"表示单跨桥梁，未设置桥墩；支座类型中的"N/A"表示未设置桥墩或拱桥的实腹拱桥或拱上式腹拱桥。以下如未特别说明，意义同此。

汶川地震公路震害调查 桥　　梁

附表 C-6　省道 105 线北川至沙洲段公路桥梁概况表
Appendix table C-6　Information of the bridges in the 105 Provincial Road from Beichuan to Shazhou

序号	桥名	桥位信息			桥梁结构					几何形式		震害等级
		中心桩号	方向角(°)	桥长(m)	孔跨组合(m)	结构类型	桥墩类型	基础类型	支座类型	平面线形	交角(°)	
1	财神庙桥	K179+579	—	12	1×6	圬工板拱	N/A	扩大基础	N/A	直线	0	B
2	张家沟桥	K180+454	—	53	1×20+2×10+5	圬工板拱	P_{IV}	扩大基础	N/A	直线	0	C
3	陈家坝大桥	K183+499	—	150	1×60	圬工板拱	P_{IV}	扩大基础	N/A	直线	0	D
4	羊肠子桥	K183+675	—	38	1×30	圬工板拱	N/A	扩大基础	N/A	直线	0	C
5	红岩子桥	K185+451	—	16	1×9	圬工板拱	N/A	扩大基础	N/A	直线	0	B
6	清湾桥	K187+838	—	15	1×9	圬工板拱	N/A	扩大基础	N/A	直线	0	A0
7	金匼匼1桥	K189+203	—	18	1×12	圬工板拱	N/A	扩大基础	N/A	直线	0	C
8	金匼匼2桥	K189+418	—	41	1×25	圬工板拱	N/A	扩大基础	N/A	直线	0	A
9	金匼匼3桥	K189+610	—	44	1×29	圬工板拱	N/A	扩大基础	N/A	直线	0	C
10	桂溪大桥	K198+024	—	142	3×40	钢筋混凝土肋拱	N/A	扩大基础	N/A	直线	0	B
11	某小桥	K191+579	—	18	1×6	圬工板拱	N/A	扩大基础	N/A	直线	0	A0
12	连角桥	K204+579	—	18	1×6	圬工板拱	N/A	扩大基础	N/A	直线	0	A
13	林家坝桥	K204+979	—	16	1×8	圬工板拱	N/A	扩大基础	N/A	直线	0	B
14	收费站3桥*	K211+841	—	16	1×6	圬工板拱	N/A	扩大基础	N/A	直线	20	C
15	收费站4桥*	K211+917	—	12	1×12	简支梁	P_I	桩基础	B_{III}	直线	0	A
16	K217+500中桥*	—	—	71	3×20	简支梁	P_I	桩基础	B_I	直线	0	A
17	K217+510中桥*	—	—	13	2×13	简支梁	P_I	桩基础	B_I	直线	0	A
18	K217+650中桥*	—	—	20	2×20	简支梁	P_I	桩基础	B_I	直线	0	A
19	K218+280中桥*	—	—	92	4×20	简支梁	P_I	桩基础	B_I	直线	0	A

续上表

| 序号 | 桥名 | 桥位信息 | | 桥长(m) | 桥梁结构 | | | | | 几何形式 | | 震害等级 |
		中心桩号	方向角(°)		孔跨组合(m)	结构类型	桥墩类型	基础类型	支座类型	平面线形	交角(°)	
20	K218+900中桥*	—	—	20	2×20	简支梁	P_I	桩基础	B_I	直线	0	A
21	草鞋沟大桥*	K219+844	—	181	8×20	简支梁	P_I	桩基础	B_I	直线	0	B
22	柑子树大桥*	K220+847	—	176	8×20	简支梁	P_I	桩基础	B_I	直线	0	C
23	K222+160中桥*	—	—	36	1×20	简支梁	P_I	桩基础	B_I	直线	0	A
24	K222+920中桥*	—	—	62	5×10	简支梁	P_I	桩基础	B_{III}	直线	0	A0
25	大冰沟大桥*	K227+164	—	36	1×20	圬工拱	N/A	扩大基础	B_{III}	直线	0	B
26	K228+800小桥*	—	—	6	1×6	简支梁	N/A	扩大基础	N/A	直线	0	B
27	铜子梁桥	K233+101	—	52+5	1×30	双曲拱	N/A	扩大基础	N/A	直线	0	C
28	南坝大桥	K237+307	—	226	1×25+9×20	简支梁	P_{IV}	桩基础	B_{III}	直线	30	D
29	南坝旧桥	—	—	141.3	2×60	双曲拱	N/A	扩大基础	N/A	直线	0	D
30	兴福寺桥	K273+669	—	18.5	1×13	圬工拱	N/A	扩大基础	N/A	直线	0	B
31	房石桥	K277+979	—	8	1×7	简支梁	N/A	扩大基础	N/A	直线	10	A0
32	纸房坝桥	K279+965	—	32	1×24	圬工板拱	N/A	扩大基础	N/A	直线	0	C
33	中溪桥	K282+010	—	32	1×24	圬工板拱	N/A	扩大基础	N/A	直线	0	C
34	小河子桥	K285+658	—	23	1×16	双曲拱	N/A	扩大基础	N/A	直线	0	B
35	新楼子桥	K286+917	—	14	1×8	圬工板拱	N/A	扩大基础	N/A	直线	0	B
36	曲河大桥	K289+956	—	85	1×75	双曲拱	N/A	扩大基础	N/A	直线	0	D
37	四沟桥*	K300+324	—	12	1×6	圬工板拱	N/A	扩大基础	N/A	直线	0	A
38	红卫桥	K303+166	—	12	1×8	圬工板拱	N/A	扩大基础	N/A	直线	0	A0

续上表

序号	桥 名	桥位信息		桥梁结构						几何形式		震害等级
		中心桩号	方向角（°）	桥长（m）	孔跨组合（m）	结构类型	桥墩类型	基础类型	支座类型	平面线形	交角（°）	
39	邓曹沟	K308+296	—	10	1×6	圬工板拱	N/A	扩大基础	N/A	直线	0	A0
40	石夹桥	K309+968	—	11	1×6	圬工板拱	N/A	扩大基础	N/A	直线	0	A0
41	转嘴子桥	K310+020	—	26	1×22	圬工板拱	N/A	扩大基础	N/A	直线	0	A
42	篙溪桥	K314+500	—	24	1×20	圬工板拱	N/A	扩大基础	N/A	直线	0	A
43	空桐树桥	K324+774	—	24	1×20	圬工板拱	N/A	扩大基础	N/A	直线	0	A
44	篆溪河桥	K331+223	—	18	1×12	圬工板拱	N/A	扩大基础	N/A	直线	0	A0
45	东桥	K340+219	—	60	3×17	双曲拱	P_{IV}	扩大基础	N/A	直线	0	A0
46	孔溪向阳桥	K347+182	—	44	2×16.5	双曲拱	P_{IV}	扩大基础	B_{III}	直线	0	A
47	张家坪桥	K353+516	—	15	1×7	简支梁	N/A	扩大基础	N/A	直线	0	A
48	三盘子桥	K354+590	—	9.2	1×6.5	双曲拱	N/A	扩大基础	B_{III}	直线	10	A
49	毛坝桥	K356+150	—	28.5	1×15	双曲拱	N/A	扩大基础	B_{III}	直线	15	A
50	平沟桥	K359+108	—	12	2×5	简支梁	N/A	扩大基础	B_{III}	直线	10	A0
51	浮寨桥	K361+216	—	16	1×8	简支梁	N/A	扩大基础	N/A	直线	0	A0
52	上马桥	K364+661	—	11	1×8	双曲拱	N/A	扩大基础	N/A	直线	0	C
53	红旗桥	K368+543	—	36	1×27	圬工板拱	N/A	扩大基础	N/A	直线	15	A0
54	李家沟桥	K370+224	—	31	1×20	简支梁	N/A	扩大基础	B_{III}	直线	0	A0
55	岗家沟桥	K371+265	—	9	1×6	简支梁	N/A	扩大基础	N/A	直线	0	B
56	鲜家沟桥	K373+129	—	23	1×8	双曲拱	N/A	扩大基础	N/A	直线	0	A0
57	天川沟桥	K374+602	—	38	1×25	圬工板拱	N/A	扩大基础	N/A	直线	0	B
58	井田坝大桥	K379+980	—	180	2×75	圬工板拱	P_{IV}	扩大基础	N/A	直线	0	D

附表 C-7　省道 302 线江油至北川段公路桥梁概况表
Appendix table C-7　Information of the bridges in the 302 Provincial Road from Jiangyou to Beichuan

序号	桥名	桥位信息			桥梁结构					几何形式		震害等级
		中心桩号	方向角（°）	桥长（m）	孔跨组合（m）	结构类型	桥墩类型	基础类型	支座类型	平面线形	交角（°）	
1	让水大桥	K665+070	N-NW 42	200	9×20	简支梁	P_I	桩基础+扩大基础	B_I	直线	0	B
2	龙潭桥	K666+514	N-NW 101	42	2×16	简支梁	P_I	桩基础	B_I	直线	0	B
3	黄江大桥	K673+892	N-NE 50	120	1×85	中承式肋拱	N/A	扩大基础	N/A	直线	0	B
4	羊儿沟中桥	K678+078	N-NE 5	46	1×25	圬工板拱	N/A	扩大基础	N/A	直线	0	C
5	硝洞子1号桥	K680+488	N-NW37	52	2×20	圬工板拱	P_{IV}	扩大基础	N/A	直线	0	C
6	硝洞子2号桥	K680+588	N-NW30	24	1×16	圬工板拱	N/A	扩大基础	N/A	直线	0	D*
7	硝洞子3号桥	K681+810	N-NE27	21	1×15	圬工板拱	N/A	扩大基础	N/A	直线	0	C
8	竹林沟1号桥	K682+323	N-NW7	16	1×10	圬工板拱	N/A	扩大基础	N/A	直线	0	C
9	竹林沟2号桥	K682+585	N-NW91	14	1×12	圬工板拱	N/A	扩大基础	N/A	直线	0	A0
10	陈家屋基桥	K683+346	N-NW94	31	1×24	圬工板拱	N/A	扩大基础	N/A	直线	0	A
11	伞湾岩1号桥	K684+179	N-NW47	16	1×10	圬工板拱	N/A	扩大基础	N/A	直线	0	B
12	母猪桥	K684+231	N-NE137	52	1×30	圬工板拱	N/A	扩大基础	N/A	直线	0	C
13	许家沟1号桥	K684+508	N-NE37	21	1×16	圬工板拱	N/A	扩大基础	N/A	直线	0	C*
14	许家沟2号桥	K685+192	N-NW28	33	1×25	圬工板拱	N/A	扩大基础	N/A	直线	0	A0
15	许家沟3号桥	K686+675	N-NW73	16	1×12	圬工板拱	N/A	扩大基础	N/A	直线	0	D*
16	许家沟4号桥	K686+877	N-NW57	16	1×12	圬工板拱	N/A	扩大基础	N/A	直线	0	D
17	笼子口大桥	K688+258	N-NW87	82	1×60	上承式肋拱	N/A	扩大基础	N/A	直线	0	B
18	笼子口1号桥	K689+038	N-NE23	22	1×14	圬工板拱	N/A	扩大基础	N/A	直线	0	A
19	笼子口2号桥	K689+341	N-NE25	26	1×18	圬工板拱	N/A	扩大基础	N/A	直线	0	D
20	笼子口3号桥	K689+562	N-NE28	15	1×7	圬工板拱	N/A	扩大基础	N/A	直线	0	C
21	韭菜沟1号桥	K690+738	N-NW33	37	1×30	圬工板拱	N/A	扩大基础	N/A	直线	0	C
22	韭菜沟2号桥	K691+169	N-NW4	26	1×20	圬工板拱	N/A	扩大基础	N/A	直线	0	C

附表 C-8　省道 302 线北川至茂县段公路桥梁概况表

Appendix table C-8　Information of the bridges in the 302 Provincial Road from Beichuan to Maoxian

序号	桥名	桥位信息			桥梁结构					几何形式		震害等级
		中心桩号	方向角(°)	桥长(m)	孔跨组合(m)	结构类型	桥墩类型	基础类型	支座类型	平面线形	交角(°)	
1	湔江河大桥	K702+461	N-NW330	222	10×20	简支梁桥	P_I	桩基础	B_I	直线	0	D
2	石裹衣大桥	K702+660	N-NW330	123.05	5×20+10	简支梁桥	P_I	桩基础	B_I	直线	0	D*
3	大水沟桥	K704+097	—	55	2×20	圬工拱桥	P_{IV}	扩大基础	N/A	直线	0	D*
4	小水湾1桥	K704+462	—	14	1×8	圬工拱桥	N/A	扩大基础	N/A	直线	0	D*
5	小水湾2桥	K704+673	—	27	1×16	圬工拱桥	N/A	扩大基础	N/A	直线	0	D*
6	小水湾3桥	K704+863	—	28	1×16	圬工拱桥	N/A	扩大基础	N/A	直线	0	D*
7	黄土梁2桥	K705+354	—	34	1×24	圬工拱桥	N/A	扩大基础	N/A	直线	0	D*
8	黄土梁3桥	K705+722	—	18	1×12	圬工拱桥	N/A	扩大基础	N/A	直线	0	D*
9	扁庹树1桥	K706+069	—	23	1×16	圬工拱桥	N/A	扩大基础	N/A	直线	0	D*
10	扁庹树2桥	K707+256	—	18	1×12	圬工拱桥	N/A	扩大基础	N/A	直线	0	D*
11	曹山坡桥	K708+547	—	50	1×37	圬工拱桥	N/A	扩大基础	N/A	直线	0	D*
12	三倒拐桥	K709+687	—	52	2×20	圬工拱桥	P_{IV}	扩大基础	N/A	直线	0	D*
13	杨柳浦桥	K710+511	—	28	1×15	圬工拱桥	N/A	扩大基础	N/A	直线	0	D*
14	双坂桥	K711+862	—	55	1×38	圬工拱桥	N/A	扩大基础	N/A	直线	0	D*
15	新浦湾桥	K714+608	—	23	1×15	圬工拱桥	N/A	扩大基础	N/A	直线	0	D*
16	十里碑1桥	K715+936	—	9	1×5	圬工拱桥	N/A	扩大基础	N/A	直线	0	D*
17	十里碑2桥	K716+250	—	28	1×20	圬工拱桥	N/A	扩大基础	N/A	直线	0	D*
18	粉房湾桥	K717+484	—	28	1×20	圬工拱桥	N/A	扩大基础	N/A	直线	0	D*
19	金花寺桥	K718+774	—	13	1×5	圬工拱桥	N/A	扩大基础	N/A	直线	0	D*
20	土桥子沟	K719+738	—	19	1×12	圬工拱桥	N/A	扩大基础	N/A	直线	0	D*
21	深坑子桥	K720+034	—	19	1×12	圬工拱桥	N/A	扩大基础	N/A	直线	0	D*
22	桥楼子桥	K720+491	—	12	1×7	圬工拱桥	N/A	扩大基础	N/A	直线	0	D*
23	水观音桥	K721+150	—	14	1×8	圬工拱桥	N/A	扩大基础	N/A	直线	0	D*

续上表

序号	桥名	桥位信息		桥长(m)	孔跨组合(m)	桥梁结构					几何形式		震害等级
		中心桩号	方向角(°)			结构类型	桥梁类型	桥墩类型	基础类型	支座类型	平面线形	交角(°)	
24	水磨沟桥	K722+969	—	20	1×12	圬工拱桥	N/A	N/A	扩大基础	N/A	直线	0	D*
25	沙坪沟2桥	K723+418	—	21	1×13	圬工拱桥	N/A	N/A	扩大基础	N/A	直线	0	A
26	沙坪沟桥	K725+707	—	10	1×5	圬工拱桥	N/A	N/A	扩大基础	N/A	直线	0	A
27	混水沟桥	K726+091	—	12	1×6	圬工拱桥	N/A	N/A	扩大基础	N/A	直线	0	C
28	罗家湾桥	K727+759	—	10	1×6	圬工拱桥	N/A	N/A	扩大基础	N/A	直线	0	B
29	皂角树桥	K729+343	—	26	1×12	圬工拱桥	N/A	N/A	扩大基础	N/A	直线	0	A
30	老鸡桥	K732+163	—	30	1×20	圬工拱桥	N/A	N/A	扩大基础	N/A	直线	0	B
31	K732+150拱桥	—	—	26	1×24	圬工拱桥	N/A	N/A	扩大基础	N/A	直线	0	C
32	K731+200拱桥	—	—	19	1×12.5	圬工拱桥	N/A	N/A	扩大基础	N/A	直线	0	B
33	黑水沟桥	K733+157	—	19	1×13	圬工拱桥	N/A	N/A	扩大基础	N/A	直线	0	C
34	斜板岩桥	K733+598	—	26	1×20	圬工拱桥	N/A	N/A	扩大基础	N/A	直线	0	C
35	蔡家嘴桥	K734+820	—	22	1×16	圬工拱桥	N/A	N/A	扩大基础	N/A	直线	0	C
36	新堡桥	K736+061	—	11	1×5	圬工拱桥	N/A	N/A	扩大基础	N/A	直线	0	A
37	砖工桥	K740+126	—	20	1×14	圬工拱桥	N/A	N/A	扩大基础	N/A	直线	0	C
38	柴房沟桥	K743+539	—	19	1×13	圬工拱桥	N/A	N/A	扩大基础	N/A	直线	0	B
39	落木沟桥	K744+162	—	21	1×15	圬工拱桥	N/A	N/A	扩大基础	N/A	直线	0	B
40	墩上大桥	K745+655	—	50	1×32	圬工拱桥	N/A	N/A	扩大基础	N/A	直线	0	B
41	镐平桥	—	—	16	1×10	简支梁桥	N/A	N/A	扩大基础	B$_{III}$	直线	0	B
42	亚坪桥	—	—	15	1×11	圬工拱桥	N/A	N/A	扩大基础	N/A	直线	0	A
43	三元桥	—	—	16	1×10	圬工拱桥	N/A	N/A	扩大基础	N/A	直线	0	A
44	都料口桥	K764+962	—	14	1×8	圬工拱桥	N/A	N/A	扩大基础	N/A	直线	0	B
45	红旗桥	—	—	15	1×15	简支梁桥	N/A	N/A	扩大基础	B$_{III}$	直线	0	A0
46	明足沟桥	—	—	13	1×7	圬工拱桥	N/A	N/A	扩大基础	N/A	直线	0	B
47	马蹄桥	—	—	13	1×6.5	圬工拱桥	N/A	N/A	扩大基础	N/A	直线	0	B
48	黑桃桥	—	—	13	1×6	圬工拱桥	N/A	N/A	扩大基础	N/A	直线	0	C

附表 C-9　省道 205 线平武白马至江油段桥梁概况表

Appendix table C-9　Information of the bridges in the 205 Provincial Road from Pingwu Baima to Jiangyou

序号	桥名	桥长（m）	桥梁结构					几何形式		震害等级
			孔跨组合（m）	结构类型	桥墩类型	基础类型	支座类型	平面线形	交角（°）	
1	8号桥	32	1×18	圬工拱桥	N/A	扩大基础	N/A	直线	0	A
2	夏家沟桥	56	2×20	简支梁桥	P_I	扩大基础	B_I	直线	0	A0
3	托洛加桥	66	1×25	混凝土拱	N/A	扩大基础	N/A	直线	0	B
4	水闸1号桥	10	1×6	简支梁桥	N/A	扩大基础	B_{III}	斜交	45	A0
5	水闸2号桥	10	1×6	简支梁桥	N/A	扩大基础	B_{III}	直线	0	A0
6	南一里桥	42	1×35	混凝土拱	N/A	扩大基础	N/A	直线	0	A0
7	白一里桥	17	1×6	圬工拱桥	N/A	扩大基础	N/A	直线	0	A0
8	河口大桥1号桥	36	1×25	混凝土拱	N/A	扩大基础	N/A	直线	0	B
9	河口大桥2号桥	37	1×25	混凝土拱	N/A	扩大基础	N/A	直线	0	B
10	康乐桥	17	1×10	圬工拱桥	N/A	扩大基础	N/A	直线	0	A0
11	新驿桥	26	10+8	圬工拱桥	P_{IV}	扩大基础	B_{III}	直线	0	A0
12	新驿桥	20	2×8	简支梁桥	P_{IV}	扩大基础	N/A	直线	0	A0
13	关坝大桥	58	1×40	圬工拱桥	N/A	扩大基础	N/A	直线	0	B
14	阴平桥	17.6	1×9	圬工拱桥	N/A	扩大基础	N/A	直线	0	A0
15	蜈蚣口桥	41	1×25	圬工拱桥	N/A	扩大基础	N/A	直线	0	A0
16	羊肠关桥	13.8	1×8	简支梁桥	N/A	扩大基础	B_{III}	直线	0	A0

续上表

序号	桥 名	桥长 (m)	孔跨组合 (m)	结构类型	桥墩类型	基础类型	支座类型	平面线形	交角 (°)	震害等级
17	加油站桥	13	1×7	简支梁桥	N/A	扩大基础	B_{III}	直线	0	A0
18	火盆沟桥	10	1×6	简支梁桥	N/A	扩大基础	B_{III}	直线	0	B
19	九龙沟桥	18	1×12	简支梁桥	N/A	扩大基础	B_{III}	直线	0	A0
20	双河桥	22	1×15	简支梁桥	N/A	扩大基础	B_{III}	直线	0	A0
21	长桂桥	10	1×6	混凝土拱	N/A	扩大基础	N/A	直线	0	C
22	长桂2号桥	7.5	1×5	简支梁桥	N/A	扩大基础	B_{III}	直线	0	A0
23	皮罗寺桥	12	1×5	圬工拱桥	N/A	扩大基础	N/A	直线	0	A0
24	车家湾桥	12.5	1×6	圬工拱桥	N/A	扩大基础	N/A	直线	0	A0
25	贾村桥	17	1×8	混凝土拱	N/A	扩大基础	N/A	直线	0	A0
26	工农桥	26.2	1×12	混凝土拱	P_{IV}	扩大基础	N/A	直线	0	C
27	批修桥	15.2	2×5	混凝土拱	N/A	扩大基础	N/A	直线	0	A0
28	古城金子口桥	34	1×25	圬工拱桥	P_{IV}	扩大基础	N/A	直线	0	A0
29	白草大桥1号桥	113.3	60+25	圬工拱桥	N/A	扩大基础	N/A	直线	0	C
30	白草大桥2号桥	40	1×25	圬工拱桥	N/A	扩大基础	N/A	直线	0	C
31	老蛇湾桥	12.8	1×6	混凝土拱	N/A	扩大基础	N/A	直线	0	A0
32	黑水沟桥	32.3	2×8	混凝土拱	P_{IV}	扩大基础	N/A	直线	0	B

续上表

| 序号 | 桥名 | 桥长(m) | 孔跨组合(m) | 桥梁结构 ||| 几何形式 || 震害等级 |
				结构类型	桥墩类型	基础类型	支座类型	平面线形	交角(°)	
33	红旗大桥	57	1×40	圬工拱桥	N/A	扩大基础	N/A	直线	0	A
34	石头坝桥	17.7	1×8	简支梁桥	N/A	扩大基础	B$_{III}$	斜交	15	B
35	大湾桥	11.7	1×5	简支梁桥	N/A	扩大基础	B$_{III}$	直线	0	B
36	高庄团结桥	46.6	1×35	混凝土拱	N/A	扩大基础	N/A	直线	0	C
37	高庄1号桥	11.5	1×8	简支梁桥	N/A	扩大基础	B$_{III}$	直线	0	A
38	高庄2号桥	37	1×20	混凝土拱	N/A	扩大基础	N/A	直线	0	A
39	磨机子桥	11	1×8	简支梁桥	N/A	扩大基础	B$_{III}$	直线	0	B
40	甘孜坝桥	15	1×14	简支梁桥	N/A	扩大基础	B$_{III}$	直线	0	C
41	旧洲桥	10	1×8	简支梁桥	N/A	扩大基础	N/A	直线	0	B
42	鸽子山桥*	36	1×20	圬工拱桥	P$_{IV}$	扩大基础	B$_{III}$	斜交	30	A0
43	甘溪沟桥	56	4×11	简支梁桥	N/A	扩大基础	N/A	直线	0	C
44	K231+110小桥*	10	1×8	圬工拱桥	N/A	扩大基础	B$_{III}$	直线	0	A0
45	K231+690小桥*	10	1×6	简支梁桥	N/A	扩大基础	B$_{III}$	直线	0	A
46	K236+410小桥*	8	1×5	简支梁桥	N/A	扩大基础	B$_{III}$	直线	0	A0
47	K240+810小桥*	12	1×8	简支梁桥	N/A	扩大基础	B$_{III}$	直线	0	A0
48	K246+030小桥*	12	1×8	简支梁桥	N/A	扩大基础	B$_{III}$	直线	0	A0
49	狮子桥*	24	2×8	圬工拱桥	P$_{IV}$	扩大基础	N/A	直线	0	A0

附表 C-10　国道 212 线姚渡至广元段桥梁概况表

Appendix table C-10　Information of the bridges in the 212 National Highway from Yaodu to Guangyuan

序号	桥名	桥位信息			桥长 (m)	孔跨组合 (m)	桥梁结构			支座类型	几何形式		震害等级
		中心桩号	方向角 (°)				结构类型	桥墩类型	基础类型		平面线形	交角 (°)	
1	龙背梁桥*	—	N-NE223		28	1×16	圬工板拱桥	N/A	扩大基础	N/A	曲线	0	B
2	白水河大桥*	—	N-NE132		355	3×90	钢筋混凝土箱拱桥	P_{IV}	扩大基础	N/A	直线	0	C
3	下弯里桥*	—	N-NE212		38	1×30	圬工板拱桥	N/A	扩大基础	N/A	直线	0	B
4	洛阳河大桥	—	N-NE141		137	1×100	钢筋混凝土箱拱	N/A	扩大基础	N/A	直线	0	B
5	无名1号桥	—	N-NE158		29.8	1×16	圬工板拱桥	N/A	扩大基础	N/A	曲线	0	A
6	无名2号桥	—	N-NE161		31	1×16	圬工板拱桥	N/A	扩大基础	N/A	曲线	0	B
7	杨家岭桥	—	N-NE249		21	1×10	圬工板拱桥	N/A	扩大基础	N/A	直线	0	A
8	龙洞河大桥	—	N-NE178		95	1×60	圬工板拱桥	N/A	扩大基础	N/A	直线	0	C
9	干溪河大桥	—	N-NE177		133	1×60	钢筋混凝土箱拱	N/A	扩大基础	N/A	直线	0	C
10	中区一号桥	—	N-NE21		45	1×16	圬工板拱桥	N/A	扩大基础	N/A	曲线	0	A
11	中区二号桥	—	N-NW22		50	1×16	圬工板拱桥	N/A	扩大基础	N/A	直线	0	B
12	中区三号桥	—	N-NE84		27.3	1×18	圬工板拱桥	N/A	扩大基础	N/A	直线	0	A
13	K765+537小桥	—	N-NE172		11.6	1×5	圬工板拱桥	N/A	扩大基础	N/A	直线	0	A
14	飞凤桥	—	N-NE129		38.5	1×20	圬工板拱桥	N/A	扩大基础	N/A	直线	0	B
15	长岭桥	—	N-NE147		15.3	1×8	圬工板拱桥	N/A	扩大基础	N/A	直线	0	B
16	七里桥	—	N-NE151		26	1×8	圬工板拱桥	N/A	扩大基础	N/A	直线	0	B

续上表

序号	桥名	桥位信息		桥梁结构							几何形式		震害等级
		中心桩号	方向角(°)	桥长(m)	孔跨组合(m)	结构类型	桥墩类型	基础类型	支座类型	平面线形	交角(°)	
17	K768+000小桥	—	N-NE86	16	1×5	圬工板拱桥	N/A	扩大基础	N/A	直线	40	B
18	水厂桥	—	N-NE211	17	1×9.7	圬工板拱桥	N/A	扩大基础	N/A	直线	0	A
19	水田桥	—	N-NW163	33	1×20	圬工板拱桥	N/A	扩大基础	N/A	直线	0	A
20	平溪河桥	—	N-NE177	90	4×20	简支梁桥	P_I	桩基础	B_I	直线	0	B
21	盐水溪桥	—	N-NE147	12	1×8	简支梁桥	N/A	扩大基础	B_{III}	直线	0	A
22	苍溪河大桥	—	N-NE179	110	4×25	简支梁桥	P_I	桩基础	B_I	直线	0	B
23	干溪沟桥	—	N-NE182	70	3×20	简支梁桥	P_I	桩基础	B_I	直线	0	B
24	紫兰电站桥	—	N-NE138	18.6	1×8	简支梁桥	N/A	扩大基础	B_{III}	直线	0	A
25	紫兰坝桥	—	N-NE178	9.5	1×8	圬工板拱桥	N/A	扩大基础	N/A	直线	0	A0
26	白龙江大桥	—	—	343	1×23+5×60	圬工板拱桥	P_{IV}	扩大基础	N/A	直线	0	A
27	王家营2号桥	—	—	13	1×5	混凝土板拱桥	N/A	扩大基础	N/A	直线	40	A
28	王家营1号桥	—	—	110	5×20	简支梁桥	P_{IV}	桩基础	B_I	直线	0	B
29	王家营3号桥	—	—	46	17+20	连续梁桥	P_{II}	桩基础+扩大基础	B_{II}	曲线	0	A
30	嘉陵江大桥	—	—	491	3×80+6×40	钢筋混凝土肋拱桥	P_{IV}	扩大基础	N/A	直线	0	B

附表 C-11 京昆高速绵阳至广元段桥梁概况表

Appendix table C-11 Information of the bridges in the Beijing–Kunming Expressway from Mianyang to Guangyuan

序号	桥名	桥长（m）	孔跨组合（m）	桥梁结构					几何形式		震害等级
				结构类型	桥墩类型	基础类型	支座类型	平面线形	交角（°）	
1	磨家沟大桥	202.83	9×20	简支	P_I	桩基础	B_I	直线	0	A
2	磨家互通式跨线桥	51	3×18	简支	P_I	桩基础	B_I	直线	0	B
3	字库河大桥	249.94	12×20	简支	P_I	桩基础	B_I	直线	0	A
4	K93+721.52 桥	45.54	2×20	简支	P_I	桩基础	B_I	直线	0	A
5	堡堡山下穿分离式立交桥	51.5	1×30	简支	P_I	桩基础	B_I	直线	0	A
6	K95+401.5 桥	30.04	2×15	简支	P_I	桩基础	B_I	直线	0	A
7	安昌河大桥	390.24	16×24	简支	P_I	桩基础	B_I	直线	0	A
8	K97+474.02 桥	45.01	2×20	简支	P_I	桩基础	B_I	直线	0	A
9	金家林下穿分离式立交桥	65	4×15	简支	P_I	桩基础	B_I	直线	0	A
10	K102+260 桥	70	3×20	简支	P_I	桩基础	B_I	直线	0	A
11	团结水库大桥	140	5×25	简支	P_I	桩基础	B_I	直线	0	A
12	K103+423 桥	69.04	4×15	简支	P_I	桩基础	B_I	直线	0	A
13	龙门坝 ZX 高架桥	1380	69×20	简支	P_I	桩基础	B_I	直线	0	A
14	龙门坝 A 匝道桥	182	8×20	简支	P_I	桩基础	B_I	直线	0	A
15	龙门坝 B 匝道桥	110	6×15	连续	P_I	桩基础	B_I	直线	0	B
16	龙门坝 C 匝道桥	201.87	10×20	连续	P_I	桩基础	B_I	直线	0	A
17	龙门坝 D 匝道桥	110	5×20	简支	P_I	桩基础	B_I	直线	0	B
18	龙门坝 E1 匝道桥	180	9×20	简支	P_I	桩基础	B_I	直线	0	A
19	龙门坝 E2 匝道桥	201.06	8×24+5	简支	P_I	桩基础	B_I	直线	0	B
20	龙门坝 G 匝道桥	80	3×20	连续	P_I	桩基础	B_I	直线	0	B
21	龙门坝 H 匝道桥	60	3×20	连续	P_I	桩基础	B_I	直线	0	A

续上表

序号	桥名	桥长(m)	孔跨组合(m)	结构类型	桥墩类型	基础类型	支座类型	平面线形	交角(°)	震害等级
22	绵阳涪江四桥	759	19×40	斜拉桥	P_1	桩基础	B_1	直线	0	A
23	石马坝高架桥	560	28×20	简支	P_1	桩基础	B_1	直线	0	A
24	吴家沟互通式立交桥	103	3×30	简支	P_1	桩基础	B_1	直线	0	A
25	K114+144.5桥	9.1	1×8	简支	N/A	扩大基础	B_1	直线	0	A0
26	K115+579.5桥	53.04	4×10	连续	P_1	桩基础	B_1	直线	0	A
27	K116+960.45桥	71.04	4×15	连续	P_1	桩基础	B_1	直线	0	A0
28	K118+383.02桥	51.7	4×10	简支	P_1	桩基础	B_1	直线	0	A
29	石柱沟大桥	171	5×30	简支	P_1	桩基础	B_1	直线	0	A0
30	麻柳河中桥	61.5	2×30	简支	P_1	桩基础	B_1	直线	0	A
31	柏树河中桥	34	1×30	简支	N/A	扩大基础	B_1	直线	0	A0
32	K129+370桥	44	2×20	简支	P_1	桩基础	B_1	直线	0	A0
33	月光大桥1	208	6×25	简支	P_1	桩基础	B_1	直线	0	A
34	K130+300桥	54	2×25	简支	P_1	桩基础	B_1	直线	0	A
35	K134+530桥	48	2×20	简支	P_1	桩基础	B_1	直线	0	A0
36	K135+275桥	52	2×25	简支	P_1	桩基础	B_1	直线	0	A
37	月光大桥2	208	6×30	简支	P_1	桩基础	B_1	直线	0	A
38	K139+967桥	54	2×25	简支	P_1	桩基础	B_1	直线	0	A
39	K140+422桥	52	2×25	简支	P_1	桩基础	B_1	直线	0	A
40	新安互通式立交桥	57	3×18	简支	P_1	桩基础	B_1	直线	0	A
41	东风水库大桥	140	4×30	简支	P_1	桩基础	B_1	直线	0	A
42	K142+770桥	45	2×20	简支	P_1	桩基础	B_1	直线	0	A

续上表

序号	桥名	桥长(m)	孔跨组合(m)	结构类型	桥墩类型	基础类型	支座类型	平面线形	交角(°)	震害等级
				桥梁结构				几何形式		
43	K143+495桥	57	2×25	简支	P_1	桩基础	B_1	直线	0	A
44	K144+595桥	58	2×25	简支	P_1	桩基础	B_1	直线	0	A
45	黑龙洞水库大桥	146.22	5×25	简支	P_1	桩基础	B_1	直线	0	A0
46	跨宝成铁路1号桥	364.05	17×20	简支	P_1	桩基础	B_1	直线	0	A
47	跨宝成铁路2号桥	460.94	3×150	简支	P_1	桩基础	B_1	直线	0	A
48	小溪坝互通式立交跨线桥	65	3×20	简支	P_1	桩基础	B_1	直线	0	A
49	禾丰寺潼江特大桥	750	25×30	简支	P_1	桩基础	B_1	直线	0	A
50	K166+035大桥	191	9×20	简支	P_1	桩基础	B_1	直线	0	A
51	黑窝子大桥	148.5	7×20	简支	P_1	桩基础	B_1	直线	0	A
52	厚坝互通式立交	57	3×18	简支	P_1	桩基础	B_1	直线	0	A
53	潼江1号大桥	171	8×20	简支	P_1	桩基础	B_1	直线	0	A
54	潼江2号大桥	129	6×20	简支	P_1	桩基础	B_1	直线	0	A0
55	雷家河大桥	476	15×30	简支	P_1	桩基础	B_1	直线	0	A
56	麻柳林中桥	82	3×20	简支	P_1	桩基础	B_1	直线	0	A
57	武家坝中桥	88.08	4×20	简支	P_1	桩基础	B_1	直线	0	A
58	金家坝二号中桥	84.76	3×20	简支	P_1	桩基础	B_1	直线	0	A
59	皇帝庙大桥	137.4	6×20	简支	P_1	桩基础	B_1	直线	0	A
60	五指河1号大桥	138	6×20	简支	P_1	桩基础	B_1	直线	0	A
61	后湾里大桥	256	12×20	简支	P_1	桩基础	B_1	直线	0	A
62	神仙大桥	296	14×20	简支	P_1	桩基础	B_1	直线	0	A

续上表

序号	桥 名	桥长（m）	孔跨组合（m）	结构类型	桥墩类型	基础类型	支座类型	平面线形	交角（°）	震害等级
63	三河口大桥	700	22×30	连续	P_I	桩基础	B_I	直线	0	A
64	何家大桥	400	9×44	简支	P_I	桩基础	B_I	直线	0	A
65	K202+560中桥	110	9×10	简支	P_I	桩基础	B_I	直线	0	A0
66	观音岩大桥	220	6×35	简支	P_I	桩基础	B_I	直线	0	A
67	小河沟大桥	130.74	4×30	简支	P_I	桩基础	B_I	直线	0	A
68	明三二号桥	95.81	4×20	简支	P_I	桩基础	B_I	直线	0	A
69	桑树湾大桥	206.37	19×10	简支	P_I	桩基础	B_I	直线	0	A
70	李家河大桥	450.74	30×15	简支	P_I	桩基础	B_I	直线	0	A
71	麻柳林大桥	157.14	11×14	简支	P_I	桩基础	B_I	直线	0	A
72	麻柳林2号大桥	60	3×20	简支	P_I	桩基础	B_I	直线	0	A
73	华峰大桥	145.82	7×20	简支	P_I	桩基础	B_I	直线	0	A
74	石板1号桥	224.3	7×30	简支	P_I	桩基础	B_I	直线	0	A
75	明三1号桥	213	7×30	简支	P_I	桩基础	B_I	直线	0	A
76	茅店1号大桥	118.58	5×20	简支	P_I	桩基础	B_I	直线	0	A
77	聂家院中桥	102.94	3×30	简支	P_I	桩基础	B_I	直线	0	A
78	大沟边大桥	499.07	23×20	简支	P_I	桩基础	B_I	直线	0	A
79	林家嘴大桥	80	4×20	简支	P_I	桩基础	B_I	直线	0	A0
80	友于大桥	410.35	1×30+5×40+4×30	简支	P_I	桩基础	B_I	曲线	0	A
81	K222+400桥	40	6×6	简支	P_I	桩基础	B_I	直线	0	A0
82	水碾磡大桥	122.7	4×30	简支	P_I	桩基础	B_I	直线	0	A

续上表

序号	桥名	桥长(m)	孔跨组合(m)	桥梁结构 结构类型	桥梁结构 桥墩类型	基础类型	支座类型	几何形式 平面线形	几何形式 交角(°)	震害等级
83	大昌大桥	158.37	7×20	简支	P_I	桩基础	B_I	直线	0	A
84	K226+856桥	40	2×20	简支	P_I	桩基础	B_I	直线	0	A
85	剑门河A匝道桥	140	7×20	简支	P_I	桩基础	B_I	直线	0	A
86	K227+212桥	74	3×20	简支	P_I	桩基础	B_I	直线	0	A
87	姚家大桥	260	13×20	简支	P_I	桩基础	B_I	直线	0	A
88	剑门河大桥	960.58	40×24	简支	P_I	桩基础	B_I	直线	0	B
89	K233+000桥	37	4×9	简支	P_I	桩基础	B_{III}	直线	0	A
90	K236+730桥	43	5×8	简支	P_I	桩基础	B_I	直线	0	A
91	K239+605桥	52	5+16+16+5	简支	P_I	桩基础	B_I	直线	0	A
92	K240+614桥	41	3×13	简支	P_I	桩基础	B_I	直线	0	A
93	K244+843桥	53.44	3×17	简支	P_I	桩基础	B_I	直线	0	A
94	K246+333桥	65	3×20	简支	P_I	桩基础	B_I	直线	0	A
95	K246+800桥	34	3×10	简支	P_I	桩基础	B_I	直线	0	A
96	白龙江大桥	782	25×30	简支	P_I	桩基础	B_I	直线	0	A
97	冯家壕大桥	114	5×20	简支	P_I	桩基础	B_I	直线	0	A
98	K250+356桥	106	5×20	简支	P_I	桩基础	B_I	直线	0	A
99	K251+328桥	54	3×16	简支	P_I	桩基础	B_I	直线	0	A
100	陵江大桥	311	11×28	简支	P_I	桩基础	B_I	直线	0	A
101	K258+123桥	56.5	3×18	简支	P_I	桩基础	B_I	直线	0	A
102	K260+323桥	20	3×6	拱	P_{IV}	桩基础	B_I	直线	0	A

续上表

序号	桥 名	桥长 (m)	孔跨组合 (m)	结构类型	桥墩类型	基础类型	支座类型	平面线形	交角 (°)	震害等级
				桥梁结构				几何形式		
103	嘉陵江大桥	528.8	17×30	简支	P_{IV}	桩基础	B_I	直线	0	A
104	瓷窑铺大桥	120	3×40	简支	P_I	桩基础	B_I	直线	0	A
105	K278+300桥	20	3×6	简支	P_I	桩基础	B_I	直线	0	A
106	肖家坝大桥	204	15×13	拱桥	P_{IV}	桩基础	B_I	直线	0	A
107	青云2号桥	110	1×100	拱桥	N/A	扩大基础	—	直线	0	A
108	龙洞背大桥	170.4	12×14	拱桥	P_{IV}	桩基础	B_I	直线	0	A
109	潜溪河桥	165.95	2×80	拱桥	P_{IV}	桩基础	B_I	直线	0	A
110	牟家河桥	46.5	2×20	简支	P_I	桩基础	B_I	直线	0	A
111	雷家坝桥	36.01	1×20	简支	N/A	扩大基础	B_I	直线	0	A
112	梅家河桥	20	1×18	简支	N/A	扩大基础	B_I	直线	0	A0
113	朱家沟桥	51.34	1×50	简支	N/A	扩大基础	B_I	直线	0	A
114	中子立交外匝道桥	120	1×100	拱桥	N/A	扩大基础	—	直线	0	A
115	宋家沟桥	49	1×40	拱桥	N/A	扩大基础	—	直线	0	A
116	崔家沟	20.55	1×20	拱桥	N/A	扩大基础	—	直线	0	A
117	转斗大桥	91.13	1×80	拱桥	N/A	扩大基础	—	直线	0	A
118	杜家桥	44	1×40	拱桥	N/A	扩大基础	—	直线	0	A
119	归铺院桥	20	1×20	拱桥	N/A	扩大基础	—	直线	0	A
120	棋盘关大桥	74	4×16	简支	P_I	桩基础	B_I	直线	0	A
121	中子大桥	118.04	7×16	简支	P_I	桩基础	B_I	直线	0	A

附表 C-12 京昆高速成都至绵阳段桥梁概况表

Appendix table C-12 Information of the bridges in the Beijing–Kunming Expressway from Chengdu to Mianyang

序号	桥　名	桥长 (m)	孔跨组合 (m)	桥梁结构			基础类型	支座类型	几何形式		震害等级
				结构类型	桥墩类型				平面线形	交角 (°)	
1	通道桥	8	1×7	简支	N/A	扩大基础	B_{III}	直线	0	A0
2	通道桥	9.1	1×8	简支	N/A	扩大基础	B_{III}	直线	0	A
3	通道桥	9.28	1×8	简支	N/A	扩大基础	B_{III}	直线	0	A
4	龙佛寺高架桥	250	12×20	简支	P_I	桩基础	B_I	直线	0	B
5	林家碾桥	55	3×15	简支	P_I	桩基础	B_I	直线	0	A0
6	通道桥	10	1×8	简支	N/A	扩大基础	B_{III}	直线	0	A0
7	龙门河桥	41.56	8+14.5+8	简支	P_I	桩基础	B_I	直线	0	A0
8	主线桥	9.28	1×8	简支	N/A	扩大基础	B_{III}	直线	0	A0
9	通道桥	9.28	1×7	简支	N/A	扩大基础	B_{III}	直线	0	A0
10	毗河大桥	120	6×20	简支	P_I	桩基础	B_I	直线	0	A
11	通道桥	15.04	1×10	简支	N/A	桩基础	B_I	直线	0	A0
12	通道桥	15.04	1×10	简支	N/A	桩基础	B_I	直线	0	A0
13	跨河桥	18.04	1×13	简支	N/A	桩基础	B_I	直线	0	A0
14	通道桥	18.04	1×13	简支	N/A	桩基础	B_I	直线	0	A0
15	黄家河桥	44.04	3×13	简支	N/A	桩基础	B_I	直线	0	B
16	新都立交桥	455.2	29×15.9	简支	N/A	桩基础	B_I	曲线	0	B
17	通道桥	9.5	1×8	简支	N/A	扩大基础	B_{III}	直线	0	A0
18	通道桥	18.54	1×13	简支	N/A	扩大基础	B_I	直线	0	A
19	通道桥	18.54	1×13	简支	N/A	扩大基础	B_I	斜交	60	A
20	跨河桥	20.5	1×13	简支	N/A	扩大基础	B_I	直线	0	A
21	通道桥	17.5	2×8	简支	P_{IV}	扩大基础	B_{III}	斜交	60	A
22	通道桥	9.1	1×8	简支	N/A	扩大基础	B_{III}	直线	0	A

续上表

序号	桥名	桥长（m）	孔跨组合（m）	桥梁结构					几何形式		震害等级
				结构类型	桥墩类型	基础类型	支座类型	平面线形	交角（°）	
23	通道桥	21.5	1×16	简支	N/A	扩大基础	B_I	直线	0	A
24	通道桥	9.5	1×8	简支	N/A	扩大基础	B_{III}	直线	0	A
25	龙虎路分离式立交	60.5	4×16	简支	P_I	桩基础	B_I	斜交	80	A
26	通道桥	9.1	1×8	简支	N/A	扩大基础	B_{III}	直线	0	A
27	跨河桥	21.5	1×16	简支	N/A	扩大基础	B_I	直线	0	A0
28	通道桥	9.1	1×8	简支	N/A	扩大基础	B_{III}	直线	0	A0
29	通道桥	9.5	1×8	简支	N/A	扩大基础	B_I	直线	0	A0
30	跨河桥	21.5	1×16	简支	N/A	扩大基础	B_I	直线	0	A0
31	通道桥	7.1	1×6	简支	N/A	扩大基础	B_{III}	斜交	85	A0
32	督桥河桥	55.5	3×16	简支	P_I	桩基础	B_I	斜交	60	A0
33	通道桥	9.14	1×8	简支	N/A	扩大基础	B_{III}	直线	0	A
34	通道桥	21.56	1×16	简支	N/A	扩大基础	B_I	直线	0	A
35	通道桥	23.5	1×16	简支	N/A	扩大基础	B_I	直线	0	A
36	通道桥	18.6	1×13	简支	N/A	扩大基础	B_I	直线	0	A
37	新开燕桥	65.1	3×20	简支	P_I	桩基础	B_I	直线	0	A
38	通道桥	10.2	1×8	简支	N/A	扩大基础	B_{III}	直线	0	A
39	跨河桥	20.5	1×13	简支	N/A	扩大基础	B_I	直线	0	A
40	唐家寺高架桥	890	44×20	简支	P_I	桩基础	B_I	直线	0	A
41	工业沟桥	23.5	1×16	简支	N/A	扩大基础	B_I	直线	0	A
42	新河桥	45.8	3×14	简支	P_I	桩基础	B_I	直线	0	A0
43	主线桥	18.5	1×13	简支	N/A	扩大基础	B_I	直线	0	A
44	通道桥	18	1×13	简支	N/A	扩大基础	B_I	直线	0	A

续上表

序号	桥 名	桥长（m）	孔跨组合（m）	桥梁结构			基础类型	支座类型	几何形式		震害等级
				结构类型	桥墩类型				平面线形	交角（°）	
45	青白江立交桥	67.4	4×16	简支	P_I	桩基础	B_I	斜交	70	A
46	匝道桥	20.5	1×13	简支	N/A	扩大基础	B_I	直线	0	A
47	主线桥	20.5	1×13	简支	N/A	扩大基础	B_I	直线	0	A
48	通道桥	18	1×13	简支	N/A	扩大基础	B_I	直线	0	A0
49	红星沟桥	39.8	10+16+10	简支	N/A	扩大基础	B_I	斜交	60	A0
50	候家碾桥	30	1×16	简支	N/A	扩大基础	B_I	斜交	45	A
51	主线桥	9.6	1×8	简支	N/A	扩大基础	B_{III}	斜交	45	A
52	新丰立交桥	23.6	1×16	简支	N/A	扩大基础	B_I	斜交	60	A
53	青白江大桥	170	8×20	简支	P_I	桩基础	B_I	直线	0	A
54	通道桥	9.6	1×8	简支	N/A	扩大基础	B_{III}	斜交	80	A0
55	黄家院子桥	18.6	1×13	简支	N/A	扩大基础	B_{III}	直线	0	A
56	通道桥	20.6	1×13	简支	N/A	扩大基础	B_I	斜交	70	A
57	通道桥	25.5	1×16	简支	N/A	扩大基础	B_I	斜交	80	A
58	广汉互通立交桥	18	1×13	简支	N/A	扩大基础	B_{III}	直线	0	A0
59	广汉—绵阳方向2号匝道桥	4.5	1×4	简支	N/A	扩大基础	B_{III}	直线	0	A0
60	广汉立交桥	70	3×20	简支	P_I	桩基础	B_I	斜交	60	A0
61	主线桥	39.5	2×16	简支	P_I	桩基础	B_I	直线	0	A
62	广万路桥	51.8	3×16	简支	P_I	桩基础	B_{III}	斜交	60	A
63	主线桥	9.6	1×8	简支	N/A	扩大基础	B_{III}	斜交	80	A
64	主线桥	6.7	1×6	简支	N/A	扩大基础	B_I	直线	0	A0
65	蒙阳河大桥	84	5×16	简支	P_I	桩基础	B_I	斜交	80	A
66	通道桥	21.5	1×16	简支	N/A	扩大基础	B_I	直线	0	A

续上表

序号	桥 名	桥长（m）	孔跨组合（m）	结构类型	桥墩类型	基础类型	支座类型	平面线形	交角（°）	震害等级
67	通道桥	9.3	1×8	简支	N/A	扩大基础	B_{III}	直线	0	A
68	广金路立交	61.5	3×20	简支	P_I	桩基础	B_I	直线	0	A
69	通道桥	17.5	1×10	简支	N/A	扩大基础	B_I	直线	0	A
70	通道桥	21.5	1×16	简支	N/A	扩大基础	B_I	直线	0	A
71	通道桥	9.65	1×8	简支	P_I	扩大基础	B_{III}	直线	0	A0
72	鸭子河大桥	340	11×30	简支	N/A	桩基础	B_I	直线	0	A
73	通道桥	27	1×13	简支	N/A	桩基础	B_I	直线	0	A0
74	主线桥	49.5	6.8+15+6.8	简支	P_I	扩大基础	B_{III}	直线	0	A0
75	通道桥	9.5	1×8	简支	N/A	扩大基础	B_{III}	直线	0	A
76	通道桥	9.56	1×8	简支	N/A	扩大基础	B_I	直线	0	A
77	通道桥	6.82	1×6	简支	N/A	扩大基础	B_I	直线	0	A
78	通道桥	6.82	1×6	简支	N/A	扩大基础	B_I	直线	0	A
79	跨河桥	21.54	1×16	简支	N/A	扩大基础	B_I	直线	0	A
80	主线桥	6.7	1×6	简支	N/A	扩大基础	B_I	直线	0	A
81	主线桥	9.5	1×8	简支	N/A	扩大基础	B_I	直线	0	A
82	主线桥	7	1×6	简支	N/A	扩大基础	B_I	直线	60	A
83	主线桥	15.5	1×10	简支	N/A	扩大基础	B_I	直线	0	A
84	主线桥	30	1×15	简支	N/A	扩大基础	B_I	直线	0	A
85	渡萝堰桥	10	1×8.6	简支	N/A	扩大基础	B_I	斜交	60	A0
86	铁椿堰桥	20	1×10	简支	N/A	扩大基础	B_I	斜交	60	A
87	鱼胜桥	63	3×16	简支	P_I	桩基础	B_I	斜交	65	A0
88	主线桥	25	1×13	简支	N/A	扩大基础	B_{III}	直线	0	A0

续上表

序号	桥 名	桥长（m）	孔跨组合（m）	桥梁结构					几何形式		震害等级
				结构类型	桥墩类型	基础类型	支座类型	平面线形	交角(°)	
89	通道桥	8	1×6	简支	N/A	扩大基础	B_{III}	斜交	80	A
90	通道桥	8	1×6	简支	N/A	扩大基础	B_{III}	斜交	60	A
91	月亮河桥	23	1×13	简支	N/A	扩大基础	B_{III}	斜交	80	A
92	主线桥	20	1×10	简支	N/A	扩大基础	B_I	斜交	60	A
93	石亭江大桥	400	13×30	简支	P_I	桩基础	B_I	直线	0	A
94	通道桥	26.6	1×13	简支	N/A	扩大基础	B_{III}	直线	0	A
95	龙马堰桥	21.5	1×10	简支	N/A	扩大基础	B_I	直线	0	A
96	通道桥	10.4	1×8	简支	N/A	扩大基础	B_{III}	直线	0	A
97	通道桥	10.4	1×8	简支	N/A	扩大基础	B_I	直线	0	A
98	蒋家营小桥	22	1×10	简支	N/A	扩大基础	B_{III}	直线	0	A
99	通道桥	7.96	1×6	简支	N/A	扩大基础	B_{III}	直线	0	A
100	通道桥	7.4	1×6	简支	N/A	扩大基础	B_{III}	直线	0	A
101	通道桥	9.74	1×8	简支	N/A	扩大基础	B_{III}	直线	0	A
102	通道桥	9.8	1×8	简支	N/A	扩大基础	B_{III}	直线	0	A
103	通道桥	7.56	1×6	简支	N/A	扩大基础	B_{III}	直线	0	A
104	通道桥	7.5	1×6	简支	N/A	扩大基础	B_I	直线	0	A
105	家池通桥	35	1×30	简支	N/A	扩大基础	B_I	直线	0	A0
106	通道桥	27	1×13	简支	N/A	扩大基础	B_I	直线	0	A
107	通道桥	7.1	1×6	简支	N/A	扩大基础	B_I	直线	0	A
108	通道桥	23.54	1×16	简支	N/A	扩大基础	B_I	直线	0	A
109	德阳南互通桥	13	1×12.4	简支	N/A	扩大基础	B_I	斜交	85	A
110	德阳南出口匝道桥	13	1×12.4	简支	N/A	扩大基础	B_I	斜交	85	A

续上表

序号	桥名	桥长（m）	孔跨组合（m）	结构类型	桥墩类型	基础类型	支座类型	平面线形	交角（°）	震害等级
				桥梁结构				几何形式		
111	通道桥	10	1×9.3	简支	N/A	扩大基础	B_I	直线	0	A
112	通道桥	13	1×12.2	简支	N/A	扩大基础	B_I	直线	0	A
113	主线桥	52	4×12.3	简支	P_{III}	扩大基础	B_I	斜交	70	A
114	主线桥	20	1×18.6	简支	N/A	扩大基础	B_{III}	直线	0	A0
115	主线桥	8	1×7	简支	P_I	扩大基础	B_I	直线	0	A0
116	主线桥	60	3×15.6	简支	N/A	扩大基础	B_I	斜交	60	A
117	通道桥	30	1×16	简支	N/A	扩大基础	B_I	斜交	65	A0
118	通道桥	32	1×16	简支	N/A	扩大基础	B_I	斜交	80	A
119	通道桥	30	1×16	简支	N/A	扩大基础	B_I	斜交	80	A
120	柳梢堰桥	22	1×15	简支	N/A	扩大基础	B_I	直线	0	A
121	绵远河大桥	400	13×30	简支	P_I	桩基础	B_I	直线	0	A0
122	天山路桥	49	9+15+9	简支	P_I	桩基础	B_I	斜交	88	A0
123	跨河桥	34	1×16	简支	N/A	扩大基础	B_I	斜交	70	A
124	通道桥	27	1×13	简支	N/A	扩大基础	B_I	斜交	70	A
125	主线桥	49.2	9.3+14.8+9.3	简支	P_I	桩基础	B_I	斜交	60	A
126	通道桥	18	1×8	简支	N/A	扩大基础	B_{III}	斜交	70	A
127	主线桥	40	2×13	简支	P_I	桩基础	B_I	斜交	70	A
128	通道桥	31.7	1×16	简支	N/A	扩大基础	B_I	斜交	60	A0
129	通道桥	25	1×14	简支	N/A	扩大基础	B_I	直线	0	A0
130	主线桥	24.6	1×10	简支	N/A	扩大基础	B_I	斜交	80	A
131	通道桥	20.54	1×13	简支	N/A	扩大基础	B_I	直线	0	A

续上表

序号	桥 名	桥长(m)	孔跨组合(m)	结构类型	桥墩类型	基础类型	支座类型	平面线形	交角(°)	震害等级
132	通道桥	27	1×13	简支	N/A	扩大基础	B_I	直线	0	A
133	通道桥	5.2	1×4	简支	N/A	扩大基础	B_{III}	直线	0	A
134	通道桥	22	1×8	简支	N/A	扩大基础	B_{III}	直线	0	A
135	旌阳大桥	251.8	15×16	简支	P_{III}	扩大基础+桩基础	B_I	直线	0	A
136	通道桥	27.3	1×17.5	简支	N/A	扩大基础	B_I	直线	0	A
137	通道桥	45.5	7.5+15.4+9.5	简支	P_I	桩基础	B_I	直线	0	A
138	通道桥	38.6	5.1+15.0+5.1	简支	P_I	桩基础	B_I	直线	0	A
139	通道桥	4.5	1×4	简支	N/A	扩大基础	B_{III}	直线	0	A
140	通道桥	9.6	1×8	简支	N/A	扩大基础	B_{III}	直线	0	A
141	通道桥	22.6	1×13	简支	N/A	扩大基础	B_{III}	直线	0	A0
142	通道桥	28	5.0+15.0+5.0	简支	P_I	桩基础	B_I	直线	0	A
143	通道桥	20	1×8	简支	N/A	扩大基础	B_{III}	直线	0	A
144	通道桥	4.5	1×4	简支	N/A	扩大基础	B_{III}	直线	0	A0
145	通道桥	10.1	1×8	简支	N/A	扩大基础	B_{III}	直线	0	A
146	通道桥	4.5	1×4	简支	N/A	扩大基础	B_{III}	直线	0	A0
147	通道桥	21	1×8	简支	N/A	扩大基础	B_{III}	直线	0	A0
148	通道桥	7.6	1×6	简支	N/A	扩大基础	B_{III}	直线	0	A0
149	通道桥	9.1	1×8	简支	N/A	扩大基础	B_{III}	直线	0	A
150	通道桥	6.9	1×6	简支	N/A	扩大基础	B_{III}	直线	0	A
151	通道桥	6.7	1×6	简支	N/A	扩大基础	B_{III}	直线	0	A

续上表

序号	桥 名	桥长（m）	孔跨组合（m）	结构类型	桥墩类型	基础类型	支座类型	平面线形	交角（°）	震害等级
152	通道桥	20.6	1×13	简支	N/A	扩大基础	B_I	直线	0	A
153	王家堰桥	22.6	1×13	简支	N/A	扩大基础	B_I	直线	0	A
154	通道桥	34	2×8	简支	P_{III}	桩基础	B_I	直线	0	A
155	洞子堰桥	21.56	1×16	简支	N/A	扩大基础	B_I	直线	0	A
156	通道桥	4.5	1×4	简支	N/A	扩大基础	B_{III}	直线	0	A0
157	通道桥	17.5	1×10	简支	N/A	扩大基础	B_I	直线	0	A
158	主线桥	7.6	1×6	简支	N/A	扩大基础	B_{III}	直线	0	A0
159	主线桥	27.04	1×13	简支	N/A	扩大基础	B_{III}	直线	0	A
160	肖家堰河桥	25	1×16	简支	N/A	扩大基础	B_{III}	直线	0	A0
161	主线桥	20.5	1×13	简支	N/A	扩大基础	B_I	直线	0	A
162	黄许立交桥	38	1×20	简支	N/A	扩大基础	B_I	直线	0	A0
163	主线桥	25.6	1×16	简支	N/A	扩大基础	B_{III}	直线	0	A0
164	主线桥	33	1×13	简支	N/A	扩大基础	B_{III}	直线	0	A0
165	主线桥	17.3	1×8	简支	N/A	扩大基础	B_{III}	直线	0	A0
166	主线桥	27	1×8	简支	N/A	扩大基础	B_{III}	直线	0	A0
167	主线桥	8	1×6.5	简支	N/A	扩大基础	B_{III}	直线	0	A0
168	主线桥	27.2	1×8	简支	N/A	扩大基础	B_{III}	直线	0	A0
169	中河堰桥	63.7	1×30	拱桥	N/A	扩大基础	—	直线	0	A0
170	米家小桥上行	33	1×13	简支	N/A	扩大基础	B_I	直线	0	A0
171	上行主线桥	38	1×13	简支	N/A	扩大基础	B_I	直线	0	A0
172	人民渠桥上行	62.8	14.0+2×20.0	简支	P_I	桩基础	B_I	直线	0	A0

续上表

序号	桥名	桥长(m)	孔跨组合(m)	结构类型	桥墩类型	基础类型	支座类型	平面线形	交角(°)	震害等级
173	上行主线桥	36	1×16	简支	N/A	扩大基础	B_I	直线	0	A0
174	人民渠桥下行	30	1×30	简支	N/A	扩大基础	B_I	直线	0	A
175	陈家堰大桥	160	2×15+1×100+2×15	拱桥	N/A	扩大基础	—	直线	0	A
176	二西村桥	120	4×30	简支	P_I	桩基础	B_I	直线	0	A0
177	上行主线桥	60	2×28	简支	P_I	桩基础	B_I	直线	0	A
178	高家院子桥	19.7	1×8	简支	N/A	扩大基础	B_{III}	斜交	80	A0
179	下行主线桥	29	1×16	简支	N/A	扩大基础	B_{III}	直线	0	A0
180	范家沟桥上行	19.7	1×8	简支	N/A	扩大基础	B_{III}	直线	0	A
181	范家沟桥下行	20.5	1×8	简支	N/A	扩大基础	B_I	直线	0	A0
182	通道桥	20.5	1×8	简支	P_I	桩基础	B_I	直线	0	A
183	凯江桥	110	3×30	简支	P_I	桩基础	B_I	直线	0	A0
184	秀水河大桥	130.4	5×25	简支	N/A	扩大基础	B_I	直线	0	A
185	刘家小山桥	19.2	1×8	简支	N/A	扩大基础	B_I	斜交	70	A
186	李家房子桥	20.8	1×8	简支	N/A	扩大基础	B_I	直线	0	A
187	金山立交桥	27.8	1×16	简支	N/A	扩大基础	B_I	直线	0	A
188	金山立交桥	36	1×8	简支	N/A	扩大基础	—	直线	0	A
189	银盘渠大桥	50	1×8	拱桥	N/A	扩大基础	B_{III}	直线	0	A
190	四房碑桥	17.3	1×8	简支	N/A	扩大基础	B_{III}	直线	0	A
191	土沟桥	17	1×8	简支	N/A	扩大基础	B_I	直线	0	A0
192	通道桥	16	1×15	简支	N/A	扩大基础	B_I	斜交	70	A0

附表 C–13　沪蓉高速成都市绕城高速（东段）桥梁概况表

Appendix table C–13　Information of the bridges in the east section in Chengdu Beltway in the Shanghai–Chengdu Expressway

序号	桥 名	桥长（m）	孔跨组合（m）	桥梁结构				几何形式		震害等级
				结构类型	桥墩类型	基础类型	支座类型	平面线形	交角（°）	
1	三河场互通式立交	520	26×19.5	简支	P_I	桩基础	B_I	弯桥	—	A
2	三河场互通式立交 R 匝道桥	120	6×19.50	连续	P_I	桩基础	B_I	弯桥	—	A
3	三河场互通式立交 L 匝道桥	120	6×19.50	连续	P_I	桩基础	B_I	弯桥	—	A
4	三河场互通式立交 A 匝道桥	40	7×19.50	连续	P_I	桩基础	B_I	弯桥	—	A
5	三河场互通式立交 B 匝道桥	120	6×19.50	连续	P_I	桩基础	B_I	弯桥	—	A
6	三河场互通式立交 C 匝道桥	120	6×19.50	连续	P_I	桩基础	B_I	弯桥	—	A0
7	三河场互通式立交 D 匝道桥	100	5×19.50	连续	P_I	桩基础	B_I	弯桥	—	A
8	三河场互通式立交 F 匝道桥	180	9×19.50	连续	P_I	桩基础	B_I	弯桥	—	A
9	三河场互通式立交 G 匝道桥	200	10×19.50	连续	P_I	桩基础	B_I	直线	0	A
10	三河大道高架桥	600	6×16.0+24×20.0	简支	P_I	桩基础	B_I	直线	—	A
11	K3+320.8 小桥	20	1×16	简支	N/A	扩大基础	B_I	斜交	45	A
12	跨北干渠一号桥	100	2×20.0+30.0+2×20.0	连续	P_I	桩基础	B_I	直线	0	A
13	跨北干渠二号桥	20	1×16	简支	N/A	扩大基础	B_I	直线	0	A0
14	跨北干渠三号桥	40	2×16	简支	P_I	桩基础	B_I	直线	0	A
15	K7+602 小桥	20	1×6	简支	N/A	扩大基础	B_I	直线	0	A
16	新华小桥	40	2×13	简支	P_I	桩基础	B_I	直线	0	A
17	山西河桥	20	1×20	简支	P_I	扩大基础	B_I	直线	0	A
18	冉家漕小桥	40	2×13	简支	P_I	桩基础	B_I	斜交	135	A
19	K15+656 洪河堰中桥	66	3×20	简支	P_I	桩基础	B_I	斜交	120	A
20	螺蛳坝互通式立交桥	106	21.0+2×30.0+21.0	连续	P_I	桩基础	B_I	直线	0	A
21	刘家河桥	53.4	3×16	简支	P_I	桩基础	B_I	直线	0	A

续上表

序号	桥 名	桥长（m）	孔跨组合（m）	结构类型	桥墩类型	基础类型	支座类型	平面线形	交角（°）	震害等级
				桥梁结构				几何形式		
22	成洛路桥	62.4	16+25+16	简支	P_I	桩基础	B_I	直线	0	A
23	朱家-老药铺桥	37.4	2×16	简支	P_I	桩基础	B_I	直线	0	A
24	半截河桥	31.4	2×13	简支	P_I	桩基础	B_I	直线	0	A0
25	狮子桥互通式立交主线Z1桥	205.26	10×20	简支	P_I	桩基础	B_I	直线	0	A
26	狮子桥互通式立交主线Z2桥	465.26	20+4×25+17×20	简支	P_I	桩基础	B_I	直线	0	A
27	狮子桥互通式立交D匝道D2桥	290	20+25+20	连续	P_I	桩基础	B_I	直线	0	A
28	狮子桥互通式立交D匝道D3桥	103.3	8×20+2×25+4×20	连续	P_I	桩基础	B_I	直线	0	A
29	狮子桥互通式立交D匝道D4桥	103.3	5×20	连续	P_I	桩基础	B_I	直线	0	A
30	狮子桥互通式立交G匝道桥	123.3	6×20	连续	P_I	桩基础	B_I	直线	0	A
31	狮子桥互通式立交H匝道桥	163.3	8×20	连续	P_I	桩基础	B_I	直线	0	A
32	狮子桥互通式立交F匝道F1桥	83.3	4×20	连续	P_I	桩基础	B_I	直线	0	A
33	狮子桥互通式立交F匝道F2桥	65	3×20	简支	P_I	桩基础	B_I	直线	0	A
34	狮子桥互通式立交ZK23+675小桥	23	1×8	简支	N/A	扩大基础	B_I	直线	0	A0
35	狮子桥立交DK0+069.66桥	42.74	3×13	简支	P_I	桩基础	B_I	直线	0	A
36	狮子桥立交AK0+332小桥	26	1×16	简支	N/A	扩大基础	B_I	直线	0	A0
37	狮子桥立交CK0+376.8小桥	26	1×16	简支	N/A	扩大基础	B_I	直线	0	A
38	狮子桥立交EK0+172.53小桥	26	1×16	简支	N/A	扩大基础	B_I	直线	0	A0
39	狮子桥立交L1桥	19.7	1×17.44	简支	N/A	扩大基础	B_I	直线	0	A0
40	狮子桥立交L2桥	23	1×13	简支	N/A	扩大基础	B_I	直线	0	A
41	狮子桥立交Y桥	29	1×13	简支	N/A	扩大基础	B_I	直线	0	A0
42	东风渠大桥	465	15×30	简支	P_I	桩基础	B_I	直线	0	A

续上表

序号	桥 名	桥长(m)	孔跨组合(m)	结构类型	桥墩类型	基础类型	支座类型	平面线形	交角(°)	震害等级
				桥梁结构				几何形式		
43	牛背岭大桥	131	5×25	简支	P_1	桩基础	B_1	直线	0	A
44	K26+427小桥	25.5	1×16	简支	N/A	扩大基础	B_1	直线	60	A
45	K27+617分离式立交桥	20.5	1×13	简支	N/A	扩大基础	B_1	直线	0	A
46	K27+974分离式立交桥	9.5	1×8	简支	N/A	扩大基础	B_1	直线	0	A
47	K28+287分离式立交桥	9.1	1×8	简支	N/A	扩大基础	B_1	直线	0	A
48	K29+254.504中桥	88.7	2×16+24.7+16	简支	P_1	桩基础	B_1	直线	0	A
49	K30+074.5中桥	53	3×16	简支	P_1	桩基础	B_1	直线	0	A
50	柏合高架桥	326	16×20	简支	P_1	扩大基础	B_1	斜交	135	A
51	K31+473分离式立交桥	9.56	1×8	简支	N/A	桩基础	B_1	直线	0	A
52	K32+062.5龙凤沟桥	53	3×16	简支	P_1	扩大基础	B_1	直线	0	A
53	K32+510小桥	9.1	1×8	简支	N/A	扩大基础	B_1	直线	0	A
54	K32+760小桥	9.5	1×8	简支	N/A	扩大基础	B_1	直线	0	A
55	K33+344小桥	9.1	1×8	简支	N/A	扩大基础	B_1	直线	0	A
56	K33+480分离式立交桥	9.55	1×8	简支	N/A	扩大基础	B_1	直线	0	A
57	K33+640分离式立交桥	9.1	1×8	简支	N/A	扩大基础	B_1	直线	0	A
58	潘家沟桥	44	3×13	简支	P_1	桩基础	B_1	直线	0	A
59	K34+833分离式立交桥	9	1×8	简支	N/A	扩大基础	B_1	直线	0	A
60	小府河桥	65	3×20	简支	P_1	扩大基础	B_1	直线	0	A
61	K35+585分离式立交桥	9.1	1×8	简支	N/A	扩大基础	B_1	直线	0	A
62	成仁路高架桥	287.2	12×20+2×12+18.2	简支	P_1	桩基础	B_1	直线	0	A
63	K36+915中桥	39.5	2×16	简支	P_1	桩基础	B_1	直线	0	A

续上表

序号	桥 名	桥长（m）	孔跨组合（m）	结构类型	桥墩类型	基础类型	支座类型	平面线形	交角（°）	震害等级
				桥 梁 结 构				几 何 形 式		
64	府河大桥	237.71	3×25+2×13+1×136.71	拱桥	P_I	扩大基础	一	直线	0	A
65	白鹤林互通式立交A匝道桥	323.9	10×20+27.33+2×30+12.67+4×20	连续	P_I	桩基础	B_I	直线	0	A
66	白鹤林互通式立交B匝道桥	400	4×20+27.44+2×40+27.44+6×20	连续	P_I	桩基础	B_I	直线	0	A
67	白鹤林互通式立交C匝道桥	135.44	20+15.44+2×35+20	连续	P_I	桩基础	B_I	直线	0	A
68	白鹤林互通式立交D匝道桥	199.44	20+15.44+2×35+2×20	连续	P_I	桩基础	B_I	直线	0	A
69	白鹤林互通式立交E匝道桥	170.7	5×20+20.37+2×20.21	连续	P_I	桩基础	B_I	直线	0	A
70	白鹤林互通式立交A匝道小桥	9.1	1×8	简支	N/A	扩大基础	B_I	直线	0	A
71	白鹤林互通式立交B匝道小桥	9.75	1×8	简支	N/A	扩大基础	B_I	直线	0	A
72	白鹤林互通式立交C匝道小桥	8.8	1×8	简支	N/A	扩大基础	B_I	直线	0	A
73	白鹤林互通式立交F匝道小桥	17.28	1×10	简支	P_I	桩基础	B_I	直线	0	A
74	人南互通式立交主线桥	1264	24×25+11×24+18×22	连续	P_I	桩基础	B_I	直线	0	A
75	人南互通式立交A匝道桥	147	8×18	连续	P_I	桩基础	B_I	直线	0	A
76	人南互通式立交B匝道桥	196	17+3×18+3×20+17.94	连续	P_I	桩基础	B_I	直线	0	A
77	人南互通式立交C匝道桥	93	5×18	连续	P_I	桩基础	B_I	直线	—	A
78	人南互通式立交D匝道桥	146	16.97+7×18	连续	P_I	桩基础	B_I	直线	0	A
79	机场路互通式立交K匝道桥	497.89	22+11×25+16.89+7×20	连续	P_I	桩基础	B_I	直线	0	A
80	机场路互通式立交J匝道桥	385.1	4×20+17.1+3×22+8×25+22	连续	P_I	桩基础	B_I	直线	0	A
81	机场路互通式立交R匝道桥	219	22+7×25+22	连续	P_I	桩基础	B_I	直线	0	A
82	机场路互通式立交Z匝道桥	194	22+6×25+22	连续	P_I	桩基础	B_I	直线	0	A

续上表

序号	桥 名	桥梁结构						几何形式		震害等级
		桥长(m)	孔跨组合(m)	结构类型	桥墩类型	基础类型	支座类型	平面线形	交角(°)	
83	机场路互通式立交Ⅰ匝道桥	110	5×22	连续	P_I	桩基础	B_I	直线	0	A
84	机场路立交RK0+071.88桥	23	1×13	简支	N/A	扩大基础	B_I	直线	0	A
85	机场路立交ZK0+409.87桥	23	1×13	简支	N/A	扩大基础	B_I	直线	0	A
86	机场路立交LK0+269.15桥	94	2×22+2×25	连续	P_I	桩基础	B_I	直线	0	A
87	K39+037.15小桥	22.5	1×13	简支	N/A	扩大基础	B_I	斜交	74	A
88	K39+691小桥	20.5	1×13	简支	N/A	扩大基础	B_I	斜交	70	A
89	K39+787.4中桥	39.5	2×16	简支	P_I	桩基础	B_I	直线	0	A
90	K39+884.7小桥	18.5	1×13	简支	N/A	扩大基础	B_I	直线	0	A
91	K40+692小桥	9.5	1×8	简支	P_I	桩基础	B_I	直线	0	A
92	白家互通立交M高梁桥	1265	76	连续	P_I	桩基础	B_I	直线	0	A
93	白家互通立交A匝道	94	22.0+2×25.0+22.0	连续	P_I	桩基础	B_I	直线	0	A
94	白家互通立交B匝道	69	22.0+25.0+22.0	简支	P_I	扩大基础	B_I	直线	0	A
95	白家互通立交C匝道	9.8	1×8	简支	P_I	桩基础	B_I	直线	0	A
96	白家互通立交D匝道	658.03	24	连续	P_I	桩基础	B_I	直线	0	A
97	白家互通立交F匝道	765.96	29	连续	P_I	桩基础	B_I	直线	0	A
98	白家互通立交G匝道	147	22+4×25+22	连续	P_I	桩基础	B_I	直线	0	A
99	白家互通立交H匝道	461.27	22+2×25+2×40+3×29.09+8×25+22	连续	P_I	桩基础	B_I	直线	0	A
100	MK42+150小桥	21	1×8	简支	N/A	扩大基础	B_I	直线	0	A0
101	MK43+499小桥	20.3	1×13	简支	N/A	扩大基础	B_I	直线	0	A

附表 C-14 沪蓉高速成都市绕城高速（西段）桥梁概况表

Appendix table C-14 Information of the bridges in the west section in Chengdu Beltway in the Shanghai–Chengdu Expressway

序号	桥 名	桥长（m）	孔跨组合（m）	结构类型	桥墩类型	基础类型	支座类型	平面线形	交角（°）	震害等级
1	余家堰中桥	26.04	1	简支	N/A	扩大基础	B_I	斜交	—	A
2	老灌堰小桥	30.49	2	简支	P_I	桩基础	B_I	直线	0	A
3	月亮湾大桥	353.17	21	简支	P_I	桩基础	B_I	直线	0	A
4	红土地小桥	11.32	1	简支	N/A	扩大基础	B_I	直线	0	A
5	新苗中桥	65.04	3	简支	P_I	桩基础	B_I	直线	0	A
6	马家河中桥	33.54	2	简支	P_I	桩基础	B_I	直线	0	A
7	马家河大桥	447.04	23	简支	P_I	桩基础	B_I	直线	0	A
8	接待寺立交桥	75	3	连续	P_I	桩基础	B_{II}	直线	0	A
9	文昌宫中桥	30.04	2	简支	P_I	桩基础	B_I	直线	0	A
10	黄金堰中桥	53.04	3	简支	P_I	桩基础	B_I	直线	0	A
11	干子门中桥	55.06	3	简支	P_I	桩基础+扩大基础	B_I	直线	0	A
12	倪家碾中桥	43.04	3	简支	P_I	桩基础	B_I	直线	0	A
13	水井坎中桥	43.04	3	简支	P_I	桩基础	B_I	直线	0	A
14	刘家坎小桥	23.56	1	简支	N/A	扩大基础	B_I	直线	0	A
15	江安河大桥	537	31	简支	P_I	桩基础	B_I	直线	0	A0
16	尹家院子小桥	18.4	2	简支	P_{III}	桩基础	B_I	直线	0	A
17	李家奄小桥	9.76	1	简支	N/A	扩大基础	B_I	直线	0	A
18	光华大道中桥	71.85	4	简支	P_I	桩基础	B_I	直线	0	A
19	七里沟小桥	18.4	1	简支	N/A	扩大基础	B_I	直线	0	A
20	七里沟大桥	341.06	28	简支	P_I	桩基础	B_I	直线	0	A
21	冷家院子小桥	21.29	1	简支	N/A	扩大基础	B_I	直线	0	A

续上表

序号	桥名	桥长（m）	孔跨组合（m）	结构类型	桥墩类型	基础类型	支座类型	平面线形	交角（°）	震害等级
22	文家场互通立交桥	1 391.72	5	连续	P_I	桩基础	B_I	直线	0	A
23	盐井村中桥	42	1	简支	N/A	扩大基础	B_I	直线	0	A
24	土龙路中桥	41.24	2	简支	P_I	桩基础	B_I	直线	0	A
25	新屋基泄洪中桥	69.04	5	简支	P_I	桩基础	B_I	直线	0	A0
26	竹子沟泄洪中桥	56.04	4	简支	P_I	桩基础	B_I	直线	0	A
27	天王堰中桥	56.04	4	简支	N/A	扩大基础	B_I	直线	0	A
28	任家院小桥	9.88	1	简支	P_I	桩基础	B_I	直线	0	A
29	宋家院中桥	43.04	3	简支	P_I	桩基础	B_{III}	直线	0	A
30	清水河中桥	85.06	4	简支	P_I	桩基础	B_I	直线	0	A
31	杨家沟小桥	30.04	2	简支	P_I	桩基础	B_I	直线	0	A0
32	上跨车行桥	220	11	连续	P_I	桩基础	B_I	斜交	—	A0
33	皮水碾中桥	69.22	5	简支	P_I	桩基础	B_I	直线	0	A
34	杨家院子小桥	9.56	1	简支	N/A	扩大基础	B_I	直线	0	A
35	犀郫路中桥	27.48	1	简支	N/A	扩大基础	B_{III}	直线	0	A
36	犀浦互通武立交桥	781.66	38	连续	P_I	桩基础	B_I	直线	0	A
37	犀红路小桥	23.44	1	简支	N/A	扩大基础	B_I	直线	0	A
38	跨公路桥	32	2	简支	P_I	桩基础	B_I	直线	0	A0
39	大院子中桥	95.06	7	简支	P_I	桩基础	B_I	直线	0	A0
40	李家沟小桥	30.04	2	简支	P_I	桩基础	B_I	直线	0	A
41	红光大桥	313.15	19	简支	P_I	桩基础	B_I	直线	0	A
42	沱江河中桥	65.04	3	简支	P_I	桩基础	B_I	直线	0	A

续上表

序号	桥 名	桥长（m）	孔跨组合（m）	结构类型	桥墩类型	基础类型	支座类型	平面线形	交角（°）	震害等级
43	张家院中桥	43.04	3	简支	P_I	桩基础	B_I	直线	0	A
44	曾家沟大桥	121.06	7	简支	P_I	桩基础	B_{III}	直线	0	A
45	鹅颈沟泄洪中桥	69.04	5	简支	P_I	桩基础	B_{III}	直线	0	A
46	老府河中桥	69.04	5	简支	P_I	桩基础	B_{III}	直线	0	A0
47	北府河大桥	86.04	3	简支	P_I	桩基础	B_{III}	直线	0	A
48	友谊支渠中桥	49.04	3	简支	P_I	桩基础	B_I	直线	0	A0
49	上跨车行桥	228.4	8	连续	P_{II}	桩基础	B_I	直线	0	A
50	横河堰中桥	48.2	3	简支	P_I	桩基础	B_I	直线	0	A0
51	大丰互通式立交桥	185.06	11	简支	P_I	桩基础	B_I	直线	0	A
52	沈家碾中桥	95.06	7	简支	P_I	桩基础	B_I	直线	0	A
53	馏光寺中桥	43.04	3	简支	P_I	桩基础	B_I	直线	0	A0
54	跨北新大道桥	80	4	简支	N/A	扩大基础	B_I	直线	0	A
55	崔家碾中桥	55.24	3	简支	P_I	桩基础	B_I	直线	0	A
56	老龙弯中桥	66.06	3	简支	P_I	桩基础	B_I	直线	0	A
57	甘油小桥	6	1	简支	N/A	扩大基础	B_I	直线	0	A
58	白塔河中桥	47.06	3	简支	P_I	桩基础	B_I	直线	0	A0
59	菜白小桥	6	1	简支	N/A	扩大基础	B_I	直线	0	A
60	跨宝成铁路特大桥	877.57	54	简支	P_I	桩基础	B_I	直线	0	A0
61	江安河大桥	140	7	简支	P_I	桩基础	B_I	直线	0	A
62	朱家院小桥	9.8	1	简支	N/A	扩大基础	B_I	直线	0	A
63	接待寺立交桥	126.07	6	简支	P_I	桩基础	B_I	直线	0	A0

附表 C-15　沪蓉高速成都至南充段桥梁概况表

Appendix table C-15　Information of the bridges in the Shanghai–Chengdu Expressway from Chengdu to Nanchong

序号	桥名	桥长 (m)	孔跨组合 (m)	桥梁结构				几何形式		震害等级
				结构类型	桥墩类型	基础类型	支座类型	平面线形	交角 (°)	
1	成南立交	1646.8	66×20 (25)	连续梁	P_I	桩基础	B_I+B_{II}	直线	0	A0
2	清水沟桥	37.5	2×16	简支	P_I	桩基础	B_I	直线	0	A
3	红庙子桥	53.5	3×16	简支	P_I	桩基础	B_I	直线	0	A
4	清泉大桥	153.7	7×20	简支	P_I	桩基础+扩大基础	B_I	直线	0	A
5	担水函小桥	26.9	1×16	简支	N/A	扩大基础	B_I	直线	0	A
6	叫花岩大桥	245.85	12×20	简支	P_I	桩基础	B_I	曲线	0	A
7	金水大桥	366.2	18×20	简支	P_I	桩基础	B_I	曲线	0	A
8	龙王庙大桥	108.3	5×20	简支	P_I	桩基础	B_I	直线	0	A0
9	淮口沱江特大桥	687.5	8×35+20×20	简支	P_I	桩基础	B_I	直线	0	A
10	杨溪河桥	91.4	4×20	简支	P_I	桩基础	B_I	直线	0	A
11	K60+920 主线桥	34.5	2×16	简支	P_I	桩基础	B_I	直线	0	A
12	永济河桥	119.2	7×16	简支	P_I	桩基础	B_I	直线	0	A
13	毛河堰中桥	90.5	4×20	简支	P_I	桩基础	B_I	直线	0	A0
14	K73+264 主线桥	19.5	1×8	简支	N/A	扩大基础	B_I	直线	0	A
15	K76+130 主线桥	52.3	2×20	简支	P_I	桩基础+扩大基础	B_I	直线	0	A
16	冯店大桥	232.5	11×20	简支	P_I	桩基础	B_I	直线	0	A
17	太安河桥	104.8	6×16	简支	P_I	桩基础	B_I	直线	0	A
18	K97+450 主线桥	29	1×13	简支	N/A	扩大基础	B_I	直线	0	A0
19	K108+300 主线中桥	56.8	3×16	简支	P_I	桩基础	B_I	直线	0	A
20	K108+900 主线桥	18.95	1×13	简支	N/A	扩大基础	B_I	直线	0	A0
21	塘塘坝中桥	86	4×20	简支	P_I	桩基础	B_I	直线	0	A
22	郪江一桥	181	7×25	简支	P_I	桩基础	B_I	直线	0	A

续上表

序号	桥 名	桥长（m）	孔跨组合（m）	结构类型	桥墩类型	基础类型	支座类型	平面线形	交角（°）	震害等级
23	K117+700 主线桥	22	1×16	简支	N/A	扩大基础	B_I	直线	0	A
24	郑江二桥	308.2	10×30	简支	P_I	桩基础	B_I	直线	0	A
25	K128+230 主线桥	34.5	1×25	简支	N/A	扩大基础	B_I	直线	0	A
26	K132+589 主线桥	20.9	1×13	简支	N/A	扩大基础	B_I	直线	0	A0
27	观音大桥	150.85	7×20	简支	P_I	桩基础	B_I	直线	0	A
28	K136+040 主线桥	86.1	4×20	简支	P_I	桩基础	B_I	直线	0	A
29	K136+500 主线桥	86.5	4×20	连续梁	P_I	桩基础	B_I	直线	0	A
30	桂花涪江大桥	1217	4×6.14+7×76.00+21×30.00	拱桥	P_I/P_{III}	桩基础+扩大基础	—	直线	0	A
31	K140+690 主线桥	40.3	2×16	简支	P_I	桩基础	B_I	直线	0	A
32	K141+580 主线桥	20.2	1×10	简支	N/A	扩大基础	B_I	直线	0	A
33	板桥河桥	53.6	3×16	简支	P_I	桩基础	B_I	直线	0	A
34	K143+960 主线桥	56.4	3×16	简支	P_I	桩基础	B_I	直线	0	A
35	登高院桥	109	5×20	简支	P_I	桩基础	B_I	直线	0	A
36	浩山坝大桥	206	10×20	简支	P_I	桩基础	B_I	直线	0	A
37	K151+867 主线桥	25.6	1×20	简支	N/A	扩大基础	B_I	直线	0	A
38	王家湾桥	65.8	3×20	简支	P_I	桩基础	B_I	直线	0	A
39	罗家湾桥	187	9×20	简支	P_I	桩基础	B_I	直线	0	A
40	大地湾大桥	166	8×20	简支	P_I	桩基础	B_I	直线	0	A
41	K162+500 主线桥	166	8×20	简支	P_I	桩基础	B_I	直线	0	A
42	K164+100 主线桥	84.28	4×20	连续梁	P_I	桩基础	B_I	直线	0	A
43	K165+666 主线桥	212	10×20	简支	P_I	桩基础	B_I	直线	0	A

续上表

序号	桥 名	桥长（m）	孔跨组合（m）	结构类型	桥墩类型	基础类型	支座类型	平面线形	交角（°）	震害等级
44	成达山铁路桥	244.4	10×20	简支	P_I	桩基础	B_I	直线	0	A
45	K166+800主线桥	38	2×16	简支	P_I	桩基础	B_I	直线	0	A
46	鸣凤大桥	442.6	22×20	简支	P_I	桩基础	B_I	曲线	0	A
47	三块碑中桥	84.2	4×20	简支	P_I	桩基础	B_I	直线	0	A
48	大河坝大桥	114.6	5×20	简支	P_I	桩基础	B_I	直线	0	A
49	老作坊大桥	124.48	6×20	简支	P_I	桩基础	B_I	直线	0	A
50	龙台寺大桥	160.7	7×20	简支	P_I	桩基础	B_I	直线	0	A
51	K181+920主线桥	28	1×20	简支	N/A	扩大基础	B_I	直线	0	A0
52	擦耳岩大桥	104.4	5×20	简支	P_I	桩基础	B_I	直线	0	A
53	牛郎坝中桥	63.3	3×20	简支	P_I	桩基础	B_I	直线	0	A
54	任家湾大桥	206	10×20	简支	P_I	桩基础	B_I	直线	0	A
55	贾家湾大桥	185.3	8×20	简支	P_I	桩基础	B_I	直线	0	A
56	桂花湾大桥	144	7×20	简支	P_I	桩基础	B_I	直线	0	A
57	二洞桥中桥	86	5×16	连续梁	P_I	桩基础	B_I	直线	0	A
58	二洞跨线桥	80	3×25	连续梁	P_I	桩基础	B_I	直线	0	A
59	K201+975主线桥	39.8	2×16	简支	N/A	扩大基础	B_I	直线	0	A
60	K202+096主线桥	20	1×8	连续梁	P_I	桩基础	B_I	直线	0	A
61	陈寿路高梁桥	404	20×20	连续梁	P_I	桩基础	B_I	直线	0	A
62	南充华兴寺嘉陵江大桥	2 417.1	5×20+13×60+62+3×110+62+49×30	连续梁	P_I	桩基础	B_I	直线	0	A
63	王家店大桥	129.2	6×20	简支	P_I	桩基础	B_I	直线	0	A
64	K213+700主线桥	6	1×6	简支	N/A	扩大基础	B_I	直线	0	A

续上表

序号	桥名	桥长(m)	孔跨组合(m)	结构类型	桥墩类型	基础类型	支座类型	平面线形	交角(°)	震害等级
65	K214+312 主线桥	8	1×8	简支	N/A	扩大基础	B_I	直线	0	A
66	遂宁站成都方向入口匝道桥 1	133	5×25	连续梁	P_I	桩基础	B_I	曲线	0	A
67	遂宁站成都方向入口匝道桥 2	372	9×16+11×20	连续梁	P_I	桩基础	B_I+B_{II}	曲线	0	A
68	蓬溪出口匝道桥	76	8×9	简支	P_I	桩基础	B_I+B_{II}	直线	0	A
69	红酒出口匝道桥	22	1×10	简支	N/A	桩基础	B_I+B_{II}	直线	0	A
70	南充站南充到南充东入口匝道桥	8	1×8	简支	N/A	扩大基础	B_I	直线	0	A
71	K3+395 上跨线桥	214	5×16+1×54+5×16	拱桥	—	桩基础	—	直线	0	A0
72	K8+198 上跨线桥	40	2×20	简支	P_I	桩基础	B_I	直线	0	A
73	K10+110 上跨线桥	80	2×20	连续梁	P_I	桩基础	B_I	直线	0	A
74	K15+050 上跨线桥	76	13+2×25+13	简支	P_I	桩基础	B_I	直线	0	A
75	K20+170 上跨线桥	50	2×25	简支	P_{II}	桩基础	B_I	直线	0	A
76	K23+225 上跨跨线桥兼渡槽	50	2×25	简支	P_{II}	桩基础	B_I	直线	0	A
77	K25+840 上跨线桥	50	2×25	简支	P_{II}	桩基础	B_I	直线	0	A
78	K40+567 上跨线桥	40	2×20	简支	P_{II}	桩基础	B_I	直线	0	A
79	K45+594 上跨线桥	80	4×20	简支	P_{III}	桩基础	B_I	曲线	0	A
80	K48+503 上跨线桥	40	2×20	简支	P_{III}	桩基础	B_I	直线	0	A0
81	K167+765 跨线桥	32	2×16	简支	P_{II}/P_{III}	桩基础	B_I	直线	0	A0
82	K183+745 跨线桥	98	2×10+2×25+2×10	连续梁	P_{II}	桩基础+扩大基础	B_I	直线	0	A
83	K187+724 跨线桥	52	2×20	简支	P_I	桩基础	B_I	直线	0	A
84	K189+363 跨线桥	48	2×20	简支	P_{III}	桩基础	B_I	直线	0	A
85	K192+831 跨线桥	50	2×20	简支	P_I	桩基础	B_I	直线	0	A
86	K213+043 跨线桥	50	2×20	简支	P_I	桩基础	B_I	直线	0	A

附表 C-16　成渝环线高速遂宁至回马段桥梁概况表

Appendix table C-16　Information of the bridges in the Chengdu–Chongqing Belt Expressway from Suining to Huima

序号	桥　名	桥长(m)	孔跨组合(m)	桥梁结构			基础类型	支座类型	几何形式		震害等级
				结构类型	桥墩类型				平面线形	交角(°)	
1	郪江大桥	124	3×27	简支	P_1	扩大基础+桩基础	扩大基础+桩基础	B_1	直线	0	A0
2	K7+783 主线桥	28.65	1×16	简支	N/A	扩大基础	B_1	直线	0	A0
3	来龙桥	34	1×16	简支	N/A	扩大基础	B_1	直线	0	A
4	堰塘湾大桥	111.65	5×20	简支	P_1	扩大基础+桩基础	B_1	直线	0	A
5	羊角嘴桥	76	3×20	简支	P_1	扩大基础+桩基础	B_1	直线	0	A
6	新华桥	64	3×20	简支	P_1	扩大基础	B_1	直线	0	A
7	K141+277 新华桥	33	1×20	简支	N/A	扩大基础	B_1	直线	0	A
8	K144+337 跨铁路桥	37	1×20	简支	N/A	扩大基础	B_1	直线	0	A0
9	K145+131 主线桥	39.68	2×16	简支	P_1	扩大基础+桩基础	B_1	直线	0	A

附表 C-17　成渝环线高速遂宁至重庆段桥梁概况表

Appendix table C-17　Information of the bridges in the Chengdu–Chongqing Belt Expressway from Suining to Chongqing

桥　名	桥长(m)	孔跨组合(m)	桥梁结构	基础类型	支座类型	几何形式		震害等级
			结构类型			平面线形	交角(°)	
遂渝高速公路跨潼遂路主线桥	195.5	9×20	简支	扩大基础+桩基础	B_1	直线	0	A

附表 C-18 厦蓉高速成都至重庆段桥梁概况表

Appendix table C-18 Information of the bridges in the Xiamen–Chengdu Expressway from Chengdu to Chongqing

序号	桥 名	桥长（m）	孔跨组合（m）	桥梁结构					几何形式		震害等级
				结构类型	桥跨类型	基础类型	支座类型	平面线形	交角（°）	
1	K1与K2之间小桥	25.7	1×16	简支	N/A	扩大基础	B_I	斜交	—	A
2	跨钢管厂铁路立交桥	26.38	1×16	简支	N/A	扩大基础	B_I	直线	0	A
3	跨成昆铁路立交桥	26.98	1×16	简支	N/A	扩大基础	B_I	直线	0	A
4	跨三环路1号立交桥	26.38	1×16	简支	N/A	扩大基础	B_I	直线	0	A
5	跨三环路2号立交桥	26.38	1×16	简支	N/A	扩大基础	B_I	直线	0	A
6	胜利通道小桥	11	1×5	简支	N/A	扩大基础	B_I	直线	0	A
7	洪河乡立交小桥	20.5	1×13	简支	N/A	扩大基础	B_I	直线	0	A
8	千弓堰通道小桥	10.54	1×5	简支	N/A	扩大基础	B_I	直线	0	A
9	东南干渠中桥	42.74	3×13	简支	P_I	桩基础	B_I	直线	0	A
10	跨绕城西道桥	27.8	1×13	简支	N/A	扩大基础	B_I	斜交	—	A0
11	洪家小桥	21.54	1×16	简支	N/A	扩大基础	B_I	直线	0	A
12	施家院子小桥	10.54	1×5	简支	N/A	扩大基础	B_I	直线	0	A
13	洪河堰小桥	20.54	1×13	简支	N/A	扩大基础	B_I	直线	0	A
14	李河堰小桥	16.74	1×13	简支	N/A	扩大基础	B_I	直线	0	A
15	谢家院子通道小桥	8.99	1×5	简支	N/A	扩大基础	B_I	直线	0	A
16	肖家祠通道小桥	10.44	1×5	简支	N/A	扩大基础	B_I	直线	0	A
17	平安场小桥	19.54	1×13	简支	N/A	扩大基础	B_I	直线	0	A
18	廖家湾桥	82.7	5×13	简支	P_I	桩基础	B_I	直线	0	A
19	廖家湾通道桥	10.54	1×5	简支	N/A	扩大基础	B_I	直线	0	A
20	东山干渠小桥	19.7	1×16	简支	N/A	扩大基础	B_I	直线	0	A0
21	杨家桥	42.74	3×13	简支	P_I	桩基础	B_I	直线	0	A

续上表

序号	桥 名	桥长（m）	孔跨组合（m）	结构类型	桥墩类型	基础类型	支座类型	平面线形	交角（°）	震害等级
22	万善桥	70.74	4×13	简支	P_1	桩基础	B_1	直线	0	A
23	上山桥	40.1	2×13	简支	P_1	桩基础	B_1	直线	0	A0
24	代家沟1号桥（下）	18.3	1×16	简支	N/A	扩大基础	B_1	斜交	—	A
25	代家沟2号桥（下）	17.4	1×16	简支	N/A	扩大基础	B_1	斜交	—	A0
26	九道河1号桥（下）	17.7	1×16	简支	N/A	扩大基础	B_1	直线	0	A0
27	九道河2号桥（上）	32	1×16	简支	N/A	扩大基础	B_1	直线	0	A0
28	22K桥（下）	17.6	1×16	简支	P_1	桩基础	B_1	直线	0	A
29	九道河3号桥	82	4×16	简支	P_1	桩基础	B_1	直线	0	A
30	九道河4号桥（上）	41.54	2×16	简支	P_1	桩基础	B_1	直线	0	A
31	九道河5号桥（上）	35.04	2×16	简支	P_1	桩基础	B_1	直线	0	A
32	九道河6号桥	50.04	3×13	简支	P_1	桩基础	B_1	直线	0	A0
33	九道河7号桥	44.54	2×16	简支	P_1	桩基础	B_1	直线	0	A
34	九道河8号桥	49.54	3×13	简支	P_1	桩基础	B_1	直线	0	A
35	高洞寺水库右大桥	107.81	4×25	简支	P_1	桩基础	B_1	直线	0	A
36	高洞寺水库左大桥	132.47	5×25	简支	P_1	桩基础	B_1	直线	0	A0
37	高洞寺左大桥（下）	116	4×25	简支	P_1	桩基础	B_1	直线	0	A
38	高洞寺右大桥（上）	91	3×25	简支	P_1	扩大基础	B_1	直线	0	A
39	高洞寺分离式立交桥	17.8	1×13	简支	N/A	扩大基础	B_1	直线	0	A
40	26K小桥	21.8	1×16	简支	N/A	扩大基础	B_1	直线	0	A
41	猫儿沟桥	41.54	2×16	简支	P_1	桩基础	B_1	直线	0	A
42	胜利堰大桥	147.54	5×25	简支	P_1	桩基础	B_1	直线	0	A

续上表

序号	桥名	桥长（m）	孔跨组合（m）	结构类型	桥墩类型	基础类型	支座类型	平面线形	交角（°）	震害等级
				桥梁结构				几何形式		
43	老昌湾大桥	160.94	6×25	简支	P_I	桩基础	B_I	直线	0	A
44	紫店沟分离式立交桥	28.5	1×13	简支	N/A	扩大基础	B_I	直线	0	A0
45	三元店分离式立交桥	23.7	1×13	简支	N/A	扩大基础	B_I	斜交	—	A0
46	将军碑分离式立交桥	23	1×13	简支	N/A	扩大基础	B_I	直线	0	A0
47	谭家院子通道桥	11	1×4.5	简支	N/A	扩大基础	B_I	直线	0	A
48	白塔沟通道桥	24	1×15.8	简支	N/A	扩大基础	B_I	直线	0	A
49	石盘立交桥	15.83	1×15.83	简支	P_I	桩基础	B_I	直线	0	A
50	赤水河大桥	161	6×25	简支	P_I	桩基础	B_I	直线	0	A
51	石桥互通式立交桥	35.5	2×13	简支	N/A	扩大基础	B_I	直线	0	A
52	48K小桥	22	1×10	简支	N/A	扩大基础	B_I	直线	0	A
53	曹家沟桥	29.2	1×13	简支	N/A	扩大基础	B_I	直线	0	A
54	绛溪河大桥	191	6×25	简支	P_I	桩基础	B_I	直线	0	A
55	53K小桥	19	1×8	简支	N/A	扩大基础	B_I	直线	0	A
56	54K小桥	12.54	1×5	简支	N/A	扩大基础	B_I	直线	0	A
57	施家沟桥	51.74	3×16	简支	P_I	桩基础	B_I	直线	0	A0
58	油房沟桥	30.1	1×16	简支	N/A	扩大基础	B_I	斜交	—	A
59	石堰河大桥	70	4×16	简支	P_I	桩基础	B_I	直线	0	A
60	59K通道桥	12.54	1×5	简支	N/A	扩大基础	B_{III}	直线	0	A
61	新市桥	54	3×16	简支	P_I	桩基础	B_I	直线	0	A
62	61K通道桥	13.54	1×6	简支	N/A	扩大基础	B_{III}	斜交	—	A
63	62K通道桥	17.1	1×8	简支	N/A	扩大基础	B_{III}	直线	0	A

续上表

序号	桥 名	桥长（m）	孔跨组合（m）	结构类型	桥墩类型	基础类型	支座类型	平面线形	交角（°）	震害等级
				桥梁结构				几何形式		
64	63K通道桥	15	1×5	简支	N/A	扩大基础	B_{III}	直线	0	A
65	64.1K通道桥	13.54	1×6	简支	N/A	扩大基础	B_{III}	直线	0	A
66	64.3K通道桥	15.54	1×8	简支	N/A	扩大基础	B_{III}	直线	0	A
67	64.8K通道桥	15.54	1×8	简支	N/A	桩基础	B_{I}	斜交	—	A
68	毛家沟桥	52	3×16	简支	P_{I}	扩大基础	B_{I}	直线	0	A
69	南房子小桥	15.56	1×8	简支	N/A	扩大基础	B_{III}	直线	0	A
70	69K小桥	12.54	1×5	简支	N/A	扩大基础	B_{III}	斜交	—	A
71	70K桥	15.56	1×8	简支	N/A	扩大基础	B_{III}	直线	0	A
72	71K桥	14	1×8	简支	N/A	扩大基础	B_{III}	直线	0	A
73	71.6K桥	18.04	1×8	简支	P_{I}	桩基础	B_{I}	直线	0	A
74	72K桥	16.74	1×8	简支	P_{I}	桩基础	B_{I}	直线	0	A0
75	凤凰沟中桥	84.38	5×16	简支	N/A	扩大基础	B_{III}	直线	0	A
76	㽏柳湾中桥	71.03	3×20	简支	N/A	扩大基础	B_{I}	直线	0	A
77	水井砖厂分离式立交小桥	13.55	1×6	简支	N/A	扩大基础	B_{I}	直线	0	A
78	赖家房分离式立交小桥	20.04	1×10	简支	N/A	扩大基础	B_{I}	直线	0	A
79	76K分离式立交小桥	13.5	1×6	简支	N/A	扩大基础	B_{I}	直线	0	A
80	77K分离式立交小桥	13.54	1×6	简支	N/A	扩大基础	B_{I}	直线	0	A
81	79K分离式立交小桥	15.54	1×6	简支	P_{I}	扩大基础	B_{I}	直线	0	A
82	李溪湾小桥	29.7	2×13	简支	N/A	桩基础	B_{I}	直线	0	A
83	80K小桥	13.54	1×6	简支	N/A	扩大基础	B_{I}	直线	0	A
84	雷家沟中桥	57.2	3×16	简支	P_{I}	桩基础	B_{I}	直线	0	A

续上表

序号	桥 名	桥长（m）	孔跨组合（m）	结构类型	桥墩类型	基础类型	支座类型	平面线形	交角（°）	震害等级
85	张天禄小桥	37.35	2×13	简支	P_I	桩基础	B_I	直线	0	A
86	83K 分离式立交小桥	11.54	1×6	简支	N/A	扩大基础	B_{III}	直线	0	A
87	九曲河大桥	103.7	5×20	简支	P_I	桩基础	B_I	直线	0	A
88	砖瓦湾小桥	15.54	1×8	简支	N/A	扩大基础	B_{III}	斜交	—	A
89	崔家坝小桥	22.54	1×13	简支	N/A	扩大基础	B_{III}	斜交	—	A
90	吴家场小桥	13.54	1×6	简支	N/A	扩大基础	B_{III}	直线	0	A
91	85.7K 小桥	11.54	1×6	简支	N/A	扩大基础	B_{III}	直线	0	A
92	86.3K 小桥	10.54	1×5	简支	N/A	扩大基础	B_{III}	直线	0	A
93	老鹰河中桥	52	4×13	简支	P_I	桩基础	B_I	直线	0	A
94	87.4K 小桥	19.54	1×10	简支	N/A	扩大基础	B_{III}	直线	0	A
95	87.9K 小桥	15.54	1×8	简支	N/A	扩大基础	B_{III}	直线	0	A
96	竿山小桥	17.54	1×10	简支	N/A	扩大基础	B_I	直线	0	A
97	90.4K 小桥	17.56	1×10	简支	N/A	扩大基础	B_I	直线	0	A
98	骝马堰小桥	23.54	1×16	简支	N/A	扩大基础	B_I	直线	0	A
99	张家河中桥	60	3×20	简支	P_I	桩基础	B_I	直线	0	A
100	95.1K 小桥	16.82	1×6	简支	N/A	扩大基础	B_{III}	直线	0	A
101	池塘湾小桥	31.95	1×16	简支	N/A	扩大基础	B_I	直线	0	A
102	大丰小桥	20.54	1×13	简支	N/A	扩大基础	B_I	直线	0	A
103	101.3K 小桥	15.54	1×6	简支	N/A	扩大基础	B_I	直线	0	A
104	三跨中桥	74	3×16	简支	P_I	桩基础	B_I	直线	0	A
105	102K 小桥	15.54	1×6	简支	N/A	扩大基础	B_I	直线	0	A

续上表

序号	桥 名	桥长（m）	孔跨组合（m）	结构类型	桥墩类型	基础类型	支座类型	平面线形	交角（°）	震害等级
106	斑竹湾中桥	84	4×16	简支	P_I	桩基础	B_I	直线	0	A
107	106.32小桥	15.54	1×6	简支	N/A	扩大基础	B_I	直线	0	A
108	邓家湾小桥	14	1×6	简支	N/A	扩大基础	B_{III}	直线	0	A
109	龙王庙小桥	26	1×16	简支	N/A	扩大基础	B_I	斜交	—	A
110	109.6K小桥（左线）	14.6	1×8	简支	N/A	扩大基础	B_{III}	直线	0	A
111	109.5K小桥（右线）	16	1×8	简支	N/A	扩大基础	B_I	直线	0	A
112	109.66K中桥	37	1×20	简支	N/A	扩大基础	B_I	直线	0	A
113	球溪河大桥（左线）	229.56	1×110	拱桥	P_{IV}	扩大基础	—	直线	0	A
114	111+000球溪河大桥（右线）	242.6	3×70	拱桥	N/A	扩大基础	—	直线	0	A
115	111.95K大桥（右线）	56.87	1×60+8	拱桥	N/A	扩大基础	—	直线	0	A
116	112.7K大桥（左线）	122.63	1×60+8	简支	N/A	扩大基础	B_I	直线	—	A
117	跨老成渝铁路小桥	16	1×8	简支	N/A	桩基础	—	直线	0	A
118	铁路沟小桥（右线）	26.48	1×16	拱桥	P_I	扩大基础	B_I	直线	0	A
119	三助石拱大桥	96.16	2×40	拱桥	P_{IV}	扩大基础	—	斜交	—	A
120	李堂湾小桥	17.54	1×10	简支	N/A	扩大基础	B_I	直线	0	A
121	高楼场中桥	25.42	1×21.68	简支	P_I	桩基础	B_I	斜交	0	A
122	水打中桥	46.3	2×16	简支	P_{IV}	扩大基础	B_I	直线	0	A
123	响罩子大桥	103.56	5×20	简支	N/A	扩大基础	B_I	斜交	—	A
124	跳蹬河大桥	79.44	1×50	拱桥	N/A	桩基础	—	直线	0	A
125	羊山中桥	46	3×11	简支	P_I	桩基础	B_I	直线	0	A0
126	转弯沱I线大桥（右线）	146.8	3×40	拱桥	P_{IV}	扩大基础	—	直线	0	A

续上表

序号	桥 名	桥长（m）	孔跨组合（m）	结构类型	桥墩类型	基础类型	支座类型	平面线形	交角（°）	震害等级
				桥梁结构				几何形式		
127	转弯沱Ⅱ线大桥（左线）	146.8	3×40	拱桥	P_{IV}	扩大基础	—	直线	0	A
128	出水洞大桥	74.16	1×40	拱桥	N/A	扩大基础	—	直线	0	A
129	130.9K小桥	27.73	1×10	简支	N/A	扩大基础	B_{III}	直线	0	A
130	金带水库大桥	81.4	2×30	拱桥	P_{IV}	扩大基础	—	直线	0	A
131	132.9K小桥	18.04	1×8	简支	N/A	扩大基础	B_{III}	直线	0	A
132	太阳河大桥	60	1×48	拱桥	N/A	扩大基础	—	直线	0	A
133	弯刀田小桥	24	1×13	简支	N/A	扩大基础	B_I	斜交	—	A
134	双河口小桥	33	1×16	简支	P_I	桩基础	B_I	直线	0	A
135	园坝子小桥	29.7	2×13	简支	P_I	桩基础	B_I	直线	0	A
136	园坝子2号中桥	46.8	2×13	简支	N/A	扩大基础	B_I	直线	0	A
137	跨匝道小桥	32.16	1×15.9	简支	P_I	扩大基础	B_I	直线	0	A
138	跨资威公路立交小桥	34.6	1×15.9	简支	N/A	扩大基础	B_I	直线	0	A
139	陈家冲大桥	143	6×20	简支	P_I	桩基础	B_{III}	直线	0	A0
140	142K小桥	30	1×16	简支	N/A	扩大基础	—	直线	0	A
141	中华小桥	34.3	1×16	拱桥	P_{IV}	扩大基础	B_I	直线	0	A
142	石堰河大桥	214.3	4×40+20	简支	P_I	扩大基础	B_I	斜交	—	A
143	花朝门大桥	151.8	5×25	简支	N/A	桩基础	B_{III}	直线	0	A
144	明心中桥	42.04	1×20	简支	P_I	扩大基础	B_I	直线	0	A
145	水泥场小桥	15.54	1×8	简支	N/A	扩大基础	—	斜交	—	A
146	151K小桥	19.54	1×10	简支	N/A	扩大基础	B_I	斜交	—	A

续上表

序号	桥名	桥长(m)	孔跨组合(m)	结构类型	桥墩类型	基础类型	支座类型	平面线形	交角(°)	震害等级
147	烂场湾中桥	41.5	2×16	简支	P_I	桩基础	B_I	直线	0	A
148	红牌坊中桥	35.74	2×16	简支	P_I	桩基础	B_I	直线	0	A
149	砖瓦厂小桥	28.8	1×16	简支	N/A	扩大基础	B_I	直线	0	A
150	154K小桥（左线）桥	33	1×16	简支	N/A	扩大基础	B_I	直线	0	A
151	154K小桥（右线）	33	1×16	简支	N/A	扩大基础	B_{III}	直线	0	A
152	机耕道跨线小桥（右线）	17	1×7.2	简支	N/A	扩大基础	B_{III}	直线	0	A
153	机耕道跨线小桥（左线）	17	1×7.2	简支	N/A	扩大基础	—	直线	0	A
154	金紫河右桥	143.1	2×50	拱桥	P_{IV}	扩大基础	B_{III}	直线	0	A
155	跨匝道小桥（左线）	15	1×7.2	简支	N/A	扩大基础	—	直线	0	A
156	金紫河大桥（左线）	70	1×50	拱桥	N/A	扩大基础	B_{III}	直线	0	A
157	K158小桥（上行）	19	1×8	拱桥	P_I	扩大基础	B_I	直线	0	A
158	石田水库大桥	78	1×50	简支	N/A	桩基础	B_I	斜交	—	A
159	象鼻嘴中桥	78.04	4×16	简支	P_I	扩大基础	B_I	直线	0	A
160	K164小桥	24.9	1×13	简支	N/A	桩基础+扩大基础	B_I	直线	0	A
161	寿溪河大桥	150	5×25	简支	P_I	扩大基础	B_{III}	直线	0	A
162	K170桥	10	1×8	简支	N/A	扩大基础	B_I	直线	0	A
163	K171桥	62.75	3×16	简支	P_I	桩基础	B_I	直线	0	A
164	K171桥	18	1×10	简支	N/A	扩大基础	B_I	斜交	—	A
165	K172桥	57.8	3×16	简支	P_I	桩基础	B_I	直线	0	A

续上表

序号	桥 名	桥长（m）	孔跨组合（m）	结构类型	桥墩类型	基础类型	支座类型	平面线形	交角（°）	震害等级
166	内江互通立交	120	6×20	简支	P_I	桩基础	B_I	直线	0	A
167	提篮拱	178.4	3×10+122+1×10	拱桥	P_{VI}	扩大基础	—	直线	0	A
168	沱江大桥	516.18	3×100+3×52	拱桥	N/A	扩大基础	—	直线	0	A
169	柏林冲大桥	113.2	4×25	简支	P_I	桩基础	B_I	直线	0	A
170	镡子山大桥	114	4×25	简支	P_I	桩基础	B_I	直线	0	A
171	K182+650小桥	21	1×10	简支	N/A	扩大基础	B_I	直线	0	A
172	椑木立交桥	36	36-16+8	简支	P_I	桩基础	B_I+B_{II}	直线	0	A
173	南瓜桥	74	4×16	简支	P_I	桩基础	B_I	直线	0	A
174	潘家坝大桥	182	4×40	简支	N/A	扩大基础	B_I	斜交	—	A
175	K188桥	33	1×20	简支	N/A	扩大基础	B_I	直线	0	A
176	K189桥	37.2	1×20	简支	N/A	扩大基础	B_{III}	直线	0	A
177	牛棚子小桥	18	1×8	简支	P_I	扩大基础	B_I	直线	0	A
178	迎祥丝厂桥	73.5	4×16	简支	P_I	桩基础	B_I	直线	0	A
179	古湖桥	83.7	5×16	简支	N/A	桩基础	B_I	直线	0	A
180	狮子桥	83.7	5×16	简支	P_I	扩大基础	B_I	直线	0	A0
181	凉亭桥	22.5	1×13	简支	P_I	桩基础	B_I	直线	0	A
182	龙潭桥	75.3	4×16	简支	P_I	桩基础	B_I	直线	0	A
183	鬼弯子桥	68.28	4×16	简支	P_I	桩基础	B_I	直线	0	A
184	隆昌立交桥	108	6×16	简支	P_I	桩基础	B_I	直线	0	A
185	黑水凼大桥	102	16+60+16	拱桥	P_{IV}	扩大基础	—	直线	0	A

汶川地震公路震害调查 桥 梁

附表 C-19 国道 108 线广元至棋盘关段桥梁概况表

Appendix table C-19 Information of the bridges in the 108 National Highway from Guangyuan to Qipanguan

序号	桥 名	桥长（m）	孔跨组合（m）	桥梁结构			几何形式		震害等级
				结构类型	桥墩类型	基础类型	支座类型	平面线形	交角（°）
1	棋盘夫 2 号桥	92	4×16	简支	P_I	桩基础	B_I	直线	0	A
2	二郎沟桥	42	2×16	简支	P_{IV}	扩大基础	B_I	直线	0	A0
3	K1828+470 石拱桥	9	1×5	拱桥	N/A	扩大基础	—	直线	0	A0
4	K1830+215 钢筋混凝土板拱桥	9	1×5	简支	N/A	扩大基础	B_{III}	直线	0	A0
5	K1831+495 岳王岩桥	14	1×5	拱桥	N/A	扩大基础	B_I	直线	0	A0
6	K1832+780 钢筋混凝土板拱桥	10	1×5	简支	N/A	扩大基础	B_{III}	直线	0	A0
7	K1833+550 中子桥	12.4	1×5	拱桥	N/A	扩大基础	—	直线	0	A0
8	穿心店桥	9.3	1×5	简支	N/A	扩大基础	B_{III}	直线	0	A0
9	田弯子桥	17	1×7	简支	N/A	扩大基础	B_{III}	直线	0	A0
10	皇家湾桥	15	1×7	拱桥	N/A	扩大基础	B_{III}	直线	0	A0
11	文家坟桥	11	1×5.6	简支	N/A	扩大基础	B_{III}	直线	0	A0
12	邱家坪桥	16	1×6	拱桥	N/A	扩大基础	—	直线	0	A0
13	铁窗河大桥	34.6	2×11.8+11	简支	—	—	B_{III}	直线	0	A0
14	楼房沟桥	30.7	1×18	拱桥	N/A	扩大基础	—	直线	0	A0
15	沙河桥	84	7×12	拱桥	P_{IV}	扩大基础	—	直线	0	A0
16	K1868+250 石拱桥	18	1×18	拱桥	N/A	扩大基础	B_{III}	直线	0	A0
17	K1868+450 板桥	20	1×20	简支	N/A	扩大基础	—	直线	0	A0
18	小塘子一桥	5.5	1×5.5	拱桥	N/A	扩大基础	—	直线	0	A0
19	小塘子二桥	25	1×25	拱桥	N/A	扩大基础	—	直线	0	A0
20	溶剂厂桥	16	2×8	简支	P_{IV}	扩大基础	B_{III}	直线	0	A0
21	瓷窑沟桥	16	2×8	拱桥	N/A	扩大基础	—	直线	0	A0
22	嘉陵江钢桁架桥	287.35	—	钢桁架	P_{II}	桩基础	B_I	直线	0	A0

附录

附表 C-20 国道 108 线雅安至普萨岗段桥梁概况表

Appendix table C-20 Information of the bridges in the 108 National Highway from Yaan to Pusagang

序号	桥 名	桥长（m）	孔跨组合（m）	桥梁结构			基础类型	支座类型	几 何 形 式		震害等级
				结构类型	桥墩类型				平面线形	交角（°）	
1	龚家沟桥	11	1×6	拱桥	N/A	扩大基础	—	直线	0	A0
2	葫芦桥	16	1×8	拱桥	N/A	扩大基础	—	直线	0	B
3	狮子铺中桥	44	1×30	拱桥	N/A	扩大基础	—	直线	0	A0
4	龙门溪桥	24.7	1×13	拱桥	N/A	扩大基础	—	直线	0	B
5	大溪桥	36	1×25	拱桥	N/A	扩大基础	—	直线	0	A
6	岩桑桥	7	1×6	简支	N/A	扩大基础	B_{III}	直线	0	B
7	下八步桥	7	1×6	简支	N/A	扩大基础	B_{III}	直线	0	A0
8	上八步桥	7	1×6	简支	N/A	扩大基础	B_{III}	直线	0	A0
9	观化桥	10	1×8	拱桥	N/A	扩大基础	—	直线	0	A0
10	吊水溪桥	8	1×6	拱桥	N/A	扩大基础	—	直线	0	B
11	瓦厂沟桥	36.5	1×30	拱桥	N/A	扩大基础	—	直线	0	A
12	上磺村桥	40	1×30	拱桥	N/A	扩大基础	—	直线	0	A
13	石硔子桥	30.4	1×10	拱桥	N/A	扩大基础	—	直线	0	A
14	水洞湾1号桥	9.8	1×6	拱桥	N/A	扩大基础	—	直线	0	B
15	水洞湾2号桥	9	1×6	拱桥	N/A	扩大基础	—	直线	0	B
16	板房沟桥	17	1×6	拱桥	N/A	扩大基础	—	直线	0	B
17	儿子岗桥	14	1×6	拱桥	N/A	扩大基础	—	直线	0	A0
18	白马夹1号桥	14	1×6	拱桥	N/A	扩大基础	—	直线	0	A0
19	白马夹2号桥	14	1×6	拱桥	N/A	扩大基础	—	直线	0	A0
20	挖断山1号桥	9	2×5	拱桥	P_{IV}	扩大基础	—	直线	0	A

续上表

序号	桥名	桥长(m)	孔跨组合(m)	结构类型	桥墩类型	基础类型	支座类型	平面线形	交角(°)	震害等级
21	挖断山2号桥	15	1×5	拱桥	N/A	扩大基础	—	直线	0	A0
22	青龙桥	10.5	1×5	拱桥	N/A	扩大基础	—	直线	0	A0
23	荥经大桥	110.7	6×16	简支	P_{IV}	扩大基础	B_{III}	直线	0	A0
24	花滩1号桥	36	2×13	拱桥	P_{IV}	扩大基础	—	直线	0	B
25	花滩2号桥	68.6	2×8+2×22	简支	P_{IV}	扩大基础	B_{III}	直线	0	A
26	硝水湾半边桥	18	1×10	拱桥	N/A	扩大基础	—	直线	0	A0
27	硝水湾桥	18	1×10	拱桥	N/A	扩大基础	—	直线	0	A0
28	杨河沟大桥	139	1×80	拱桥	N/A	扩大基础	—	直线	0	A
29	石门沟大桥	84	1×60	拱桥	N/A	扩大基础	—	直线	0	A
30	飞水大桥	37	1×25	拱桥	N/A	扩大基础	—	直线	0	B
31	鱼石沟桥	27.5	1×20	拱桥	N/A	扩大基础	—	直线	0	A0
32	天宝洞桥	28.5	1×15	拱桥	N/A	扩大基础	—	直线	0	B
33	蚂蟥沟桥	20	1×10	拱桥	N/A	扩大基础	—	直线	0	B
34	红星桥	11	1×5	拱桥	N/A	扩大基础	—	直线	0	A
35	同心桥	60	1×30	拱桥	N/A	扩大基础	—	直线	0	A
36	干沟桥	23	1×15	简支	N/A	扩大基础	B_{III}	直线	0	C
37	童家沟桥	27	1×12	拱桥	N/A	扩大基础	—	直线	0	A0
38	断基坝桥	20	5×3	简支	P_{IV}	扩大基础	B_{III}	直线	0	A0
39	雷家沟桥	10	1×5	简支	N/A	扩大基础	B_{III}	直线	0	A0
40	泗坪桥	38	3×10	拱桥	P_{IV}	扩大基础	—	直线	0	A0

续上表

序号	桥 名	桥长（m）	孔跨组合（m）	桥梁结构 结构类型	桥梁结构 桥墩类型	基础类型	支座类型	几何形式 平面线形	几何形式 交角（°）	震害等级
41	双幅桥	13	1×5	拱桥	N/A	扩大基础	—	直线	0	A0
42	香樟弯桥	12	1×5	拱桥	N/A	扩大基础	—	直线	0	A0
43	三板桥	20	1×15	简支	N/A	扩大基础	B_{III}	直线	0	A0
44	牛皮岩桥	16	1×8	拱桥	N/A	扩大基础	—	直线	0	B
45	黄沙河1号桥	13.5	1×6	拱桥	N/A	扩大基础	—	直线	0	A
46	黄沙河2号桥	20	2×5	拱桥	P_{IV}	扩大基础	—	直线	0	A0
47	道塘桥	9	1×5	拱桥	N/A	扩大基础	—	直线	0	A
48	东门河桥	25	1×15	拱桥	N/A	扩大基础	—	直线	0	A0
49	冬瓜石桥	42	1×30	拱桥	N/A	扩大基础	—	直线	0	A0
50	松林口桥	16.5	1×6	拱桥	N/A	扩大基础	—	直线	0	A0
51	双溪桥	18	1×12	拱桥	N/A	扩大基础	—	直线	0	A0
52	关河沟桥	23.6	1×16	简支	N/A	扩大基础	B_{III}	直线	0	A
53	白鸡夫桥	12	1×8	拱桥	N/A	扩大基础	—	直线	0	A0
54	加担湾桥	20	1×16	简支	N/A	扩大基础	B_{III}	直线	0	B
55	东大堰跨线桥	10	1×7	简支	N/A	扩大基础	B_{III}	直线	0	A0
56	九襄付桥	13.2	1×6	简支	N/A	扩大基础	B_{III}	直线	0	B
57	九襄大桥	37.1	2×25	简支	P_{IV}	扩大基础	B_{III}	直线	0	B
58	西佛桥	20.54	1×10	拱桥	N/A	扩大基础	—	直线	0	A0
59	郝家坟桥	24.4	1×15	拱桥	N/A	扩大基础	—	直线	0	A0
60	余家坝桥	10.5	1×5	拱桥	N/A	扩大基础	—	直线	0	A0

续上表

序号	桥名	桥长(m)	孔跨组合(m)	结构类型	桥墩类型	基础类型	支座类型	平面线形	交角(°)	震害等级
61	干溪坝1号桥	9	1×5.5	简支	N/A	扩大基础	B_{III}	直线	0	A0
62	干溪坝2号桥	73	4×15	简支	P_{IV}	扩大基础	B_{III}	直线	0	A0
63	干溪坝3号桥	9	1×6	简支	N/A	扩大基础	B_{III}	直线	0	A0
64	石板沟桥	35	1×20	拱桥	N/A	扩大基础	—	直线	0	A0
65	瓦窑沟桥	16	1×10	拱桥	N/A	扩大基础	—	直线	0	A0
66	唐家沟桥	23	1×15	拱桥	N/A	扩大基础	B_{III}	直线	0	A0
67	啷叭溪口桥	35	1×20	简支	N/A	扩大基础	B_{III}	直线	0	A0
68	郝家沟桥	23	1×15	简支	N/A	扩大基础	B_{III}	直线	0	A0
69	龙洞营桥	28	1×8	拱桥	P_{IV}	扩大基础	B_{III}	直线	0	A0
70	黑石沟桥	57.2	3×15	简支	—	扩大基础	B_{III}	直线	0	B
71	流沙河付桥	—	—	简支	P_{IV}	扩大基础	B_{III}	直线	0	A0
72	流沙河大桥	166.2	9×16	简支	P_{III}	扩大基础	B_{III}	直线	0	B
73	葫芦岩半山桥	56.8	7×8	简支	P_{IV}	扩大基础	B_{III}	直线	0	A0
74	丰乐桥	63	3×16	简支	N/A	扩大基础	B_{III}	直线	0	A0
75	高河坝桥	25.2	1×8	拱桥	P_{IV}	扩大基础	—	直线	0	B
76	窣羊桥	23	1×16	简支	P_{IV}	扩大基础	B_{III}	直线	0	B
77	八牌桥	63	3×16	简支	P_{IV}	扩大基础	B_{III}	直线	0	A0
78	银厂沟桥	30	2×11	拱桥	P_{IV}	扩大基础	—	直线	0	B
79	连坡湾桥	12	1×8	简支	N/A	扩大基础	B_{III}	直线	0	A0
80	响水沟桥	76	4×15.5	简支	P_{IV}	扩大基础	B_{III}	直线	0	B

续上表

序号	桥名	桥长(m)	孔跨组合(m)	结构类型	桥墩类型	基础类型	支座类型	平面线形	交角(°)	震害等级
81	石棉新大桥	157.39	1×84	拱桥	N/A	扩大基础	—	直线	0	A
82	石棉新吊桥	114	1×104	吊桥	N/A	扩大基础	—	直线	0	A0
83	广元堡桥	19	2×18	简支	P_{IV}	扩大基础	B_{III}	直线	0	A0
84	竹马河大桥	106.7	1×92.8	拱桥	N/A	扩大基础	—	直线	0	A
85	楠瓜桥	35	1×25	拱桥	N/A	扩大基础	—	直线	0	A0
86	擦罗桥	25	1×20	简支	N/A	扩大基础	B_{III}	直线	0	B
87	反帝桥	62	1×40	拱桥	N/A	扩大基础	—	直线	0	A0
88	反修桥	28	1×15	拱桥	N/A	扩大基础	—	直线	0	A0
89	元根大桥	68	1×54	拱桥	N/A	扩大基础	—	直线	0	A0
90	中卡桥	30	1×20	拱桥	N/A	扩大基础	—	直线	0	A0
91	烂碉房桥	17.2	1×8	简支	N/A	扩大基础	B_{III}	直线	0	B
92	无根桥	8	1×5	简支	P_{IV}	扩大基础	B_{III}	直线	0	A0
93	栗子坪桥	34	2×21	简支	P_{II}	扩大基础	B_{III}	直线	0	B
94	李子树桥	48	2×16	简支	N/A	扩大基础	—	直线	0	A
95	大沙沟桥	24.6	1×15	拱桥	N/A	扩大基础	B_{III}	直线	0	B
96	煤炭沟桥	16.5	1×8	拱桥	N/A	扩大基础	B_{III}	直线	0	B
97	孟获桥	27.4	1×21	简支	N/A	扩大基础	B_{III}	直线	0	B
98	菩萨岗桥	85.5	1×5	简支	N/A	扩大基础	B_{III}	直线	0	A0
99	流沙河大桥	486	2×25+10×40	简支	P_{III}	扩大基础	B_{III}	直线	0	B
100	大冲沟大桥	363.01	3×25+7×40	简支	P_{III}	扩大基础	—	直线	0	B
101	曾家沟大桥	85.28	1×55	拱桥	N/A	扩大基础	—	直线	0	B

附表 C-21 国道213线郎木寺至尕力台段桥梁概况表
Appendix table C-21 Information of the bridges in the 213 National Highway from Langmusi to Galitai

序号	桥 名	桥长 (m)	孔跨组合 (m)	桥梁结构				几何形式		震害等级
				结构类型	桥墩类型	基础类型	支座类型	平面线形	交角 (°)	
1	K000+730 连接线中桥	48	3×16	简支	P_1	桩基础	B_1	直线	0	A0
2	K003+925 通道小桥	8	1×8	简支	N/A	扩大基础	B_1	直线	0	A0
3	K007+262 小桥	16	1×16	简支	N/A	扩大基础	B_1	直线	0	A0
4	K012+722.5 小桥	13	1×13	简支	N/A	扩大基础	B_1	直线	0	A0
5	日尔郎山Ⅰ号大桥	84	7×12	简支	P_1	桩基础	B_1	直线	0	A
6	日尔郎山Ⅱ号大桥	96	8×12	简支	P_1	桩基础	B_1	直线	0	A0
7	K024+150 小桥	8	1×8	简支	N/A	扩大基础	B_1	直线	0	A0
8	K029+650 小桥	8	1×8	简支	N/A	扩大基础	B_1	直线	0	A
9	K036+500 通道小桥	8	1×8	简支	N/A	扩大基础	B_1	直线	0	A0
10	K038+150 通道小桥	8	1×8	简支	N/A	扩大基础	B_1	直线	0	A0
11	K042+500 通道小桥	8	1×8	简支	N/A	扩大基础	B_1	直线	0	A0
12	K043+025+62 果曲河中桥	48	3×16	简支	P_1	桩基础	B_1	直线	0	A0
13	K047+233.5 小桥	13	1×13	简支	N/A	扩大基础	B_1	直线	0	A
14	K050+500 小桥	8	1×8	简支	N/A	扩大基础	B_1	直线	0	A0
15	K054+970 通道小桥	8	1×8	简支	N/A	扩大基础	B_1	直线	0	A
16	K057+010.5 小桥	13	1×13	简支	N/A	扩大基础	B_1	直线	0	A0
17	K059+470 小桥	16	1×16	简支	N/A	扩大基础	B_1	直线	0	A0
18	K059+850 通道小桥	8	1×8	简支	N/A	扩大基础	B_1	直线	0	A0
19	K067+840 通道小桥	8	1×8	简支	N/A	扩大基础	B_1	直线	0	A0
20	K068+825 通道小桥	8	1×8	简支	N/A	扩大基础	B_1	直线	0	A0
21	K071+450 通道小桥	8	1×8	简支	N/A	扩大基础	B_1	直线	0	A0
22	K072+600 通道小桥	8	1×8	简支	N/A	扩大基础	B_1	直线	0	A0
23	K078+960 通道小桥	8	1×8	简支	N/A	扩大基础	B_1	直线	0	A0
24	红光村 1 号小桥	16	1×16	简支	N/A	扩大基础	B_1	直线	0	A0

续上表

序号	桥名	桥长(m)	孔跨组合(m)	桥梁结构 结构类型	桥墩类型	基础类型	支座类型	几何形式 平面线形	交角(°)	震害等级
25	红光村2号中桥	40	2×20	简支	P_1	桩基础	B_1	直线	0	A0
26	红光村过牧通道桥	8	1×8	简支	N/A	扩大基础	B_1	直线	0	A0
27	班佑2组过牧通道桥	8	1×8	简支	N/A	扩大基础	B_1	直线	0	A0
28	班佑1号小桥	16	1×16	简支	N/A	扩大基础	B_1	直线	0	A0
29	K98+228中桥	40	2×20	简支	P_1	桩基础	B_1	直线	0	A
30	K98+625小桥	16	1×10	简支	N/A	扩大基础	B_1	直线	0	A0
31	班佑村公共草场过牧通道桥	8	1×8	简支	N/A	扩大基础	B_1	直线	0	A0
32	班佑村5、6组过牧通道桥	8	1×8	简支	N/A	扩大基础	B_1	直线	0	A0
33	巴西过牧通道桥	8	1×8	简支	N/A	扩大基础	B_1	直线	0	A0
34	姜冬村1号过牧通道桥	8	1×8	简支	N/A	扩大基础	B_1	直线	0	A0
35	姜冬村2号过牧通道桥	8	1×8	简支	N/A	扩大基础	B_1	直线	0	A0
36	姜冬1号桥	32	2×16	简支	P_1	桩基础	B_1	直线	0	A0
37	姜冬2号桥	39	3×13	简支	P_1	桩基础	B_1	直线	0	A0
38	K132+250过牧通道桥	8	1×8	简支	N/A	扩大基础	B_1	直线	0	A0
39	K136+554过牧通道桥	8	1×8	简支	N/A	扩大基础	B_1	直线	0	A0
40	包座1号桥	16	1×16	简支	N/A	扩大基础	B_1	直线	0	A0
41	包座2号桥	8	1×8	简支	N/A	扩大基础	B_1	直线	0	A0
42	包座3号桥	16	1×10	简支	N/A	扩大基础	B_1	直线	0	A0
43	包座乡1号过牧通道桥	8	1×8	简支	N/A	扩大基础	B_1	直线	0	A0
44	包座4号桥	32	2×16	简支	P_1	桩基础	B_1	直线	0	A
45	红原1号桥	13	1×13	简支	N/A	扩大基础	B_1	直线	0	A0
46	红原2号桥	16	1×16	简支	N/A	扩大基础	B_1	直线	0	A0
47	红原3号桥	13	1×13	简支	N/A	扩大基础	B_1	直线	0	A0
48	K168+620桥	20	2×10	简支	P_1	桩基础	B_1	直线	0	A
49	K170+160桥	20	2×10	简支	P_1	桩基础	B_1	直线	0	A

附表 C-22　国道 213 线尕力台至川主寺段桥梁概况表

Appendix table C-22　Information of the bridges in the 213 National Highway from Galitai to Chuanzhusi

序号	桥　名	桥长（m）	孔跨组合（m）	结构类型	桥墩类型	基础类型	支座类型	平面线形	交角（°）	震害等级
1	K186+262 桥	74.10	3×20	简支	P_I	桩基础+扩大基础	B_I	直线	0	A0
2	K186+615 桥	150.15	7×20	简支	P_I	桩基础+扩大基础	B_I	直线	0	A0
3	K186+912 桥	82.85	41×16	简支	P_I	桩基础+扩大基础	B_I	直线	0	A0
4	K187+043 桥	63.65	3×6	简支	P_I	桩基础+扩大基础	B_I	直线	0	A0
5	K187+468 桥	171.78	5×30	简支	P_I	桩基础+扩大基础	B_I	直线	0	A
6	K187+711 桥	78.8	4×16	简支	P_I	桩基础+扩大基础	B_I	曲线	0	A
7	K187+873 桥	230.28	7×30	简支	P_I	桩基础+扩大基础	B_I	曲线	0	A
8	K188+159 桥	109.75	5×20	简支	P_I	桩基础+扩大基础	B_I	曲线	0	A
9	K188+467 桥	163.58	5×30	简支	P_I	桩基础+扩大基础	B_I+B_{III}	曲线	0	A
10	K189+114 桥	532.45	26×20	简支	P_I	桩基础+扩大基础	B_I	曲线	0	A
11	K189+827 桥	289.04	9×30	简支	P_I	桩基础+扩大基础	B_I	曲线	0	A
12	K190+556 桥	131.1	6×20	简支	P_I	桩基础+扩大基础	B_I	曲线	0	A
13	K190+882 桥	94.6	4×20	简支	P_I	桩基础+扩大基础	B_I	曲线	0	A
14	K191+160 桥	74.65	4×16	简支	P_I	桩基础+扩大基础	B_I	曲线	0	A
15	K191+830 桥	116.6	5×20	简支	P_I	桩基础+扩大基础	B_I	直线	0	B
16	K192+230 桥	174.1	8×20	简支	P_I	桩基础+扩大基础	B_I	直线	0	A

续上表

序号	桥　名	桥长（m）	孔跨组合（m）	结构类型	桥墩类型	基础类型	支座类型	平面线形	交角（°）	震害等级
				桥梁结构				几何形式		
17	K194+625桥	404.1	13×30	简支	P_I	桩基础+扩大基础	B_I+B_{III}	直线	0	B
18	石板棚大桥	131.25	6×20	简支	P_I	桩基础+扩大基础	B_I	曲线	0	B
19	K202+786桥	27.35	1×10	简支	N/A	扩大基础	B_I	直线	0	A
20	K202+957桥	24.47	1×10	简支	N/A	扩大基础	B_I	直线	0	A
21	K204+894桥	21.66	1×16	简支	N/A	扩大基础	B_I	直线	0	B
22	K205+205桥	166+05	6×20	简支	P_I	扩大基础	B_I	曲线	0	B
23	K207+657桥	31.19	1×10	简支	N/A	扩大基础	B_I	直线	0	A
24	K208+366桥	26.17	1×16	简支	N/A	扩大基础	B_I	直线	0	A0
25	K208+822桥	18.72	1×10	简支	N/A	扩大基础	B_I	直线	0	B
26	K210+528桥	55.27	2×16	简支	P_I	扩大基础	B_I	直线	0	A
27	K210+644桥	56.45	2×16	简支	P_I	扩大基础	B_I	直线	0	A
28	K218+427桥	60.6	3×16	简支	P_I	扩大基础	B_I	直线	0	A
29	K226+060桥	68.47	3×16	简支	P_I	扩大基础	B_I	曲线	0	A
30	GK226+514桥	61.3	3×16	简支	P_I	扩大基础	B_I	曲线	0	A
31	GK229+951.921桥	57.3	3×16	简支	P_I	扩大基础	B_I	曲线	0	A

附表 C-23　国道 213 线川主寺至汶川段桥梁概况表

Appendix table C-23　Information of the bridges in the 213 National Highway from Chuanzhusi to Wenchuan

序号	桥名	桥长（m）	孔跨组合（m）	桥梁结构			几何形式			震害等级
				结构类型	桥墩类型	基础类型	支座类型	平面线形	交角(°)	
1	高屯子桥	17.61	1×6	拱桥	N/A	扩大基础	—	直线	0	B
2	上游桥	37.2	1×25	拱桥	N/A	扩大基础	—	直线	0	B
3	青云桥	11.2	1×10	简支	N/A	扩大基础	B_{III}	直线	0	A
4	马鸡坡桥	9.8	1×6	简支	N/A	扩大基础	B_{III}	直线	0	A
5	鸳鸯桥	8.6	1×6	简支	N/A	扩大基础	—	直线	0	A
6	岷江桥	25.6	3×6	拱桥	P_{IV}	扩大基础	—	直线	0	A
7	北定关桥	25.7	2×10	拱桥	P_{IV}	扩大基础	—	直线	0	A
8	镇江关二号桥	8.4	1×6	拱桥	N/A	扩大基础	—	直线	0	A
9	永和桥	18.2	1×10	拱桥	N/A	扩大基础	—	直线	0	A0
10	金瓶岩桥	24.2	1×15	拱桥	N/A	扩大基础	—	直线	0	A
11	格早沟桥	8.4	1×6	拱桥	N/A	扩大基础	—	直线	0	A0
12	甲竹寺桥	9.3	1×8	简支	N/A	扩大基础	B_{III}	直线	0	A0
13	解放村桥	13	1×8	拱桥	N/A	扩大基础	—	直线	0	A0
14	太平团结桥	23.1	1×12	拱桥	N/A	扩大基础	—	直线	0	A
15	古月桥	42.3	1×20	拱桥	N/A	扩大基础	—	直线	0	A0
16	平桥沟桥	20.1	1×6	拱桥	N/A	扩大基础	—	直线	0	A0
17	大磋桥	7	1×5.5	简支	N/A	扩大基础	B_{III}	直线	0	A0
18	石大关桥	14	1×11	拱桥	N/A	扩大基础	—	直线	0	A0
19	烟灯坡桥	59.8	1×43	拱桥	N/A	扩大基础	—	直线	0	A0

续上表

序号	桥名	桥长(m)	孔跨组合(m)	桥梁结构			几何形式		震害等级
				结构类型	桥墩类型	基础类型	支座类型	平面线形	交角(°)	

序号	桥名	桥长(m)	孔跨组合(m)	结构类型	桥墩类型	基础类型	支座类型	平面线形	交角(°)	震害等级
20	木学堡大桥	90.6	1×65	拱桥	N/A	扩大基础	—	直线	0	B
21	两河口大桥	76.45	1×60	拱桥	N/A	扩大基础	—	直线	0	B
22	飞虹桥	22.8	1×16	拱桥	N/A	扩大基础	—	直线	0	A0
23	临江铺桥	6.2	1×5	简支	N/A	扩大基础	B_{III}	直线	0	A0
24	沟口桥	25	1×16.32	拱桥	N/A	扩大基础	—	直线	0	A0
25	芥面沟桥	265	2×83	拱桥	P_{IV}	扩大基础	—	直线	0	B
26	大宗渠桥	43	1×30.4	拱桥	N/A	扩大基础	—	直线	0	A0
27	小宗渠桥	121.15	1×85.8	拱桥	N/A	扩大基础	—	直线	0	A
28	金圈岩桥	12.8	1×11	简支	N/A	扩大基础	B_{III}	直线	0	A
29	苫鱼寨桥	6.4	1×6	简支	N/A	扩大基础	—	直线	0	A0
30	斗簇桥	42	1×30.4	拱桥	N/A	扩大基础	—	直线	0	B
31	羊毛坪大桥	88.4	1×64	拱桥	N/A	扩大基础	—	直线	0	B
32	苫鱼尾水大桥	55.64	1×45	拱桥	N/A	扩大基础	—	直线	0	A
33	绵簇大桥	42.5	1×30	拱桥	N/A	扩大基础	—	直线	0	A
34	文镇桥	40.4	1×20	简支	N/A	扩大基础	B_{III}	直线	0	A0
35	雁门关大桥	38.16	1×20	简支	N/A	扩大基础	B_{III}	直线	0	A0
36	药沟桥	13	1×10	简支	N/A	扩大基础	B_{III}	直线	0	A0
37	清水湾桥	20	1×18	简支	N/A	扩大基础	B_{III}	直线	0	B
38	黑岩子桥	13	1×10	简支	N/A	扩大基础	B_{III}	直线	0	A0
39	渭口桥	20	1×18	简支	N/A	扩大基础	B_{III}	直线	0	A0

附表 C-24　国道 317 线汶川至马尔康段桥梁概况表

Appendix table C-24　Information of the bridges in the 317 National Highway from Wenchuan to Maerkang

序号	桥名	桥长（m）	孔跨组合（m）	桥梁结构			基础类型	支座类型	几何形式		震害等级
				结构类型	桥墩类型				平面线形	交角（°）	
1	岷江大桥	203.8	9	连续梁	P_{II}	桩基础	B_f	直线	0	B
2	克枯混水沟桥	12	1×6	简支	N/A	扩大基础	—	直线	0	A0
3	半边桥	14	1×6	简支	N/A	扩大基础	—	直线	0	A0
4	牛石沟桥	14	1×10	简支	N/A	扩大基础	—	直线	0	A0
5	古城桥	16	1×10	简支	N/A	扩大基础	—	直线	0	A0
6	通化桥	12	1×6	简支	N/A	扩大基础	—	直线	0	A0
7	甘溪沟桥	19	2×6	拱桥	P_{IV}	扩大基础	—	直线	0	A0
8	薛城桥	16	1×10	简支	N/A	扩大基础	B_f	直线	0	A0
9	蒲溪沟桥	16	1×16	简支	N/A	扩大基础	B_f	直线	0	A0
10	洪水沟桥	34	1×16	拱桥	N/A	扩大基础	—	直线	0	A0
11	维关下桥	90.6	1×60	简支	N/A	扩大基础	—	直线	0	A0
12	维关平桥	11.9	1×6	拱桥	N/A	扩大基础	—	直线	0	A0
13	维关上桥	90.6	1×60	拱桥	N/A	扩大基础	—	直线	0	A0
14	团结桥	45	1×30	拱桥	N/A	扩大基础	—	直线	0	A0
15	立新桥	49	1×30	简支	N/A	扩大基础	—	直线	0	A0
16	日足沟桥	14	1×8	简支	N/A	扩大基础	—	直线	0	A0
17	一颗印桥	20	1×13	拱桥	N/A	扩大基础	—	直线	0	A0
18	一道桥	30	1×10	拱桥	N/A	扩大基础	—	直线	0	A0
19	二道桥	36	1×22	拱桥	N/A	扩大基础	—	直线	0	A0
20	狮子坪小桥	20	1×10	简支	N/A	扩大基础	B_f	直线	0	A0
21	新桥	32	1×20	拱桥	N/A	扩大基础	—	直线	0	A0
22	夹壁桥	36	1×20	拱桥	N/A	扩大基础	—	直线	0	A0
23	米亚罗桥	24	2×10	拱桥	P_{IV}	扩大基础	—	直线	0	A0

续上表

序号	桥　名	桥长(m)	孔跨组合(m)	结构类型	桥墩类型	基础类型	支座类型	平面线形	交角(°)	震害等级
				桥梁结构				几何形式		
24	小丘地1号桥	60	3×16	连续梁	P_I	桩基础	B_I	直线	0	A0
25	小丘地2号桥	50	2×20	连续梁	P_I	桩基础	B_I	直线	0	A0
26	小丘地3号桥	62	3×16	连续梁	P_I	桩基础	B_I	曲线	0	A0
27	九架棚大桥	262	66+120+66	连续刚构	P_{III}	桩基础	B_I	直线	0	A0
28	杂谷脑大桥	205	1×25+4×40	简支	P_I+P_{III}	桩基础	B_I	直线	0	A0
29	杂谷脑中桥	86	4×20	简支	P_I	桩基础	B_I	直线	0	A0
30	鹧鸪山隧道进口桥	22	1×10	拱桥	N/A	扩大基础	—	直线	0	A0
31	鹧鸪山隧道出口桥	87	3×25	简支	P_I	桩基础	B_I	直线	0	A0
32	鹧鸪山2号桥	87	1×40+1×25	简支	P_I	桩基础	B_I	直线	0	A0
33	鹧鸪山3号桥	87	3×25	简支	P_I	桩基础	B_I	直线	0	A0
34	三家寨大桥	125	2×25+1×40+1×25	简支	N/A	扩大基础	—	直线	0	A0
35	三家寨小桥	18	1×6	拱桥	N/A	扩大基础	—	直线	0	A0
36	官寨沟桥	19	1×13	拱桥	N/A	扩大基础	—	直线	0	A0
37	古尔沟小桥	13	1×5	拱桥	N/A	扩大基础	—	直线	0	A0
38	平桥沟小桥	26	1×13	拱桥	N/A	扩大基础	—	直线	0	A0
39	定心小桥	12	1×6	简支	N/A	扩大基础	—	直线	0	A0
40	双洞桥	20	1×12	拱桥	N/A	扩大基础	—	直线	0	A0
41	大浪足沟桥	34	1×20	拱桥	N/A	扩大基础	—	直线	0	A0
42	大木沟小桥	25	1×13	简支	N/A	扩大基础	B_I	直线	0	A0
43	邓家桥	31.5	1×14	拱桥	N/A	扩大基础	—	直线	0	C
44	松岗大桥	53.3	1×32.6	拱桥	N/A	扩大基础	—	直线	0	C
45	木足沟桥	12	1×8	简支	N/A	扩大基础	—	直线	0	A0
46	红旗桥	105	1×80	拱桥	N/A	扩大基础	—	直线	0	A0

附表 C-25　国道 318 线雅安至二郎山段桥梁概况表

Appendix table C-25　Information of the bridges in the 318 National Highway from Yaan to Erlang Mountain

序号	桥名	桥长（m）	孔跨组合（m）	桥梁结构			基础类型	支座类型	几何形式		震害等级
				结构类型	桥墩类型				平面线形	交角（°）	
1	鳝鱼桥	36	1×25	拱桥	N/A		扩大基础	—	直线	0	A
2	朱坝桥	31.5	2×13	简支	P_{IV}		扩大基础	B_I	直线	0	A0
3	玉熄堰桥	46	1×30	拱桥	N/A		扩大基础	—	直线	0	A
4	万新渠桥	12	1×10	简支	N/A		扩大基础	B_I	直线	0	A0
5	新同心桥	18	1×12	拱桥	N/A		扩大基础	—	直线	0	A0
6	新桥	47	4×10	简支	P_{IV}		扩大基础	B_I	直线	0	A0
7	三里桥	18	1×10.0+5.0	简支	P_{IV}		扩大基础	B_I	直线	0	A
8	火烧桥	15	2×5	简支	P_{IV}		扩大基础	B_I	直线	0	A0
9	龙莫桥	17.5	1×10	拱桥	N/A		扩大基础	—	直线	0	A
10	金鸡桥	13.5	1×5.6	简支	N/A		扩大基础	B_I	直线	0	A0
11	姚桥	12	1×8	拱桥	N/A		扩大基础	—	直线	0	A0
12	菁江桥	86	13.25+3×14.0+13.25	简支	N/A		扩大基础	B_I	直线	0	A
13	沙溪桥	6	1×5.5	拱桥	N/A		扩大基础	—	直线	0	A0
14	陆王桥	14.5	1×10	拱桥	N/A		扩大基础	—	直线	0	A
15	磨溪沟桥	8	1×8	简支	N/A		扩大基础	B_I	直线	0	A0
16	沙坎桥	18	1×10	简支	N/A		扩大基础	—	直线	0	A0
17	钓鱼台桥	26.6	1×13	拱桥	N/A		扩大基础	—	直线	0	A
18	朱家沟桥	13	1×5	拱桥	N/A		扩大基础	—	直线	0	A
19	新开店桥	21	1×10	拱桥	N/A		扩大基础	—	直线	0	A
20	大深溪桥	20	1×8	拱桥	N/A		扩大基础	—	直线	0	A
21	飞仙小桥	13.3	1×5	拱桥	N/A		扩大基础	—	直线	0	A
22	飞仙关大桥	173.95	1×60	拱桥	N/A		扩大基础	—	直线	0	A0

续上表

序号	桥名	桥长(m)	孔跨组合(m)	结构类型	桥墩类型	基础类型	支座类型	平面线形	交角(°)	震害等级
23	烈羊背大桥	82.4	2×30	拱桥	P_{IV}	扩大基础	—	直线	0	A
24	始阳1号桥	17.5	1×9.4	简支	N/A	扩大基础	B_I	直线	0	A0
25	始阳2号桥	11.3	1×7	简支	N/A	扩大基础	B_I	直线	0	A0
26	福德桥	13.3	1×5	拱桥	N/A	扩大基础	—	直线	0	A
27	叫化桥	11.4	1×5	拱桥	N/A	扩大基础	—	直线	0	B
28	黎明桥	40.6	3×8	拱桥	N/A	扩大基础	—	直线	0	A
29	始阳大桥	170.6	2×87.9	拱桥	P_{IV}	扩大基础	—	直线	0	B
30	沙漩桥	13.6	1×6	拱桥	N/A	扩大基础	—	直线	0	A
31	宁康堰桥	9.5	1×9.15	简支	N/A	扩大基础	B_I	直线	0	A0
32	思京桥	86.3	1×70	拱桥	N/A	扩大基础	—	直线	0	A
33	夹田沟大桥	42	1×12	拱桥	N/A	扩大基础	—	直线	0	B
34	禁门关大桥	89.44	1×60.0+1×10	拱桥	P_{IV}	扩大基础	—	直线	0	A
35	沙坪大桥	166.16	4×40	拱桥	P_{IV}	扩大基础	—	直线	0	A
36	响水溪桥	54	1×30	拱桥	N/A	扩大基础	—	直线	0	A0
37	月亮湾桥	93	1×60	拱桥	N/A	扩大基础	—	直线	0	A0
38	红瓦房桥	13	1×6	拱桥	N/A	扩大基础	—	直线	0	A0
39	火夹沟桥	14.8	1×12	拱桥	N/A	扩大基础	—	直线	0	A0
40	水洞溪桥	47.8	1×30	拱桥	N/A	扩大基础	—	直线	0	A
41	脚基坪桥(新)	57.12	6×16	简支	P_{II}	桩基础	B_I	直线	0	A0
42	仙人桥	49.92	1×30	拱桥	N/A	扩大基础	—	直线	0	A
43	果木沟桥	20.04	1×8	拱桥	N/A	扩大基础	—	直线	0	A
44	黄大牙桥	65	1×50	拱桥	N/A	扩大基础	—	直线	0	A

续上表

序号	桥 名	桥长（m）	孔跨组合（m）	结构类型	桥墩类型	基础类型	支座类型	平面线形	交角（°）	震害等级
				桥梁结构				几何形式		
45	小渔溪桥	66.7	1×50	拱桥	N/A	扩大基础	—	直线	0	A
46	大渔溪桥	53.4	1×35	拱桥	N/A	扩大基础	—	直线	0	A
47	板桥溪桥	17.8	1×8	拱桥	N/A	扩大基础	—	直线	0	A
48	大仁烟桥	13.8	1×6	简支	N/A	扩大基础	B_1	直线	0	A0
49	磨房沟大桥	105.3	1×40+1×44	拱桥	P_{IV}	扩大基础	—	直线	0	A0
50	一道沟桥	29	1×10	拱桥	N/A	扩大基础	—	直线	0	A
51	二道沟桥	24.92	1×10	拱桥	N/A	扩大基础	—	直线	0	A
52	三道沟桥	24.14	1×10	拱桥	N/A	扩大基础	—	直线	0	A
53	两河口大桥	68.96	1×50	拱桥	N/A	扩大基础	—	直线	0	A
54	韩家沟桥	19.19	1×6	拱桥	N/A	扩大基础	B_1	直线	0	A0
55	高家坪桥	19	1×6	简支	N/A	扩大基础	—	直线	0	A
56	海子沟2号桥	13.57	1×10	拱桥	N/A	扩大基础	—	直线	0	A
57	海子沟大桥	77.63	1×50	拱桥	N/A	扩大基础	—	直线	0	A
58	水獭坪桥	69.24	1×50	拱桥	N/A	扩大基础	—	直线	0	A
59	牛黄沟桥	18.15	1×6	拱桥	N/A	扩大基础	—	直线	0	A0
60	前进桥	85.86	1×10	拱桥	N/A	扩大基础	—	直线	0	B
61	解放桥	39.8	1×20	拱桥	N/A	扩大基础	—	直线	0	B
62	前碉桥	62.5	1×45	拱桥	N/A	扩大基础	—	直线	0	A
63	大柏牛1号桥	106.2	1×80	拱桥	N/A	扩大基础	—	直线	0	A
64	大柏牛2号桥	105.24	1×80	拱桥	N/A	扩大基础	—	直线	0	A
65	大柏牛道班1号桥	17.11	1×10	拱桥	N/A	扩大基础	—	直线	0	A0
66	大柏牛道班2号桥	22.16	1×15	拱桥	N/A	扩大基础	—	直线	0	A0

续上表

序号	桥名	桥长(m)	孔跨组合(m)	结构类型	桥墩类型	基础类型	支座类型	平面线形	交角(°)	震害等级
67	板桥沟桥	20.15	1×15	拱桥	N/A	扩大基础	—	直线	0	A
68	南坝坪桥	33.8	1×25	拱桥	N/A	扩大基础	—	直线	0	A0
69	青江1号桥	62.3	1×50	拱桥	N/A	扩大基础	—	直线	0	A0
70	连江坪桥	8.8	1×8	简支	N/A	扩大基础	B_I	直线	0	A
71	青江2号桥	62	1×50	拱桥	N/A	扩大基础	—	直线	0	A
72	新沟西桥	47.2	1×35	拱桥	N/A	扩大基础	—	直线	0	A
73	K2719+896无名桥	22.7	1×15	拱桥	N/A	扩大基础	—	直线	0	A0
74	火烟岩桥	31.2	1×25	拱桥	N/A	扩大基础	—	直线	0	A
75	白溪坪桥	32.25	1×25	拱桥	N/A	扩大基础	—	直线	0	B
76	烧柴沟桥	29	1×20	拱桥	N/A	扩大基础	—	直线	0	A
77	蜂子河桥	40.5	1×30	拱桥	N/A	扩大基础	—	直线	0	A0
78	大景坪桥	55.67	1×15.7+1×17.8	拱桥	N/A	扩大基础	—	直线	0	A
79	钢圈岩1号桥	31.8	1×25	拱桥	N/A	扩大基础	—	直线	0	A
80	钢圈岩2号桥	32	1×25	拱桥	N/A	扩大基础	—	直线	0	A
81	鸳鸯岩桥	52	1×30	拱桥	N/A	扩大基础	—	直线	0	A
82	龙胆溪1号桥	23	1×10	拱桥	N/A	扩大基础	—	直线	0	A
83	龙胆溪2号桥	25.7	1×20	拱桥	N/A	扩大基础	—	直线	0	B
84	龙胆溪3号桥	38	1×30	拱桥	N/A	扩大基础	—	直线	0	A
85	二郎山隧道1号桥	7.5	1×5.5	拱桥	N/A	扩大基础	—	直线	0	A
86	二郎山隧道2号桥	64	3×13	拱桥	P_{IV}	扩大基础	—	直线	0	C
87	二郎山隧道3号桥	42.4	1×24	拱桥	N/A	扩大基础	—	直线	0	A

附表 C-26　国道 318 线二郎山至康定段桥梁概况表

Appendix table C-26　Information of the bridges in the 318 National Highway from Erlang Mountain to Kangding

序号	桥　名	桥长（m）	孔跨组合（m）	结构类型	桥墩类型	基础类型	支座类型	平面线形	交角（°）	震害等级
				桥梁结构				几何形式		
1	双涵洞桥	53.9	3×16	简支	P_I	桩基础	B_I	直线	0	A0
2	滴水岩大桥	110	1×13+1×80	拱桥	P_{IV}	扩大基础	—	直线	0	A0
3	挖角沟大桥	93	2×23+2×21	简支	P_I	桩基础	B_I	弯桥	0	A
4	松树苞桥	30	1×20	拱桥	N/A	扩大基础	—	直线	0	A0
5	招风扛半边桥	16	1×16	简支	N/A	扩大基础	B_I	直线	0	A0
6	磨子沟大桥	110	1×80	拱桥	N/A	扩大基础	—	直线	0	A
7	康巴大桥	386	10×20.0+2×47.5+78.0	简支	P_I	桩基础	B_I	弯桥	0	A0
8	沙坝桥	20	1×8	简支	N/A	扩大基础	B_I	直线	0	A0
9	红雪山桥	70	3×20	简支	P_I	桩基础	B_I	直线	0	A
10	07039 大桥	70	1×50	拱桥	N/A	扩大基础	—	直线	0	A0
11	小沙湾桥	29	1×20	简支	N/A	扩大基础	B_I	直线	0	A0
12	大沙湾桥	26	1×16	简支	N/A	扩大基础	B_I	直线	0	A0
13	烹坝桥	22	1×8	简支	N/A	扩大基础	B_I	直线	0	A0
14	冷竹关桥	26	1×16	简支	N/A	扩大基础	B_I	弯桥	0	A0

续上表

序号	桥名	桥梁结构						几何形式		震害等级
		桥长(m)	孔跨组合(m)	结构类型	桥墩类型	基础类型	支座类型	平面线形	交角(°)	
15	麻雀岩桥	70	3×20	简支	P_1	桩基础	B_1	弯桥	0	A
16	二道水桥	30	1×16	简支	N/A	扩大基础	B_1	直线	0	A0
17	小天都一号大桥	112	1×25+1×40+1×25	简支	P_1	桩基础	B_1	直线	0	A0
18	小天都二号大桥	75	1×30+1×40	简支	P_1	桩基础	B_1	直线	0	A0
19	大河沟桥	30	1×20	简支	N/A	扩大基础	B_1	直线	0	A0
20	咱里2号桥	50	1×30	简支	P_1	扩大基础	B_1	直线	0	A0
21	涵洞弯桥	65.9	3×20	简支	N/A	扩大基础	B_1	直线	0	A0
22	大义桥	16	1×8	简支	N/A	扩大基础	B_1	直线	0	A0
23	升航桥	20	1×8	简支	N/A	扩大基础	B_1	直线	0	A0
24	菜园子1号桥	24	1×12	简支	N/A	扩大基础	B_1	直线	0	A0
25	菜园子2号桥	28	1×18	简支	N/A	扩大基础	—	直线	0	A0
26	公主桥	40	1×30	拱桥	N/A	扩大基础	—	直线	0	A0
27	K2824+620小桥	20	1×8	简支	N/A	扩大基础	B_1	直线	0	A0

附表 C-27　成都至彭州高速公路桥梁概况表

Appendix table C-27　Information of the bridges in the Expressway from Chengdu to Pengzhou

序号	桥名	桥长（m）	孔跨组合（m）	桥梁结构			基础类型	支座类型	几何形式		震害等级
				结构类型	桥墩类型				平面线形	交角（°）	
1	FRK0+721.3 中桥	20	1×10	简支	N/A		扩大基础	B_1	直线	0	A0
2	K2+160 小桥	46	2×16	简支	P_1		桩基础+扩大基础	B_1	直线	0	A
3	K2+280.6 小桥	21.43	1×10	简支	N/A		扩大基础	B_1	直线	0	A0
4	K3+808 小桥	20	1×10	简支	N/A		扩大基础	B_1	直线	0	A0
5	K4+210 小桥	20	1×10	简支	N/A		扩大基础	B_1	直线	0	A0
6	K5+140 小桥	17	1×8	简支	N/A		扩大基础	B_1	直线	0	A
7	K5+435 小桥	19	1×10	简支	N/A		扩大基础	B_1	直线	0	A0
8	K5+766.70 中桥	28	1×16	简支	N/A		扩大基础	B_1	直线	0	B
9	K5+940 毗河大桥	112.4	5×25	简支	P_1		扩大基础	B_1	直线	0	A
10	K7+140 小桥	19	1×10	简支	N/A		扩大基础	B_1	直线	0	A
11	K7+352.70 小桥	32	1×20	简支	N/A		扩大基础	B_1	直线	0	A0
12	K7+443.70 小桥	23.4	1×10	简支	N/A		扩大基础	B_1	直线	0	A0
13	K8+015.10 中桥	37	1×25	简支	N/A		扩大基础	B_1	直线	0	A0
14	K9+010.84 中桥	90.5	3×25	简支	P_1		扩大基础	B_1	直线	0	A
15	K9+218 小桥	18	1×10	简支	N/A		扩大基础	B_1	直线	0	A
16	K9+378 小桥	26	1×16	简支	N/A		扩大基础	B_1	直线	0	A
17	K10+227.5 小桥	22	1×16	简支	N/A		扩大基础	B_1	直线	0	A0
18	K10+355.82 小桥	54	2×16	简支	P_1		桩基础+扩大基础	B_1	直线	0	A0

续上表

序号	桥 名	桥长(m)	孔跨组合(m)	结构类型	桥墩类型	基础类型	支座类型	平面线形	交角(°)	震害等级
				桥梁结构				几何形式		
19	K10+905 小桥	22	1×10	简支	N/A	扩大基础	B_I	直线	0	A
20	K11+239.48 分离式立交桥	82	4×16	简支	P_I	扩大基础	B_I	直线	0	A
21	K11+828 小桥	44	2×16	简支	P_I	桩基础+扩大基础	B_I	直线	0	A0
22	K12+677.1 小桥	31	1×16	简支	N/A	扩大基础	B_I	直线	0	A
23	K13+245 互通式立交桥	98	4×20	简支	P_{III}	扩大基础	B_I	直线	0	A0
24	K13+785 锦水河大桥	135	6×20	简支	P_I	扩大基础	B_I	直线	0	A
25	K14+711 小桥	41	1×25	简支	N/A	扩大基础	B_I	直线	0	A
26	K15+767.05 中桥	41	1×25	简支	N/A	扩大基础	B_I	直线	0	A
27	K15+871 中桥	41	1×25	简支	N/A	扩大基础	B_I	直线	0	A
28	K16+316.5 青白江大桥	293	14×20	简支	P_I	桩基础+扩大基础	B_I	直线	0	A
29	K16+732 小桥	21	1×10	简支	N/A	扩大基础	B_I	直线	0	A
30	K16+941.9 小桥	35	1×16	简支	N/A	扩大基础	B_I	直线	0	A
31	K17+208.5 小桥	28	1×16	简支	N/A	扩大基础	B_I	直线	0	A
32	K17+320.5 小桥	22	1×10	简支	N/A	扩大基础	B_I	直线	0	A
33	K17+944.5 小桥	32	1×20	简支	N/A	扩大基础	B_I	直线	0	A
34	K18+338.50 中桥	32	1×20	简支	N/A	扩大基础	B_I	直线	0	A
35	K19+627 小桥	22	1×10	简支	N/A	扩大基础	B_I	直线	0	A
36	K20+448.00 中桥	36	1×20	简支	N/A	扩大基础	B_I	直线	—	A0

附表 C-28 成都经温江至邛崃高速公路桥梁概况表

Appendix table C-28 Information of the bridges in the Expressway from Chengdu to Qionglai through Wenjiang

序号	桥名	桥长（m）	桥梁结构					几何形式		震害等级
			孔跨组合（m）	结构类型	桥墩类型	基础类型	支座类型	平面线形	交角（°）	
1	K007+000温江互通桥	177	左：25+33×3+20×2；右：16+25+33+30+20×3	连续	P_{II}	桩基础	B_{II}	直线	0	A0
2	金马河大桥	555.4	22×25	简支	P_I	桩基础	B_I	直线	0	B
3	羊马河桥	85.04	4×20	简支	P_I	桩基础	B_I	直线	0	A
4	世纪大道桥	166.04	6×25	简支	P_I	桩基础	B_I	直线	0	A
5	怀化路大桥	96	3×30	简支	P_I	桩基础	B_I	直线	0	A
6	西江河大桥	463.5	18×25	简支	P_I	桩基础	B_I	直线	0	B
7	白头跨线桥	171	10×16	简支	P_I	桩基础	B_I	直线	0	A0
8	干溪河中桥	90	5×16	简支	P_I	桩基础	B_I	直线	0	A
9	斜江河大桥	237.05	9×25	简支	P_I	桩基础	B_I	直线	0	A

附表 C-29 成都至都江堰高速公路桥梁概况表

Appendix table C-29 Information of the bridges in the Expressway from Chengdu to Dujiangyan

序号	桥名	桥长（m）	孔跨组合（m）	桥梁结构		基础类型	支座类型	几何形式		震害等级
				结构类型	桥墩类型			平面线形	交角（°）	
1	都江堰高架桥	322.5	15×20	连续	P_{II}	桩基础	B_{II}	直线	0	B
2	廖家桥	16.06	1×8	简支	N/A	扩大基础	B_I	直线	0	A0
3	聚源跨线桥	50.5	2×13+20	简支	P_I	桩基础	B_I	直线	0	A
4	徐堰河桥	45.12	2×20	简支	P_I	桩基础	B_I	直线	0	A
5	观音桥	45	2×18	简支	P_I	桩基础	B_{II}	直线	0	B
6	崇义互通式立交桥	213.54	12×	连续	P_I	桩基础	B_I	直线	0	A
7	成灌高速公路环河桥	25.87	2×8	简支	P_I	桩基础	B_{II}	直线	0	A
8	竹瓦中桥	52.04	2×20	连续	P_{II}	桩基础	B_I	直线	0	A0
9	安德互通式立交桥	183.04	10×	连续	P_I	扩大基础	B_I	直线	0	A
10	永兴支渠桥	13.5	1×8	简支	N/A	桩基础+扩大基础	B_I	直线	0	A
11	沱江桥	35.5	2×15	简支	P_{II}	桩基础	B_I	直线	0	A
12	清河桥	22.7	1×13	简支	P_I	桩基础	B_I	直线	0	A
13	郫花互通式立交桥	124.4	—	简支	N/A	扩大基础	B_{III}	直线	0	A0
14	跨温郫路大桥	122.98	5×20	简支	P_I	桩基础	B_I	直线	0	B
15	郫合通桥	11.5	1×6	简支	N/A	桩基础	B_I	直线	0	A
16	郫县互通式立交桥	134.8	8×15	简支	P_I	扩大基础	B_I	直线	0	A
17	红光右支渠桥	18	1×17.5	简支	N/A	桩基础	B_I	直线	0	A
18	合作红光大桥	139	14×20	简支	P_I	桩基础	B_I	直线	0	A
19	成灌高速公路无名桥	10	1×10	简支	N/A	扩大基础	B_I	直线	0	A0
20	灌渠0号桥	21.04	1×8	简支	N/A	扩大基础	B_I	直线	0	A0
21	灌渠1号桥	22.5	1×10	简支	N/A	扩大基础	B_I	直线	0	A
22	灌渠2号桥	19.8	1×8	简支	N/A	扩大基础	B_I	直线	0	A
23	灌渠3号桥	18.6	1×10	简支	N/A	扩大基础	B_I	直线	0	A
24	灌渠4号桥	13	1×3.5	简支	N/A	扩大基础	B_I	直线	0	A0

附表 C–30 省道 106 线崇州怀远至德阳段桥梁概况表

Appendix table C–30 Information of the bridges in the 106 Provincial Road from Chongzhou Huaiyuan to Deyang

序号	桥 名	桥长（m）	孔跨组合（m）	桥梁结构				几何形式		震害等级
				结构类型	桥墩类型	基础类型	支座类型	平面线形	交角（°）	
1	新河桥	18	2×7.5	简支梁	P_{IV}	扩大基础	B_{III}	直线	0	A0
2	大营桥	33	16.5+15.0	拱桥	P_{IV}	扩大基础	N/A	直线	0	B
3	分水岭桥	17	1×13	简支梁	N/A	扩大基础	B_I	直线	0	A0
4	乌木堰桥	13	1×9.7	简支梁	N/A	扩大基础	B_I	直线	0	A0
5	K79+500 小桥	30	2×13	简支梁	P_{IV}	扩大基础	B_{III}	斜交	30	B
6	K79+950 小桥	25	1×16	简支梁	N/A	扩大基础	B_I	斜交	30	A0
7	新定江大桥	158	6×25	简支梁	P_I	桩基础	B_I	直线	0	A
8	黄鹤桥	16.1	1×8	简支梁	N/A	扩大基础	B_I	直线	0	A0
9	达通桥	74.5	3×22	简支梁	P_I	桩基础+扩大基础	B_I	直线	0	A
10	昧江桥	88	4×20	简支梁	P_I	桩基础+扩大基础	B_I	直线	0	B
11	街子桥	46	2×20	简支梁	P_I	桩基础+扩大基础	B_I	直线	0	B
12	天源佐岸桥	47	2×15	简支梁	P_{VI}	扩大基础	B_I	直线	0	B
13	架虹电站桥	35	2×13	简支梁	P_{IV}	扩大基础	B_I	直线	0	A0
14	丰乐1号桥	35.2	2×16	简支梁	P_I	桩基础+扩大基础	B_{III}	直线	0	A0
15	K136+400 小桥	13	1×9	简支梁	N/A	扩大基础	B_I	直线	0	A0
16	团结桥	21.3	2×9	简支梁	P_I	桩基础+扩大基础	B_I	直线	0	B
17	桂花桥	54.6	3×16	简支梁	P_{IV}	扩大基础	B_I	直线	0	A0
18	K143+400 桥	13	1×12.6	简支梁	N/A	扩大基础	B_I	直线	0	B
19	K145+80 小桥	25	3×7	圬工拱	P_{IV}	扩大基础	N/A	直线	0	B
20	关口大桥	178.1	5×30	双曲拱	P_{IV}	扩大基础	N/A	直线	0	B

续上表

序号	桥名	桥长(m)	孔跨组合(m)	结构类型	桥墩类型	基础类型	支座类型	平面线形	交角(°)	震害等级
21	工农兵桥	26.3	1×18.7	简支梁	N/A	扩大基础	B_I	直线	0	B
22	九龙桥	18.2	1×16	简支梁	N/A	扩大基础	B_I	直线	0	A0
23	石板滩桥	11	1×8.1	简支梁	N/A	扩大基础	B_I	斜交	15	B
24	邓通桥	28	2×13	简支梁	P_I	桩基础	B_I	斜交	30	A
25	公铁立交桥	20	1×20	简支梁	N/A	扩大基础	B_I	直线	0	A0
26	灵凤桥	6.5	1×6.3	简支梁	N/A	扩大基础	B_{III}	直线	0	A0
27	桐麻渠桥	6	1×5.5	简支梁	N/A	扩大基础	B_{III}	直线	0	A0
28	四新渠桥	6	1×5.8	简支梁	N/A	扩大基础	B_{III}	直线	0	A0
29	白鱼河1桥	16	2×7.7	简支梁	P_{IV}	扩大基础	B_I	直线	0	A
30	木泉桥	10	1×10	简支梁	N/A	扩大基础	B_{III}	斜交	15	A0
31	白鱼河立交桥	8	1×6	简支梁	N/A	扩大基础	B_I	斜交	15	A0
32	白鱼河2号桥	12	1×10	简支梁	N/A	扩大基础	B_I	直线	0	A0
33	幺店子桥	5	1×5	简支梁	N/A	扩大基础	B_I	直线	0	B
34	金轮1号桥	16	1×14	简支梁	N/A	扩大基础	B_I	斜交	45	B
35	金轮2号桥	16	1×14	简支梁	N/A	扩大基础	B_I	斜交	45	B
36	石亭江特大桥	500	25×20	简支梁	P_I	桩基础	B_I	斜交	45	B
37	秋月桥	25	1×20	简支梁	N/A	扩大基础	B_I	斜交	45	B
38	三花桥	25	1×20	简支梁	N/A	扩大基础	B_I	斜交	30	B
39	王道桥	15	1×13	简支梁	N/A	扩大基础	B_I	直线	0	A0
40	天元桥	25	1×20	简支梁	N/A	扩大基础	B_I	直线	0	A0

附表 C-31　省道 106 线德阳至中江段桥梁概况表

Appendix table C-31　Information of the bridges in the 106 Provincial Road from Deyang to Zhongjiang

序号	桥名	桥长（m）	孔跨组合（m）	桥梁结构			几何形式		震害等级
				结构类型	桥墩类型	基础类型	支座类型	平面线形	交角（°）
1	新三洞桥	5	2×2.5	简支	P_{III}	扩大基础	B_I	直线	0	A0
2	鹿鹤桥	16	1×16	简支	N/A	扩大基础	B_I	直线	0	A0
3	寿丰桥	12	3×4	简支	P_{III}	扩大基础	B_{III}	直线	0	A0
4	刁桥	8	2×4	简支	P_{III}	扩大基础	B_I	直线	0	A0
5	吴家桥	20	1×16	简支	N/A	扩大基础	B_I	直线	0	A
6	观音桥	16	2×8	简支	P_{III}	扩大基础	B_I	直线	0	A0
7	江东桥	16	1×16	简支	N/A	扩大基础	B_I	直线	0	A0

附表 C-32 省道 205 线阿坝境内段桥梁概况表

Appendix table C-32 Information of the bridges in the 205 Provincial Road Aba Autonomous prefecture

序号	桥名	桥长（m）	孔跨组合（m）	桥梁结构			几何形式		震害等级
				结构类型	桥墩类型	基础类型	支座类型	平面线形	交角（°）	
1	郭家磨桥	27.5	1×16	简支	N/A	扩大基础	B_{III}	直线	0	A0
2	罗依桥	11.75	1×6	拱桥	N/A	扩大基础	—	直线	0	A0
3	甘沟桥	28.6	1×16	拱桥	N/A	扩大基础	—	直线	0	A
4	下甘座桥	12	1×12	拱桥	N/A	扩大基础	—	直线	0	A
5	上甘座桥	28	1×13	拱桥	N/A	扩大基础	—	直线	0	A0
6	阴坡桥	35.74	1×17	拱桥	N/A	扩大基础	—	直线	0	A0
7	阴角桥	10	1×10	拱桥	N/A	扩大基础	—	直线	0	A
8	池上沟口桥	8	1×8	拱桥	N/A	扩大基础	—	直线	0	A0
9	草地沟桥	10	1×10	简支	N/A	扩大基础	B_{III}	直线	0	A
10	平地1号桥	25.45	2×10	简支	P_{IV}	扩大基础	B_{III}	直线	0	A0
11	平地2号桥	26.8	2×10	简支	P_{IV}	扩大基础	B_{III}	直线	0	A0
12	勿角1号桥	17.1	1×10	简支	N/A	扩大基础	—	直线	0	A0
13	勿角2号桥	10.1	1×7	拱桥	N/A	扩大基础	—	直线	0	A0
14	勿角3号桥	10	1×10	拱桥	N/A	扩大基础	—	直线	0	A0
15	蒲南桥	10	1×10	拱桥	N/A	扩大基础	—	直线	0	A0
16	苔糖1号桥	10	1×10	拱桥	N/A	扩大基础	—	直线	0	A0
17	苔糖2号桥	24.5	1×8	简支	N/A	扩大基础	B_{III}	直线	0	A0
18	葫芦桥	14.1	1×8	简支	N/A	扩大基础	—	直线	0	A
19	黄土梁1号桥	8	1×8	简支	N/A	扩大基础	B_{III}	直线	0	A
20	黄土梁2号桥	12.6	1×8	简支	N/A	扩大基础	B_{III}	直线	0	A0
21	黄土梁3号桥	15.7	1×10	拱桥	N/A	扩大基础	—	直线	0	A

附表 C–33　省道 209 线刷马路口至红原段桥梁概况表

Appendix table C–33　Information of the bridges in the 209 Provincial Road from Shuama Intersection to Hongyuan

序号	桥　名	桥梁结构						几何形式		震害等级
		桥长（m）	孔跨组合（m）	结构类型	桥墩类型	基础类型	支座类型	平面线形	交角（°）	
1	哈拉玛桥	34.2	22×12.5	拱桥	P_{IV}	扩大基础	—	直线	0	A
2	龙日坝一道桥	40.8	2×15	拱桥	P_{IV}	扩大基础	—	直线	0	A
3	360K 桥	37.1	1×18	拱桥	N/A	扩大基础	—	直线	0	A
4	唐洞桥	42.3	1×18.1	拱桥	N/A	扩大基础	—	直线	0	A
5	夹挡小拱	18.6	1×9.9	拱桥	N/A	扩大基础	—	直线	0	A
6	东沟拱	30.4	1×12	拱桥	N/A	扩大基础	—	直线	0	A
7	洪水沟拱	11.6	1×7.9	拱桥	N/A	扩大基础	—	直线	0	A
8	327K 桥	13.1	1×8	拱桥	N/A	扩大基础	—	直线	0	A
9	上宽脚桥	20.4	1×16	简支	N/A	扩大基础	B_I	直线	0	A
10	钻金楼小桥	16.15	1×6	拱桥	N/A	扩大基础	—	直线	0	A

附表 C-34 省道 210 线飞仙关至马尔康段桥梁概况表

Appendix table C-34 Information of the bridges in the 210 Provincial Road from Feixianguan to Maerkang

序号	桥名	桥长（m）	孔跨组合（m）	桥梁结构				几何形式		震害等级
				结构类型	桥墩类型	基础类型	支座类型	平面线形	交角（°）	
1	响水沟桥	14.8	1×7	简支	N/A	扩大基础	—	直线	0	A
2	波日沟桥	18.4	2×7	简支	P_{IV}	扩大基础	—	直线	0	A0
3	打枪沟桥	16	1×10	简支	N/A	扩大基础	—	直线	0	A0
4	蚂蟥沟桥	14	1×10	简支	N/A	扩大基础	—	直线	0	A0
5	新寨子桥	10.8	1×9.6	简支	N/A	扩大基础	—	直线	0	A0
6	凉水井桥	11	1×7	简支	N/A	扩大基础	—	直线	0	A0
7	菁源桥	14	1×10	简支	N/A	扩大基础	—	直线	0	A0
8	泽根桥	72	3×20	简支	P_I	桩基础	B_I	直线	0	B
9	柳落沟桥	52	2×20	简支	P_I	桩基础	B_I	直线	0	B
10	灯光桥	50	1×20	拱桥	N/A	扩大基础	—	直线	0	A
11	硗碛大桥	195	2×60	拱桥	P_{IV}	扩大基础	—	直线	0	A
12	大板桥	14	1×10	简支	N/A	扩大基础	—	直线	0	B
13	德胜沟桥	14	1×10	拱桥	N/A	扩大基础	—	直线	0	A0
14	大水沟桥	20	1×20	拱桥	N/A	扩大基础	—	直线	0	B
15	快乐沟桥	25	1×20	拱桥	N/A	扩大基础	—	直线	0	A0
16	换心天 1 号桥	78.2	1×60	拱桥	N/A	扩大基础	—	直线	0	A

续上表

序号	桥 名	桥长（m）	孔跨组合（m）	结构类型	桥墩类型	基础类型	支座类型	平面线形	交角（°）	震害等级
17	换心天2号桥	78	3×20	简支	P_I	桩基础	B_I	直线	0	A
18	大池沟桥	25	1×15	拱桥	N/A	扩大基础	—	直线	0	B
19	炳羊沟桥	15	1×8	拱桥	N/A	扩大基础	—	直线	0	B
20	岩焦沟桥	12	1×8	拱桥	N/A	扩大基础	—	直线	0	A
21	两河口大桥	131.35	6×20	简支	P_I	桩基础	B_I	直线	0	A
22	较场沟桥	20	1×13	拱桥	N/A	扩大基础	—	直线	0	A0
23	小关子1号桥	77.6	1×50	拱桥	N/A	扩大基础	—	直线	0	A
24	小关子2号桥	97	1×50	拱桥	N/A	扩大基础	—	直线	0	A
25	小关子桥	23.5	1×10	简支	N/A	扩大基础	—	直线	0	A
26	中坝简支梁桥	14	1×7	简支	N/A	扩大基础	—	直线	0	A0
27	大渔沟桥	16	2×6	拱桥	P_{IV}	扩大基础	—	直线	0	A0
28	磨刀溪桥	40.8	1×25	拱桥	N/A	扩大基础	—	直线	0	A
29	灵鹫桥	32	1×23	拱桥	N/A	扩大基础	—	直线	0	A
30	铜关桥	65	1×40	拱桥	N/A	扩大基础	—	直线	0	A
31	红岩窝桥	33	1×25	拱桥	N/A	扩大基础	—	直线	0	A
32	干溪坝桥	32	1×26	拱桥	N/A	扩大基础	—	直线	0	A

续上表

序号	桥名	桥长(m)	孔跨组合(m)	结构类型	桥墩类型	基础类型	支座类型	平面线形	交角(°)	震害等级
33	观田坝桥	36	1×13	拱桥	N/A	扩大基础	—	直线	0	A
34	芦溪桥	53.2	1×40	拱桥	N/A	扩大基础	—	直线	0	C
35	北门大桥	134.3	—	刚构连续	P_{IV}	扩大基础	—	直线	0	A
36	东门大桥	157.92	2×50	拱桥	P_{IV}	扩大基础	—	直线	0	A
37	南门大桥	132	3×30	拱桥	P_{IV}	扩大基础	—	直线	0	A0
38	山峰桥	43	1×25	拱桥	N/A	扩大基础	—	直线	0	B
39	王家桥	16	1×8	拱桥	N/A	扩大基础	—	直线	0	A0
40	大石板桥	75.29	1×37	拱桥	N/A	扩大基础	—	直线	0	A
41	朱氏桥	17.66	1×8	拱桥	N/A	扩大基础	—	直线	0	A
42	新安桥	40.8	1×25	拱桥	N/A	扩大基础	—	直线	0	B
43	凤禾桥	36	1×25	拱桥	N/A	扩大基础	—	直线	0	B
44	沙田坝桥	13.35	1×8	拱桥	N/A	扩大基础	—	直线	0	A
45	百家店桥	13	1×8	拱桥	N/A	扩大基础	—	直线	0	A
46	八条沟桥	59.7	1×37	拱桥	N/A	扩大基础	—	直线	0	A
47	鲜家村桥	45	1×25	拱桥	N/A	扩大基础	—	直线	0	A
48	书溪庙桥	21.6	1×8	拱桥	N/A	扩大基础	—	直线	0	A0
49	堰坎桥	53.7	1×36	拱桥	N/A	扩大基础	—	直线	0	A0

附表 C-35　省道 210 线宝兴界至卓克基段桥梁概况表

Appendix table C-35　Information of the bridges in the 210 Provincial Road from Baoxing County boundary to Zhuokeji

序号	桥名	桥长（m）	孔跨组合（m）	桥梁结构				几何形式		震害等级
				结构类型	桥墩类型	基础类型	支座类型	平面线形	交角（°）	
1	文胜桥	51	1×30	拱桥	N/A	扩大基础	—	直线	0	A0
2	纳足1号桥	20	1×20	拱桥	N/A	扩大基础	—	直线	0	A0
3	纳足2号桥	12	1×6	简支	N/A	扩大基础	—	直线	0	A0
4	纳足3号桥	12	1×5	拱桥	N/A	扩大基础	—	直线	0	A0
5	一道坪桥	10	1×8	简支	N/A	扩大基础	—	直线	0	A0
6	K21+700桥	8	1×6	简支	N/A	扩大基础	—	直线	0	A0
7	木坡桥	12	1×6	简支	N/A	扩大基础	—	直线	0	A
8	大水沟桥	41	1×15	拱桥	N/A	扩大基础	—	直线	0	A0
9	砖瓦厂桥	12	1×8	拱桥	N/A	扩大基础	—	直线	0	A0
10	K47+500小桥	20	1×5	拱桥	N/A	扩大基础	—	直线	0	A0
11	两河桥	65	1×22	拱桥	N/A	扩大基础	—	直线	0	A
12	喇嘛寺桥	10	1×6	简支	N/A	扩大基础	—	直线	0	A0
13	红寨子桥	14	1×8	简支	N/A	扩大基础	—	直线	0	A0
14	麦龙沟桥	12	1×6	拱桥	N/A	扩大基础	—	直线	0	A0
15	抚边中桥	35	1×24	拱桥	N/A	扩大基础	—	直线	0	A0

续上表

序号	桥 名	桥长（m）	孔跨组合（m）	桥梁结构					几何形式		震害等级
				结构类型	桥墩类型	基础类型	支座类型	平面线形	交角（°）	
16	拦边小桥	12	1×6	简支	N/A	扩大基础	—	直线	0	A0
17	木坡桥	30	1×18	拱桥	N/A	扩大基础	—	直线	0	A0
18	大瓦厂桥	10	1×6	简支	N/A	扩大基础	—	直线	0	A0
19	伏龙桥	38	1×28	拱桥	N/A	扩大基础	—	直线	0	A0
20	麻子桥	35	1×27	拱桥	N/A	扩大基础	—	直线	0	A0
21	日尔桥	14	1×8	简支	N/A	扩大基础	—	直线	0	A0
22	夹金山路口桥	27	1×25	简支	N/A	扩大基础	—	直线	0	A0
23	椒子坪桥	7.1	1×6.4	简支	N/A	扩大基础	—	直线	0	A0
24	林冰岩桥	10	1×8	简支	N/A	扩大基础	—	直线	0	A0
25	王家桥	8	1×6	简支	N/A	扩大基础	—	直线	0	A0
26	海子桥	9	1×6	简支	N/A	扩大基础	—	直线	0	A0
27	营盘1号桥	9	1×6.4	简支	N/A	扩大基础	—	直线	0	A0
28	营盘2号桥	9	1×6.4	简支	N/A	扩大基础	—	直线	0	A0
29	幺塘子桥	8	1×7.4	简支	N/A	扩大基础	—	直线	0	A0

附表 C-36　省道 211 线泸定丹巴至马尔康段桥梁概况表

Appendix table C-36　Information of the bridges in the 211 Provincial Road from Luding Danba to Maerkang

| 序号 | 桥名 | 桥长（m） | 孔跨组合（m） | 桥梁结构 ||| 几何形式 || 震害等级 |
				结构类型	桥墩类型	基础类型	支座类型	平面线形	交角（°）	
1	南街桥	34	2×12	拱桥	P_{IV}	扩大基础	B_{III}	直线	0	A
2	邛山沟桥	20	1×18	简支	N/A	扩大基础	B_I	直线	0	A0
3	索断桥	58.66	1×4+1×16	拱桥	P_{IV}	扩大基础	B_{III}	直线	0	A
4	西河桥	56	1×35	拱桥	N/A	扩大基础	B_{III}	直线	0	A
5	格宗桥	36	1×22	拱桥	N/A	扩大基础	B_{III}	直线	0	A0
6	林邦桥	21.6	1×10	拱桥	N/A	扩大基础	B_{III}	直线	0	A
7	孔泥巴桥	6	1×5	简支	N/A	扩大基础	B_{III}	直线	0	A0
8	孔玉拆落桥	18	1×10	拱桥	N/A	扩大基础	B_{III}	直线	0	A
9	巴郎河桥	25	1×18	拱桥	N/A	扩大基础	B_{III}	直线	0	A
10	四家寨桥	20	1×10	拱桥	N/A	扩大基础	B_{III}	直线	0	A0
11	下秦子桥	25	1×10	拱桥	P_{IV}	扩大基础	B_{III}	直线	0	A0
12	响水沟桥	16	1×10	拱桥	N/A	扩大基础	B_{III}	直线	0	A
13	野坝桥	15	2×6	简支	N/A	扩大基础	B_{III}	直线	0	A0
14	孙家沟桥	16	1×8	拱桥	N/A	扩大基础	B_{III}	直线	0	B
15	羊厂桥	32	1×20	拱桥	N/A	扩大基础	B_{III}	直线	0	A
16	瓦斯沟桥	49.6	1×30	拱桥	N/A	扩大基础	B_{III}	直线	0	A

续上表

序号	桥 名	桥长(m)	孔跨组合(m)	桥梁结构					几何形式		震害等级
				结构类型	桥墩类型	基础类型	支座类型	平面线形	交角(°)	
17	卡卡足桥	12	1×6	拱桥	N/A	扩大基础	—	直线	0	A0
18	梨卡尔桥	10	1×6	拱桥	N/A	扩大基础	—	直线	0	A0
19	色斯满桥	14	1×10	简支	N/A	扩大基础	—	直线	0	A0
20	卡拉塘桥	16	1×10	简支	N/A	扩大基础	—	直线	0	A0
21	独松沟桥	20	1×16	拱桥	N/A	扩大基础	—	直线	0	A0
22	安古塘桥	10	1×8	简支	N/A	扩大基础	—	直线	0	A0
23	苟尔寨桥	10	1×8	简支	N/A	扩大基础	—	直线	0	A0
24	马道桥	13	1×5	拱桥	N/A	扩大基础	—	直线	0	A0
25	金川县城桥	16	1×8	简支	N/A	扩大基础	—	直线	0	A0
26	沙尔桥	10	1×6	简支	N/A	扩大基础	—	直线	0	A0
27	新扎河口桥	26	1×16	拱桥	N/A	扩大基础	—	直线	0	A0
28	周山桥	15	1×7	拱桥	N/A	扩大基础	—	直线	0	A0
29	集沐桥	12	1×5	拱桥	N/A	扩大基础	—	直线	0	A0
30	渡口大桥	121	1×76.5	拱桥	N/A	扩大基础	—	直线	0	A
31	飞水岩桥	42	1×20	拱桥	N/A	扩大基础	—	直线	0	A0

附表 C-37 省道 301 线九寨沟至甘肃界段桥梁概况表

Appendix table C-37 Information of the bridges in the 301 Provincial Road from Jiuzhaigou to Gansu Provincial boundary

序号	桥名	桥长(m)	孔跨组合(m)	桥梁结构			几何形式		震害等级
				结构类型	桥墩类型	基础类型	支座类型	平面线形	交角(°)	
1	青龙桥	40.8	1×35	简支	N/A	扩大基础	B_{III}	直线	0	A0
2	摸底小桥	16.5	1×8	拱桥	N/A	扩大基础	—	直线	0	A0
3	双河桥	38	1×30	简支	N/A	扩大基础	B_{III}	直线	0	A
4	朝阳桥	32.7	1×20	拱桥	N/A	扩大基础	—	直线	0	A0
5	张家湾大桥	85.5	4×20	简支	P_I	桩基础	B_I	直线	0	A0
6	中田山桥	13.2	1×6	拱桥	N/A	扩大基础	—	直线	0	A
7	新华桥	33.1	1×16	简支	N/A	扩大基础	B_{III}	直线	0	A0
8	燕子桩桥	20	1×5	简支	N/A	扩大基础	B_{III}	直线	0	A0
9	黑河塘水电站桥	14	1×14	简支	N/A	扩大基础	B_I	直线	0	A0
10	黑河桥	88.7	4×20	简支	P_I 或 P_{II}	桩基础	B_{III}	直线	0	A0
11	牙扎桥	11.9	1×7	简支	N/A	扩大基础	B_{III}	直线	0	A0
12	永竹桥	5	1×5	简支	N/A	扩大基础	—	直线	0	A0
13	达基寺桥	5	1×5	拱桥	N/A	扩大基础	—	直线	0	A0
14	上寺寨桥	6	1×6	拱桥	N/A	扩大基础	—	直线	0	A0
15	九道拐下桥	8	1×8	拱桥	N/A	扩大基础	—	曲线	0	A0

续上表

序号	桥名	桥长(m)	孔跨组合(m)	结构类型	桥墩类型	基础类型	支座类型	平面线形	交角(°)	震害等级
16	九道拐上桥	7	1×7	拱桥	N/A	扩大基础	—	直线	0	A0
17	红岩桥	6	1×6	拱桥	N/A	扩大基础	—	直线	0	A0
18	关门子桥	8	1×8	简支	N/A	扩大基础	B_{III}	直线	0	A0
19	塔玛下桥	7	1×7	简支	N/A	扩大基础	B_{III}	直线	0	A0
20	塔玛上桥	7	1×7	简支	N/A	扩大基础	B_{III}	直线	0	A0
21	长征桥	6	1×6	简支	N/A	扩大基础	B_{III}	直线	0	A0
22	二道林桥	6	1×6	简支	N/A	扩大基础	B_{III}	直线	0	A0
23	岷江源头桥	6	1×4	简支	N/A	扩大基础	—	直线	0	A0
24	上卡卡桥	12	1×12	拱桥	N/A	扩大基础	—	直线	0	A0
25	下卡卡桥	46	2×20	拱桥	P_I	扩大基础	—	直线	0	A
26	川主寺上河桥	12	1×12	拱桥	N/A	扩大基础	—	直线	0	A
27	三巴沟桥	12	1×12	拱桥	N/A	扩大基础	—	直线	0	A0
28	川主寺桥	12	1×12	拱桥	N/A	扩大基础	—	直线	0	A0
29	川盘桥	20	1×20	拱桥	N/A	扩大基础	—	直线	0	A0

附表 C-38　省道 302 线中襄口至两河口段桥梁概况表

Appendix table C-38　Information of the bridges in the 302 Provincial Road from Zhongxiangkou to Lianghekou

序号	桥　名	桥长（m）	孔跨组合（m）	桥梁结构			几何形式		震害等级
				结构类型	桥墩类型	基础类型	支座类型	平面线形	交角（°）	
1	二木瓜子桥	14	1×8	拱桥	N/A	扩大基础	—	直线	0	B
2	西尔桥	19.4	1×10.5	拱桥	N/A	扩大基础	—	曲线	0	B
3	冰川驿站桥	26	1×12	拱桥	N/A	扩大基础	—	直线	0	C
4	马桥	47	1×30	拱桥	N/A	扩大基础	—	直线	0	C
5	甲足桥	12	1×6	拱桥	N/A	扩大基础	—	直线	0	A0
6	洪山沟桥	14	1×6	拱桥	N/A	扩大基础	—	直线	0	B
7	洪山沟二桥	6	1×5.2	简支	N/A	扩大基础	B_{III}	直线	0	A
8	乱石沟桥	12	1×6	拱桥	N/A	扩大基础	—	直线	0	B
9	35K 桥	7	1×7	简支	N/A	扩大基础	B_{III}	直线	0	A0
10	27K 桥	14	1×6	拱桥	N/A	扩大基础	—	直线	0	B
11	垭口山 1 号桥	14	1×6	拱桥	N/A	扩大基础	—	直线	0	B

附表 C-39 省道 303 日隆至丹巴段桥梁概况表

Appendix table C-39 Information of the bridges in the 303 Provincial Road from Rilong to Danba

序号	桥名	桥长（m）	孔跨组合（m）	桥梁结构				几何形式		震害等级
				结构类型	桥墩类型	基础类型	支座类型	平面线形	交角(°)	
1	广金坝桥	13.3	1×10	拱桥	N/A	扩大基础	—	直线	0	A0
2	猛固桥	37	1×25	拱桥	N/A	扩大基础	—	直线	0	A
3	沙龙桥	23.3	1×19.8	拱桥	N/A	扩大基础	—	直线	0	A
4	王家桥	15	1×8	拱桥	N/A	扩大基础	—	直线	0	C
5	K233+300桥	14.3	1×8	拱桥	N/A	扩大基础	—	直线	0	C
6	半山门桥	34	4×6	简支	P_{IV}	扩大基础	B_{III}	直线	0	A0
7	岳水平大桥	70	1×50	拱桥	N/A	扩大基础	—	直线	0	B
8	岳扎新桥	20	1×16	简支	N/A	扩大基础	B_I	直线	0	A
9	岳扎街桥	15	1×8	拱桥	N/A	扩大基础	—	直线	0	A0
10	双桥沟桥	23	1×15	拱桥	N/A	扩大基础	—	直线	0	A0
11	胆扎桥	15	1×6	拱桥	N/A	扩大基础	—	直线	0	A0
12	懋功桥	18	1×13	简支	N/A	扩大基础	—	直线	0	A0
13	涡螺沟桥	15	1×6	拱桥	N/A	扩大基础	—	直线	0	A0
14	宅垄桥	20	1×10	拱桥	N/A	扩大基础	—	直线	0	A0
15	革峰沟桥	18	1×10	拱桥	N/A	扩大基础	—	直线	0	A0

附表 C—40　省道 306 线汉源县城至白熊沟段桥梁概况表

Appendix table C—40　Information of the bridges in the 306 Provincial Road from Hanyuan to Baixionggou

序号	桥名	桥长（m）	孔跨组合（m）	桥梁结构					几何形式		震害等级
				结构类型	桥墩类型	基础类型	支座类型		平面线形	交角（°）	
1	白熊沟桥	27	1×15	简支	N/A	扩大基础	B_{III}		直线	0	A0
2	李子湾桥	13	1×6	简支	N/A	扩大基础	B_{III}		直线	0	A
3	一线天桥	42	1×25	拱桥	N/A	扩大基础	—		直线	0	A0
4	雪区大桥	62	1×40	拱桥	N/A	扩大基础	—		直线	0	A0
5	金汉大桥	136	1×82	拱桥	N/A	扩大基础	—		直线	0	A
6	火车站北面桥	12	1×7	简支	N/A	扩大基础	B_{III}		直线	0	A0
7	赵洪庙桥	23.6	1×13	拱桥	N/A	扩大基础	—		直线	0	A0
8	万工大桥	79	3×21	简支	P_{IV}	扩大基础	B_{III}		直线	0	A
9	刘家湾桥	19	2×6	简支	P_{IV}	扩大基础	B_{III}		直线	0	A
10	西沟桥	8.6	1×8	简支	N/A	扩大基础	B_{III}		直线	0	A0
11	大树大桥	708.4	4×43+2×133+255	刚构连续	P_{III}	桩基础	B_{II}		直线	0	A
12	娃娃沟中桥	60	2×19+20	连续	P_{I}	桩基础	B_{II}		直线	0	B
13	西沟小桥	30	1×16	简支	N/A	扩大基础	B_{II}		直线	0	A0
14	大坪头 1 号桥	70	3×20	简支	P_{I}	桩基础	B_{I}		直线	0	A
15	大坪头 2 号桥	63	2×13+25	简支	P_{I}	桩基础	B_{I}		直线	0	A
16	大地头中桥	51	2×20	简支	P_{IV}	桩基础	B_{III}		直线	0	A

附表 C—41 国道 108 线城固至宁强段桥梁概况表

Appendix table C–41 Information of the bridges in the 108 National Highway from Chenggu to Ningqiang

序号	桥名	里程桩号	桥长（m）	孔跨组合（m）	桥梁结构				几何形式		震害等级
					结构类型	桥墩类型	基础类型	支座类型	平面线形	交角（°）	
1	西水河桥	K1564+230	16.6	1×13.8	简支	N/A	扩大基础	B_I	直线	0	A
2	大龙河桥	K1579+130	7.6	1×7	简支	N/A	扩大基础	B_{III}	直线	0	A
3	城东东环小河桥	K1613+247	9	1×7	简支	N/A	扩大基础	B_{III}	直线	0	A
4	南关小河桥 1	K1613+496	7.6	1×7	简支	N/A	扩大基础	B_{III}	直线	0	A
5	南关小河桥 2	K1613+850	5.9	1×5	简支	N/A	扩大基础	B_I	直线	0	A
6	城洋小河桥	K1613+950	15.61	1×12	简支	N/A	扩大基础	B_I	直线	0	A
7	城固关背桥	K2130+774	14	1×7	拱桥	N/A	扩大基础	—	直线	0	A
8	三里桥	K2132+981	14	1×7	拱桥	N/A	扩大基础	—	直线	0	A
9	江湾桥（左线）	K2134+008	22	1×8	拱桥	N/A	扩大基础	—	直线	0	A
10	江湾桥（右线）	K2134+008	22	1×8	简支	P_V	扩大基础	B_I	直线	0	A
11	刘家山桥（左线）	K2135+644	125.12	6×20	简支	P_V	扩大基础	B_I	直线	0	A
12	刘家山桥（右线）	K2135+644	125.12	6×20	简支	P_{III}	扩大基础	B_I	直线	0	A
13	沙河营大桥（左线）	K2139+015	10.54	1×5	简支	P_{III}	扩大基础	B_I	直线	0	A
14	沙河营大桥（右线）	K2139+015	10.54	1×5	简支	P_{IV}	扩大基础	B_I	直线	0	A
15	柳林桥（左线）	K2143+069	34.04	2×10	简支	P_{IV}	扩大基础	B_I	直线	0	A
16	柳林桥（右线）	K2143+069	34.04	2×10	简支	N/A	扩大基础	B_{III}	直线	0	A
17	红河沟桥（左线）	K2147+135	15	1×9	简支	N/A	扩大基础	B_{III}	直线	0	A
18	红河沟桥（右线）	K2147+135	17	1×11	简支	N/A	扩大基础	B_{III}	直线	0	A
19	沙凸梁桥	K1640+200	17	1×13	简支	N/A	扩大基础	B_{III}	直线	0	A

续上表

序号	桥 名	里程桩号	桥长(m)	孔跨组合(m)	结构类型	桥墩类型	基础类型	支座类型	平面线形	交角(°)	震害等级
20	新桥	K1642+150	22	1×7	简支	N/A	扩大基础	B_I	直线	0	A
21	牛家桥	K1643+090	499	23×16.5+3×26+1×21	连续梁	P_I	桩基础	B_I	直线	0	A
22	无名桥	K1653+846	481	19×25	连续梁	P_I	桩基础	B_I	直线	0	A
23	龙江立交桥	K1655+200	15	1×13	简支	N/A	扩大基础	—	直线	0	A
24	襟河大桥	K1658+250	36	1×15	简支	N/A	扩大基础	B_I	直线	0	A
25	华阳河桥	K1661+050	8	1×6	简支	N/A	扩大基础	B_I	直线	0	A
26	刘家沟桥	K1665+055	15	1×13	简支	N/A	扩大基础	B_I	直线	0	A
27	六一桥	K1667+050	9	1×8	简支	N/A	扩大基础	B_I	直线	0	A
28	新街子桥	K1667+823	9	1×8	简支	N/A	桩基础	B_I	直线	0	A
29	勉襄沟桥	K1670+811	165	8×20	连续梁	P_I	桩基础	B_I	直线	0	A
30	老庄桥	K1671+892	144	7×20	连续梁	P_I	扩大基础	B_I	直线	0	A
31	黄沙桥	K1672+288	17	1×13.5	简支	N/A	扩大基础	—	直线	0	A
32	堰河桥	K1678+828	73	7×10.2	简支	P_{IV}	扩大基础	—	直线	0	A
33	沙沟桥	K1685+000	18	1×8	简支	N/A	扩大基础	—	直线	0	A
34	水磨湾桥	K1690+163	14	1×5	简支	N/A	扩大基础	—	直线	0	A
35	七里砭桥	K1693+590	16	1×5	简支	N/A	扩大基础	—	直线	0	A
36	土关铺桥	K1696+560	15	2×5.2	拱桥	P_{IV}	扩大基础	—	直线	0	A
37	黄连垭桥	K1697+600	215	10×20	连续梁	P_I	桩基础	B_I	直线	0	A
38	董家坪桥	K1699+180	10	2×5.9	拱桥	P_{IV}	扩大基础	—	直线	0	A

续上表

序号	桥 名	里程桩号	桥长 (m)	孔跨组合 (m)	结构类型	桥墩类型	基础类型	支座类型	平面线形	交角 (°)	震害等级
					桥梁结构				几何形式		
39	洄水桥	K1701+297	15	3×3	简支	P_{IV}	扩大基础	B_{III}	直线	0	A
40	铜钱坝桥	K1705+100	19	1×9.7	拱桥	N/A	扩大基础	—	直线	0	A
41	纸坊沟桥	K1706+700	29	2×13	简支	P_I	扩大基础	B_{III}	直线	0	A
42	油房湾桥	K1707+500	15	1×5	拱桥	N/A	扩大基础	—	直线	0	A
43	蔡圳坎桥	K1708+800	14	1×5	拱桥	N/A	扩大基础	—	直线	0	A
44	龙王庙桥	K1712+500	18	2×6.7	拱桥	P_{III}	扩大基础	—	直线	0	A
45	东丫河桥	K1713+850	21	3×4.3	拱桥	P_{III}	扩大基础	—	直线	0	A
46	青羊驿桥	K1714+920	67	8×8	简支	P_{III}	扩大基础	—	直线	0	A
47	临江寺桥	K1719+095	16	2×6	拱桥	P_{III}	扩大基础	—	直线	0	A
48	大安桥	K1727+650	20	2×6	拱桥	N/A	扩大基础	—	直线	0	A
49	紫坡沟桥	K1729+540	24	1×13	拱桥	P_{III}	扩大基础	B_I	直线	0	A
50	汉王沟桥	K1732+050	22	1×13	拱桥	N/A	扩大基础	—	直线	0	A
51	烈金坝桥	K1732+510	24	2×6	简支	N/A	扩大基础	—	直线	0	A
52	宽川峡桥	K1740+130	14	1×6	简支	P_{IV}	扩大基础	—	直线	0	A
53	宣家坪1号桥	K1740+880	32	1×13	拱桥	P_{IV}	扩大基础	—	直线	0	A
54	宣家坪2号桥	K1741+080	30	3×9	拱桥	P_{IV}	扩大基础	—	直线	0	A
55	五丁关桥	K1743+830	28	2×14	简支	P_{III}	扩大基础	—	直线	0	A
56	滴水铺桥	K1753+070	28	2×14	简支	P_{III}	扩大基础	—	直线	0	A
57	彭家沟桥	K1754+850	20	2×7	简支	P_{III}	扩大基础	—	直线	0	A

续上表

序号	桥 名	里程桩号	桥长 (m)	孔跨组合 (m)	桥梁结构 结构类型	桥墩类型	基础类型	支座类型	几何形式 平面线形	交角 (°)	震害等级
58	五里坡桥	K1755+610	33	3×6	简支	P_{III}	扩大基础	—	直线	0	A
59	亢家洞1号桥	K1757+080	31	1×9	拱桥	N/A	扩大基础	—	直线	0	A
60	亢家洞2号桥	K1757+260	18	1×9	拱桥	N/A	扩大基础	—	直线	0	A
61	龙家沟桥	K1765+650	58	3×14	简支	P_{IV}	扩大基础	B_I	直线	0	A
62	七里坝桥	K1767+651	58	3×13	拱桥	P_{IV}	扩大基础	—	直线	0	A
63	二道河桥	K1769+850	42	2×16	简支	P_{IV}	扩大基础	B_I	直线	0	A
64	界牌沟1号桥	K1770+700	49	2×17	拱桥	P_{IV}	扩大基础	—	直线	0	A
65	界牌沟2号桥	K1770+920	50	2×15	简支	P_{IV}	扩大基础	B_I	直线	0	A
66	黄家岭桥	K1771+140	18	1×9	拱桥	N/A	桩基础	—	直线	0	A
67	回水河1号桥	K1771+400	44	1×27	拱桥	N/A	扩大基础	—	直线	0	A
68	回水河2号桥	K1772+120	48	2×15	简支	P_I	桩基础	B_I	直线	0	A
69	白家沟1号桥	K1772+200	30	1×16	拱桥	N/A	桩基础	—	直线	0	A
70	白家沟2号桥	K1772+360	61	3×16	简支	P_I	桩基础	B_I	直线	0	A
71	牢固关桥	K1775+960	44	2×14	简支	P_I	扩大基础	B_I	直线	0	A
72	黄坝驿1号桥	K1780+200	60	3×15	简支	P_I	扩大基础	B_I	直线	0	A
73	黄坝驿2号桥	K1780+320	94	5×15	简支	P_I	扩大基础	B_I	直线	0	A
74	黄坝驿3号桥	K1780+670	16.6	1×13.8	简支	N/A	扩大基础	B_I	直线	0	A
75	棋盘关桥	K1784+584	7.6	1×7	简支	N/A	扩大基础	B_{III}	直线	0	A

附表 C—42 省道 210 线汉中段桥梁概况表

Appendix table C—42 Information of the bridges in the 210 Provincial Road in Hanzhong

序号	桥 名	里程桩号	桥长（m）	孔跨组合（m）	桥梁结构			几何形式		震害等级
					结构类型	桥墩类型	基础类型	支座类型	平面线形	交角（°）
1	柘梨园小桥	K191+55	24	1×16	简支	N/A	扩大基础	B_1	直线	0	A0
2	红岩河小桥	K192+65	18	1×10	简支	N/A	扩大基础	B_1	直线	0	A0
3	方家村小桥	K196+34	21.5	1×10	拱桥	N/A	扩大基础	—	直线	0	A0
4	锅厂桥1	K196+78	151	7×20	连续梁	P_1	桩基础	B_1	直线	0	A0
5	锅厂桥2	K197+127	206	10×20	连续梁	P_1	桩基础	B_1	直线	0	A0
6	草地沟桥	K198+82	19.1	1×13	简支	N/A	扩大基础	橡胶支座	直线	0	A0
7	猴子岭桥1	K199+652	126	6×20	连续梁	P_1	桩基础	B_1	直线	0	A0
8	猴子岭桥2	K199+85	126	6×20	连续梁	P_1	桩基础	B_1	直线	0	A
9	江西营大桥	K206+934	106	5×20	连续梁	P_1	桩基础	B_1	直线	0	A0
10	江西营小桥1	K207+83	23.5	1×16	简支	N/A	扩大基础	B_1	直线	0	A0
11	江西营小桥2	K208+49	20	1×8	简支	N/A	扩大基础	B_1	直线	0	A0
12	江西营小桥3	K210+69	18	1×9	简支	N/A	桩基础	B_1	直线	0	A0
13	江西营小桥4	K212+99	18	1×10	简支	N/A	扩大基础	B_1	直线	0	A0
14	柳川大桥	K213+515	226	11×20	连续梁	P_1	桩基础	B_1	直线	0	A
15	碾槽沟桥	K215+398	98	1×30+1×25	拱桥	P_{IV}	桩基础	—	直线	0	A
16	鲁家坝桥1	K216+81	106	5×20	连续梁	P_1	桩基础	B_1	直线	0	A0
17	鲁家坝桥2	K217+65	186	9×20	连续梁	P_1	扩大基础	B_1	直线	0	A0
18	孔雀合小桥	K220+03	22	1×10	简支	N/A	桩基础	B_1	直线	0	A0
19	孔雀合桥	K220+4	66	3×20	连续梁	P_1	桩基础	B_1	直线	0	A0
20	南河小桥	K222+930	37.5	1×20	简支	P_{IV}	扩大基础	B_1	直线	0	A
21	黑营坝桥	K227+71	23	1×8	拱桥	N/A	扩大基础	—	直线	0	A0
22	北栈河桥（左线）	K231+125	50	2×16	简支	P_{IV}	扩大基础	B_1	直线	0	A0
23	北栈河旧桥（右线）	K231+125	19	1×19	双曲拱	N/A	扩大基础	—	直线	0	A

附表 C-43　省道 211 线汉中至南郑段桥梁概况表

Appendix table C-43　Information of the bridges in the 211 Provincial Road from Hanzhong to Nanzheng

序号	桥　名	桩号	桥长（m）	孔跨组合（m）	桥梁结构				几何形式		震害等级
					结构类型	桥墩类型	基础类型	支座类型	平面线形	交角（°）	
1	碳口驿桥	K23+476	9.4	1×6.0	简支	N/A	扩大基础	B_I	直线	0	A0
2	五间桥（1）	K25+495	35.04	1×20	简支	N/A	扩大基础	B_I	直线	0	A0
3	五间桥（2）	K25+61	35.00	1×18	简支	N/A	扩大基础	B_I	直线	0	A0
4	五间桥（3）	K26+84	13.0	2×6.0	简支	P_{IV}	扩大基础	B_I	直线	0	A0
5	五间桥（4）	K26+885	9.0	2×4.0	简支	P_{IV}	扩大基础	B_I	直线	0	A0
6	五间桥（5）	K27+105	9.3	2×4.0	简支	P_{IV}	扩大基础	B_I	直线	0	A0
7	五间桥（6）	K27+185	13.0	2×5.6	简支	N/A	扩大基础	B_I	直线	0	A0
8	焦岩子桥（1）	K27+95	13.6	1×12	简支	P_{IV}	扩大基础	B_I	直线	0	A0
9	焦岩子桥（2）	K28+645	13.0	2×6.0	简支	N/A	扩大基础	B_I	直线	0	A0
10	中坝子桥（1）	K36+49	27.0	1×12	简支	N/A	扩大基础	B_I	直线	0	A0
11	中坝子桥（2）	K36+705	27.4	1×13	简支	N/A	扩大基础	B_I	直线	0	A0
12	黎树坪桥	K37+6	8.0	1×5.4	简支	N/A	扩大基础	B_I	直线	0	A0

附表 C-44 省道 309 线勉县至略阳段桥梁概况表

Appendix table C-44 Information of the bridges in the 309 Provincial Road from Mianxian to Lveyang

序号	桥 名	桩号	桥长（m）	孔跨组合（m）	桥梁结构				几何形式		震害等级
					结构类型	桥墩类型	基础类型	支座类型	平面线形	交角（°）	
1	碥口驿桥	K23+476	9.4	1×6.0	简支	N/A	扩大基础	B_I	直线	0	A
2	五间桥（1）	K25+495	35.04	1×20	简支	N/A	扩大基础	B_I	直线	0	A
3	五间桥（2）	K25+61	35.00	1×18	简支	N/A	扩大基础	B_I	直线	0	A
4	五间桥（3）	K26+84	13.0	2×6.0	简支	P_{IV}	扩大基础	B_I	直线	0	A
5	五间桥（4）	K26+885	9.0	2×4.0	简支	P_{IV}	扩大基础	B_I	直线	0	A
6	五间桥（5）	K27+105	9.3	2×4.0	简支	P_{IV}	扩大基础	B_I	直线	0	A
7	五间桥（6）	K27+185	13.0	2×5.6	简支	N/A	扩大基础	B_I	直线	0	A
8	焦岩子桥（1）	K27+95	13.6	1×12	简支	N/A	扩大基础	B_I	直线	0	A
9	焦岩子桥（2）	K28+645	13.0	2×6.0	简支	P_{IV}	扩大基础	B_I	直线	0	A
10	中坝子桥（1）	K36+49	27.0	1×12	简支	N/A	扩大基础	B_I	直线	0	A
11	中坝子桥（2）	K36+705	27.4	1×13	简支	N/A	扩大基础	B_I	直线	0	A
12	黎树坪桥	K37+6	8.0	1×5.4	简支	N/A	扩大基础	B_I	直线	0	A
13	汪家沟桥	K37+87	8.0	1×5.2	简支	P_{IV}	扩大基础	B_I	直线	0	A
14	紫竹山小桥	K38+577	13.0	2×5.35	简支	P_{IV}	扩大基础	B_I	直线	0	A
15	水林树桥	K40+1	13.0	2×5.0	简支	N/A	扩大基础	B_I	直线	0	A
16	黄家磨桥	K40+2	17.0	1×10	拱桥	P_{IV}	扩大基础	—	直线	0	A
17	牛角湾桥	K47+52	36.0	2×12.86	简支	N/A	扩大基础	B_I	直线	0	A
18	二道河桥	K47+792	42.0	2×16	简支	P_{IV}	扩大基础	B_I	直线	0	A
19	岭弯桥	K53+9	39.0	4×7.0	简支	P_{IV}	扩大基础	B_I	直线	0	A
20	石壁峡桥	K55+8	41.0	1×25.0	简支	N/A	扩大基础	B_I	直线	0	A
21	大沟口桥	K60+4	52.0	5×9.0	简支	P_{II}	桩基础	B_I	直线	0	A

续上表

序号	桥 名	桩号	桥长(m)	孔跨组合(m)	结构类型	桥墩类型	基础类型	支座类型	平面线形	交角(°)	震害等级
22	八渡河桥	K63+1	82.0	4×20	连续梁	P_{II}	桩基础	B_I	直线	0	A
23	嘉陵江大桥	K63+8	234.0	4×55	系杆拱桥	P_I	扩大基础	—	直线	0	A
24	石羊桥	K67+15	13.0	1×5.0	拱桥	N/A	扩大基础	—	直线	0	A
25	书房坝桥	K68+45	10.0	1×5.0	拱桥	N/A	扩大基础	—	直线	0	A
26	横现河大桥	K68+75	256.0	8×30	连续梁	P_I	桩基础	B_{III}	直线	0	A
27	红旗桥	K69+22	16.0	1×6.0	拱桥	N/A	扩大基础	—	直线	0	A
28	横现河小桥	K70+75	16.0	1×8.0	简支	N/A	扩大基础	B_{III}	直线	0	A
29	毛坝梁桥	K72+349	10.0	1×5.0	简支	N/A	扩大基础	B_{III}	直线	0	A
30	毛坝桥	K74+65	43.0	2×15.0	拱桥	P_{IV}	扩大基础	—	直线	0	A
31	白家坝桥	K77+45	11.0	1×6.0	拱桥	N/A	扩大基础	—	直线	0	A
32	马家河桥	K78+15	16.0	1×8.0	拱桥	P_{IV}	扩大基础	—	直线	0	A
33	岩湾梁桥	K78+6	36.0	2×12.0	拱桥	N/A	扩大基础	—	直线	0	A
34	金家桥	K82+801	15.0	1×8.0	拱桥	P_{IV}	扩大基础	—	直线	0	A
35	徐家沟桥	K91+65	12.0	2×5.5	简支	N/A	扩大基础	B_I	直线	0	A
36	石家庄桥	K92+081	39.84	1×20	拱桥	N/A	扩大基础	—	直线	0	A
37	马鞍石桥	K93+3	16.0	1×6.0	拱桥	N/A	扩大基础	—	直线	0	A
38	黄家沟桥	K98+7	12.0	1×6.0	拱桥	P_{IV}	扩大基础	—	直线	0	A
39	包儿梁桥	K108+73	62.0	2×20.0	简支	N/A	桩基础	B_I	直线	0	A
40	干河坝桥	K113+7	56.0	1×40	拱桥	N/A	扩大基础	B_I	直线	0	A
41	吴家河桥	K117+751	10.0	1×8.6	双曲拱桥	N/A	扩大基础	B_{III}	直线	0	A
42	团结桥	K118+55	24.0	2×10.0	简支	P_{IV}	扩大基础	B_{III}	直线	0	A

附表 C—45　省道 205 线江洛至武都段桥梁概况表

Appendix table C—45　Information of the bridges in the 205 Provincial Road from Jiangluo to Wudu

序号	桥　名	桩号	桥长（m）	孔跨组合（m）	桥梁结构				几何形式			震害等级
					结构类型	桥墩类型	基础类型	支座类型	平面线形	纵坡（%）	交角（°）	
1	江洛下寨桥	K0+008	28	2×10	简支	P_{IV}	扩大基础	B_I	直线	0.51	90	A
2	江洛龙头桥	K3+800	36	2×13	简支	P_{IV}	扩大基础	B_I	直线	2.14	90	A
3	泥阳灰调沟桥	K4+700	7.4	1×6	简支	N/A	扩大基础	B_I	直线	1.33	90	A
4	魏子沟桥	K6+172	20	1×13	简支	N/A	扩大基础	B_I	直线	2.67	90	A
5	泥阳镇 1 号桥	K9+457	24	1×8	拱桥	N/A	扩大基础	—	直线	1.67	90	B
6	泥阳镇 2 号桥	K10+021	25.6	1×5	拱桥	N/A	扩大基础	—	直线	1.41	90	A
7	泥阳镇 3 号桥	K11+460	15.3	1×5	拱桥	N/A	扩大基础	B_I	直线	1.54	90	B
8	成州东河桥	K21+860	270	13×20	简支	P_I	桩基础	B_I	直线	2.97	90	A
9	抛砂河桥	K29+067	125.52	10×11.2	简支	P_{IV}	扩大基础	B_I	直线	1.10	90	A
10	许家河桥	K32+598	34	1×20	拱桥	N/A	扩大基础	—	直线	1.55	90	A
11	任家湾桥	K33+884	40.57	1×20	拱桥	N/A	扩大基础	—	直线	2.30	90	A
12	丰泉山桥	K34+970	47.8	1×20	简支	N/A	扩大基础	B_I	直线	2.41	90	A
13	双河桥	K44+296	20.5	1×13	拱桥	N/A	扩大基础	—	直线	1.14	90	A
14	番垭桥	K47+631	45	1×30	简支	N/A	扩大基础	B_I	直线	2.03	90	A
15	紫池桥	K51+742	6.6	1×5	拱桥	N/A	扩大基础	B_{III}	直线	2.63	90	A
16	界碑沟桥	K53+945	22.07	1×13	简支	N/A	扩大基础	B_I	直线	1.41	90	A
17	大川坝桥	K60+815	40.58	1×20	简支	N/A	扩大基础	—	直线	2.14	90	A
18	苇子沟桥	K64+637	12	1×6	拱桥	N/A	扩大基础	—	直线	3.10	90	A

续上表

序号	桥 名	桩号	桥梁结构						几何形式			震害等级
			桥长(m)	孔跨组合(m)	结构类型	桥墩类型	基础类型	支座类型	平面线形	纵坡(%)	交角(°)	
19	毛坝桥	K65+735	119.81	5×22.2	简支	P_I	桩基础	B_{III}	直线	3.40	90	B
20	团庄1号桥	K78+460	7.8	1×6	简支	N/A	扩大基础	B_{III}	直线	2.64	90	A
21	团庄2号桥	K80+550	9.2	1×6	拱桥	N/A	扩大基础	—	直线	1.21	90	A
22	中寨桥	K83+720	37.5	1×20	拱桥	N/A	扩大基础	—	直线	1.04	90	A
23	吊子峪桥	K89+477	31.2	1×20	拱桥	N/A	扩大基础	—	直线	2.64	90	A
24	候儿坝桥	K103+600	21.98	1×8	拱桥	N/A	扩大基础	—	直线	1.24	90	A
25	胡家坪桥	K105+500	31.92	1×20	拱桥	N/A	扩大基础	B_{III}	直线	2.64	90	A
26	燕儿崖桥	K109+150	7	1×6	简支	N/A	扩大基础	—	直线	2.40	90	A
27	神家沟桥	K110+450	22.94	1×6	简支	N/A	扩大基础	B_{III}	直线	2.31	90	A
28	旗杆桥	K112+480	7.8	1×5	简支	N/A	扩大基础	—	直线	3.24	90	A
29	土崖子桥	K113+830	6.2	1×6	拱桥	N/A	扩大基础	—	直线	2.68	90	A
30	苟家店桥	K115+780	13.46	1×20	拱桥	N/A	扩大基础	—	直线	2.60	90	A
31	延安子桥	K133+190	36	3×13	简支	P_{IV}	扩大基础	B_I	直线	2.17	90	A
32	杜家坝桥	K136+850	63.38	1×10	拱桥	N/A	扩大基础	—	直线	2.27	90	A
33	阳坡桥	K137+155	26.7	2×16	简支	P_{IV}	扩大基础	B_I	直线	2.41	90	A
34	曾街桥	K139+450	48.04	1×10	拱桥	N/A	扩大基础	—	直线	3.00	90	B
35	弯下桥	K140+870	30.05	2×8	简支	P_{IV}	扩大基础	B_{III}	直线	1.40	90	A
36	腰坡桥	K141+280	25.04									

汶川地震公路震害调查 桥 梁

续上表

序号	桥名	桩号	桥梁结构							几何形式			震害等级
			桥长(m)	孔跨组合(m)	结构类型	桥墩类型	基础类型	支座类型	平面线形	纵坡(%)	交角(°)	
37	门厢子沟桥	K142+630	21.37	1×13	简支	N/A	扩大基础	B_I	直线	2.10	90	A
38	四沟桥	K144+090	21.37	1×13	简支	N/A	扩大基础	B_I	直线	1.12	90	A
39	袁家坝桥	K145+010	24.37	1×13	简支	N/A	扩大基础	B_I	直线	2.40	90	A
40	冬底下桥	K146+108	8	1×6	简支	N/A	扩大基础	B_{III}	直线	2.18	90	A
41	官堆小桥	K148+250	6.8	1×5	简支	N/A	扩大基础	B_{III}	直线	2.85	90	A
42	马街桥(左)	K148+660	79	3×20	拱桥	P_{IV}	扩大基础	B_I	直线	1.64	90	A
43	马街桥(右)	K148+660	79	3×20	拱桥	P_{IV}	扩大基础	—	直线	1.37	90	B
44	马槽沟桥	K149+500	31.64	1×20	简支	N/A	扩大基础	B_I	直线	2.07	90	A
45	草滩坝桥	K151+110	25.5	1×8	拱桥	N/A	扩大基础	—	直线	1.06	90	A
46	高桥1号桥	K151+800	8.8	1×5	拱桥	N/A	扩大基础	—	直线	1.29	90	A
47	高桥2号桥	K152+101	6.2	1×5	拱桥	N/A	扩大基础	B_{III}	直线	1.38	90	A
48	石坪1号桥	K153+050	47.36	1×20	拱桥	N/A	扩大基础	—	直线	1.67	90	A
49	石坪2号桥	K153+550	6.2	1×5	简支	N/A	扩大基础	B_{III}	直线	1.27	90	A
50	石坪3号桥	K154+750	19.2	1×8	简支	N/A	扩大基础	B_{III}	直线	1.37	90	A
51	黑坝小桥	K156+800	6.2	1×5	简支	N/A	扩大基础	B_I	直线	2.37	90	C
52	店沟桥	K158+590	22.36	1×13	简支	N/A	扩大基础	B_I	直线	1.34	90	A
53	石家庄桥	K158+990	28.3	1×13	简支	N/A	扩大基础	B_I	直线	2.40	90	A
54	王家庄桥	K159+480	28.3	1×13	简支	N/A	扩大基础	B_I	直线	2.12	90	A
55	清水沟桥	K160+563	37.96	1×20	简支	N/A	扩大基础	B_I	直线	1.70	90	A

附表 C—46　国道 212 线武都至头坝段桥梁概况表

Appendix table C—46　Information of the bridges in the 212 National Highway from Wudu to Guantouba

序号	桥 名	桩号	桥长（m）	孔跨组合（m）	结构类型	桥墩类型	基础类型	支座类型	平面线形	纵坡（%）	交角（°）	震害等级
1	北峪河桥	K450+439	83	3×20+1×10	简支	P_{IV}	扩大基础	B_I	直线	2.34	90	A
2	北峪河立交桥	K450+487	11	1×10	简支	N/A	扩大基础	B_I	直线	2.47	90	A
3	杨坝 1 号桥	K457+916	15	1×6	拱桥	N/A	扩大基础	—	直线	4.24	90	A
4	杨坝 2 号桥	K458+900	34	1×20	简支	N/A	扩大基础	B_I	直线	1.61	90	A
5	甘家沟桥	K461+051	42.05	1×30	拱桥	N/A	扩大基础	B_I	直线	3.55	90	B
6	罗寨桥	K463+691	44	1×30	简支	N/A	扩大基础	—	直线	3.76	90	A
7	消水沟桥	K465+208	15	1×6	拱桥	N/A	扩大基础	—	直线	2.57	90	A
8	嘴儿上 1 号桥	K466+520	6.2	1×5	简支	N/A	扩大基础	—	直线	2.96	90	A
9	嘴儿上 2 号桥	K466+724	25.6	1×13	简支	N/A	扩大基础	B_I	直线	2.81	90	B
10	龙床沟桥	K471+529	31.56	1×20	简支	P_{IV}	扩大基础	—	直线	1.71	90	A
11	透坊桥	K480+850	40.8	3×13	简支	N/A	扩大基础	B_I	直线	1.91	90	A
12	桃儿沟桥	K485+050	9	1×8	简支	N/A	扩大基础	—	直线	1.55	90	A
13	上宗家坝桥	K485+900	6	1×5	简支	N/A	扩大基础	B_I	直线	1.46	90	A
14	下宗家坝桥	K487+305	6	1×5	简支	N/A	扩大基础	—	直线	2.37	90	A
15	外纳桥	K488+500	40.8	3×13	简支	P_{IV}	扩大基础	B_I	直线	5.47	90	A
16	甘沟桥	K495+380	22.36	1×13	简支	N/A	扩大基础	B_I	直线	1.61	90	A
17	稻畦子桥	K497+360	22.36	1×13	简支	N/A	扩大基础	—	直线	3.43	90	A
18	向阳桥	K498+380	9.2	1×6	简支	N/A	扩大基础	B_I	直线	3.74	90	A
19	立亭桥	K498+541	8.9	1×5	简支	N/A	扩大基础	—	直线	3.62	90	A
20	月亮坝桥	K500+424	36.3	1×13	简支	N/A	扩大基础	B_I	直线	3.72	90	A
21	清水桥	K501+095	9	×8	简支	N/A	扩大基础	B_I	直线	2.53	90	A
22	沙湾 1 号桥	K503+275	22.36	1×13	简支	N/A	扩大基础	B_I	直线	2.40	90	A
23	沙湾 2 号桥	K503+479	13	1×8	简支	N/A	扩大基础	B_I	直线	1.84	90	A
24	临江桥	K512+539	6	1×5	简支	N/A	扩大基础	—	直线	4.20	90	A

续上表

序号	桥名	桩号	桥长（m）	孔跨组合（m）	结构类型	桥墩类型	基础类型	支座类型	平面线形	纵坡（%）	交角（°）	震害等级
25	羊儿坝大桥	K515+116	128	5×22.2	简支	P_{IV}	扩大基础	—	直线	2.84	90	A
26	蒋家桥	K515+415	36.36	2×13	简支	P_{IV}	扩大基础	B_I	直线	2.70	90	A
27	铧厂桥	K529+485	22	3×6	拱桥	P_{IV}	扩大基础	—	直线	3.46	90	B
28	大水沟1号桥	K543+719	22	1×6	拱桥	N/A	扩大基础	—	直线	2.69	90	A
29	尚家桥	K545+490	24.05	1×13	简支	N/A	扩大基础	B_I	直线	2.42	90	A
30	大水沟2号桥	K550+650	17.5	1×6	拱桥	N/A	扩大基础	—	直线	3.72	90	A
31	高楼山1号桥	K551+338	16.8	1×6	拱桥	N/A	扩大基础	—	直线	3.45	90	A
32	高楼山2号桥	K551+808	6.4	1×5	拱桥	N/A	扩大基础	B_{III}	直线	3.63	90	A
33	范坝桥	K582+290	18	1×5	拱桥	N/A	扩大基础	—	直线	3.10	90	B
34	凡家坝桥	K584+655	21.4	3×6	拱桥	N/A	扩大基础	—	直线	2.40	90	B
35	东峪口桥	K585+300	27.54	2×10	简支	P_{IV}	扩大基础	B_I	直线	1.50	90	A
36	鸬衣坝桥	K590+515	9.3	1×8	简支	N/A	扩大基础	B_{III}	直线	2.10	90	A
37	文县1号桥	K596+390	9.2	1×6	简支	N/A	扩大基础	B_{III}	直线	1.64	90	A
38	文县2号桥	K596+670	9.2	1×6	简支	N/A	扩大基础	B_{III}	直线	1.79	90	A
39	濑子沟桥	K596+860	6.4	1×5	简支	N/A	扩大基础	—	直线	1.75	90	A
40	尚德1号桥	K605+614	9.4	1×8	拱桥	N/A	扩大基础	—	直线	1.91	90	B
41	尚德2号桥	K607+180	11.5	1×10	简支	N/A	扩大基础	B_I	直线	1.56	90	A
42	小河坝桥	K608+380	9.2	1×8	简支	P_{IV}	扩大基础	—	直线	2.17	90	A
43	屈家河口桥	K615+455	9.3	1×8	拱桥	N/A	扩大基础	B_{III}	直线	1.98	90	B
44	马家沟桥	K638+142	15	3×4	简支	N/A	扩大基础	B_I	直线	1.34	90	A
45	何家坪桥	K641+285	13.6	1×8	简支	N/A	扩大基础	—	直线	3.43	90	A
46	李家坪1号桥	K646+664	36.4	1×16	拱桥	N/A	扩大基础	—	直线	1.45	90	A
47	李家坪2号桥	K649+660	15	1×10	拱桥	N/A	扩大基础	—	直线	1.44	90	B
48	关头坝大桥	K658+700	213.11	1×180+2×12	悬索桥	P_I	扩大基础	B_{III}	直线	1.43	90	B

附表 C—47　国道 212 线碧口至罐子沟段桥梁概况表

Appendix table C—47　Information of the bridges in the 212 National Highway from Bikou to Guanzigou

序号	桥名	桩号	桥梁结构						几何形式			震害等级
			桥长(m)	孔跨组合(m)	结构类型	桥墩类型	基础类型	支座类型	平面线形	纵坡(%)	交角(°)	
1	石林沟桥	K680+932	63.92	3×16	简支	P_{IV}	扩大基础	B_{III}	直线	1.50	0	A
2	渭沟桥	K684+622	43	1×30	拱桥	N/A	扩大基础	—	直线	1.90	0	B
3	沙沟子桥	K689+873	29.33	1×13	简支	N/A	扩大基础	B_I	直线	1.54	0	A
4	毛沟坪1号桥	K691+165	22.25	1×13	简支	N/A	扩大基础	B_I	直线	1.11	0	A
5	毛沟坪2号桥	K691+425	49.76	2×10	简支	P_I	扩大基础	B_I	直线	1.65	0	C
6	后渠沟桥	K694+120	21.7	1×13	简支	N/A	扩大基础	B_I	直线	2.70	0	A
7	青峪沟桥	K696+216	50.5	1×30	拱桥	N/A	扩大基础	—	直线	1.90	0	B
8	罗旋沟桥	K700+643	56.34	1×40	拱桥	N/A	扩大基础	—	直线	1.63	0	D
9	冯坪子桥	K702+924	25	1×13	简支	N/A	扩大基础	B_I	直线	1.24	0	A
10	罐子沟桥	K703+734	44.08	3×13	简支	P_I	扩大基础	B_I	直线	1.30	0	A

附录 D 县乡级道路桥梁及市政桥梁概况表
Appendix D Information of the bridges in the county road and city

| 序号 | 桥 名 | 桥长 (m) | 孔跨组合 (m) | 桥梁结构 ||| 基础类型 | 支座类型 | 几何形式 || 震害等级 |
				结构类型	桥墩类型			平面线形	交角 (°)	
1	小渔洞大桥	160	4×40	拱桥	P_I	扩大基础	—	直线	0	D
2	金华大桥	228	1×150	拱桥	N/A	扩大基础	—	直线	0	
3	绵竹回澜立交桥	316	15	连续梁	P_I+P_{II}	桩基础	B_I	直线	—	D
4	都江堰高原大桥	115	4	简支	P_I	桩基础	B_I	斜交	165	D
5	绵竹汉旺绝缘桥	160	7×22	简支	P_{IV}	扩大基础	B_I	直线	0	D
6	辕门坝桥	60	1×60	拱桥	N/A	扩大基础	—	直线	0	D
7	彻底关拱桥	60	1×60	拱桥	N/A	扩大基础	—	直线	0	D
8	绵阳机场航站楼桥	—	—	简支	P_{II}	桩基础	B_{II}	直线	—	D
9	什邡迎新桥	12	1×8	简支	N/A	扩大基础	B_{III}	直线	—	C
10	银杏乡人行吊桥	—	—	悬索桥	—	—	—	直线	—	D
11	红白镇红东大桥	60	1×60	简支	N/A	扩大基础	B_{III}	直线	0	D
12	普头村桥	8	1×8	简支	N/A	扩大基础	B_{III}	直线	0	D
13	竹包桥	8	1×8	简支	N/A	扩大基础	B_{III}	直线	0	D
14	上三路口桥	13	1×12	简支	N/A	扩大基础	B_{III}	直线	0	A
15	下三路口桥	19	1×10	拱桥	N/A	扩大基础	—	直线	0	A
16	三洞桥	45	1×30	桁梁桥	N/A	扩大基础	—	直线	0	A
17	丰坪桥	9	1×6	简支	N/A	扩大基础	B_{III}	直线	0	A0

续上表

序号	桥 名	桥长(m)	孔跨组合(m)	桥梁结构					几何形式		震害等级
				结构类型	桥墩类型	基础类型	支座类型	平面线形	交角(°)	
18	跃进桥	58	1×40	拱桥	N/A	扩大基础	—	直线	0	A0
19	藏王庙桥	39	1×20	拱桥	N/A	扩大基础	—	直线	0	A0
20	旧洲坝桥	12	1×6+5	简支	N/A	扩大基础	B_{III}	直线	0	A0
21	梅子坪桥	17	1×8	拱桥	N/A	扩大基础	—	直线	0	A0
22	梯子驿桥	32	1×16	拱桥	N/A	扩大基础	—	直线	0	A
23	阔达桥	19	1×10	拱桥	N/A	扩大基础	—	直线	0	A
24	仙坪桥	52	1×40	拱桥	N/A	扩大基础	—	直线	0	A0
25	K24+460某中桥	26	1×16	拱桥	N/A	扩大基础	B_{III}	直线	0	A
26	下麻柳湾桥	16	1×8	简支	N/A	扩大基础	B_{III}	直线	0	A
27	上麻柳湾桥	9	1×6	简支	N/A	扩大基础	—	直线	0	A
28	桂花桥	112	4×2	拱桥	P_{IV}	扩大基础	—	直线	0	A
29	水柏桥	52	2×20	拱桥	P_{IV}	扩大基础	—	直线	0	A
30	K31+750小桥	18	1×10	拱桥	N/A	扩大基础	—	直线	0	A
31	柑子树桥	10	1×6.5	拱桥	N/A	扩大基础	—	直线	0	A0
32	前景桥	24	1×15	拱桥	N/A	扩大基础	—	直线	0	A
33	玉黄庙桥	16	1×10	拱桥	N/A	扩大基础	—	直线	0	A0
34	K36+230桥	26	1×16	拱桥	N/A	扩大基础	—	直线	0	A0
35	龙门桥	23	1×10	拱桥	N/A	扩大基础	—	直线	0	A0

续上表

序号	桥名	桥长(m)	孔跨组合(m)	结构类型	桥墩类型	基础类型	支座类型	平面线形	交角(°)	震害等级
36	马鹿桥	18	1×14	拱桥	N/A	扩大基础	—	直线	0	A
37	桂佛桥	20	1×10	拱桥	N/A	扩大基础	—	直线	0	A0
38	七叉口大桥	98	1×60	拱桥	N/A	扩大基础	—	直线	0	A
39	蓬溪口大桥	52	1×30	拱桥	N/A	扩大基础	—	直线	0	A
40	竹园大桥	280	4×70	拱桥	P_{IV}	扩大基础	—	直线	0	A
41	小沟桥	22	1×16	拱桥	N/A	扩大基础	—	直线	0	A0
42	桐子坝桥	55	2×20	拱桥	P_{IV}	扩大基础	—	直线	0	A0
43	三台罐桥	13.8	1×10	拱桥	N/A	扩大基础	—	直线	0	A
44	大院桥	19.5	1×9.5	拱桥	N/A	扩大基础	—	直线	0	A
45	龙口桥	24	1×17.4	拱桥	N/A	扩大基础	—	直线	0	A
46	横坪大桥	130	1×90	拱桥	N/A	扩大基础	—	直线	0	A
47	万众中桥	62.5	3×15	拱桥	P_{IV}	扩大基础	—	直线	0	A
48	K0+00桥	30.2	1×19.5	拱桥	N/A	扩大基础	—	直线	0	A0
49	东风桥	60	3×20	拱桥	P_{IV}	扩大基础	—	直线	0	A
50	毛家河桥	38.4	2×15	拱桥	P_{IV}	扩大基础	—	直线	0	A
51	青石坝桥	20.8	1×9.5	简支	N/A	扩大基础	—	直线	0	A
52	平桥	15	1×8.5	简支	N/A	扩大基础	B_{III}	直线	0	A
53	清溪东桥	80	4×20	简支	P_I	桩基础	B_{III}	直线	0	A

参考文献
References

[1] 中华人民共和国国家标准.GB 18306—2001 中国地震动参数区划图［S］.北京：中国标准出版社，2001.

[2] 中华人民共和国行业推荐性标准.JTG/T B02-01—2008 公路桥梁抗震设计细则［S］.北京：人民交通出版社，2008.

[3] 中国地震局震灾应急救援司.汶川 8.0 级地震烈度分布图.2008.

[4] 中华人民共和国行业标准.JTJ 004—89 公路工程抗震设计规范［S］.北京：人民交通出版社，1989.

[5] 陈运泰，许力生，等.2008 年 5 月 12 日汶川特大地震震源特性分析报告［R］.北京：中国地震局地球物理所，2008.

[6] 中华人民共和国行业标准.公路工程抗震设计规范（试行）［S］.北京：人民交通出版社，1977.

[7] 孙治国，王东升，郭迅，孟庆利，于德海，李晓莉.汶川大地震绵竹市回澜立交桥震害调查［J］.地震工程与工程振动，2009（4）.

[8] 谢和平，台佳佳，邓建辉，李碧雄，魏进兵.虹口高原大桥的破坏机制分析［J］.四川大学学报：工程科学版，2009，41（3）：51—55.

[9] 中华人民共和国交通运输部.汶川地震公路震害调查图集［M］.北京：人民交通出版社，2009.

后 记
Postscript

　　地震震害调查是人们认识地震、研究工程抗震技术最直接的方法，是恢复重建的必需工作，也是为防震减灾工作提供宝贵基础资料的有效手段。

　　"5·12"汶川地震发生后，交通运输部部长李盛霖、副部长翁孟勇、副部长冯正霖、总工程师周海涛等领导亲赴灾区指导抗震救灾和公路抢通工作。交通运输部公路局、规划司等部门分别牵头，立即组织了全国公路行业的专家赶赴灾区一线提供技术指导和开展资料收集工作。灾区各省交通运输厅在抗震救灾的同时，也迅速组织开展抢通、保通的调查与技术资料的收集工作。

　　2008年7月15日，冯正霖副部长在北京主持召开交通系统灾区恢复重建技术研讨会，要求将公路震害详细客观地记录下来作为史料保存并加以深入研究。交通运输部科技司及西部交通建设科技项目管理中心相继启动公路抗震救灾系列科研项目，形成"汶川地震灾后重建公路抗震减灾关键技术研究"重大专项，作为重大专项的基础性项目——"汶川地震公路震害评估、机理分析及设防标准评价"随即全面展开。

　　2008年11月21日，交通运输部周海涛总工程师在北京主持召开"汶川地震公路震害调查资料收集整理工作"会议，决定由四川省交通运输厅牵头，甘肃省交通运输厅和陕西省交通运输厅参与，开展汶川地震灾区公路震害调查资料收集整理工作，并作为西部交通建设科技项目"汶川地震公路震害评估、机理分析及设防标准评价"的最重要组成部分。

　　因公路震害调查范围包括四川、甘肃和陕西三省地震极重灾区和重灾区的国省干线及典型县乡道路，面积达10余万平方公里，具有空间跨度大、涉及专业面广、协调难度大、时间紧和任务重等特点，2008年11月交通运输部成立了以周海涛总工程师为组长，部公路局、科技司、三省交通运输厅有关领导为成员的工作领导小组，同时成立了具体负责协调该项工作的协调小组，三省交通运输厅也各自成立了工作小组。

　　公路震害调查资料的收集整理工作得到了各级领导的高度重视。在交通运输部的统一领导下，四川、甘肃、陕西三省交通运输厅密切配合；交通运输部周海涛总工程师多次组织工作会并主持研究大纲的评审，交通运输厅领导多次听取工作汇报并及时解决有关问题；项目承担单位的领导亲临现场检查，积极督促，并在资料收集、整理和震害分析等方面均给予了大力支持与指导。

　　该项目研究过程中，项目牵头单位——四川省交通运输厅公路规划勘察设计研究院，会同甘肃省公路管理局、陕西省公路局、西南交通大学、成都理工大学、交通运输部公路科学研究院、重庆交通科研设计院、同济大学等参研单位深入地震灾区，全面收集公路震害资料，确保资料丰富、翔实。

通过近三年的研究，该项目于 2011 年 5 月通过交通部西部交通建设科技项目管理中心组织的鉴定验收。

项目组得到了交通运输部、交通部西部交通建设科技项目管理中心、四川省交通运输厅、甘肃省交通运输厅、陕西省交通运输厅等单位的各级领导的关心、帮助和指导，尤其是四川、甘肃、陕西三省交通运输厅在震害调查和物力上给予了极大的帮助，四川省交通运输厅公路规划勘察设计研究院提供了大量的第一手珍贵资料，并在人力、物力上予以极大的支持；另外，许多兄弟单位和个人提供了珍贵图片资料。

在此一并致以衷心的感谢！